Gelerntes sichern und überprüfen

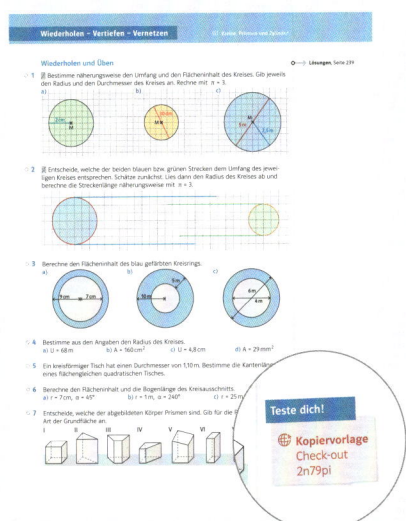

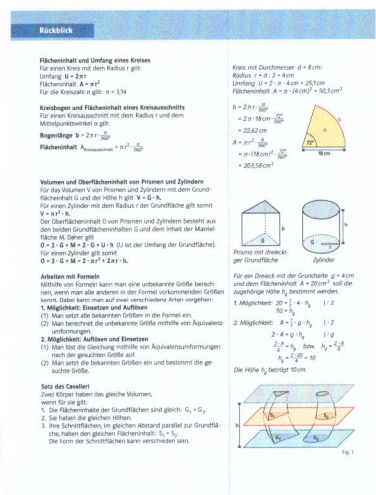

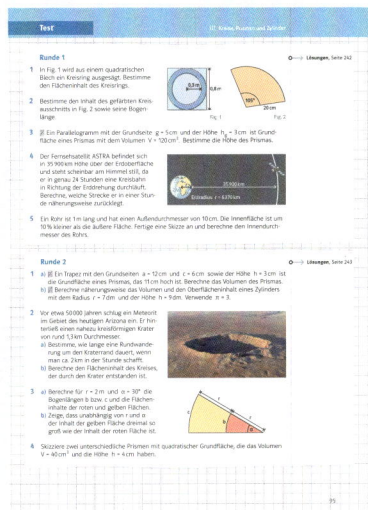

Überprüfe mit dem **Check-out**, welche Kompetenzen du in diesem Kapitel erworben hast (online als Download). Mit **Wiederholen – Vertiefen – Vernetzen** kannst du nochmals alle Inhalte des Kapitels wiederholen und trainieren. (Mit Lösungen)

Im **Rückblick** ist zum schnellen Nachschlagen zusammengefasst, was du in dem Kapitel gelernt hast.

Mit dem **Test** kannst du dich auf Klassenarbeiten vorbereiten. Für jede Testrunde hast du etwa 45 Minuten Zeit. (Mit Lösungen)

Entdecken und forschen

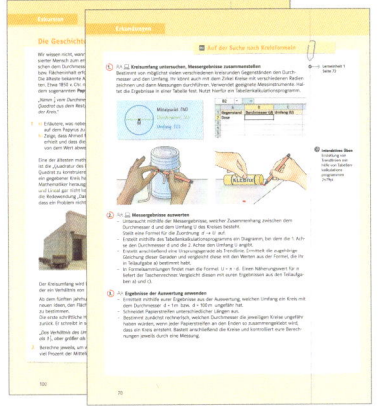

Grundwissen sichern

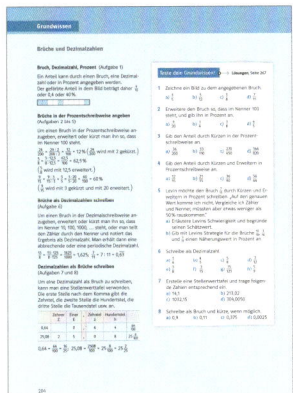

Selbstständig lernen

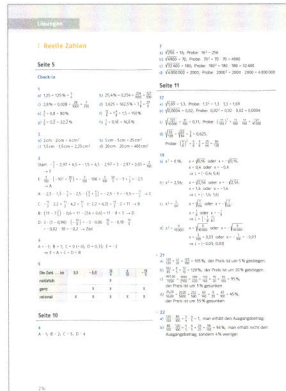

Erkundungen bieten dir Gelegenheiten, neugierig zu sein, Fragen zu stellen, zu erforschen und zu probieren. **Exkursionen** bieten Anregungen, neu Gelerntes in deine Lebenswelt zu übertragen.

Im **Grundwissen** am Ende des Buches findest du Stoff aus früheren Klassen zum Nachschlagen und Wiederholen und weitere Aufgaben zum Üben. (Mit Lösungen)

Zu zahlreichen Aufgaben findest du **Lösungen** im Buch, sodass du die Inhalte eigenständig üben und dich selbst überprüfen kannst.

Zusatzmaterialien zu diesem Band für Schülerinnen und Schüler:
– Arbeitsheft Lambacher Schweizer 9 (ISBN 978-3-12-733896-6)
– Arbeitsheft Lambacher Schweizer 9 mit Mediensammlung (ISBN 978-3-12-733895-9)
– Klassenarbeitstrainer Lambacher Schweizer 9 (ISBN 978-3-12-733899-7)
– Lösungen Lambacher Schweizer 9 (ISBN 978-3-12-733893-5)

Dr. Theophil Lambacher (13.04.1899 – 14.12.1981) und **Wilhelm Schweizer** (11.11.1901 – 23.07.1990) lehrten beide Mathematik an der Schule. Theophil Lambacher wurde danach Oberschulamtspräsident und Ministerialrat am Kultusministerium, Wilhelm Schweizer arbeitete als Schulleiter, Fachleiter am Seminar und Dozent an der Universität. Der erste Band des Lambacher Schweizer erschien 1946: Lambacher Schweizer Mathematik für höhere Schulen, Mittelstufe 1. Teil enthielt auf 91 Seiten Algebra und Geometrie für die Klasse 7.

1. Auflage 1 7 6 5 4 3 | 29 28 27 26 25

Alle Drucke dieser Auflage sind unverändert und können im Unterricht nebeneinander verwendet werden.
Die letzte Zahl bezeichnet das Jahr des Druckes.
Das Werk und seine Teile sind urheberrechtlich geschützt. Jede Nutzung in anderen als den gesetzlich zugelassenen Fällen bedarf der vorherigen schriftlichen Einwilligung des Verlages. Hinweis §60 a UrhG: Weder das Werk noch seine Teile dürfen ohne eine solche Einwilligung eingescannt und/oder in ein Netzwerk eingestellt werden. Dies gilt auch für Intranets von Schulen und sonstigen Bildungseinrichtungen. Fotomechanische, digitale oder andere Wiedergabeverfahren nur mit Genehmigung des Verlages.
Nutzungsvorbehalt: Die Nutzung für Text und Data Mining (§ 44b UrhG) ist vorbehalten. Dies betrifft nicht Text und Data Mining für Zwecke der wissenschaftlichen Forschung (§ 60d UrhG).

© Ernst Klett Verlag GmbH, Stuttgart 2022. Alle Rechte vorbehalten. www.klett.de
Das vorliegende Material dient ausschließlich gemäß §60b UrhG dem Einsatz im Unterricht an Schulen.

Autorinnen und Autoren: Manfred Baum, Martin Bellstedt, Johannes Biburger, Matthias Blank, Boris Boor, Dr. Dieter Brandt, Anke Braun, Thomas Breitschuh, Gerhard Brüstle, Heidi Buck (†), Gunnar Demuth, Günther Dopfer, Dr. Detlef Dornieden, Christina Drüke-Noe, Prof. Rolf Dürr, Harald Eisfeld, Anke Frantzke, Prof. Hans Freudigmann, Inga Giersemehl, Herbert Götz, Dieter Greulich, Matthias Grosche, Prof. Dr. Heiko Harborth, Dr. Frieder Haug, Manfred Herbst, Edmund Herd, Maren Herrmann, Prof. Detlef Hoche, Prof. Dr. Stephan Hußmann, Thomas Jörgens, Klaus-Peter Jungmann, Thorsten Jürgensen-Engl, Karen Kaps, Christine Kestler, Dr. Michael Kölle, Andreas König, Hans-Georg Kosuch, Dr. Stefanie Krivsky-Velten, Prof. Dr. Timo Leuders, Prof. Dr. Detlef Lind, Dr. Klaus Linde, Judith Lohmann, Prof. Dr. Hinrich Lorenzen, Dietmar Mutz, Jens Negwer, Kerstin Neubert, Peter Neumann, Dr. Johannes Novotný, Prof. Dr. Reinhard Oldenburg, Jutta Parkan, Andreas Petermann, Marion Rauscher, Rolf Reimer, Dr. Günther Reinelt, Kathrin Richter, Dr. Wolfgang Riemer, Dr. Rebecca Roy, Guido von Saint-George, Rüdiger Sandmann, Dr. Torsten Schatz, Hartmut Schermuly (†), Reinhard Schmitt-Hartmann, Dr. Michael Schmitz, Ulrich Schönbach, Dr. Manfred Schwier, Caroline Seibold, Dr. Maximilian Selinka, Raphaela Sonntag, Heike Spielmans, Michael Stanzel, Prof. Jörg Stark, Andrea Stühler, Barbara Sy, Thomas Thiessen, Oliver Thomsen, Dr. Heike Tomaschek, Rainer Topp, Dr. Hanka Weber, Martin Weber, Prof. Dr. Ingo Weidig, Prof. Dr. Hartmut Wellstein, Alexander Wollmann, Dr. Peter Zimmermann, Prof. Manfred Zinser, Arnold Zitterbart, Dr. Anders Zmaila

Entstanden in Zusammenarbeit mit dem Projektteam des Verlages.

Gestaltung: Petra Michel, Essen
Umschlaggestaltung: normaldesign GbR, Schwäbisch Gmünd
Titelbild: U1.1 Getty Images RF, München (Moment Open/Jason Moskowitz); U1.2 Getty Images RF, München (EyeEm Premium/Jan Rudinsky)
Satz: PER MEDIEN & MARKETING GmbH, Braunschweig
Druck: Mohn Media Mohndruck GmbH, Gütersloh

Printed in Germany
ISBN 978-3-12-733891-1

Lambacher Schweizer 9

Mathematik für Gymnasien – G9

Nordrhein-Westfalen

erarbeitet von

Inga Giersemehl
Thomas Jörgens
Thorsten Jürgensen-Engl
Judith Lohmann
Dr. Wolfgang Riemer
Heike Spielmans

Ernst Klett Verlag
Stuttgart · Leipzig · Dortmund

I Reelle Zahlen — Check-in ... 4

Erkundungen ... 6

1. Quadratwurzeln ... 8
2. Wurzeln näherungsweise bestimmen ... 12
3. Irrationale Zahlen ... 16
4. Wurzelgesetze – Vorteile beim Rechnen ... 20

Wiederholen – Vertiefen – Vernetzen ... 25
Rückblick ... 28
Test ... 29
Exkursion: Ein Geheimbund zerbricht ... 30

II Quadratische Funktionen — Check-in ... 32

Erkundungen ... 34

1. Wiederholung: Lineare Funktionen ... 36
2. Quadratische Funktionen vom Typ $f(x) = ax^2$ ... 40
3. Scheitelpunktform quadratischer Funktionen ... 45
4. Normalform und quadratische Ergänzung ... 50
5. Aufstellen quadratischer Funktionsgleichungen ... 55

Wiederholen – Vertiefen – Vernetzen ... 60
Rückblick ... 64
Test ... 65
Exkursion: Ausgleichsgeraden und Ausgleichskurven ... 66

III Kreise, Prismen und Zylinder — Check-in ... 68

Erkundungen ... 70

1. Kreisumfang und Kreisfläche ... 72
2. Kreisteile ... 78
3. Flächen bei Prismen und Zylindern ... 81
4. Prismen und Zylinder – Volumen ... 85
5. Das Prinzip von Cavalieri ... 90

Wiederholen – Vertiefen – Vernetzen ... 93
Rückblick ... 98
Test ... 99
Exkursion: Die Geschichte der Zahl π ... 100

IV Potenzen und Potenzgesetze — Check-in ... 102

Erkundungen ... 104

1. Potenzen mit ganzzahligen Exponenten ... 106
2. Zahlen mit Zehnerpotenzen schreiben ... 110
3. Potenzen mit gleicher Basis ... 114
4. Potenzen mit gleichen Exponenten ... 118
5. Potenzieren von Potenzen ... 121
6. Potenzen mit rationalen Exponenten ... 126

Wiederholen – Vertiefen – Vernetzen ... 130
Rückblick ... 134
Test ... 135
Exkursion: Wie dick sind eigentlich Frischhalte- oder Alufolien? ... 136

V Satz des Pythagoras und Körper — 138

Check-in

Erkundungen — 140

1 Der Satz des Pythagoras — 142
2 Pythagoras in Figuren und Körpern — 147
3 Pyramiden — 152
4 Kegel — 156
5 Kugeln — 160
Wiederholen – Vertiefen – Vernetzen — 164
Rückblick — 168
Test — 169
MK Exkursion: Formeln erforschen – der Satz von Cavalieri und das Prinzip der Einschachtelung — 170

VI Daten und Wahrscheinlichkeit* — 172

Check-in

Erkundungen — 174

1 Statistiken verstehen und beurteilen — 176
2 Vierfeldertafel – mit Anteilen argumentieren — 181
3 Bedingte Wahrscheinlichkeiten — 185
4 Stochastische Unabhängigkeit — 190
Wiederholen – Vertiefen – Vernetzen — 194
Rückblick — 198
Test — 199
Exkursion: Bedingte Wahrscheinlichkeiten – Lernen aus Erfahrung — 200

ANHANG Nachschlagen und Überprüfen

Exkursion EXTRA: Nachgehakt und neu durchdacht — 202
Grundwissen — 204
Lösungen zu den Kapiteln — 216
Lösungen zum Grundwissen — 267
Register — 275
Text- und Bildquellenverzeichnis — 277
Mathematische Begriffe und Bezeichnungen

🌐 **Gesamtübersicht aller Codes im Buch**
2n79pi

*Dieses Kapitel wird auch in Band 10 angeboten und kann je nach Zeit und Schulcurriculum in Klasse 9 oder 10 behandelt werden.

I Reelle Zahlen

Ο θεός δημιούργησε τους ακέραιους αριθμούς. Όλα τα υπόλοιπα είναι ανθρώπινο δημιούργημα.

Die ganzen Zahlen hat der liebe Gott gemacht, alles andere ist Menschenwerk.

Leopold Kronecker (1823–1891)

$\sqrt{2} =$ 1,4142135623730950488016887242096980785696718753...

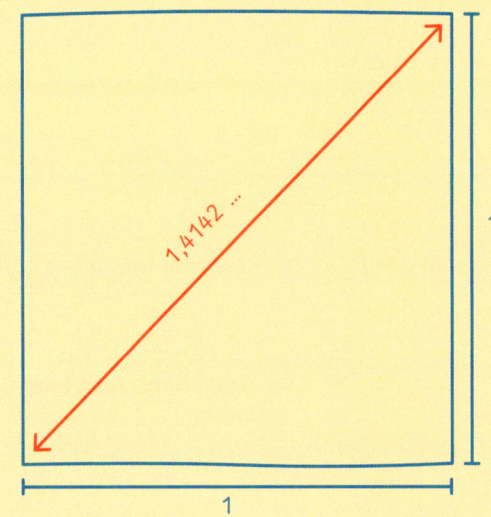

Das kannst du bald

- Einfache Quadratwurzeln im Kopf bestimmen
- Näherungswerte für Quadratwurzeln bestimmen
- geschickt mit Quadratwurzeln rechnen
- Einfache quadratische Gleichungen lösen
- Zahlbereiche voneinander unterscheiden

Check-in

Schätze dich ein: 🙂 😐 🙁

1. Ich kann rationale Zahlen als Brüche, Dezimalzahlen oder in Prozentschreibweise notieren.
2. Ich kann den Flächeninhalt von Quadraten berechnen.
3. Ich kann Terme mit rationalen Zahlen geschickt berechnen.
4. Ich kann Terme mithilfe eines Überschlags näherungsweise berechnen.
5. Ich kann natürliche, ganze bzw. rationale Zahlen voneinander unterscheiden.

Lerntipps
zu 1. **Grundwissen**, Seite 204
zu 2. **Grundwissen**, Seite 214
zu 3. **Grundwissen**, Seite 205
zu 5. **Grundwissen**, Seite 205

Teste dich! → Lösungen, Seite 216

1 Brüche, Dezimalzahlen und Prozente
Schreibe als vollständig gekürzten Bruch bzw. als Dezimalzahl und in der Prozentschreibweise.
a) 1,25
b) 25,4 %
c) 2,8 %
d) 3,625
e) $\frac{4}{5}$
f) $\frac{12}{8}$
g) $\frac{2}{9}$
h) $\frac{1}{6}$

2 Flächeninhalt von Quadraten berechnen
Berechne den Flächeninhalt des Quadrats mit der Seitenlänge a.
a) a = 2 cm
b) a = 5 cm
c) a = 1,5 cm
d) a = 20 cm

3 Rechenregeln anwenden
Mit dem Ergebnis der vorigen Aufgabe beginnt die nächste Aufgabe. Berechne und finde das „Ziel".

Start: $-\frac{3}{2} - 2{,}97 + 4{,}5$

A: $-2{,}5 - 1{,}\overline{3} - \frac{5}{3}$

B: $(11 - 7{,}4) - 0{,}6$

C: $-\frac{11}{2} \cdot 2{,}2 + \frac{11}{2} \cdot 4{,}2$

D: $3 \cdot (1 - 0{,}94) \cdot \left(-\frac{10}{9}\right)$

E: $\frac{3}{100} \cdot \left(-10^2 + \frac{50}{3}\right)$

4 Terme geschickt überschlagen
Ordne nur mithilfe von Überschlägen der Größe nach, beginne mit dem kleinsten Ergebnis.

A: $\frac{7}{8} : (-0{,}9)$

B: $(-1{,}03) \cdot \left(-\frac{11}{10}\right)$

C: $-2\frac{1}{7} + 2{,}1$

D: $3{,}99 - \frac{11}{3}$

E: $-1{,}95 - \frac{3}{97}$

5 Natürliche, ganze und rationale Zahlen
Übertrage die Tabelle in dein Heft und kreuze an.

Die Zahl ... ist	3,5	−5,0	$\frac{12}{4}$	$\frac{4}{12}$	$-\frac{18}{3}$
natürlich					
ganz					
rational					

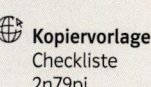
Kopiervorlage
Checkliste
2n79pi

Erkundungen

Ein Quadratpuzzle

👥 Die Rechtecke in Fig. 1 bis Fig. 3 sind in viele kleine Quadrate unterteilt.
- Ermittelt mithilfe der angegebenen Flächeninhalte (in mm^2) die Flächeninhalte sowie die Seitenlängen aller Quadrate.
- Beschreibt euer Vorgehen.

Lerneinheit 1
Seite 8

Kopiervorlage
Fig. 1 – Fig. 3
2n79pi

Fig. 1   Fig. 2   Fig. 3

Den Quadraten auf der Spur

1. Das Muster untersuchen
- Übertrage das nebenstehende Muster im Querformat ins Heft und setze es möglichst weit fort.
- Miss die Längen der Seiten und der Diagonalen der roten und der blauen Quadrate mit dem Geodreieck möglichst genau (in mm). Berechne mit dem Taschenrechner die Flächeninhalte (in mm^2) und trage alle Werte in eine Tabelle ein.

Lerneinheit 2
Seite 12

2. 👥 Messergebnisse analysieren
- Vergleicht in kleinen Gruppen eure Messergebnisse. Überlegt, wie ihr prüfen könnt, welche Ergebnisse am genauesten sind.
- Versucht gemeinsam, die Tabelle ohne weitere Zeichnungen und Messungen fortzusetzen. Vergleicht eure Ergebnisse mit denen einer anderen Gruppe und erklärt euch gegenseitig eure Beobachtungen und euer Vorgehen.

rote Quadrate			blaue Quadrate		
Seite	Fläche	Diag.	Seite	Fläche	Diag.

3. 💻👥 Ergebnisse mit einer DGS überprüfen
- Konstruiert das Muster mit einer dynamischen Geometriesoftware. Ihr könnt den Befehl für das Zeichnen eines regelmäßigen Vielecks mit vier Ecken verwenden. Lasst euch die Seitenlängen und Flächeninhalte so genau wie möglich angeben.
- Vergleicht eure Ergebnisse mit denen aus euren Konstruktionen auf dem Papier. Überlegt, wie ihr prüfen könnt, ob die Geometriesoftware exakte Werte anzeigt.

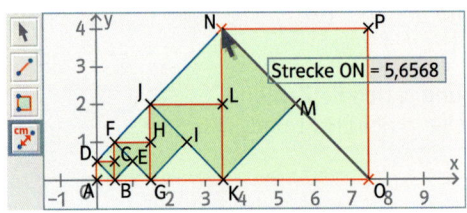

I Reelle Zahlen

Mit Wurzeln experimentieren

1. Was der Taschenrechner über Wurzeln verrät
Beim Rechnen mit Wurzeln kann man viele Beziehungen und Strukturen entdecken.
Diese lassen sich anhand von Taschenrechneranzeigen herausfinden.

→ Lerneinheit 4
Seite 20

- Betrachtet in kleinen Gruppen die verschiedenen Taschenrechneranzeigen. Experimentiert selbst mit eurem Taschenrechner, indem ihr ähnliche Aufgaben untersucht.

- Formuliert Regeln, die beim Rechnen mit Wurzeln gelten. Ihr könnt euch dabei an den grünen Kärtchen orientieren.

- Zeigt an Zahlenbeispielen, dass die Wurzelausdrücke auf den orangefarbenen Kärtchen jeweils nicht gleich sind. Formuliert hierzu eine Merkregel.

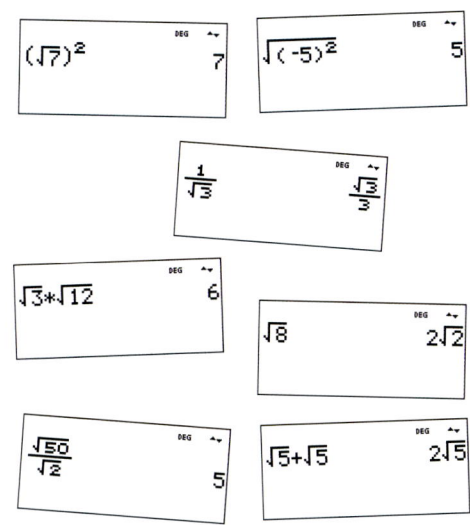

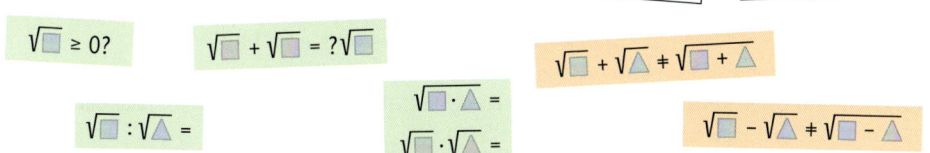

$\sqrt{\square} \geq 0?$ $\sqrt{\square} + \sqrt{\square} = ?\sqrt{\square}$ $\sqrt{\square} + \sqrt{\triangle} \neq \sqrt{\square + \triangle}$

$\sqrt{\square} : \sqrt{\triangle} =$ $\sqrt{\square \cdot \triangle} =$
$\sqrt{\square} \cdot \sqrt{\triangle} =$ $\sqrt{\square} - \sqrt{\triangle} \neq \sqrt{\square - \triangle}$

2. Den Wurzeln weiter auf den Grund gehen
- Zeigt an eigenen Zahlenbeispielen, dass die Aussagen A bis F richtig sind.
- Überlegt in kleinen Gruppen, wie ihr die Aussagen begründen könnt. Stellt euch arbeitsteilig eure Ergebnisse vor.

A Je größer eine Zahl ist, desto größer ist ihre Wurzel.

B Die Wurzel aus einer Zahl ist nicht immer kleiner als die Zahl selbst.

C Wenn ich eine Zahl verdopple, dann wird ihre Wurzel weniger als verdoppelt.

D Wenn ich eine Zahl viertele, dann halbiert sich ihre Wurzel.

E $\sqrt{3} + \sqrt{3} = \sqrt{12}$

F Egal, welche positive Anfangszahl ich wähle, wenn ich immer wieder die Wurzel ziehe, komme ich immer näher an die 1.

3. Für „Wurzelexperten"
- Versucht, mithilfe der entdeckten Rechenregeln für Wurzeln nachzuweisen, dass die „Wurzelgleichung" $\sqrt{12} + \sqrt{27} = \sqrt{75}$ gilt.
- Findet weitere Gleichungen dieser Art und überprüft sie gegenseitig.

Erkundungen

1 Quadratwurzeln

Anna hat 150 Memo-Kärtchen.
Sie möchte für das nächste Spiel ein möglichst großes Quadrat legen.
Wie viele Kärtchen kann sie hierfür in eine Reihe legen und wie viele Pärchen muss sie aus dem Spiel nehmen?

Wenn man eine Zahl mit sich selbst multipliziert, nennt man das Quadrieren. Das Wurzelziehen ist die Umkehrung hiervon. Was es damit auf sich hat, wird im Folgenden erläutert.

Ein Quadrat mit der Seitenlänge $a = 5\,\text{cm}$ hat den Flächeninhalt
$A = a^2 = (5\,\text{cm})^2 = 5\,\text{cm} \cdot 5\,\text{cm} = 25\,\text{cm}^2$.
Die Seitenlänge a wird quadriert, um zum Flächeninhalt zu gelangen. Wenn man umgekehrt weiß, dass der Flächeninhalt eines Quadrats $A = 25\,\text{cm}^2$ beträgt, kann man eine Seitenlänge a bestimmen, deren Quadrat den gegebenen Flächeninhalt ergibt. Man erhält $a = 5\,\text{cm}$, da $a^2 = (5\,\text{cm})^2 = 25\,\text{cm}^2$.

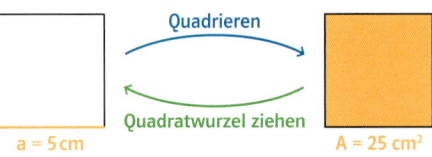

Wenn man die Seitenlänge eines Quadrats mit vorgegebenem Flächeninhalt sucht, bestimmt man die **Quadratwurzel** oder kurz die **Wurzel** aus dem Flächeninhalt. Dieses Vorgehen nennt man **Wurzelziehen** oder **Radizieren**. Man sagt: Die Quadratwurzel (oder kurz die Wurzel) aus 25 ist 5 und notiert $\sqrt{25} = 5$ bzw. $\sqrt{25\,\text{cm}^2} = 5\,\text{cm}$.

radix (lat.): Wurzel

Allgemein gilt: Wenn man die Wurzel aus einer Zahl a zieht, bestimmt man die positive Zahl, die man quadrieren muss, um a zu erhalten.
Aus einer negativen Zahl kann man keine Wurzel ziehen, da das Quadrat einer Zahl immer eine positive Zahl ist.

Wenn man eine positive Zahl quadriert und anschließend die Wurzel zieht, erhält man wieder die Ausgangszahl. Dies gilt auch umgekehrt.
Es gilt zum Beispiel $(\sqrt{4})^2 = \sqrt{4} \cdot \sqrt{4} = 2 \cdot 2 = 4$ bzw. $\sqrt{4^2} = \sqrt{16} = 4$.
Man sagt: Quadrieren und Wurzelziehen kehren einander um.

Wurzelzeichen
$\sqrt{a}$
Radikand

> Die **Quadratwurzel aus einer positiven Zahl a** oder kurz die **Wurzel aus a** ist diejenige positive Zahl, die quadriert a ergibt. Man schreibt: $\sqrt{a}$. Es gilt $(\sqrt{a})^2 = a$.
> Aus einer negativen Zahl kann man keine Wurzel ziehen.

Es gilt:
$\sqrt{1} = 1$
$\sqrt{0} = 0$

Lösungen quadratischer Gleichungen
Wenn man Zahlen sucht, die quadriert zum Beispiel die Zahl 49 ergeben, löst man die **quadratische Gleichung** $x^2 = 49$. Diese Gleichung hat zwei Lösungen:
- positive Lösung: $x = \sqrt{49} = 7$, da $7^2 = 7 \cdot 7 = 49$
- negative Lösung: $x = -\sqrt{49} = -7$, da $(-7)^2 = (-7) \cdot (-7) = 49$

Die Lösungsmenge der Gleichung $x^2 = 49$ ist $L = \{-7; 7\}$.
Eine quadratische Gleichung der Form $x^2 = -16$ hat keine Lösung, da es keine Zahl gibt, deren Quadrat negativ ist. Die Lösungsmenge ist leer. Man schreibt: $L = \{\ \}$.

I Reelle Zahlen

Beispiel 1 Wurzeln ziehen
Berechne die Wurzel im Kopf und notiere das Ergebnis. Führe eine Probe durch.
a) $\sqrt{3600}$
b) $\sqrt{\frac{4}{9}}$
c) $\sqrt{1{,}21}$

Lösung
a) $\sqrt{3600} = 60$
Probe:
$60^2 = 60 \cdot 60 = 3600$

b) $\sqrt{\frac{4}{9}} = \frac{2}{3}$
Probe: $\left(\frac{2}{3}\right)^2 = \frac{2}{3} \cdot \frac{2}{3} = \frac{4}{9}$

c) $\sqrt{1{,}21} = \sqrt{\frac{121}{100}} = \frac{11}{10} = 1{,}1$
Probe: $1{,}1^2 = 1{,}1 \cdot 1{,}1 = 1{,}21$

Beispiel 2 Quadratische Gleichungen lösen
Bestimme die Lösungsmenge der Gleichung. Führe eine Probe durch.
a) $x^2 = 64$
b) $x^2 = 0{,}16$

Lösung
a) $x^2 = 64$
$x = -\sqrt{64}$ oder $x = \sqrt{64}$
$x = -8$ oder $x = 8$
also ist $L = \{-8; 8\}$
Probe: $(-8)^2 = 64$ bzw. $8^2 = 64$

$x^2 = 0{,}16$
$x = -\sqrt{0{,}16}$ oder $x = \sqrt{0{,}16}$
$x = -0{,}4$ oder $x = 0{,}4$
also ist $L = \{-0{,}4; 0{,}4\}$
Probe: $(-0{,}4)^2 = 0{,}16$ bzw. $0{,}4^2 = 0{,}16$

Aufgaben

1 Ordne jeder Wurzel ihren Wert zu. Ein Kärtchen bleibt übrig.

| 1 $\sqrt{16}$ | 2 $\sqrt{49}$ | 3 $\sqrt{81}$ | 4 $\sqrt{9}$ | 5 $\sqrt{64}$ | 6 $\sqrt{25}$ |

| A 9 | B 3 | C 7 | D 5 | E 8 | F −3 | G 4 |

Wer Wurzeln zieht, sollte Quadratzahlen kennen:
$1^2 = 1$ $11^2 = 121$
$2^2 = 4$ $12^2 = 144$
$3^2 = 9$ $13^2 = 169$
$4^2 = 16$ $14^2 = 196$
$5^2 = 25$ $15^2 = 225$
$6^2 = 36$ $16^2 = 256$
$7^2 = 49$ $17^2 = 289$
$8^2 = 64$ $18^2 = 324$
$9^2 = 81$ $19^2 = 361$
$10^2 = 100$ $20^2 = 400$

2 Prägt euch die Quadratzahlen auf dem Rand drei Minuten lang gut ein. Notiert anschließend fünf Minuten lang Quadrate und ihre Wurzeln. Ihr könnt dabei auch Brüche oder Dezimalzahlen notieren, in denen die gelernten Quadratzahlen auftreten. Prüft anschließend gemeinsam eure Ergebnisse, indem ihr eine Probe durchführt.

3 Ordne jedem Quadrat eine passende Seitenlänge a zu. Ein Kärtchen bleibt übrig.

| 1 $25\,m^2$ | 2 $49\,m^2$ | 3 $289\,km^2$ | 4 $625\,dm^2$ | 5 $441\,mm^2$ |

| A $a = 17\,km$ | B $a = 21\,mm$ | C $a = 500\,cm$ | D $a = 5\,dm$ | E $a = 2{,}5\,m$ | F $a = 7\,m$ |

→ Üben
Seite 25, Aufgabe 5

4 Bestimme die Quadratwurzel im Kopf. Notiere so: $\sqrt{400} = 20$. Führe eine Probe durch.
a) 900   b) 10 000   c) 1600   d) 8100   e) 40 000   f) 2500
g) 490 000   h) 9 000 000   i) 32 400   j) 640 000   k) 36 100   l) 360 000

→ **Lerntipp**
Seite 9, Beispiel 1

→ Üben
Seite 25, Aufgabe 1

5 Bestimme die Seitenlänge a eines Quadrats mit dem Flächeninhalt A (s. Kärtchen). Ordne zu, um welches Schachbrett es sich handeln könnte.

1 $A = 1600\,cm^2$

2 $A = 144\,dm^2$

3 $A = 169\,cm^2$

1 Quadratwurzeln

Teste dich! → **Lösungen**, Seite 216

6 Ordne jedem Flächeninhalt eines Quadrats (s. Kärtchen auf dem Rand) die passende Seitenlänge a zu. Ein Kärtchen bleibt übrig.

| 1 | a = 5 mm | 2 | a = 15 cm | 3 | a = 5 cm | 4 | a = 140 cm | 5 | a = 250 dm |

A $A = 25 \text{ mm}^2$
B $A = 225 \text{ cm}^2$
C $A = 625 \text{ m}^2$
D $A = 196 \text{ dm}^2$

7 Bestimme die Quadratwurzel im Kopf. Führe eine Probe durch.
a) $\sqrt{256}$ b) $\sqrt{4900}$ c) $\sqrt{32\,400}$ d) $\sqrt{4\,000\,000}$

8 Bestimme die Quadratwurzel im Kopf. Führe eine Probe durch.
a) $\sqrt{\frac{1}{4}}$ b) $\sqrt{\frac{1}{25}}$ c) $\sqrt{\frac{1}{400}}$ d) $\sqrt{\frac{1}{324}}$ e) $\sqrt{\frac{100}{121}}$ f) $\sqrt{\frac{25}{9}}$
g) $\sqrt{\frac{4}{81}}$ h) $\sqrt{\frac{49}{64}}$ i) $\sqrt{\frac{324}{81}}$ j) $\sqrt{\frac{196}{25}}$ k) $\sqrt{\frac{144}{361}}$ l) $\sqrt{\frac{169}{36}}$

→ **Lerntipp** Seite 9, Beispiel 1 b)

9 Bestimme die Wurzeln im Kopf. Führe eine Probe durch. Ergänze jeweils eine weitere Wurzel, die zu der Reihe passt.

A $\sqrt{1}, \sqrt{0,01}, \sqrt{0,0001}$
B $\sqrt{144}, \sqrt{14\,400}, \sqrt{1\,440\,000}$
C $\sqrt{400}, \sqrt{4}, \sqrt{0,04}$

→ **Lerntipp** Seite 9, Beispiel 1 c)
→ **Vertiefen** Seite 25, Aufgaben 9 und 10

10 Berechne die Quadratwurzel im Kopf und notiere sie im Heft. Führe eine Probe durch.
a) $\sqrt{0,81}$ b) $\sqrt{1,21}$ c) $\sqrt{0,25}$ d) $\sqrt{1,96}$ e) $\sqrt{2,89}$ f) $\sqrt{0,0009}$
g) $\sqrt{0,0064}$ h) $\sqrt{0,0225}$ i) $\sqrt{0,0025}$ j) $\sqrt{0,0361}$ k) $\sqrt{1,44}$ l) $\sqrt{2,56}$

11 Gesucht sind Quadrate, die denselben Flächeninhalt haben wie die folgenden Figuren. Bestimme die Seitenlänge a des entsprechenden Quadrats.

a) 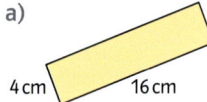 4 cm, 16 cm
b) 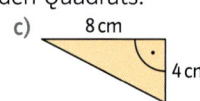 1,6 cm, 2,5 cm
c) 8 cm, 4 cm
d) 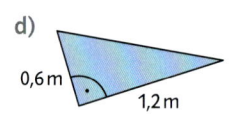 0,6 m, 1,2 m

12 Bestimme die Lösungsmenge der Gleichung.
a) $x^2 = 1$ b) $x^2 = 100$ c) $x^2 = 0$ d) $x^2 = 324$
e) $x^2 = 3600$ f) $x^2 = 40\,000$ g) $x^2 = 19\,600$ h) $x^2 = -16$

→ **Lerntipp** Seite 9, Beispiel 2
→ **Vertiefen** Seite 26, Aufgabe 12

13 Muska sagt: „Aus den Brüchen in den Teilaufgaben a) bis d) kann ich die Wurzel wunderbar ziehen, aber mit den Dezimalzahlen in den Teilaufgaben e) bis h) komme ich nicht zurecht." „Warum nicht?", entgegnet Cosima, „Hier erkennt man die Quadratzahlen gut und auch die Nachkommastellen passen." Erkläre, was Cosima meint und berechne.

a) $\sqrt{\frac{1}{4}}$ b) $\sqrt{\frac{4}{81}}$ c) $\sqrt{\frac{16}{9}}$ d) $\sqrt{\frac{121}{400}}$ e) $\sqrt{0,09}$ f) $\sqrt{0,64}$ g) $\sqrt{2,56}$ h) $\sqrt{1,44}$

14 Finde den Fehler!
Erkläre, welche Fehler gemacht wurden, und korrigiere im Heft.

a) $\sqrt{0,09} = 0,03$ b) $\sqrt{\frac{1}{4}} = \frac{1}{16}$ c) $x^2 = 36$, $x = 6$ d) $\sqrt{49 \text{ m}^2} = 7 \text{ m}^2$

15 a) Erkläre, warum Hendrik recht hat, Jona mit seiner Aussage aber falsch liegt.
b) Formuliert ähnliche Aussagen wie Hendrik oder Jona und lasst eine andere Person prüfen, ob sie richtig sind.

Hendrik: Bei $\sqrt{13^2}$ muss ich gar nicht nachdenken, das ist einfach 13.

Jona: Dann muss ich das bei $\sqrt{(-3)^2}$ auch nicht, das ist dann einfach −3.

16 Gilt immer – gilt nie – es kommt darauf an
Untersuche, ob die folgenden Aussagen immer gelten, nie stimmen oder nur in bestimmten Fällen richtig sind. Gib gegebenenfalls die Bedingungen an.
a) Die Wurzel aus einer Zahl ist kleiner als die Zahl selbst.
b) Wenn man erst die Wurzel zieht und dann quadriert, erhält man die Ausgangszahl.

Teste dich! → **Lösungen**, Seite 216

17 Berechne die Quadratwurzel im Kopf und notiere sie im Heft. Führe eine Probe durch.
a) $\sqrt{1{,}69}$ b) $\sqrt{0{,}0004}$ c) $\sqrt{\frac{121}{10\,000}}$ d) $\sqrt{\frac{50}{128}}$

18 Bestimme die Lösungsmenge der Gleichung.
a) $x^2 = 0{,}16$ b) $x^2 = 2{,}56$ c) $x^2 = \frac{1}{64}$ d) $x^2 = \frac{9}{10\,000}$

19 Wurzeln aus Quadratzahlen ziehen – mit Endziffer und Überschlag
a) Setzt die Tabelle im Heft fort, bis ihr eine Regelmäßigkeit erkennt. Beschreibt nun, welche Endziffern bei Quadratzahlen vorkommen können.

Zahl a	0	1	2	3	4	...
a^2	0	1	4	9	16	...
Endziffer von a	0	1	2	3	4	...
Endziffer von a^2	0	1	4	9	6	...

b) Wenn Tim weiß, dass es sich um eine Quadratzahl handelt, bestimmt er ihre Wurzel im Kopf wie rechts gezeigt. Besprecht gemeinsam Tims Lösungsweg.
c) Bestimmt wie Tim $\sqrt{1444}$ und $\sqrt{1681}$. Führt Proben durch und erklärt euch, wie ihr vorgegangen seid.
d) Sechs der Zahlen auf den Kärtchen sind Quadratzahlen. Findet sie heraus und bestimmt deren Wurzel mit Tims Methode. Führt Proben durch.
e) Begründet: Aus einer Zahl mit der Endziffer 8 kann man nicht im Kopf die Wurzel ziehen.

> Tim: 529 ist eine Quadratzahl. Was ist die $\sqrt{529}$?
> Überschlag: $20^2 = 400$ und $30^2 = 900$
> Also: $\sqrt{529}$ liegt zwischen 20 und 30.
> Ich weiß: $\sqrt{529}$ hat die Endziffer 3 oder 7
> Wegen $25^2 = 625 > 529$ gilt $\sqrt{529} = 23$.

2704   3773   6241   841   257
1296   10404   2088   3969   602

20 Wurzeln aus Quadratzahlen ziehen – durch das Zerlegen in Faktoren
Monya zerlegt große Quadratzahlen in Primfaktoren und hat entdeckt, dass man so auch Wurzeln ziehen kann.
a) Erkläre, wie Monya vorgeht.
b) Bestimme die Wurzeln auf gleiche Weise.

> $7056 = 2 \cdot 3528 = 2 \cdot 2 \cdot 1764 = ...$
> $= 2 \cdot 2 \cdot 2 \cdot 2 \cdot 3 \cdot 3 \cdot 7 \cdot 7$
> $= (2 \cdot 2 \cdot 3 \cdot 7) \cdot (2 \cdot 2 \cdot 3 \cdot 7)$
> Also: $\sqrt{7056} = 2 \cdot 2 \cdot 3 \cdot 7 = 84$

A $\sqrt{1089}$ B $\sqrt{1024}$ C $\sqrt{784}$ D $\sqrt{1296}$ E $\sqrt{1225}$ F $\sqrt{2025}$

Teste dein Grundwissen! Prozentsätze und Prozentwerte → **Grundwissen**, Seite 207 **Lösungen**, Seite 216

G 21 Berechne, um wie viel Prozent der Preis gestiegen bzw. gesunken ist.
a)  vorher: 120 € nachher: 126 €
b)  vorher: 85 € nachher: 102 €
c) vorher: 1050 € nachher: 997,50 €
d) vorher: 56,00 € nachher: 25,20 €

G 22 Prüfe rechnerisch, ob die beiden Preisänderungen wieder zum Ausgangsbetrag führen.
a) Ein Preis wird zunächst um 25 % erhöht und anschließend wieder um 20 % reduziert.
b) Ein Preis wird zunächst um 20 % reduziert und anschließend um 20 % erhöht.

2 Wurzeln näherungsweise bestimmen

Gesucht ist die Seitenlänge eines Quadrats mit dem Flächeninhalt $A = 2\,\text{cm}^2$.
Wer findet den besten Wert hierfür?

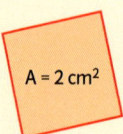

Bisher wurden Wurzeln aus Quadratzahlen bestimmt, für die man einen exakten Wert angeben konnte. Nun wird gezeigt, wie man systematisch Näherungen für Quadratwurzeln aus beliebigen positiven Zahlen bestimmen kann.

Ein Quadrat mit einem Flächeninhalt von $20\,\text{cm}^2$ hat die Seitenlänge $\sqrt{20}\,\text{cm}$. Die Länge $\sqrt{20}\,\text{cm}$ liegt zwischen $4\,\text{cm}$ und $5\,\text{cm}$, da ein Quadrat mit der Seitenlänge $4\,\text{cm}$ einen kleineren Flächeninhalt ($16\,\text{cm}^2$) und eines mit der Seitenlänge $5\,\text{cm}$ einen größeren Flächeninhalt ($25\,\text{cm}^2$) hat. $\sqrt{20}$ muss als Dezimalzahl also Nachkommastellen besitzen.

Um die erste Nachkommastelle von $\sqrt{20}$ zu finden, sucht man Längen mit einer Nachkommastelle, deren Quadrate knapp unter bzw. knapp über $20\,\text{cm}^2$ liegen. Für weitere Nachkommastellen setzt man das Verfahren fort.

Die Tabelle zeigt drei weitere Schritte, die zeigen, dass $\sqrt{20}$ zwischen 4,4**7**2 und 4,4**7**3 liegt. Da die dritten Nachkommastellen jeweils zu einer Abrundung führen, kann man nun eine Näherung auf zwei Nachkommastellen genau angeben: $\sqrt{20} \approx 4{,}47$.

1. Schritt	4^2	= 16	< 20	4	< $\sqrt{20}$ <	5	5^2	= 25	> 20
2. Schritt	$4{,}4^2$	= 19,36	< 20	4,4	< $\sqrt{20}$ <	4,5	$4{,}5^2$	= 20,25	> 20
3. Schritt	$4{,}47^2$	= 19,9809	< 20	4,47	< $\sqrt{20}$ <	4,48	$4{,}48^2$	= 20,0704	> 20
4. Schritt	$4{,}472^2$	= 19,998784	< 20	4,472	< $\sqrt{20}$ <	4,473	$4{,}473^2$	= 20,007729	> 20

Zur Erinnerung: $\approx$ ist das Ungefährzeichen. Es zeigt an, dass ein gerundeter Wert angegeben wird.

Setzt man dieses Verfahren fort, kann man $\sqrt{20}$ beliebig genau eingrenzen, d.h. zwei Zahlen mit beliebig vielen Nachkommastellen angeben, zwischen denen $\sqrt{20}$ liegt. Diesen Vorgang nennt man Einschachteln in einem Intervall bzw. kurz **Intervallschachtelung**. Man kann das Verfahren beliebig lange fortsetzen, wird aber nie zum Ende kommen und kann für $\sqrt{20}$ keinen exakten Wert angeben (s. nächste Lerneinheit).

inter vallum (lat.) bedeutet ursprünglich: *Bereich zwischen zwei Pfählen*

> **Näherungswerte für Quadratwurzeln bestimmen**
> Durch systematisches Eingrenzen (z.B. mithilfe einer **Intervallschachtelung**) lassen sich Näherungswerte für Quadratwurzeln beliebig genau bestimmen.

Beispiel 1 Quadratwurzeln überschlagen
Untersuche, in welchem der farbig markierten Bereiche die Wurzel liegt.
a) $\sqrt{7}$ b) $\sqrt{4{,}5}$

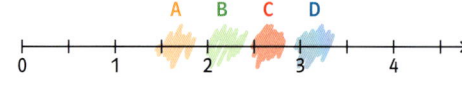

Lösung
a) Wegen $2^2 = 4 < 7$ und $3^2 = 9 > 7$ liegt $\sqrt{7}$ zwischen 2 und 3, also im Bereich B oder C. Da $2{,}5^2 = 6{,}25 < 7$, liegt $\sqrt{7}$ auf der Zahlengeraden rechts von 2,5 also im Bereich C.
b) Wegen $2^2 = 4 < 4{,}5$ und $3^2 = 9 > 4{,}5$ liegt $\sqrt{4{,}5}$ zwischen 2 und 3, also im Bereich B oder C. Da 2^2 deutlich näher an 4,5 liegt als 3^2, kann man vermuten, dass $\sqrt{4{,}5}$ im Bereich B liegen muss, also auf der Zahlengeraden links von 2,5. Bestätigt wird dies durch $2{,}5^2 = 6{,}25 > 4{,}5$.

$25^2 = 625$
$2{,}5^2 = 6{,}25$

Beispiel 2 Näherungswerte für Wurzeln bestimmen
a) 🖩 Bestimme mithilfe einer Intervallschachtelung einen Näherungswert für $\sqrt{3}$ auf eine Nachkommastelle genau.
b) Bestimme $\sqrt{3}$ mithilfe eines Taschenrechners auf vier Nachkommastellen genau.

Lösung
a) Um auf eine Nachkommastelle runden zu können, wird eine Einschachtelung mit zwei Nachkommastellen benötigt.
   1. Schritt: Wegen $1^2 = 1 < 3$ und $2^2 = 4 > 3$ liegt $\sqrt{3}$ zwischen 1 und 2.
   2. Schritt: Da $2^2 = 4$ näher an 3 liegt als $1^2 = 1$, probiert man Zahlen aus, die auf der Zahlengeraden näher an 2 liegen als an 1, die also größer sind als 1,5:
   $1{,}6^2 = 2{,}56 < 3$, also liegt $\sqrt{3}$ rechts von 1,6.
   $1{,}7^2 = 2{,}89 < 3$ und $1{,}8^2 = 3{,}24 > 3$, also liegt $\sqrt{3}$ zwischen 1,7 und 1,8.
   3. Schritt: Da $1{,}7^2 = 2{,}89$ etwas näher an 3 liegt als $1{,}8^2 = 3{,}24$, probiert man nun Zahlen aus, die näher an 1,7 liegen, also kleiner als 1,75 sind:
   $1{,}73^2 = 2{,}9929 < 3$ und $1{,}74^2 = 3{,}0276 > 3$, also liegt $\sqrt{3}$ zwischen 1,73 und 1,74.
   Damit gilt: $\sqrt{3} \approx 1{,}7$.
b) Der Taschenrechner liefert: $\sqrt{3} \approx 1{,}732050808 \approx 1{,}7321$.

Mithilfe der $\sqrt{}$-Taste des Taschenrechners lässt sich schnell ein Näherungswert für eine Wurzel angeben.

Aufgaben

1 🖩 Ordne jeder Wurzel den Abschnitt der Zahlengeraden zu, auf dem sie liegt.

1 $\sqrt{10}$ 2 $\sqrt{0{,}9}$ 3 $\sqrt{30}$ 4 $\sqrt{77}$ 5 $\sqrt{50}$
6 $\sqrt{0{,}2}$ 7 $\sqrt{150}$ 8 $\sqrt{40}$ 9 $\sqrt{1{,}5}$ 10 $\sqrt{83}$

→ **Üben** ○ Seite 25, Aufgabe 4

2 🖩 Gib an, in welchem der markierten Bereiche die Wurzel liegt. Notiere eine Begründung.
a) $\sqrt{14}$ b) $\sqrt{5{,}5}$ c) $\sqrt{24{,}5}$ d) $\sqrt{109}$ e) $\sqrt{83}$ f) $\sqrt{0{,}4}$

→ **Lerntipp** Seite 12, Beispiel 1

3 🖩 Gib mithilfe des Taschenrechners einen Näherungswert mit vier Nachkommastellen an.
a) $\sqrt{222}$ b) $\sqrt{2{,}22}$ c) $\sqrt{0{,}0222}$ d) $\sqrt{\frac{3}{4}}$ e) $\sqrt{\frac{33}{4}}$ f) $\sqrt{\frac{3}{444}}$

→ **Lerntipp** Seite 13, Beispiel 2 b)

Teste dich!

→ **Lösungen**, Seite 217

4 🖩 Gib an, zwischen welchen aufeinanderfolgenden natürlichen Zahlen die Wurzel liegt.
a) $\sqrt{32}$ b) $\sqrt{320}$ c) $\sqrt{3{,}2}$ d) $\sqrt{0{,}32}$
e) $\sqrt{\frac{9}{2}}$ f) $\sqrt{\frac{2}{9}}$ g) $\sqrt{\frac{99}{22}}$ h) $\sqrt{\frac{2}{999}}$

i) 🖩 Gib für die Wurzeln mithilfe des Taschenrechners einen Näherungswert mit drei Nachkommastellen an und kontrolliere damit deine Ergebnisse aus a) bis h).

5 🖩 Bestimme mithilfe einer Intervallschachtelung einen Näherungswert auf eine Nachkommastelle genau. Gehe vor wie in Beispiel 2 a).
a) $\sqrt{10}$ b) $\sqrt{50}$ c) $\sqrt{66}$ d) $\sqrt{88}$

→ **Lerntipp** Seite 13, Beispiel 2 a)

→ **Vertiefen** ◐ Seite 25, Aufgabe 11

● 6 Bestimme die Seitenlänge a des Quadrats mit dem Flächeninhalt A. Runde sinnvoll.
a) $A = 333\,cm^2$ b) $A = 150\,dm^2$ c) $A = 1800\,m^2$ d) $A = 6{,}6\,km^2$

→ Üben ○
Seite 25, Aufgabe 6

→ Vertiefen ●
Seite 26, Aufgabe 13

● 7 **Finde den Fehler!**
[SP] Beschreibe, was falsch gemacht wurde. Verwende Fachbegriffe. Die Begriffe auf dem Rand können helfen. Gib anschließend die richtige Lösung an.

a) $x^2 = 6$
$x = \sqrt{6} \approx 2{,}5$

b) $\sqrt{35} = 5{,}92$

c) $\sqrt{3} = 1{,}73$
$(\sqrt{3})^2 = 1{,}73^2$
$= 2{,}9929$

Wortliste
- die quadratische Gleichung
- die Lösung
- der Näherungswert
- runden
- quadrieren
- Wurzel ziehen

● 8 **Wahr oder falsch?**
Gib an, ob die folgenden Aussagen wahr oder falsch sind. Begründe.
a) Wenn man eine Zahl verdoppelt, verdoppelt sich auch ihre Wurzel.
b) Wenn man das Doppelte einer Quadratzahl noch einmal verdoppelt, erhält man wieder eine Quadratzahl.

● 9 **Den Heron-Algorithmus verstehen**
[SP] [MK] 👥 Folgende Grafiken zeigen ein Näherungsverfahren zur Berechnung von $\sqrt{10}$: den sogenannten Heron-Algorithmus. Er nutzt das arithmetische Mittel der beiden Rechtecksseiten (z. B. $\frac{2\,cm + 5\,cm}{2} = 3{,}5\,cm$), um eine Seitenlänge des folgenden Rechtecks zu bestimmen.

Hinweis zu den Aufgaben 9 und 10:
Auch in den Aufgaben 14 und 15 werden algorithmische Näherungsverfahren thematisiert.

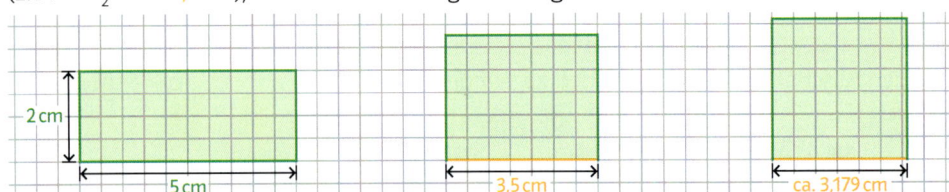

Erklärt euch gegenseitig mithilfe der Bausteine, wie der Heron-Algorithmus zur Berechnung einer Quadratwurzel funktioniert. Betrachtet die Grafiken und berücksichtigt, was die Verwendung des arithmetischen Mittels der beiden Seitenlängen des Rechtecks bewirkt.

- das Quadrat der Wurzel als Flächeninhalt ansehen
- $b = \frac{A}{a}$
- die beiden Seitenlängen des Rechtecks einander annähern
- die beiden Seitenlängen des Rechtecks werden fast gleich lang
- die mittlere Länge nutzen
- Rechteck als Hilfsfigur
- das Rechteck nähert sich immer mehr dem Quadrat an

● 10 **Mit dem Heron-Algorithmus programmieren**
[MK] 👥💻 Man kann das Problem der Berechnung einer Quadratwurzel geometrisch interpretieren. Heron von Alexandria betrachtete eine Folge von Rechtecken, die alle den Flächeninhalt A haben und deren Seitenlängen sich immer mehr annähern. Dazu berechnete er jeweils das arithmetische Mittel der vorhergehenden Seitenlängen $\frac{x+y}{2}$ (vgl. Aufgabe 9).

a) Erstellt ein Tabellenkalkulationsblatt, um den Heron-Algorithmus durchzuführen. Startet zur Bestimmung von $\sqrt{10}$ mit einem Rechteck mit Flächeninhalt 10. Wählt z. B. die Seitenlänge 2 als Startwert x_0. Berechnet die zweite Seitenlänge aus $y_0 = \frac{A}{x_0}$. Im nächsten Schritt ist $x_1 = \frac{x_0 + y_0}{2}$ und $y_1 = \frac{A}{x_1}$ usw.

C4	= =C1/B4	
	A	B	C
1		Flächeninhalt A =	10
2	i	arith. Mittel der Seitenlänge x_i	$y_i = a : x_i$
3	0	2,0000000000000	5
4	1	3,5000000000000	2,857142857
5	2	3,1785714285714	3,146067416

Zur Erinnerung:
Die $-Zeichen bei C1 bewirken einen absoluten Zellbezug, d. h. bei Übertragen der Formel bleibt der Bezug zu dieser Zelle fest.

b) Prüft für $\sqrt{10}$ und weitere Wurzeln, nach wie vielen Schritten der Algorithmus die Genauigkeit eures Taschenrechners erreicht.

11 a) Erklärt, wie rechts vorgegangen wird, um zeichnerisch einen Näherungswert für $\sqrt{18}$ zu bestimmen.
b) Findet unter den Wurzeln rechts diejenigen vier, die man auf ähnliche Weise annähern kann. Begründet, warum man dieses Verfahren gut anwenden kann, um die Wurzel aus dem Doppelten einer Quadratzahl zu bestimmen.
c) Bestimmt nun für die in b) gefundenen Wurzeln zeichnerisch einen Näherungswert auf der Zahlengeraden. Führt anschließend eine rechnerische Probe durch.

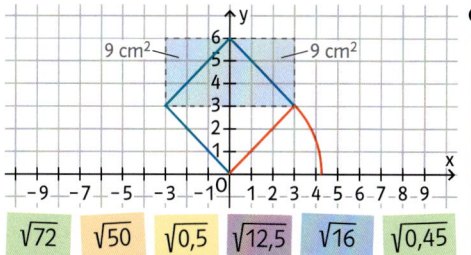

$\sqrt{72}$ $\sqrt{50}$ $\sqrt{0{,}5}$ $\sqrt{12{,}5}$ $\sqrt{16}$ $\sqrt{0{,}45}$

Erforschen
Seite 27, Aufgabe 21

Teste dich!

Lösungen, Seite 217

12 Ermittle die Seitenlänge a des Quadrats mit dem Flächeninhalt A. Runde sinnvoll. Führe eine Probe durch.
a) $A = 80 \, mm^2$ b) $A = 600 \, m^2$ c) $A = 1{,}2 \, km^2$ d) $A = 170 \, dm^2$

13 Gib an, welche Ziffern man für ■ einsetzen kann. Ergänze in deinem Heft.
a) $8 < \sqrt{\blacksquare 5} < 9$ b) $16 < \sqrt{2\blacksquare 5} < 17$ c) $1{,}2 < \sqrt{1{,}4\blacksquare} < 1{,}3$

14 **Intervallhalbierungsverfahren**
Das Intervallhalbierungsverfahren kann auch zur näherungsweisen Bestimmung von Quadratwurzeln genutzt werden.
Schritt 1: Man startet mit einem Intervall, das die Wurzel auf jeden Fall enthält. Die Wurzel aus 10 muss zwischen 3 und 4 liegen. Es ergibt sich das Intervall $I_1 = [3; 4]$.
Schritt 2: Man halbiert das Intervall und erhält $[3; 3{,}5]$ und $[3{,}5; 4]$.
Schritt 3: Man prüft, ob die Wurzel im linken oder im rechten Intervall liegt: $\sqrt{10}$ liegt in $[3; 3{,}5]$, denn $3{,}5^2 = 12{,}25 > 10$.
$I_2 = [3; 3{,}5]$ ist dann das Intervall, mit dem man fortfährt.
Schritt 4: Man wendet die Schritte 2 und 3 auf jedes neu entstandene Intervall an, bis der Näherungswert angemessen genau ist.
Programmiere den Algorithmus des Intervallhalbierungsverfahrens mit einer Tabellenkalkulation. Nutze dazu die WENN-Funktion (vgl. Grafiken).

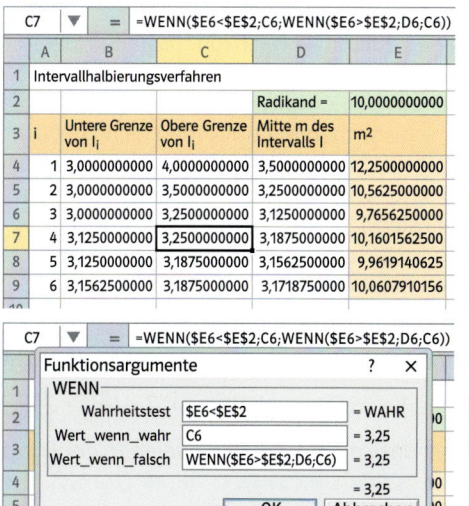

Interaktives Forschen
Tabellenkalkulationsblatt
2n79pi

Die WENN-Funktion einer Tabellenkalkulation prüft den Wahrheitsgehalt einer (mathematischen) Aussage. Sie kann je nachdem, ob die Aussage wahr oder falsch ist, unterschiedliche Folgerungen angeben.

15 **Vergleich des Heron-Algorithmus mit dem Intervallhalbierungsverfahren**
Vergleiche die Algorithmen des Heron und der Intervallhalbierung. Beschreibe dazu, wie sie jeweils durchgeführt werden und nach wie vielen Schritten der Algorithmus die Genauigkeit deines Taschenrechners erreicht.

Hinweis:
Um Aufgabe 15 zu bearbeiten, müssen die Aufgaben 10 und 14 bearbeitet worden sein.

Teste dein Grundwissen! Grundwerte

Grundwissen, Seite 207
Lösungen, Seite 217

16 Berechne den ursprünglichen Preis.
a) Der Preis einer Hose wurde um 33 % heruntergesetzt. Die Hose kostet nun 80,40 €.
b) Der Preis der Aktie stieg um ca. 11 % auf 69,93 €.
c) Mit einem Rabatt von 77 % kostet das Kleid 65,45 €.

3 Irrationale Zahlen

Oscar freut sich: „Mithilfe des Tabellenkalkulationsprogramms habe ich $\sqrt{2}$ exakt herausgefunden." „Das sieht nur so aus", erwidert Mina. Nimm Stellung zu Minas Aussage. Prüfe Oscars Ergebnis.

	A	B
1	Seitenlänge des Quadrats	berechneter Flächeninhalt des Quadrats
2	1,4142135623	1,9999999998
3	1,41421356237	2,0000000000
4		
5		

(B3: =A3*A3)

Manchmal lassen sich Wurzeln exakt als Dezimalzahlen schreiben, z.B. $\sqrt{6{,}25} = 2{,}5$. Der Versuch, $\sqrt{2}$ als Dezimalzahl mit immer mehr Nachkommastellen exakt anzugeben, gelingt jedoch nicht: Die Folge der Nachkommastellen, die man z.B. mithilfe einer Intervallschachtelung erhält, bricht nie ab und ist nicht periodisch.

Die Zahl $\sqrt{2}$ hat unendlich viele Nachkommastellen

Wenn man $\sqrt{2}$ mit dem Taschenrechner berechnet, zeigt dieser je nach Modell den Wert 1,414 213 562 an. Dieser Wert kann aber nicht der exakte Wert von $\sqrt{2}$ sein, denn wenn man die Zahl mit ihren 9 Nachkommastellen mit sich selbst multipliziert, erhält man eine Zahl mit 18 Nachkommastellen, deren letzte Ziffer 4 ist und nicht 0. Es kann also nicht exakt die Zahl 2,000... entstehen.

Man könnte nun beliebig viele weitere Nachkommastellen von $\sqrt{2}$ angeben. Trotzdem würde man bei der schriftlichen Multiplikation nicht 2,000... erhalten.

Damit ist bewiesen, dass Zahlen wie $\sqrt{2}$ Dezimalzahlen mit einer nie endenden Folge von Nachkommastellen sind. Man kann auch beweisen, dass die Dezimaldarstellung nicht periodisch wird, weil sich $\sqrt{2}$ nicht als Bruch darstellen lässt.

Beweis: $\sqrt{2}$ lässt sich nicht als Bruch darstellen

1. Schritt: Man nimmt an, $\sqrt{2}$ ließe sich als Bruch darstellen:

Dann könnte man notieren: $\sqrt{2} = \frac{a}{b}$, wobei a und b natürliche Zahlen sind.

Quadriert man auf beiden Seiten, erhält man $2 = \left(\frac{a}{b}\right)^2 = \frac{a}{b} \cdot \frac{a}{b} = \frac{a^2}{b^2}$, also $2 \cdot b^2 = a^2$.

2. Schritt: Man zeigt, dass die Anzahl der Zweien in der Primfaktorzerlegung einer Quadratzahl gerade ist:

Wenn man eine natürliche Zahl in Primfaktoren zerlegt und hier der Faktor 2 auftritt, wird die Anzahl der Zweien durch das Quadrieren verdoppelt. Beispiele:
$10 = 2 \cdot 5$; $10^2 = (2 \cdot 5) \cdot (2 \cdot 5)$ $20 = 2 \cdot 2 \cdot 5$; $20^2 = (2 \cdot 2 \cdot 5) \cdot (2 \cdot 2 \cdot 5)$

Man kann allgemein zeigen, dass damit in einer Quadratzahl der Faktor 2 nur in gerader Anzahl auftritt.

3. Schritt: Man zeigt, dass die Schritte 1 und 2 zu einem Widerspruch führen:
Eine Gleichung wie $2 \cdot b^2 = a^2$ kann niemals erfüllt sein, weil der Faktor 2 auf beiden Seiten in unterschiedlicher Anzahl vorkommt.

$2 \cdot b^2 = a^2$
- einmal Faktor 2
- Faktor 2 in gerader Anzahl, da b^2 eine Quadratzahl ist
- Faktor 2 in gerader Anzahl, da a^2 eine Quadratzahl ist

Also können auch die Gleichungen $2 = \left(\frac{a}{b}\right)^2 = \frac{a^2}{b^2}$ und $\sqrt{2} = \frac{a}{b}$ nie erfüllt sein. $\sqrt{2}$ lässt sich also nicht als Bruch darstellen.

Zahlen wie $\sqrt{2}$, die sich nicht als Bruch darstellen lassen, heißen **irrationale Zahlen**.

Bei einem **indirekten Beweis** nimmt man das Gegenteil der nachzuweisenden Aussage an. Dann zeigt man, dass dies zu einem Widerspruch führt. Damit ist gezeigt, dass die Aussage falsch ist.

Dieser Beweis lässt sich auf alle natürlichen Zahlen, die keine Quadratzahlen sind, übertragen (vgl. Seite 19, Aufgabe 12).

I Reelle Zahlen

Irrationale Zahlen
Jede Zahl, die nicht rational ist, ist irrational.
Irrationale Zahlen lassen sich nicht als Bruch oder als endliche oder periodische Dezimalzahl darstellen. Alle Wurzeln aus natürlichen Zahlen, die keine Quadratzahlen sind, sind irrational.
Die rationalen und die irrationalen Zahlen bilden zusammen die Menge der **reellen Zahlen**. Man bezeichnet diese Menge mit dem Symbol $\mathbb{R}$.

Zu jeder reellen Zahl gibt es auch einen Punkt auf der Zahlengeraden und umgekehrt. Die irrationalen Zahlen machen die Zahlengerade vollständig.

Zahlenbereiche
Es sind jetzt vier Zahlbereiche bekannt:
Die Menge $\mathbb{N}$ der natürlichen Zahlen,
$\mathbb{Z}$ der ganzen Zahlen,
$\mathbb{Q}$ der rationalen Zahlen und
$\mathbb{R}$ der reellen Zahlen.

	$\in \mathbb{N}$	$\in \mathbb{Z}$	$\in \mathbb{Q}$	$\in \mathbb{R}$
3	✓	✓	✓	✓
−3		✓	✓	✓
$\frac{3}{4}$			✓	✓
$\sqrt{3}$				✓

In der Tabelle ist für vier Zahlen angegeben, zu welchen Zahlenmengen sie gehören. So ist z.B. die Zahl $\frac{3}{4}$ eine rationale Zahl. Man sagt auch, dass sie ein Element der Menge der rationalen Zahlen ist und schreibt hierfür $\frac{3}{4} \in \mathbb{Q}$ ($„\frac{3}{4}$ Element $\mathbb{Q}$"). $\frac{3}{4}$ ist aber z.B. keine ganze Zahl. Dies kann man in der Form $\frac{3}{4} \notin \mathbb{Z}$ notieren.

Beispiel 1 Irrationale Zahlen erkennen
Gib an, ob die Zahl irrational oder rational ist. Begründe.
a) 2,082 802   b) $\frac{43}{44}$ c) $\sqrt{121}$ d) $1,\overline{09}$ e) $\sqrt{12}$

Lösung
a) abbrechend, also rational   b) Bruch, also rational   c) $\sqrt{121} = 11$, also rational
d) periodisch, also rational   e) der Radikand ist keine Quadratzahl, also irrational

Beispiel 2 Zahlenbereiche zuordnen
Entscheide, zu welchen Zahlenbereichen die Zahl gehört.
a) $-\sqrt{16}$ b) $\sqrt{5}$ c) $\sqrt{\frac{16}{9}}$ d) $\sqrt{256}$

Lösung

		$\in \mathbb{N}$	$\in \mathbb{Z}$	$\in \mathbb{Q}$	$\in \mathbb{R}$
a)	$-\sqrt{16} = -4$		✓	✓	✓
b)	$\sqrt{5}$				✓
c)	$\sqrt{\frac{16}{9}} = \sqrt{\frac{4}{3} \cdot \frac{4}{3}} = \frac{4}{3}$			✓	✓
d)	$\sqrt{256} = 16$	✓	✓	✓	✓

Aufgaben

○ 1   Ist die Quadratwurzel rational oder irrational? Begründe.
a) $\sqrt{4}$ b) $\sqrt{18}$ c) $\sqrt{27}$ d) $\sqrt{169}$ e) $\sqrt{200}$ f) $\sqrt{625}$

→ **Üben** ○
Seite 25,
Aufgaben 3 und 7

○ 2   Entscheide, welche dieser reellen Zahlen rational und welche irrational sind.

$0,\overline{19}$ $0,0072$ $13,1331332$ $\sqrt{361}$ $0,\overline{2}$ $\sqrt{\frac{1}{9}}$ $\sqrt{122}$ $\sqrt{8}$ $\sqrt{50}$ $16,1204$

→ **Lerntipp**
Seite 17, Beispiel 1

3 Übertrage die Tabelle in dein Heft und fülle sie aus.

Die Zahl ist ...	−3	$\frac{5}{2}$	$\frac{16}{3}$	$\sqrt{7}$	$2{,}0\overline{3}$	$-\frac{30}{6}$	$\sqrt{25}$	$(-7)^2$	$\frac{3}{8}$
natürlich	nein								
ganz	ja								
rational	ja								
reell	ja								

Lerntipp Seite 17, Beispiel 2

Teste dich!

Lösungen, Seite 217

4 Entscheide, ob die Zahl rational oder irrational ist.

a) $2{,}\overline{52}$ b) $\sqrt{\frac{4}{25}}$ c) $\sqrt{250}$ d) $2{,}122\,232$

5 Erstelle eine Tabelle wie in Aufgabe 3 und fülle sie für die angegebenen Zahlen aus.

a) $\frac{18}{3}$ b) $-4{,}5$ c) $\frac{2}{7}$ d) $\sqrt{8}$

6 Wahr oder falsch?
Gib an, ob die folgenden Aussagen wahr oder falsch sind. Begründe.
a) Jede natürliche Zahl ist auch eine rationale Zahl.
b) Alle reellen Zahlen sind irrational.
c) Das Produkt aus zwei nicht natürlichen Zahlen kann nicht natürlich sein.

Vertiefen Seite 27, Aufgabe 19

7 Alle notieren durcheinander je drei Zahlen mit den genannten Eigenschaften A bis E. Dann ordnet eine andere Person die Zahlen den Eigenschaften zu. Kontrolliert gemeinsam.

A Die Zahl ist irrational und negativ.

B Die Zahl ist als Wurzel notiert und rational.

C Die Zahl ist nicht irrational, hat aber unendlich viele Nachkommastellen.

D Die Zahl ist reell, aber nicht rational.

E Die Zahl ist als Wurzel notiert und nicht natürlich.

8 Es soll eine nicht abbrechende Dezimalzahl entstehen. Setze sie einmal so fort, dass sie rational ist, und einmal so, dass sie irrational ist.

a) 1,32...   b) 4,575...   c) 51,251 22...   d) 35,727 7277...

9 a) Formuliere das Konstruktionsprinzip der beiden Zahlen A und B.
(A) 0,101 001 000 100 001 000 001...   (B) 0,010 110 111 011 110 111 110...
b) Begründe, warum man diese Zahlen nicht als Bruch notieren kann.
c) Begründe: Die Summe der beiden Zahlen ist eine rationale Zahl.
d) Eine Person konstruiert zwei irrationale Zahlen, deren Summe rational ist. Eine andere Person erklärt das Konstruktionsprinzip dieser Zahlen und prüft, ob die Summe rational ist.

10 a) Bestimme, welche Zahl jeweils in das graue Kästchen gehört. Ist die Zahl rational oder irrational? Begründe.
b) Prüfe an konkreten Zahlenbeispielen, ob es ein Quadrat mit einer Seitenlänge gibt, die irrational ist, während die Länge der Diagonale rational ist.

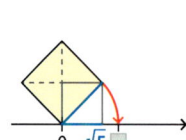
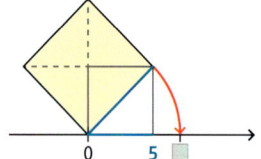

Teste dich!

→ **Lösungen**, Seite 217

11 Wahr oder falsch?
Gib an, ob die folgenden Aussagen wahr oder falsch sind. Begründe.
a) Eine Zahl mit unendlich vielen Nachkommastellen ist eine reelle Zahl.
b) Bricht eine Dezimalzahl nicht ab, so ist sie irrational.
c) Das Produkt zweier irrationaler Zahlen ist immer irrational.

12 a) Den Beweis der Irrationalität von $\sqrt{2}$ (Schulbuchseite 16) kann man auf andere Wurzeln übertragen. Weist arbeitsteilig nach, dass $\sqrt{5}$, $\sqrt{8}$ bzw. $\sqrt{15}$ irrational sind. Zerlegt hierfür falls notwendig die Zahlen in Primfaktoren.
b) Erklärt euch in Dreiergruppen gegenseitig eure Beweise aus Teilaufgabe a).
c) Erläutert, warum der Beweis für $\sqrt{49}$ nicht funktioniert.

→ **Erforschen**
Seite 27, Aufgabe 20

13 Eine Zahl geht auf Reisen ...

Vorschrift	Zahl	Zahlbereich	Term
Denke dir eine positive Zahl.	7	$\mathbb{N}, \mathbb{Z}, \mathbb{Q}, \mathbb{R}$	x
Quadriere die Zahl.	49	$\mathbb{N}, \mathbb{Z}, \mathbb{Q}, \mathbb{R}$	x^2
Dividiere durch 16.	$\frac{49}{16}$	$\mathbb{Q}, \mathbb{R}$	
Ziehe die Wurzel.			
Addiere 1.			
Verdopple.			
Subtrahiere die Hälfte der Ausgangszahl.			
Ziehe die Wurzel.	1,4142...		

a) Übertragt die Tabelle in euer Heft und ergänzt sie.
b) Wählt andere Ausgangszahlen. Vergleicht eure Ergebnisse und überprüft, ob die Reise immer durch die gleichen Zahlenbereiche geht.
c) Wählt eine Zahl, mit der die Reise möglichst lange in den natürlichen Zahlen verläuft.
d) Notiert eine Begründung, weshalb die Zahlenreise immer bei $\sqrt{2}$ endet, und stellt diese einer anderen Gruppe vor.
e) Entwickelt selbst eine Zahlenreise, bei der man das Endresultat voraussagen kann.

MK Die Teilaufgaben a) bis c) kann man auch gut mit einer Tabellenkalkulation untersuchen.

14 Um die Mittelpunkte bei –3 bzw. 2 sind Teile von zwei Kreisen mit gleich großen Radien gezeichnet.
a) Begründe: Der Mittelpunkt der roten Strecke gehört zu einer rationalen Zahl der Zahlengeraden.
b) Tobias behauptet: „Alle Punkte der roten Strecke gehören zu rationalen Zahlen der Zahlengeraden." Stimmt dies? Begründe deine Antwort.

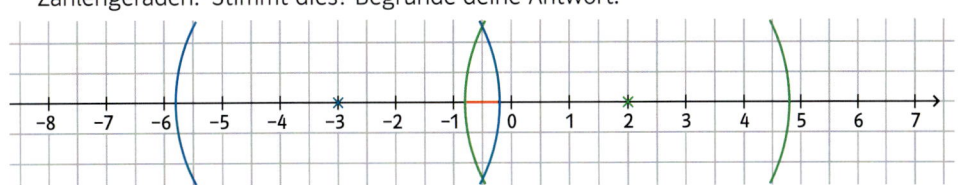

Teste dein Grundwissen! Zinsen

→ **Grundwissen**, Seite 207
Lösungen, Seite 217

G 15 1000 € werden über 3 Jahre zum festen Zinssatz von 3 % angelegt, ohne dass Geld abgehoben wird. Bestimme mit einer Überschlagsrechnung, ob das Guthaben auf 1090,00 € oder auf 1092,73 € angewachsen ist. Kontrolliere anschließend mit dem Taschenrechner.

4 Wurzelgesetze – Vorteile beim Rechnen

$\sqrt{9 \cdot 5} = 3 \cdot \sqrt{5}$

$45 = 9 \cdot 5$

$\sqrt{45} \cdot \sqrt{5} = 15$

$\sqrt{45} = 3 \cdot \sqrt{5}$

$45 : \sqrt{5} = 9 \cdot \sqrt{5}$

Zoe hat eine Skizze erstellt und dazu verschiedene Gleichungen notiert.
Begründe mithilfe der Skizze, wie Zoe zu diesen Gleichungen gekommen ist.

Obwohl viele Wurzeln irrationale Zahlen sind, kann man mit ihnen rechnen. Dabei gibt es Rechenregeln, die nicht nur Rechnungen erleichtern, sondern auch beim Überschlagen von Wurzeln hilfreich sind. Diese Regeln werden nun vorgestellt.

Produkte und Quotienten von Wurzeln
Wurzeln wie z.B. $\sqrt{4 \cdot 9}$ kann man auch berechnen, indem man $\sqrt{4}$ und $\sqrt{9}$ multipliziert, denn $(\sqrt{4} \cdot \sqrt{9})^2 = \sqrt{4} \cdot \sqrt{9} \cdot \sqrt{4} \cdot \sqrt{9} = \sqrt{4} \cdot \sqrt{4} \cdot \sqrt{9} \cdot \sqrt{9} = 4 \cdot 9 = 36$.
Damit ist $\sqrt{36}$ dasselbe wie $\sqrt{4} \cdot \sqrt{9}$, also gilt: $\sqrt{4 \cdot 9} = \sqrt{4} \cdot \sqrt{9}$.
Entsprechendes kann man auch für die Wurzel aus einem Quotienten zeigen:
$\left(\frac{\sqrt{4}}{\sqrt{9}}\right)^2 = \frac{\sqrt{4}}{\sqrt{9}} \cdot \frac{\sqrt{4}}{\sqrt{9}} = \frac{\sqrt{4} \cdot \sqrt{4}}{\sqrt{9} \cdot \sqrt{9}} = \frac{4}{9}$, also gilt: $\sqrt{\frac{4}{9}} = \frac{\sqrt{4}}{\sqrt{9}}$.
Diese Rechnungen lassen sich für Wurzeln mit beliebigen positiven Radikanden durchführen.

> **Wurzelgesetze**
>
> Rechenregel für Produkte: Für $a > 0$ und $b > 0$ gilt $\sqrt{a \cdot b} = \sqrt{a} \cdot \sqrt{b}$.
>
> Rechenregel für Quotienten: Für $a > 0$ und $b > 0$ gilt $\sqrt{a : b} = \sqrt{a} : \sqrt{b}$
>
> bzw. $\frac{\sqrt{a}}{\sqrt{b}} = \sqrt{\frac{a}{b}}$.
>
> Mit den Rechenregeln für Produkte kann man in einigen Fällen teilweise Wurzelziehen.

Weitere Wurzelgesetze werden auf Seite 127 thematisiert.

Teilweises Wurzelziehen
Die meisten Taschenrechner zeigen für $\sqrt{20}$ den Wert $2 \cdot \sqrt{5}$ an.
Dieses Ergebnis erklärt sich so: $\sqrt{20} = \sqrt{4 \cdot 5} = \sqrt{4} \cdot \sqrt{5} = 2 \cdot \sqrt{5}$.
4 ist eine Quadratzahl, ihre Wurzel lässt sich leicht bestimmen. Man kann beim Produkt $\sqrt{20} = \sqrt{4 \cdot 5}$ aus dem Faktor 4 die Wurzel ziehen. Man sagt, dass man aus $\sqrt{20}$ bzw. $\sqrt{4 \cdot 5}$ teilweise die Wurzel zieht. Wenn man den Radikanden so als Produkt notieren kann, dass ein Faktor eine Quadratzahl ist, dann ist das **teilweise Wurzelziehen** möglich.
Das teilweise Wurzelziehen ist hilfreich, wenn man Wurzeln mithilfe von Näherungswerten (wie z.B. mit denen von $\sqrt{2}$, $\sqrt{3}$ oder $\sqrt{5}$) im Kopf überschlagen möchte:
$\sqrt{72} = \sqrt{36 \cdot 2} = \sqrt{36} \cdot \sqrt{2} = 6 \cdot \sqrt{2} \approx 6 \cdot 1,4 = 8,4$.

$\sqrt{2} \approx 1,4$

Wenn man Wurzeln addiert bzw. subtrahiert oder wenn aus einer Summe oder Differenz eine Wurzel gezogen wird, dürfen die Rechenoperationen nicht vertauscht werden:

$\sqrt{16 + 9} = \sqrt{25} = 5$ Erst wird addiert, dann die Wurzel gezogen.

$\sqrt{16} + \sqrt{9} = 4 + 3 = 7$ Erst werden die Wurzeln gezogen, dann wird addiert.

I Reelle Zahlen

Beispiel 1 Wurzeln geschickt berechnen
Berechne möglichst geschickt, indem du die Rechenregeln für Wurzeln anwendest.
a) $\sqrt{484}$ b) $\frac{\sqrt{2}}{\sqrt{8}}$ c) $\sqrt{2}\cdot\sqrt{18}$ d) $\sqrt{125}:\sqrt{5}$

Lösung

a) $\sqrt{484}$
$= \sqrt{4\cdot 121}$
$= \sqrt{4}\cdot\sqrt{121}$
$= 2\cdot 11 = 22$

a) $\frac{\sqrt{2}}{\sqrt{8}} = \sqrt{\frac{2}{8}} = \sqrt{\frac{1}{4}} = \frac{1}{2}$

b) $\sqrt{2}\cdot\sqrt{18}$
$= \sqrt{2\cdot 18} = \sqrt{36}$
$= 6$

c) $\sqrt{125}:\sqrt{5}$
$= \sqrt{125:5}$
$= \sqrt{25} = 5$

Beispiel 2 Teilweise Wurzelziehen
Zerlege den Radikanden in Faktoren, von denen mindestens einer eine Quadratzahl ist und ziehe teilweise die Wurzel. Gib einen Näherungswert für die Wurzel an.
a) $\sqrt{75}$ b) $\frac{1}{\sqrt{10}}$

Lösung

a) $\sqrt{75} = \sqrt{3\cdot 25} = \sqrt{3}\cdot\sqrt{25}$
$= \sqrt{3}\cdot 5 \approx 1{,}7\cdot 5 = 8{,}5$

b) $\frac{1}{\sqrt{10}} = \frac{\sqrt{10}}{\sqrt{10}\cdot\sqrt{10}} = \sqrt{10}\cdot\frac{1}{10}$
$\approx 3{,}2\cdot\frac{1}{10} = 0{,}32$

Näherungswerte für das Überschlagen im Kopf:
$\sqrt{2} \approx 1{,}4$
$\sqrt{3} \approx 1{,}7$
$\sqrt{5} \approx 2{,}2$
$\sqrt{6} = \sqrt{2}\cdot\sqrt{3} \approx 2{,}4$
$\sqrt{7} \approx 2{,}6$
$\sqrt{10} \approx 3{,}2$
$\sqrt{11} \approx 3{,}3$

Beispiel 3 Das Distributivgesetz bei Wurzeln anwenden
Wende das Distributivgesetz an, um den Term im Kopf zu berechnen bzw. zu überschlagen.
a) $\sqrt{3}\cdot(\sqrt{12}-\sqrt{3})$ b) $5\cdot\sqrt{2}-7\cdot\sqrt{2}$

Lösung
a) *Hier führt das Ausmultiplizieren zu Produkten von Wurzeln, die natürliche Zahlen sind.*
$\sqrt{3}\cdot(\sqrt{12}-\sqrt{3}) = \sqrt{3}\cdot\sqrt{12}-\sqrt{3}\cdot\sqrt{3} = \sqrt{3\cdot 12}-(\sqrt{3})^2 = \sqrt{36}-3 = 6-3 = 3$

b) *Hier führt das Ausklammern dazu, dass man nur einmal überschlagen muss.*
$5\cdot\sqrt{2}-7\cdot\sqrt{2} = (5-7)\cdot\sqrt{2} = -2\cdot\sqrt{2} \approx -2\cdot 1{,}4 = -2{,}8$

Distributivgesetz

Ausmultiplizieren:
$a\cdot(b+c) = a\cdot b + a\cdot c$

Ausklammern:
$a\cdot b + a\cdot c = a\cdot(b+c)$

Aufgaben

1 Schreibe unter eine Wurzel und berechne.
a) $\sqrt{2}\cdot\sqrt{8}$ b) $\sqrt{3{,}6}\cdot\sqrt{10}$ c) $\sqrt{5}\cdot\sqrt{20}$ d) $\sqrt{2}\cdot\sqrt{72}$
e) $\sqrt{20}\cdot\sqrt{3{,}2}$ f) $\sqrt{3}\cdot\sqrt{75}$ g) $\sqrt{3}\cdot\sqrt{108}$ h) $\sqrt{12{,}5}\cdot\sqrt{8}$
Kontrolliere deine Ergebnisse aus den Teilaufgaben a) bis h) mit dem Taschenrechner.

→ **Lerntipp** Seite 21, Beispiel 1

2 Berechne geschickt im Kopf und notiere das Ergebnis.
a) $\sqrt{9\cdot 25}$ b) $\sqrt{36\cdot 49}$ c) $\sqrt{81\cdot 144}$ d) $\sqrt{900}$ e) $\sqrt{3600}$ f) $\sqrt{324}$

→ **Vertiefen** ◐ Seite 26, Aufgabe 16

3 Schreibe unter eine Wurzel und berechne.
a) $\sqrt{72}:\sqrt{2}$ b) $\sqrt{75}:\sqrt{3}$ c) $\sqrt{125}:\sqrt{5}$ d) $\sqrt{300}:\sqrt{3}$
e) $\frac{\sqrt{1440}}{\sqrt{10}}$ f) $\frac{\sqrt{12}}{\sqrt{48}}$ g) $\frac{\sqrt{13}}{\sqrt{52}}$ h) $\frac{\sqrt{27}}{\sqrt{12}}$

4 Ordne jedem gelben ein passendes rotes, blaues und grünes Kärtchen zu.

$\sqrt{18}$ $\sqrt{12}$ $\sqrt{4\cdot 3}$ $\sqrt{25\cdot 5}$ $5\cdot\sqrt{2}$ $3\cdot\sqrt{2}$ $\approx 4{,}2$ ≈ 11

     $\sqrt{9\cdot 2}$ $\sqrt{25\cdot 2}$ $5\cdot\sqrt{5}$ $2\cdot\sqrt{3}$ ≈ 7

→ **Lerntipp** Seite 21, Beispiel 2 a)

5 Berechne geschickt im Kopf und notiere das Ergebnis.
a) $\sqrt{16:25}$ b) $\sqrt{169:100}$ c) $\sqrt{121:225}$ d) $\sqrt{\frac{1}{400}}$ e) $\sqrt{\frac{81}{169}}$ f) $\sqrt{\frac{121}{256}}$

Teste dich! → **Lösungen**, Seite 217

6 Berechne möglichst geschickt.
a) $\sqrt{16 \cdot 81}$ b) $\sqrt{0{,}01 \cdot 9}$ c) $\sqrt{144:100}$ d) $\sqrt{25:225}$
e) $\sqrt{125} \cdot \sqrt{0{,}8}$ f) $\sqrt{28{,}9} \cdot \sqrt{10}$ g) $\sqrt{3630} : \sqrt{30}$ h) $\sqrt{7} : \sqrt{28}$

7 Ordne jedem gelben ein rotes, blaues und grünes Kärtchen zu. Notiere eine Rechnung.

$\sqrt{3} \approx 1{,}7$
$\sqrt{7} \approx 2{,}6$
$\sqrt{10} \approx 3{,}2$

| $\sqrt{48}$ | $\sqrt{175}$ | $\sqrt{360}$ | $\sqrt{36 \cdot 10}$ | $\sqrt{25 \cdot 7}$ | $\sqrt{16 \cdot 3}$ |

| $5 \cdot \sqrt{7}$ | $4 \cdot \sqrt{3}$ | $6 \cdot \sqrt{10}$ | ≈ 13 | $\approx 19{,}2$ | $\approx 6{,}8$ |

8 Berechne geschickt im Kopf und notiere das Ergebnis.
a) $\sqrt{108} \cdot \sqrt{\frac{1}{3}}$ b) $\sqrt{\frac{3}{8}} \cdot \sqrt{6}$ c) $\sqrt{245} \cdot \sqrt{\frac{1}{5}}$ d) $\sqrt{3} \cdot \sqrt{\frac{1}{48}}$
e) $\sqrt{6{,}4} \cdot \sqrt{0{,}1}$ f) $\sqrt{\frac{3}{4}} \cdot \sqrt{27}$ g) $\sqrt{\frac{3}{10}} \cdot \sqrt{\frac{12}{10}}$ h) $\sqrt{0{,}03} \cdot \sqrt{1{,}08}$
i) $\sqrt{\frac{5}{7}} : \sqrt{\frac{7}{20}}$ j) $\sqrt{\frac{14}{30}} : \sqrt{\frac{35}{12}}$ k) $\sqrt{8{,}1} : \sqrt{10}$ l) $\sqrt{0{,}4} : \sqrt{12{,}1}$

→ **Vertiefen**
Seite 26,
Aufgaben 16 und 17

9 Setze die fehlenden Ziffern ein und bilde das Lösungswort.
a) $\sqrt{\square 1} \cdot \sqrt{49} = 8^2 - 1$ b) $\sqrt{361} - 14 = \sqrt{1\square 5} : \sqrt{5}$ c) $\sqrt{2\square 6} = 8\sqrt{4}$
d) $\sqrt{196} - \sqrt{\square 6} \cdot \sqrt{4} = 2$ e) $\sqrt{50\square} : \sqrt{3} = 13$ f) $\sqrt{3\square 3} : \sqrt{3} = 11$

8 L	1 K	7 U
3 R	5 Z	6 W
9 A	4 T	2 E

10 Gesucht sind Quadrate, die denselben Flächeninhalt haben wie die Figuren. Bestimme einen Näherungswert für die Seitenlänge a des Quadrats, indem du teilweise die Wurzel ziehst und eine Überschlagsrechnung durchführst.

a) 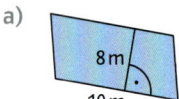 b) 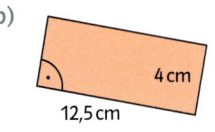 c) 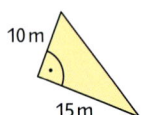 d)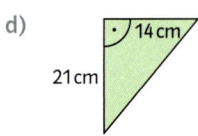

11 Schreibe den Radikanden als Produkt, bei dem einer der Faktoren eine Quadratzahl ist, und ziehe teilweise die Wurzel. Alle vorkommenden Quadratzahlen findest du auf den Kärtchen auf dem Rand.
a) $\sqrt{50}$ b) $\sqrt{48}$ c) $\sqrt{12}$ d) $\sqrt{27}$ e) $\sqrt{18}$ f) $\sqrt{98}$
g) $\sqrt{80}$ h) $\sqrt{20}$ i) $\sqrt{128}$ j) $\sqrt{200}$ k) $\sqrt{28}$ l) $\sqrt{54}$

→ **Lerntipp**
Seite 21, Beispiel 2 a)

4	4	9	4
9	16	9	49
25	100	64	16

12 a) Notiere als Vielfaches von $\sqrt{2}$, $\sqrt{3}$ oder $\sqrt{5}$ und überschlage. Du findest die Näherungswerte in den Möhren.

| $\sqrt{45}$ | $\sqrt{162}$ | $\sqrt{300}$ | $\sqrt{320}$ | $\sqrt{98}$ |
| $\sqrt{80}$ | $\sqrt{108}$ | $\sqrt{605}$ | $\sqrt{288}$ | $\sqrt{192}$ |

b) Emre behauptet: „Die Näherungen $\sqrt{288} \approx 16{,}9$, $\sqrt{300} \approx 17{,}5$ und $\sqrt{320} \approx 17{,}9$ sind viel besser. Ich kenne die Quadratzahlen gut und verwende sie deswegen zum näherungsweisen Bestimmen von Wurzeln." Beurteilt, wann Emres Methode gut geeignet ist.

I Reelle Zahlen

● 13 Wende das Distributivgesetz an und berechne bzw. überschlage im Kopf.
a) $\sqrt{5} \cdot (\sqrt{5} + \sqrt{80})$ b) $8 \cdot \sqrt{10} + 3 \cdot \sqrt{10}$ c) $\sqrt{12} \cdot (\sqrt{3} + \sqrt{12})$
d) $5 \cdot \sqrt{3} - 6 \cdot \sqrt{3}$ e) $(\sqrt{24} - \sqrt{6}) \cdot \sqrt{6}$ f) $1{,}5 \cdot \sqrt{7} + 2{,}5 \cdot \sqrt{7}$

Lerntipp Seite 21, Beispiel 3

Vertiefen Seite 26, Aufgabe 14

● 14 **Teilweises Wurzelziehen durch Zerlegen in Faktoren**
Wenn man eine große Zahl in ihre Primfaktoren zerlegt, lässt sich leicht erkennen, ob man teilweise die Wurzel ziehen kann (siehe rechts). Nutze die Primfaktorzerlegung um die Wurzel teilweise ziehen zu können.
(A) $\sqrt{252}$ (B) $\sqrt{567}$ (C) $\sqrt{7350}$
(D) $\sqrt{13\,122}$ (E) $\sqrt{58\,800}$ (F) $\sqrt{121\,275}$

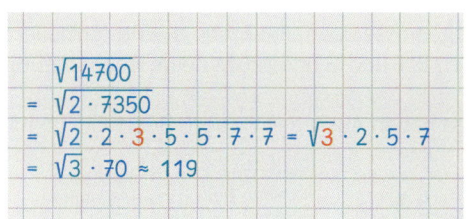

● 15 a) 👥 Lea hat herausgefunden, dass ihr Taschenrechner Terme, bei denen Wurzeln im Nenner auftreten, umformt. Sie hat sich die Zwischenschritte notiert und im Kopf überschlagen. Erläutert ihren Rechenweg.

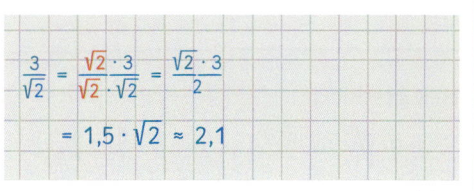

b) 📝 Überschlagt die Wurzelterme, indem ihr wie Lea vorgeht: $\frac{2}{\sqrt{2}}$; $\frac{1}{\sqrt{3}}$; $\frac{4}{\sqrt{7}}$; $\frac{3}{\sqrt{5}}$; $\frac{3}{\sqrt{12}}$; $\frac{\sqrt{3}}{\sqrt{18}}$

c) Überprüft eure Ergebnisse aus Teilaufgabe b) mit dem Taschenrechner.

d) Beim Vorgehen, das Lea anwendet, spricht man davon, dass der Nenner rational gemacht wird. Erkläre, was damit gemeint ist, und nenne Vorteile dieses Verfahrens.

● 16 📝 Gib an, in welchem der farbig markierten Bereiche die Wurzeln liegen.
Tipp: Nutze das teilweise Wurzelziehen und erweitere gegebenenfalls die Brüche, um die Wurzeln als Vielfache von $\sqrt{2}$, $\sqrt{3}$ oder $\sqrt{5}$ darzustellen.

Lerntipp Seite 21, Beispiel 2 b)

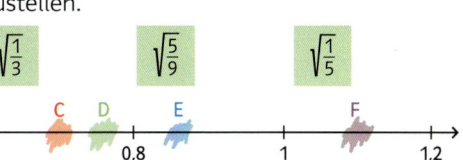

● 17 Lani soll die Gleichung $\sqrt{18} + \sqrt{8} = \sqrt{50}$ prüfen. Sie sucht Hilfe in einem Mathe-Internetforum.
a) Notiere eine Antwort für Lani, indem du die Rechenregeln für Wurzeln nutzt.
b) Finde weitere solche Aufgaben.

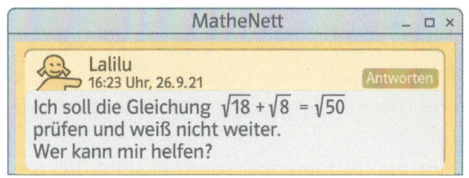

● 18 📝 **Finde den Fehler**
Ida hat ein Rätsel entworfen. Finde die richtigen und die falschen Rechnungen und korrigiere, wenn nötig. Ordne die Buchstaben sinnvoll und du erhältst jeweils eine Aussage.

Vertiefen Seite 26, Aufgabe 15

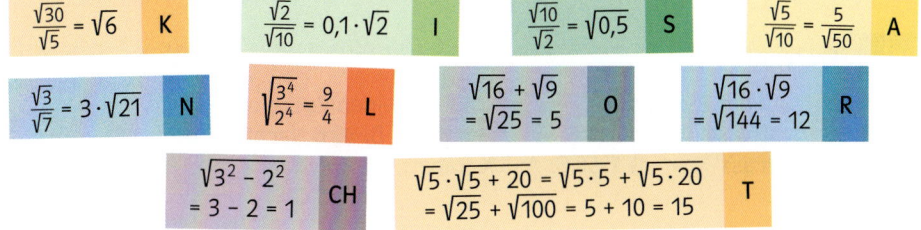

4 Wurzelgesetze – Vorteile beim Rechnen

19 Überschlage. Gib anschließend die Lösungsmenge mithilfe von Wurzeln an.

a) $x^2 = 125$
b) $x^2 = 200$
c) $x^2 = 486$
d) $x^2 = \frac{12}{11}$

20 a) Bestimme die Lösungsmengen der Gleichungen A bis D durch teilweises Radizieren.
(A) $x^2 = 160$
(B) $x^2 = 40$
(C) $x^2 = 10$
(D) $x^2 = 2,5$

b) Betrachte die Ergebnisse aus Teilaufgabe a) und formuliere eine Beobachtung. Ergänze weitere Aufgaben E, F und G und prüfe deine Beobachtung mit dem Taschenrechner.

Zur Erinnerung: „Radizieren" ist ein anderes Wort für „Wurzel ziehen".

21 Nova, Elsa und Theo haben Aussagen notiert. Beurteile, ob ihre Aussagen stimmen und erläutere sie.

Theo $\sqrt{a+11} - \sqrt{11}$ kann nicht gleich $\sqrt{a}$ sein.

Elsa Weil $\sqrt{a+b} \neq \sqrt{a} + \sqrt{b}$ ist, kann bei Differenzen und Summen von Wurzeln nicht vereinfacht werden.

Nova Um teilweise radizieren zu können, muss man die Primfaktorzerlegung des Radikanden kennen.

Teste dich!

→ Lösungen, Seite 218

22 Berechne möglichst geschickt.

a) $\sqrt{12,1} \cdot \sqrt{0,1}$
b) $(\sqrt{2} \cdot \sqrt{18})^2$
c) $\sqrt{\frac{3}{2}} \cdot \sqrt{\frac{75}{8}}$
d) $\sqrt{\frac{5}{27}} : \sqrt{\frac{12}{45}}$

23 Wende das Distributivgesetz an, sodass du im Kopf berechnen bzw. überschlagen kannst.

a) $(\sqrt{45} - \sqrt{80}) \cdot \sqrt{5}$
b) $4 \cdot \sqrt{13} - 5 \cdot \sqrt{13}$
c) $\sqrt{2} \cdot (\sqrt{18} - \sqrt{8})$
d) $7\sqrt{11} - 4\sqrt{11}$

24 Notiere als Vielfaches von $\sqrt{3}$, $\sqrt{7}$ oder $\sqrt{10}$ und überschlage.

a) $\sqrt{363}$
b) $\sqrt{250}$
c) $\sqrt{63}$
d) $\sqrt{\frac{7}{4}}$
e) $\sqrt{\frac{7}{100}}$
f) $\sqrt{\frac{10}{9}}$

25 Gilt immer – gilt nie – es kommt darauf an
Untersuche, ob die folgenden Aussagen immer gelten, nie stimmen oder nur in bestimmten Fällen richtig sind. Gib gegebenenfalls die Bedingungen an.
a) Die Wurzel aus dem Produkt von a und b ist kleiner als das Produkt von a und b.
b) Wenn eine Zahl drei oder mehr Stellen hat, kann man teilweise die Wurzel ziehen.

26 a) Begründe mithilfe einer Skizze, dass die Aussagen gelten.

(A) Beträgt die Diagonale in einem Quadrat d, dann gilt $A_{Quadrat} = \frac{d^2}{2}$.

(B) Beträgt der Flächeninhalt eines Quadrats A, dann gilt für die Diagonale: $d = \sqrt{2} \cdot \sqrt{A}$.

b) Zeige, dass man mit Umformungen von der Aussage A zur Aussage B gelangt.

→ Erforschen ●
Seite 27, Aufgabe 22

27 Ordne mithilfe von Termumformungen jedem grünen das passende gelbe Kärtchen zu.

A: $\dfrac{4(7 \cdot \sqrt{7} + 2 \cdot \sqrt{5} - 3 \cdot \sqrt{7})}{\sqrt{2}(\sqrt{8} - \sqrt{2})}$

B: $\dfrac{\sqrt{7}}{2 \cdot \sqrt{5}} + \dfrac{7 \cdot \sqrt{5}}{\sqrt{7}}$

C: $\dfrac{\sqrt{800}}{\sqrt{2}} \cdot \dfrac{\sqrt{7} + \sqrt{2}}{\sqrt{5}}$

1: $4(\sqrt{35} + \sqrt{10})$

2: $8 \cdot \sqrt{7} + 4 \cdot \sqrt{5}$

3: $1,1 \cdot \sqrt{35}$

Teste dein Grundwissen! Prozente

→ Grundwissen, Seite 20
Lösungen, Seite 218

G 28 Vergleiche, welches der Angebote A oder B das günstigere ist. Notiere deinen Rechenweg.
a) 300 €, A: 12 % Rabatt, B: 39 € Nachlass
b) 333 €, A: 12 % Rabatt, B: 39 € Nachlass
c) 155 €, A: 5 % Rabatt, B: 10 € Nachlass
d) 1550 €, A: 5 % Rabatt, B: 10 € Nachlass

Wiederholen – Vertiefen – Vernetzen

I Reelle Zahlen

Wiederholen und Üben

→ **Lösungen**, Seite 218

1 Bestimme die Quadratwurzel aus der Zahl. Notiere so: $\sqrt{16} = 4$. Rechne die Probe.
a) 64   b) 121   c) 144   d) 625
e) 8100   f) 810 000   g) 27^2 h) 10^6

2 Ziehe die Wurzel im Kopf. Notiere das Ergebnis.
a) $\sqrt{\frac{64}{9}}$ b) $\sqrt{\frac{9}{100}}$ c) $\sqrt{\frac{49}{2500}}$ d) $\sqrt{\frac{169}{196}}$
e) $\sqrt{0{,}04}$ f) $\sqrt{0{,}16}$ g) $\sqrt{2{,}25}$ h) $\sqrt{0{,}000\,036}$

3 Gib an, welche Wurzeln natürliche Zahlen sind. Die entsprechenden Buchstaben ergeben rückwärts gelesen ein Lösungswort.

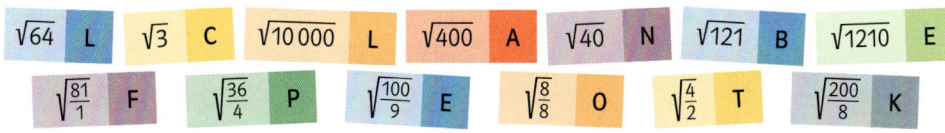

4 Gib zwei aufeinanderfolgende natürliche Zahlen an, zwischen denen die Wurzel liegt.
a) $\sqrt{48}$ b) $\sqrt{148}$ c) $\sqrt{405}$ d) $\sqrt{0{,}9}$

5 Bestimme die Seitenlänge des Quadrats mit dem Flächeninhalt A. Führe eine Probe durch.
a) $A = 2500\,m^2$ b) $A = 16\,900\,dm^2$ c) $A = 3{,}24\,cm^2$ d) $A = 2{,}89\,mm^2$

6 Bestimme die Seitenlänge des Quadrats mit dem Flächeninhalt A. Runde auf Zentimeter.
a) $A = 160\,cm^2$ b) $A = 250\,dm^2$ c) $A = 1000\,m^2$ d) $A = 0{,}9\,km^2$

7 Zeige, dass der Wert des Terms eine natürliche Zahl ist. Berechne.
a) $\sqrt{3} \cdot \sqrt{12}$ b) $\sqrt{128} : \sqrt{2}$ c) $(\sqrt{30})^2$ d) $\sqrt{2} \cdot \sqrt{5} \cdot \sqrt{10}$

Vertiefen und Anwenden

8 Gib an, welche Ziffern man für ▢ einsetzen kann.
a) $11 < \sqrt{14▢} < 12$ b) $14 < \sqrt{19▢} < 15$ c) $6 < \sqrt{4▢} < 7$
d) $9 < \sqrt{▢3} < 10$ e) $8 < \sqrt{7▢} < 9$ f) $18 < \sqrt{3▢9} < 19$

9 Setze ein Komma bei der Zahl auf dem gelben Kärtchen so, dass deren Wurzel eine der Zahlen auf den grünen Kärtchen ist. Notiere deine Lösung in der Form $\sqrt{0{,}09} = 0{,}3$ in deinem Heft.

| 225 | 0,02 | 3240 | 100 | 0 000 400 | 1,1 | 100 000 | 1,5 | 1 600 000 | 40 | 1210 | 1,8 |

10 Berechne möglichst geschickt.
a) $\sqrt{\frac{18}{72}}$ b) $\sqrt{\frac{75}{300}}$ c) $\sqrt{\frac{605}{45}}$ d) $\sqrt{\frac{500}{720}}$
e) $\sqrt{1\frac{21}{100}}$ f) $\sqrt{2\frac{1}{4}}$ g) $\sqrt{1\frac{22}{50}}$ h) $\sqrt{3\frac{610}{1000}}$

11 Bestimme die natürliche Zahl x, deren Wurzel angenähert wird. Gib einen Näherungswert für $\sqrt{x}$ mit sechs Nachkommastellen an.
a) $2 < \sqrt{x} < 3$; $2{,}6 < \sqrt{x} < 2{,}7$
b) $4 < \sqrt{x} < 5$; $4{,}4 < \sqrt{x} < 4{,}5$
c) $8 < \sqrt{x} < 9$; $8{,}2 < \sqrt{x} < 8{,}3$

Teste dich!
🌐 **Kopiervorlage**
Check-out
2n79pi

Wiederholen – Vertiefen – Vernetzen

12 Bestimme die Lösungsmenge der Gleichung.
a) $x^2 = 0{,}09$ b) $x^2 = 1089$ c) $x^2 = 8{,}41$ d) $x^2 = 0$
e) $x^2 = 400$ f) $x^2 = 250\,000$ g) $x^2 = 0{,}0009$ h) $x^2 = 0{,}0121$

13 Bestimme die Lösungsmengen der Gleichungen als Wurzeln und als Näherungswert mit 3 Nachkommastellen. Ergänze 2 Gleichungen E und F und formuliere eine Beobachtung.

| A $x^2 = 810$ | B $x^2 = 90$ | C $x^2 = 10$ | D $x^2 = 1{,}\overline{1}$ | E $x^2 = \ldots$ | F $x^2 = \ldots$ |

14 Multipliziere aus und vereinfache den Term so weit wie möglich.
a) $\sqrt{2} \cdot (\sqrt{8} + \sqrt{2})$
b) $\sqrt{3} \cdot (2\sqrt{3} - \sqrt{2})$
c) $\sqrt{3} \cdot \left(\sqrt{133} + \frac{2}{\sqrt{3}}\right)$
d) $\sqrt{5} \cdot \left(\sqrt{20} - \frac{1}{5}\right)$
e) $\frac{1}{\sqrt{5}} \cdot (5 - \sqrt{10})$
f) $(18 + 6\sqrt{18}) \cdot \frac{1}{\sqrt{6}}$
g) $\sqrt{10} \cdot (2\sqrt{1{,}6} - \sqrt{4{,}9})$
h) $\sqrt{0{,}5} \cdot (\sqrt{0{,}72} - \sqrt{0{,}08})$
i) $(\sqrt{0{,}18} - \sqrt{0{,}08}) \cdot \sqrt{2}$

15 **Finde den Fehler!**
Erkläre, welche Fehler gemacht wurden, und korrigiere, wenn möglich, im Heft.

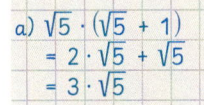
a) $\sqrt{5} \cdot (\sqrt{5} + 1)$
$= 2 \cdot \sqrt{5} + \sqrt{5}$
$= 3 \cdot \sqrt{5}$

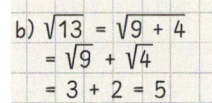
b) $\sqrt{13} = \sqrt{9 + 4}$
$= \sqrt{9} + \sqrt{4}$
$= 3 + 2 = 5$

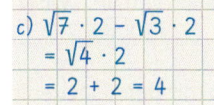
c) $\sqrt{7} \cdot 2 - \sqrt{3} \cdot 2$
$= \sqrt{4} \cdot 2$
$= 2 + 2 = 4$

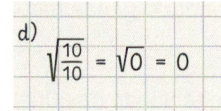
d) $\sqrt{\frac{10}{10}} = \sqrt{0} = 0$

16 Ordne jedem Term den Abschnitt der Zahlengerade zu, auf dem sein Wert liegt.
a)
| 1 $\sqrt{3} \cdot \sqrt{5}$ | 2 $\sqrt{4} \cdot \sqrt{12}$ | 3 $\sqrt{0{,}5} \cdot \sqrt{5}$ | 4 $\sqrt{7} \cdot \sqrt{8}$ | 5 $\sqrt{1{,}5} \cdot \sqrt{10}$ |

b)
| 1 $\sqrt{30} : \sqrt{6}$ | 2 $\sqrt{20} : \sqrt{30}$ | 3 $\sqrt{150} : \sqrt{5}$ | 4 $\sqrt{40} : \sqrt{2}$ | 5 $\sqrt{50} : \sqrt{250}$ |

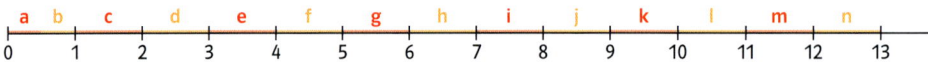

17 Prüfe, ob das Ergebnis natürlich, ganz, rational oder reell ist.
a) $(3 - \sqrt{2})^2$
b) $\left(\frac{1}{2} + \sqrt{5}\right)\left(\sqrt{5} - \frac{1}{2}\right)$
c) $(5 \cdot \sqrt{3} + 2 \cdot \sqrt{27})^2$
d) $(\sqrt{6} - \sqrt{24})\sqrt{6}$

18 a) Maria hat eine Skizze angefertigt, an der man drei Aussagen begründen kann:
1. $\sqrt{27} \cdot \sqrt{3} = 9$
2. $\sqrt{27} : \sqrt{3} = 3$
3. Die Diagonale eines Quadrats mit dem Flächeninhalt 3 hat die Länge $\sqrt{2 \cdot 3}$.

Erkläre an Marias Skizze, wie sie die Aussagen begründen könnte.

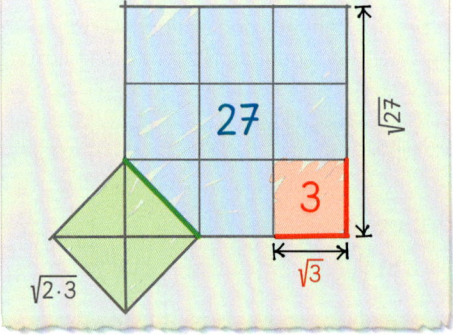

b) Fertige eine ähnliche Skizze an, bei der der Flächeninhalt des blauen Quadrats 63 Flächeneinheiten beträgt. Formuliere ähnliche Aussagen.
c) Ron hat mit dem Taschenrechner einen Term berechnet:
$\sqrt{5} \cdot \sqrt{80} \approx 2{,}236 \cdot 8{,}944 = 19{,}998\,784$.
Fertige eine Skizze an, mit der du Ron zeigst, dass $\sqrt{5} \cdot \sqrt{80} = 20$ ist.

19 Wahr oder falsch?
Gib an, ob die folgenden Aussagen wahr oder falsch sind. Begründe.
a) Jede ganze Zahl ist auch eine reelle Zahl.
b) Jede nicht abbrechende Dezimalzahl ist eine irrationale Zahl.
c) Es gibt Quotienten von zwei natürlichen Zahlen, die irrational sind.
d) Alle Quotienten von zwei rationalen Zahlen sind rationale Zahlen.
e) Es gibt irrationale Zahlen, deren 1000-Faches eine rationale Zahl ist.
f) Es gibt unendlich viele Zahlen zwischen 0,1 und $\frac{1}{9}$.

Vernetzen und Erforschen

20 a) Es soll gezeigt werden, dass $\sqrt{12}$ irrational ist. Setze die einzelnen Kärtchen zu einer schlüssigen Beweiskette zusammen.

A Das Produkt $2 \cdot 2 \cdot 3 \cdot b^2$ enthält eine ungerade Anzahl an Faktoren 3.

B Wenn man eine Zahl a als Produkt schreiben kann, in dem der Faktor 3 einmal oder mehrmals vorkommt, dann enthält $a^2 = a \cdot a$ den Faktor 3 doppelt so oft wie a.

C Mit $\sqrt{12} = \frac{a}{b}$ gilt auch $12 = \frac{a^2}{b^2}$.

D Ziel: Damit ist bewiesen, dass $\sqrt{12}$ eine irrationale Zahl ist.

E Start: Ich nehme an, dass $\sqrt{12}$ eine rationale Zahl ist.

F Die Annahme, dass sich $\sqrt{12}$ als Bruch notieren lässt, war also falsch.

G a^2 und b^2 enthalten eine gerade Anzahl an Faktoren, die 3 sind.

H Die Gleichung $2 \cdot 2 \cdot 3 \cdot b^2 = a^2$ bzw. $12 \cdot b^2 = a^2$ kann niemals erfüllt sein.

I Mit $\sqrt{12} = \frac{a}{b}$ bzw. $12 = \frac{a^2}{b^2}$ gilt: $12 \cdot b^2 = a^2$ $2 \cdot 2 \cdot 3 \cdot b^2 = a^2$

J Eine Beziehung $12 \cdot b^2 = a^2$ bzw. $\sqrt{12} = \frac{a}{b}$ kann es nicht geben.

K Dann könnte man $\sqrt{12}$ als Bruch $\frac{a}{b}$ mit natürlichen Zahlen a und b notieren.

b) Beweise auf ähnliche Weise, dass die Zahlen $\sqrt{8}$ und $\sqrt{45}$ irrational sind.

21 Im Koordinatensystem werden nach einem Muster verschiedene Wurzeln konstruiert.
a) Gib an, welche Länge die roten Strecken haben. Begründe.
b) Setze das Muster im Heft um eins fort. Gib an, welche Wurzel du konstruierst, und begründe.
c) Bestimme ohne weitere Zeichnung, wie lang die rote Seite in der achten, neunten und zehnten Konstruktion ist. Begründe, indem du beschreibst, wo die rote Strecke liegt und welche Teilflächen im Quadrat entstehen.

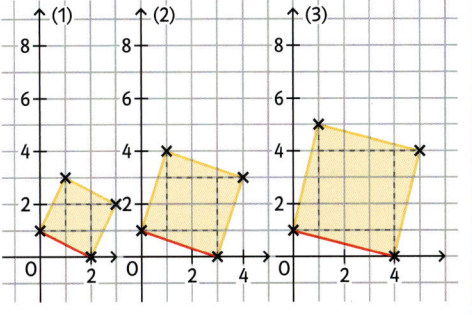

MK Hier kannst du auch mit einer dynamischen Geometriesoftware arbeiten.

d) Verändere das Muster, indem du die linke untere Ecke des Quadrats im Punkt P(0|2) platzierst. Untersuche nun mit dem veränderten Muster die Fragestellungen aus den Teilaufgaben a) bis c).

22 Birgit und Malena möchten Kärtchen eines Spiels auslegen. Birgit hat ihre 25 Kärtchen quadratförmig ausgelegt, Malena ihre 36 auch. Nun nehmen sie die Karten zusammen. Können sie diese auch quadratförmig auslegen? Wenn nein, finde Zahlenbeispiele, bei denen dies gehen würde.

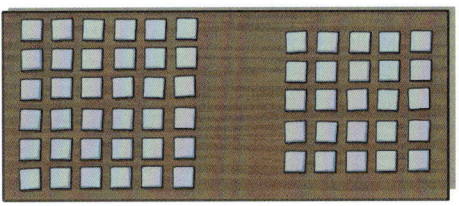

Rückblick

Quadratwurzeln
Die **Quadratwurzel** aus einer positiven Zahl a oder kurz die **Wurzel** aus a ist diejenige positive Zahl, die quadriert a ergibt.
Man schreibt: $\sqrt{a}$. a heißt **Radikand**.
Statt Wurzelziehen sagt man auch **Radizieren**.
Es gilt $\sqrt{0} = 0$.
Aus negativen Zahlen kann man keine Wurzel ziehen.
Für positive Zahlen sind Wurzelziehen und Quadrieren Umkehrrechnungen.

$\sqrt{25} = 5$; $\sqrt{\frac{9}{16}} = \frac{3}{4}$; $\sqrt{1{,}21} = 1{,}1$

$(\sqrt{4})^2 = \sqrt{4} \cdot \sqrt{4} = 2 \cdot 2 = 4$; $\sqrt{\left(\frac{1}{2}\right)^2} = \sqrt{\frac{1}{4}} = \frac{1}{2}$

Geometrisch bedeutet das Ziehen einer Quadratwurzel, dass man zu dem Flächeninhalt eines Quadrats die passende Seitenlänge bestimmt.

Die Seitenlänge s eines Quadrats mit dem Flächeninhalt 16 cm² ist
$s = \sqrt{16\,cm^2} = 4\,cm$.

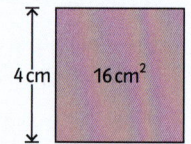

Reelle Zahlen
Rationale Zahlen sind Zahlen, die sich als Bruch darstellen lassen. Notiert man sie als Dezimalzahlen, sind sie entweder abbrechend oder periodisch. Jede Zahl, die nicht rational ist, ist **irrational**.
Irrationale Zahlen lassen sich nicht als Bruch oder als endliche oder periodische Dezimalzahl darstellen. Alle Wurzeln aus natürlichen Zahlen, die keine Quadratzahlen sind, sind irrational.
Die rationalen Zahlen und die irrationalen Zahlen bilden zusammen die Menge der **reellen Zahlen**. Man bezeichnet diese Menge mit dem Symbol ℝ.

rationale Zahlen, zum Beispiel:
$\frac{3}{4}$; $-3{,}885$; 7; $\sqrt{16}$; $-\sqrt{\frac{1}{4}}$; $0{,}\overline{34}$

irrationale Zahlen, zum Beispiel:
$\sqrt{2}$; $-\sqrt{15}$; $3{,}030\,030\,003\ldots$

ℕ: *natürliche Zahlen*
ℤ: *ganze Zahlen*
ℚ: *rationale Zahlen*
ℝ: *reelle Zahlen*

Intervallschachtelung
Durch systematisches Eingrenzen (z.B. mithilfe einer Intervallschachtelung) lassen sich Näherungswerte für Quadratwurzeln beliebig genau bestimmen.

Lösungsmengen quadratischer Gleichungen
Eine **quadratische Gleichung** der Form $x^2 = a$ mit $a > 0$ hat die positive Lösung $x = \sqrt{a}$ und die negative Lösung: $x = -\sqrt{a}$, denn $(-\sqrt{a}) \cdot (-\sqrt{a}) = \sqrt{a} \cdot \sqrt{a} = a$.
Die Lösungsmenge der Gleichung $x^2 = a$ ist $L = \{-\sqrt{a};\ \sqrt{a}\}$.
Eine quadratische Gleichung der Form $x^2 = -b$ für $b > 0$ hat keine Lösung, da es keine Zahl gibt, deren Quadrat negativ ist.
Die Lösungsmenge ist dann leer, man schreibt: $L = \{\ \}$.

$x^2 = 64$
$x = -\sqrt{64} = -8$ oder $x = \sqrt{64} = 8$
$L = \{-8;\ 8\}$

$x^2 = -25$
$L = \{\ \}$

Geschicktes Rechnen mit Wurzeln (Wurzelgesetze)
Rechenregeln für Produkte:
Für $a > 0$ und $b > 0$ gilt $\sqrt{a \cdot b} = \sqrt{a} \cdot \sqrt{b}$.
Rechenregeln für Quotienten:
Für $a > 0$ und $b > 0$ gilt $\sqrt{a : b} = \sqrt{a} : \sqrt{b}$ bzw. $\frac{\sqrt{a}}{\sqrt{b}} = \sqrt{\frac{a}{b}}$.

$\sqrt{3} \cdot \sqrt{48} = \sqrt{3 \cdot 48} = \sqrt{144} = 12$
$\sqrt{1600} = \sqrt{16 \cdot 100} = \sqrt{16} \cdot \sqrt{100} = 4 \cdot 10 = 40$

$\sqrt{400 : 25} = \sqrt{400} : \sqrt{25} = 20 : 5 = 4$

$\frac{\sqrt{125}}{\sqrt{5}} = \sqrt{\frac{125}{5}} = \sqrt{25} = 5$

Für Summen bzw. Differenzen gibt es keine entsprechende Regel.

$\sqrt{9 + 16} \neq \sqrt{9} + \sqrt{16}$

Teilweises Wurzelziehen:
Die Rechenregel für Produkte kann man verwenden, um teilweise die Wurzel zu ziehen.

$\sqrt{200} = \sqrt{100 \cdot 2} = \sqrt{100} \cdot \sqrt{2} = 10 \cdot \sqrt{2} \approx 14$

Test — Reelle Zahlen

Runde 1
→ Lösungen, Seite 221

1 Berechne im Kopf und notiere das Ergebnis im Heft.
a) $\sqrt{144}$ b) $\sqrt{19\,600}$ c) $\sqrt{0{,}0004}$ d) $\sqrt{3{,}24}$ e) $\sqrt{\frac{9}{25}}$ f) $\sqrt{\frac{100}{81}}$

2 Gib jeweils eine Zahl mit den beschriebenen Eigenschaften an.
a) Die Zahl ist eine rationale, aber keine ganze Zahl, und sie ist kleiner als –4.
b) Die Zahl ist keine rationale Zahl und liegt zwischen 4 und 5.
c) Die Zahl ist ein negativer Bruch kleiner als –2, der als Dezimalzahl periodisch ist.
d) Wenn man dreimal in Folge aus dieser Zahl die Wurzel zieht, erhält man immer noch eine natürliche Zahl.

3 Ordne jedem Term den Bereich zu, in dem sein Wert liegt. Nutze, wo möglich, Rechenregeln und begründe.
a) $\sqrt{0{,}5} \cdot \sqrt{20}$ b) $\sqrt{\left(-\frac{2}{3}\right)^2}$
c) $\frac{\sqrt{98}}{\sqrt{32}}$ d) $\sqrt{\frac{1}{2}} + \sqrt{\frac{1}{2}}$

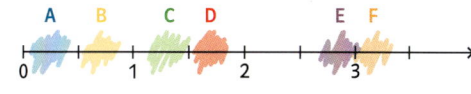

4 Eine quadratische Tafel Schokolade hat einen Flächeninhalt von 82,8 cm².
a) Weise rechnerisch nach, dass man mit beiden Termen A und B dasselbe berechnet. Erkläre im Sachzusammenhang, was berechnet wird, und formuliere einen Antwortsatz.
b) Erläutere die beiden verschiedenen Vorgehensweisen im Kontext.

A $\sqrt{\frac{82{,}8}{16}}$
B $\sqrt{82{,}8} : 4 \approx 2{,}3$

5 Bestimme die Lösungsmenge der Gleichung. Runde, falls nötig, auf drei Nachkommastellen genau.
a) $x^2 = 0{,}1$ b) $x^2 = \frac{81}{121}$ c) $x^2 = \frac{999}{1001}$ d) $x^2 = 2^2$

Runde 2
→ Lösungen, Seite 222

1 Berechne im Kopf und notiere das Ergebnis im Heft.
a) $\sqrt{361}$ b) $\sqrt{28\,900}$ c) $\sqrt{0{,}0025}$ d) $\sqrt{0{,}0361}$ e) $\sqrt{\frac{121}{225}}$ f) $\sqrt{\frac{196}{169}}$

2 Prüfe, welche dieser reellen Zahlen rational und welche irrational sind. Begründe.
a) $\sqrt{\frac{1}{900}}$ b) $\sqrt{40}$ c) $3{,}303\,303\,33$ d) $\sqrt{\frac{16}{50}}$

3 Überschlage die Terme mithilfe des Näherungswertes $\sqrt{2} \approx 1{,}4$. Nutze Rechenstrategien.
a) $\sqrt{72}$ b) $\sqrt{5000}$ c) $\sqrt{0{,}18}$ d) $\sqrt{\frac{1}{8}}$

4 Auf dem Rand sind drei Würfel. Eine Seitenfläche des mittleren Würfels ist halb so groß wie eine Seitenfläche des großen Würfels. Die Seitenfläche des kleinen Würfels ist halb so groß wie eine Seitenfläche des mittleren Würfels. Die Oberfläche des großen Würfels beträgt 120 dm². Ermittle die Länge der eingezeichneten Kriechspur der Schnecke.

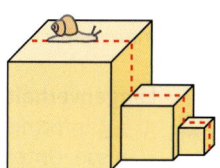

5 Rechts ist die Diagonale eines Quadrats die Seite des nächstgrößeren Quadrats.
a) Bestimme die Flächeninhalte und die Seitenlängen der ersten fünf Quadrate.
b) Beschreibe, wie sich der Flächeninhalt und die Seitenlänge jeweils von einem zum nächsten Quadrat verändern.

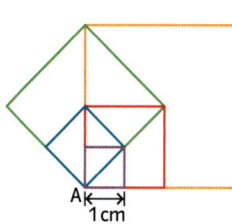

Exkursion

Ein Geheimbund zerbricht

Vor etwa 2500 Jahren gab es im südlichen Italien einen ganz besonderen Geheimbund. Er ist heute bekannt unter der Bezeichnung „die Pythagoreer". Dieser Bund wird nach einem Mann Namens Pythagoras benannt. Er war der Gründer dieses Geheimbundes.

Pythagoras, 580 v. Chr. – 496 v. Chr.

Pythagoras wurde um 580 vor Christus auf der Insel Samos geboren. Er besuchte zu Studienaufenthalten längere Zeit Ägypten und Mesopotamien. Anschließend ließ er sich in Kroton (heute Crotone in Süditalien) nieder, das damals politisch zu Griechenland gehörte. In Kroton wurde er zum Gründer eines Kreises von wohlhabenden Wissenschaftlern. Dieser Kreis entwickelte sich immer mehr zu einer Art Geheimbund, der Philosophie studierte, politisch aktiv war und auch viele wichtige Forschungen zur Mathematik betrieb.

Die Pythagoreer hielten fest zusammen, jeder konnte sich auf die anderen verlassen. Friedrich Schiller hat diese enge Freundschaft in seinem Gedicht „Die Bürgschaft" beschrieben.
In diesem Gedicht stehen die Pythagoreer Damon und Phintias angesichts der Todesstrafe füreinander ein. Andererseits waren die Pythagoreer auch sehr hochnäsig. Sie hielten sich für etwas Besonderes und blickten zum Beispiel auf Handwerker und Bauern arrogant herab.

„Ich bin", spricht jener, „zu sterben bereit
Und bitte nicht um mein Leben,
Doch willst du Gnade mir geben,
Ich flehe dich um drei Tage Zeit,
Bis ich die Schwester dem Gatten gefreit,
Ich lasse den Freund dir als Bürgen,
Ihn magst du, entrinn ich, erwürgen."

Auszug aus Schillers „Die Bürgschaft"

Es ist fast unglaublich, aber diese anscheinend so verschworene Gemeinschaft ist wegen einer irrationalen Zahl zerbrochen.
Dies kam so: Man bearbeitete früher vorwiegend geometrische Probleme. Die Pythagoreer waren fest davon überzeugt, dass die Welt auf einer Art Harmonie der Zahlen aufgebaut ist. Sie untersuchten zum Beispiel, welche Töne gut zusammenpassen.
Hierzu verglichen sie die Töne, die man mit gleichartigen, aber verschieden langen Saiten erzeugen kann.
Sie stellten fest, dass Töne gut zusammenklingen, wenn die Längen der Saiten im Verhältnis ganzer Zahlen stehen.
Zum Beispiel erklingt beim Saitenverhältnis 2 : 1 eine Oktave,
3 : 2 eine Quinte,
4 : 3 eine Quarte.
Bildet man jeweils den Quotienten der beiden Saitenlängen erhält man eine rationale Zahl.

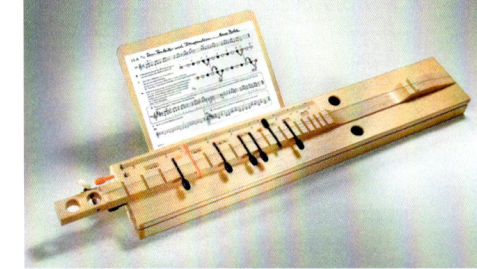

1 Längenverhältnisse bei Saiteninstrumenten untersuchen
a) Informiere dich über musikalische Intervalle und die entsprechenden Saitenverhältnisse. Untersuche mit einem Saiteninstrument, wie die Intervalle klingen, indem du sie mithilfe der Saitenverhältnisse zum Klingen bringst.
Mit einem Monochord (s. Foto) geht es besonders gut, weil es mit einer zwölfteiligen Skala versehen ist. Du kannst dafür auch geeignete Apps verwenden.
b) Beurteile nur nach Gehör, ob die Töne harmonieren. Notiere, welche für dich am besten klingen und warum.

I Reelle Zahlen

„Das Wesen der Welt besteht in der Harmonie der Zahlen, das heißt, man kann die Welt mit Verhältnissen ganzer Zahlen ausdrücken – das ist ein göttliches Prinzip." So oder so ähnlich dachten die Pythagoreer. Ihr göttliches Prinzip bedeutete auch, dass es nur rationale Zahlen geben kann, denn ein Verhältnis ganzer Zahlen kann stets als Bruch geschrieben werden.

Das Verhängnis begann nach dem Tod von Pythagoras. Er starb etwa 500 v. Chr. Der Geheimbund bestand jedoch weiter. Er hatte als Geheimzeichen das Pentagramm, also ein regelmäßiges Fünfeck.

 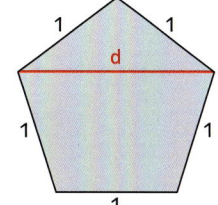

Viele Jahre nach dem Tod von Pythagoras untersuchte der Pythagoreer Hippasos solche regelmäßigen Fünfecke und stellte fest, dass das Verhältnis einer Diagonalen und einer Seite eines Fünfecks nicht mit ganzen Zahlen ausgedrückt werden kann. In einem regelmäßigen Fünfeck mit der Seitenlänge 1 haben die Diagonalen die Länge $d = \frac{1+\sqrt{5}}{2}$. Diese irrationale „Goldene Zahl" kommt in Kunst und Mathematik vielfach vor.

2 Dem Goldenen Schnitt auf der Spur

MK Suche Beispiele, wo die „Goldene Zahl" (auch „Goldenes Maß" oder „Goldener Schnitt") in der Kunst verwendet wird.

3 Seitenverhältnisse im Quadrat untersuchen
Der Nachweis, den Hippasos am Fünfeck durchführte, ist recht schwer.
Bei einem Quadrat gelingt er leichter.
Begründe: Das Verhältnis der roten Diagonale d zu einer Seite a des Quadrats ist eine irrationale Zahl.

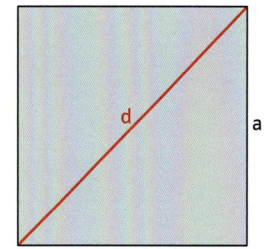

Hippasos teilte seine Entdeckung Leuten mit, die nicht zu den Pythagoreern gehörten. Einige der Pythagoreer empfanden dies als Gotteslästerung und ärgerten sich maßlos über Hippasos. Es gibt nun verschiedene Überlieferungen, wie es weiter ging. Eine davon berichtet, dass Hippasos bei einem Schiffsunglück ums Leben kam. Seine Gegner sollen hierin die Strafe der Götter gesehen haben. Sicher überliefert ist, dass sich die Pythagoreer in zwei Gruppen aufspalteten, die Akusmatiker und die Mathematiker. Die Akusmatiker beharrten auf der alten Lehre. Die Mathematiker betrieben Geometrie im Sinne von Hippasos, ohne sich an die alte Lehre zu halten.

> Die Bezeichnung Akusmatiker kommt von akuo (griech.) – ich höre. Ihre Lehre bestand aus Sprüchen, die nicht begründet wurden. Die Bezeichnung Mathematiker kommt von manthano (griech.) – ich lerne, verstehe.
> Ihre Lehre baute auf formalen Schlüssen und Begründungen auf. Sie fühlten sich als die wahren Nachfolger von Pythagoras und empfanden die Akusmatiker als Schwätzer.

II Quadratische Funktionen

Das kannst du bald

- Den Graphen einer quadratischen Funktion zeichnen
- Parabeln strecken, spiegeln und verschieben
- Quadratische Funktionen als Modell verwenden
- Die Funktionsgleichung einer quadratischen Funktion aufstellen

Check-in

Schätze dich ein: 😊 😐 ☹

1. Ich kann anhand einer Funktionsgleichung eine Wertetabelle erstellen und den zugehörigen Graphen zeichnen.
2. Ich kann Funktionen in Sachkontexten als Modell verwenden.
3. Ich kann die binomischen Formeln verwenden.
4. Ich kann lineare Gleichungssysteme lösen.

Lerntipps

zu 1. **Grundwissen**, Seite 211
zu 3. **Grundwissen**, Seite 209
zu 4. **Grundwissen**, Seite 212

Teste dich!

→ **Lösungen**, Seite 222

1 Wertetabellen erstellen und Graphen zeichnen
Erstelle für die angegebenen x-Werte eine Wertetabelle der Funktion f anhand der gegebenen Funktionsgleichung. Zeichne den zugehörigen Funktionsgraphen.

a) $f(x) = 0{,}25\,x$
 für $x = -4; -3; \ldots; 3; 4$

b) $f(x) = -2x + 2{,}5$
 für $x = -4; -3; \ldots; 3; 4$

c) $f(x) = \dfrac{1{,}5}{x}$
 für $x = 0{,}5; 1; \ldots; 2{,}5; 3$

2 Funktionen als Modell verwenden
Ein Laserdrucker der Firma A wird für 120 € angeboten, der Toner kostet 80 € für 5000 ausgedruckte Seiten. Ein Laserdrucker der Firma B wird für 80 € angeboten, der Toner kostet 50 € für 2000 ausgedruckte Seiten.

a) Entscheide, welche Gleichung auf den Kärtchen für Firma A bzw. Firma B zu der Funktion *Anzahl x der ausgedruckten Seiten → Gesamtkosten K inklusive Anschaffung (in €)* passt. Begründe.

 $K(x) = 0{,}025\,x + 80$
 $K(x) = 0{,}012\,x + 50$
 $K(x) = 0{,}08\,x + 120$
 $K(x) = 0{,}016\,x + 120$

b) Ermittle mithilfe der Funktionsgleichungen, bei welchem Drucker die Kosten (inklusive Anschaffung) für 10 000 ausgedruckte Seiten günstiger sind.

3 Binomische Formeln anwenden

a) Fülle die Lücken mit Termen so, dass die Gleichungen stimmen.
 (1) $(3x - y)^2 = 9x^2 - \boxed{} + y^2$
 (2) $x^2 + 8x + \boxed{} = (x + \boxed{})^2$
 (3) $(2x - 3y) \cdot (\boxed{}) = 4x^2 - 9y^2$
 (4) $x^2 - x + \boxed{} = (x - \boxed{})^2$

b) Löse die Klammern mithilfe der binomischen Formeln auf.
 (1) $(x - 2)^2$
 (2) $(3x + 1{,}5)^2$
 (3) $3 \cdot (x - 4)^2$

4 Lineare Gleichungssysteme lösen
Berechne die Lösung des linearen Gleichungssystems mit dem angegebenen Verfahren.

a) Mit dem Einsetzungsverfahren
 I: $x + 2y = 11$
 II: $-2x + 5y = -40$

b) Mit dem Additionsverfahren
 I: $3x + 4y = 1$
 II: $4x + 2y = -12$

Kopiervorlage
Checkliste
2n79pi

Erkundungen

Von quadratischen Funktionen

Vorinformation:
Der Graph der Funktion f mit der Gleichung f(x) = x^2 heißt **Normalparabel**. Mithilfe einer Wertetabelle kann man den Verlauf des Graphen nachvollziehen.

x	-2	-1	-0,5	0	0,5	1	2
x^2	4	1	0,25	0	0,25	1	4

Der tiefste oder höchste Punkt einer Parabel heißt **Scheitelpunkt**.

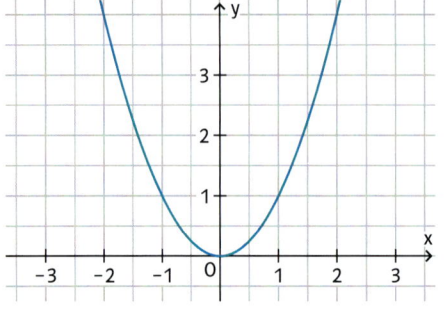

→ Lerneinheiten 1 Seite 36
→ Lerneinheiten 2 Seite 40

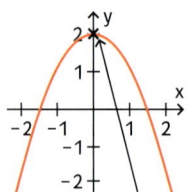

Hier ist der Scheitelpunkt der höchste Punkt des Graphen.

MK Die folgenden Forschungsaufträge können wahlweise mit oder ohne digitale Werkzeuge bearbeitet werden.

Forschungsauftrag 1
- Zeichnet in ein Koordinatensystem den Graphen der Funktion f mit f(x) = x^2.
- Zeichnet zusätzlich die Graphen der Funktionen mit den folgenden Gleichungen:
  $f_1(x) = x^2 + 2$, $f_2(x) = x^2 + 4$
  $f_3(x) = x^2 - 3$, $f_4(x) = x^2 - 1$
  $f_5(x) = x^2 - \frac{1}{2}$, $f_6(x) = x^2 + 1,5$
- Gebt die Koordinaten der Scheitelpunkte an.
- Was kann man über den Verlauf des Graphen der Funktion f mit f(x) = x^2 + e sagen, wobei e eine beliebige Zahl ist? Unterscheidet die Fälle e < 0 und e > 0.

Forschungsauftrag 2
- Zeichnet in ein Koordinatensystem den Graphen der Funktion f mit f(x) = x^2.
- Zeichnet zusätzlich die Graphen der Funktionen mit den folgenden Gleichungen:
  $f_1(x) = 2 \cdot x^2$, $f_2(x) = 3 \cdot x^2$
  $f_3(x) = 1,5 \cdot x^2$, $f_4(x) = -1 \cdot x^2$
  $f_5(x) = -2 \cdot x^2$, $f_6(x) = -\frac{1}{2} \cdot x^2$
- Gebt die Koordinaten der Scheitelpunkte an.
- Was kann man über den Verlauf des Graphen der Funktion f mit f(x) = ax^2 sagen, wobei a eine beliebige Zahl ist? Unterscheidet die Fälle a < 0 und a > 0.

Hinweis:
Die Forschungsaufträge 1 bis 3 können auch arbeitsteilig bearbeitet werden, beispielsweise als Gruppenpuzzle.

Forschungsauftrag 3
- Zeichnet in ein Koordinatensystem den Graphen der Funktion f mit f(x) = x^2.
- Zeichnet zusätzlich die Graphen der Funktionen mit den folgenden Gleichungen:
  $f_1(x) = (x - 1)^2$, $f_2(x) = (x - 2)^2$
  $f_3(x) = (x - 3)^2$, $f_4(x) = (x + 1)^2$
  $f_5(x) = (x + 2,5)^2$, $f_6(x) = \left(x + \frac{1}{2}\right)^2$
- Gebt die Koordinaten der Scheitelpunkte an.
- Was kann man über den Verlauf des Graphen der Funktion f mit f(x) = $(x - d)^2$ sagen, wobei d eine beliebige Zahl ist? Unterscheidet die Fälle d < 0 und d > 0.

Zum gemeinsamen Weiterforschen
- Beschreibt den Verlauf der Graphen mit den folgenden Funktionsgleichungen.
  $f_1(x) = (x - 1)^2 + 2$, $f_2(x) = 2 \cdot (x - 3)^2 + 4$
  $f_3(x) = -2 \cdot (x - 4)^2 - 3$, $f_4(x) = 3 \cdot (x + 3)^2 - 1$
  $f_5(x) = -(x + 1,5)^2 - 2$, $f_6(x) = 3,5 \cdot (x - 2,5)^2 + 5$
- Beschreibt den Einfluss von a, d und e auf den Verlauf des Graphen von f mit f(x) = $a(x - d)^2 + e$.
- Gebt den Scheitelpunkt allgemein an.
- Stellt eigene Beispiele für quadratische Funktionsgleichungen auf und beschreibt den Verlauf der Graphen.
- Zeichnet Graphen zu quadratischen Funktionen und lasst eure Gruppe die Funktionsgleichung aufstellen.

II Quadratische Funktionen

Basketballwürfe mit DGS analysieren

Felix übt Freiwürfe auf den Basketballkorb und filmt sich dabei. Mit einer App hat er mehrere Momentaufnahmen eines Treffers übereinandergelegt. Auf dem erzeugten Serienbild (auch Stroboskopaufnahme genannt) ist der Basketball in verschiedenen Positionen zu erkennen (Fig. 1). Anschließend hat Felix die Wurfbahn mithilfe einer dynamischen Geometriesoftware (DGS) mathematisch durch einen Funktionsgraphen und die zugehörige Funktionsgleichung beschrieben (Fig. 2).

→ Lerneinheiten 5 Seite 55

Fig. 1

Fig. 2

Einsatz dynamischer Geometriesoftware
Wurfbahnen lassen sich modellhaft durch quadratische Funktionen beschreiben. Um zu einer Flugkurve eine passende Funktionsgleichung zu finden, kann man eine dynamische Geometriesoftware (DGS) verwenden. Zunächst fügt man eine Stroboskopaufnahme eines Ballwurfs, auf dem die verschiedenen Positionen erkennbar sind, als Hintergrundbild in das Koordinatensystem einer DGS-Datei ein. Anschließend markiert man die verschiedenen Positionen des Balls. Nun lässt sich diejenige quadratische Funktion bestimmen, deren Graph am besten zu den eingezeichneten Punkten passt. Dieses Verfahren wird quadratische Regression genannt. Jede DGS hat unterschiedliche Befehle. Informiert euch vorab, wie man mit eurer DGS eine quadratische Regression durchführt.
Zur näherungsweisen Beschreibung der aufgezeichneten Wurfbahn hat Felix die Gleichung $f(x) = -0{,}27x^2 - 0{,}07x + 3{,}8$ erhalten (Fig. 2). Der zugehörige Graph zeigt im gesamten Bereich zwischen Abwurf und Korb die näherungsweise Position des Balls an.

1. Punkte markieren:

2. Quadratische Regression durchführen:

- l1 = {A, B, C, D, E}
- f = TrendPoly(l1, 2)

💻 Arbeitsaufträge

1. Erzeugt Serienbilder von eigenen Freiwürfen, in denen der aufsteigende Ball in verschiedenen Positionen zu sehen ist. Filmt hierzu zunächst eure Wurfversuche. Um die Kamera stabil in einer festen Position aufzustellen, kann ein Stativ hilfreich sein. Verwendet anschließend eine App zur Erstellung von Serienbildern. Tauscht die erhaltenen Bilder gegenseitig aus.

2. Beschreibt die in den Serienbildern dokumentierten Wurfbahnen, wie oben gezeigt, mithilfe einer DGS. Prüft, ob es sich bei den Würfen um Treffer handelt.

3. Vergleicht eure Ergebnisse: Kommen alle zum selben Fazit? Was könnten die Ursachen für eventuelle Unterschiede sein? Diskutiert die Grenzen des vorgestellten Analyseverfahrens.

Hinweis:
Statt selbst zu filmen, könnt ihr vorgefertigte Serienbilder verwenden. Eine Sammlung geeigneter Bilddateien findet ihr hier:

Interaktives Üben
Stroboskopaufnahmen
2n79pi

1 Wiederholung: Lineare Funktionen

Piet ist mit seiner Mutter auf der Autobahn unterwegs. Bis nach Hause sind es genau 70 km. Vor 5 Minuten waren es noch 80 km. Piet vermutet: „In 35 Minuten müssten wir zu Hause sein."
Nimm Stellung.

Funktionen beschreiben Zusammenhänge zwischen zwei Größen. Sie lassen sich durch Graphen, Wertetabellen und Gleichungen beschreiben. Für lineare Funktionen ist dies bereits bekannt. In diesem Kapitel werden quadratische Funktionen untersucht und ihre Unterschiede zu linearen Funktionen herausgestellt. Hierzu werden zunächst wesentliche Eigenschaften linearer Funktionen anhand eines Beispiels wiederholt.

Eine Gruppe Rennradfahrer befindet sich auf einer 58 km langen Trainingsstrecke. Die Sportler sind bereits 16 km gefahren und haben momentan eine Geschwindigkeit von 24 km/h. Wenn sie dieses Tempo beibehalten, lässt sich die zurückgelegte Strecke in Abhängigkeit von der Zeit durch eine Funktion mit der Gleichung $s(t) = 24t + 16$ beschreiben. Dabei gibt t die ab jetzt gemessene Zeit in Stunden und $s(t)$ die insgesamt gefahrene Strecke in Kilometern an. Die Funktion lässt sich auch durch eine Wertetabelle und einen Funktionsgraphen darstellen:

Wertetabelle

t (in h)	s(t) (in km)
0	16
0,25	22
0,5	28
0,75	34
1	40
1,25	46
1,5	52

Funktionsgraph

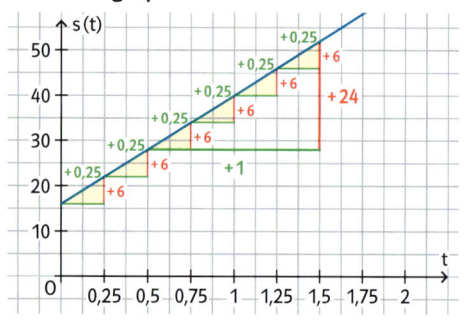

Die eingezeichneten Steigungsdreiecke zeigen, wie stark die Gerade steigt:
6 km pro **Viertelstunde** entsprechen einer Geschwindigkeit von 24 km/h.

Funktionen, deren Gleichung wie in diesem Beispiel von der Form $f(x) = mx + b$ sind, werden **lineare Funktionen** genannt.

Lineare Funktionen
Funktionen mit einer Gleichung der Form $f(x) = mx + b$ werden **lineare Funktionen** genannt. Der Graph einer linearen Funktion ist eine Gerade.
Der Wert b gibt den **y-Achsenabschnitt** der Geraden an, d.h. der Graph schneidet die y-Achse im Punkt $(0|b)$.
Der Wert m gibt die **Steigung** der Geraden an, d.h. wie sich der y-Wert verändert, wenn x um eine Einheit zunimmt.

Graph der Funktion f mit $f(x) = -1,5x + 2$

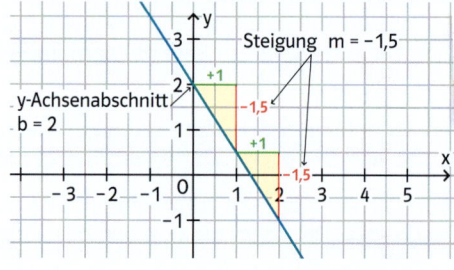

Steigung
1 nach rechts,
m nach oben bzw. unter

II Quadratische Funktionen

Beispiel 1 Graphen linearer Funktionen auswerten

Der Graph stellt die Wassermenge w(t) dar, die sich zum Zeitpunkt t in einer Badewanne befindet.

a) Beschreibe, was du dem Graphen entnehmen kannst.
b) Bestimme die zum Graphen gehörige Funktionsgleichung.

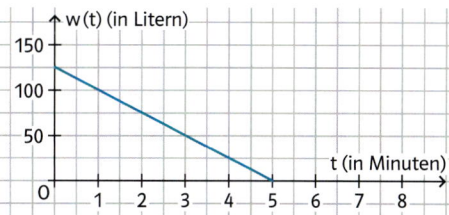

Lösung

a) Die Wassermenge wird in Litern, die Zeit wird in Minuten angegeben. Zu Beginn (bei 0 Minuten) sind 125 Liter in der Badewanne. Danach werden es gleichmäßig weniger. Pro Minute fließen 25 Liter Wasser ab. Nach 5 Minuten ist die Badewanne leer.

b) Die Gleichung hat die Form
$w(t) = mt + b$, weil der Graph eine Gerade ist. Der Graph schneidet die y-Achse im Punkt (0|125), daher ist b = 125. Mithilfe eines Steigungsdreiecks erhält man die Steigung m = −25.
Gesuchte Gleichung: $w(t) = -25t + 125$.

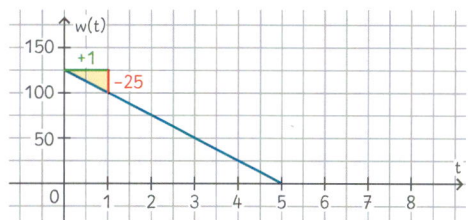

Beispiel 2 Gleichung einer linearen Funktion aufstellen

Der Graph der linearen Funktion f verläuft durch die Punkte P(−2|2) und Q(1|0,5). Ermittle die Funktionsgleichung von f. Mache für beide Punkte die Probe.

Lösung

Da f eine lineare Funktion ist, ist die gesuchte Funktionsgleichung von der Form
$f(x) = m \cdot x + b$.

Für die Steigung m gilt: $m = \frac{y_2 - y_1}{x_2 - x_1}$.

Man erhält: $m = \frac{0{,}5 - 2}{1 - (-2)} = \frac{-1{,}5}{3} = -0{,}5$.

Eine Skizze kann helfen:

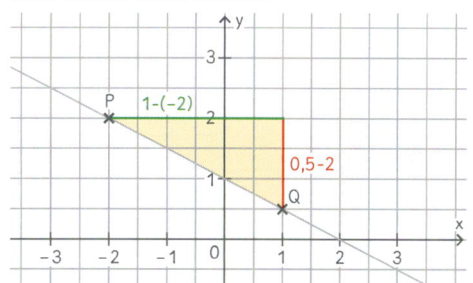

3 nach rechts und 1,5 nach unten entspricht einer Steigung von $\frac{-1{,}5}{3} = -0{,}5$.

Einsetzen von (1|0,5) ergibt:
$0{,}5 = -0{,}5 \cdot 1 + b \quad | + 0{,}5$
$1 = b$

Gesuchte Gleichung: $f(x) = -0{,}5x + 1$.

Probe für (1|0,5):
$0{,}5 = -0{,}5 \cdot 1 + 1$
$0{,}5 = -0{,}5 + 1 \quad$ (wahr)

Probe für (−2|2):
$2 = -0{,}5 \cdot (-2) + 1$
$2 = 1 + 1 \quad$ (wahr)

Aufgaben

○ 1 a) 🖼 Gib zu jedem Graphen G_1 bis G_4 den y-Achsenabschnitt b an.
b) Notiere zu jedem Graphen G_1 bis G_4 die Steigung m.
Die Lösungen findest du auf den Kärtchen auf dem Rand. Die Buchstaben ergeben in geeigneter Reihenfolge jeweils ein Lösungswort.

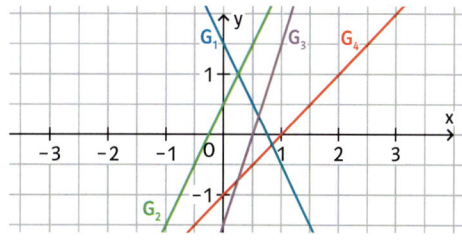
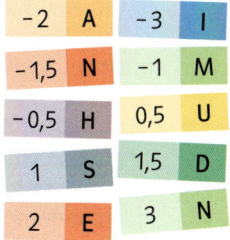

1 Wiederholung: Lineare Funktionen

2 Ordne jeder Funktionsgleichung den zugehörigen Graphen G_1 bis G_4 und die passende Wertetabelle W_1 bis W_4 zu.

$f(x) = 2x - 1$　　　　$g(x) = x - 2$　　　　$h(x) = -x + 2$　　　　$k(x) = -0,5x + 1$

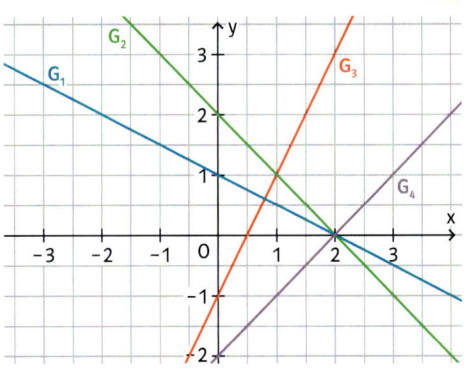

3 Erstelle eine Wertetabelle für die Funktion f und zeichne den Graphen. Veranschauliche die Steigung durch ein Steigungsdreieck.
a) $f(x) = 3x - 2$　　　b) $f(x) = -x + 2$

4 Bestimme die Gleichungen der linearen Funktionen f, g, h und k anhand der in Fig. 1 dargestellten Graphen.

→ **Lerntipp** Seite 37, Beispiel 1

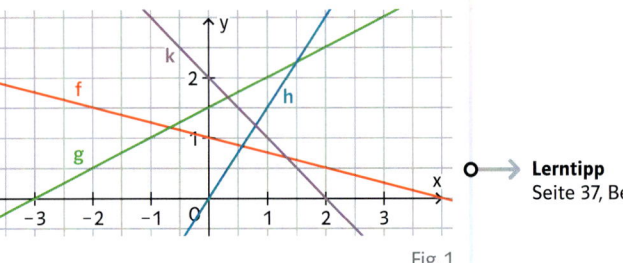

Fig. 1

5 Der Graph der linearen Funktion f verläuft durch die Punkte P und Q. Ermittle die Funktionsgleichung von f. Führe für beide Punkte eine Probe durch.
a) P(1|3) und Q(2|5)　　b) P(0,5|3) und Q(2,5|1)　　c) P(-1|-6) und Q(3,5|-1,5)

→ **Lerntipp** Seite 37, Beispiel 2

Teste dich!

→ **Lösungen**, Seite 223

6 Erstelle eine Wertetabelle für die Funktion f und zeichne den Graphen. Veranschauliche die Steigung durch ein Steigungsdreieck.
a) $f(x) = 0,5x - 1$　　　b) $f(x) = -2x + 1,5$

7 Bestimme die Gleichungen der linearen Funktionen f, g, h und k anhand der rechts dargestellten Graphen.

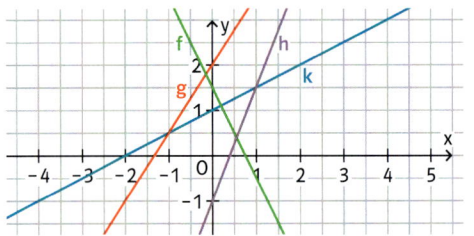

8 Fatima hat schon 32 € gespart, wöchentlich legt sie weitere 3 € zurück.
a) Berechne, wie viel Geld Fatima in 9 Wochen gespart hat.
b) Gib einen Term für den angesparten Geldbetrag g (in €) in x Wochen an.

9 In einem Kochtopf steht das Wasser 12 cm hoch. Beim Kochen sinkt der Wasserspiegel durch Verdampfen pro Minute um ca. 7 mm.
a) Stelle den Zusammenhang zwischen der Kochzeit t (in min) und dem Wasserspiegel w(t) (in cm) durch eine Gleichung dar.
b) Berechne w(3) und beschreibe die Bedeutung des Werts im Sachzusammenhang.
c) Prüfe durch ein eigenes Experiment, ob die in einem Topf vorhandene Wassermenge während des gesamten Verdampfungsprozesses linear abnimmt.

II Quadratische Funktionen

● **10** Drei Gefäße werden gleichmäßig mit Wasser gefüllt. Rechts sind die Füllhöhen der Gefäße in Abhängigkeit von der Zeit dargestellt. Erläutere, welche Informationen man der Grafik entnehmen kann.

● **11** Gegeben ist die Funktion f mit der Funktionsgleichung $f(x) = \frac{3}{4}x - 3$.
Ermittle, ob der Punkt P auf dem Graphen, oberhalb oder unterhalb des Graphen von f liegt. Erläutere dein Vorgehen. Die Begriffe aus der Liste auf dem Rand können helfen.
a) P(−4 | −5)   b) P(4 | 0)
c) P(2 | −1,6)   d) P(−7 | −9)

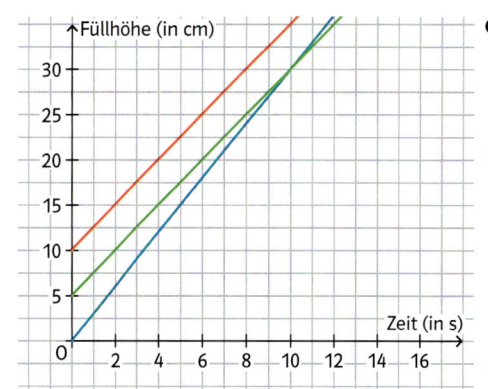

Lerntipp
Seite 37, Beispiel 1

Wortliste
- größer als
- kleiner als
- oberhalb
- unterhalb
- der Punkt
- die Stelle
- der Wert

● **12** In einer Klinik wird einem Patienten aus einer Infusionsflasche eine Kochsalzlösung gleichmäßig zugeführt. Nach 30 Minuten sind noch 0,8 l in der Flasche, nach zwei Stunden sind es nur noch 200 ml.
a) Gib einen Term für das in der Flasche vorhandene Volumen V der Kochsalzlösung (in Litern) nach x Stunden an.
b) Ermittle, nach wie vielen Stunden die Infusionsflasche ganz leer ist.

Teste dich!   **Lösungen**, Seite 224

● **13** Eine anfangs 8,5 cm hohe Kerze brennt pro Stunde um 1,2 cm ab.
a) Gib einen Term für die Höhe h der Kerze nach x Stunden Brenndauer an.
b) Berechne die Länge der Kerze nach zweistündiger Brenndauer mithilfe des Terms.

● **14** Sina geht in gleichmäßigem Tempo von 4,5 km/h spazieren. Jannik startet eine Viertelstunde später vom selben Ort und versucht Sina einzuholen. Jannik beeilt sich, er hat eine konstante Geschwindigkeit von 6,5 km/h.
a) Gib für Sina und Jannik jeweils eine Gleichung an, mit der die zurückgelegte Strecke in Kilometern in Abhängigkeit von der Zeit t (in Stunden seit Janniks Start) angegeben werden kann.
b) Ermittle, nach wie vielen Minuten Jannik Sina eingeholt hat.

● **15** Alex radelt mit einer gleichbleibenden Geschwindigkeit von 20 km/h, Ina kommt ihm auf der 10 km langen Strecke mit einer Geschwindigkeit von 16 km/h entgegen. Beide sind gleichzeitig gestartet. Nach 10 Minuten erhöht Ina ihre Geschwindigkeit auf 20 km/h. Ermittle durch Zeichnen geeigneter Graphen, nach wie vielen Minuten sich Alex und Ina treffen.

Teste dein Grundwissen!   **Binomische Formeln anwenden**   **Grundwissen**, Seite 209
Lösungen, Seite 224

G **16** Ergänze im Heft für ☐ eine Zahl so, dass man eine binomische Formel anwenden kann.
a) $a^2 + \square \cdot ab + b^2$
b) $x^2 - 6ax + \square \cdot a^2$
c) $16y^2 + \square \cdot xy + 4x^2$
d) $\square e^2 + 12ef + 4f^2$
e) $\frac{1}{4}x^2 + \square xy + y^2$
f) $4a^2 + \frac{4}{3}ab + \square b^2$

2 Quadratische Funktionen vom Typ $f(x) = ax^2$

In der Fahrschule lernt man: Wenn man die Geschwindigkeit (in km/h) durch 10 dividiert und das Ergebnis quadriert, so ergibt sich der Bremsweg in Metern.

William behauptet: „Bei einer Geschwindigkeit von 50 km/h ist der Bremsweg ungefähr 25 Meter lang, bei 100 km/h also 50 Meter." Nimm Stellung.

Zur Beschreibung vieler Sachzusammenhänge reichen lineare Funktionen nicht aus. Wenn man bei Funktionen die Variable quadriert, entstehen gekrümmte Funktionsgraphen. Dies wird im Folgenden an ersten Beispielen vorgestellt.

Der abgebildete Brückenbogen wird modellhaft durch die Funktion h mit der Gleichung $h(x) = 0{,}5\,x^2$ beschrieben. Hierbei ist x die waagerechte Strecke vom Mittelpunkt der Brücke (in m), und h(x) die zugehörige Höhe des Brückenbogens (in m). Man erhält die folgende Wertetabelle:

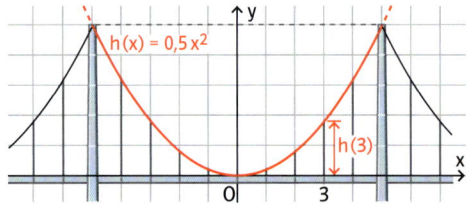

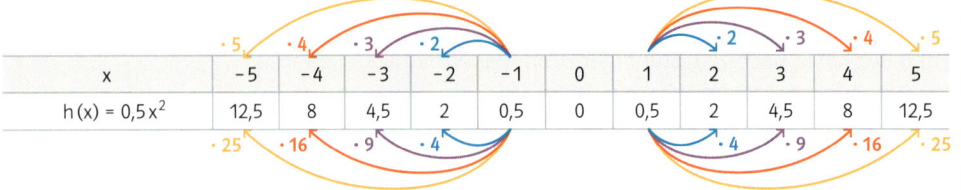

x	−5	−4	−3	−2	−1	0	1	2	3	4	5
$h(x) = 0{,}5\,x^2$	12,5	8	4,5	2	0,5	0	0,5	2	4,5	8	12,5

Die Funktionswerte wachsen immer schneller, je mehr sich die x-Werte von 0 entfernen: Wenn man den x-Wert verdoppelt, vervierfacht sich der Funktionswert. Wenn man den x-Wert verdreifacht, verneunfacht sich der Funktionswert. Allgemein gilt: Dem n-Fachen des x-Werts, wird das n^2-Fache des Funktionswerts zugeordnet.

Diese Beobachtung lässt sich auch bei anderen Funktionen mit Gleichungen der Form $f(x) = ax^2$ machen:

x	−2	−1	0	1	2	3
$g(x) = x^2$	4	1	0	1	4	9
$h(x) = 0{,}5\,x^2$	2	0,5	0	0,5	2	4,5
$k(x) = -0{,}1\,x^2$	−0,4	−0,1	0	−0,1	−0,4	−0,9

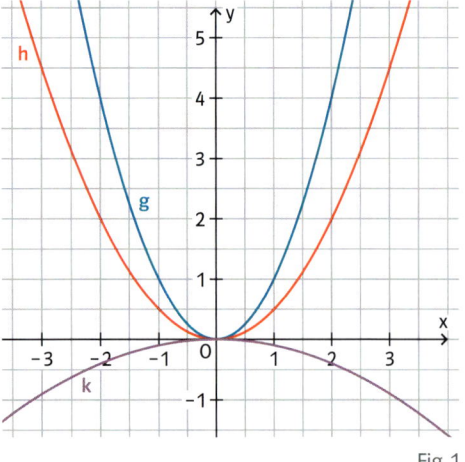

Die zugehörigen Graphen haben eine typische Form (Fig. 1): Es sind **Parabeln**. Parabeln sind achsensymmetrisch. Den höchsten bzw. tiefsten Punkt einer Parabel nennt man **Scheitelpunkt**. Bei allen hier betrachteten Beispielen ist der Scheitelpunkt (0|0) und die **Symmetrieachse** ist die y-Achse.

Fig. 1

Quadratische Funktionen vom Typ $f(x) = ax^2$

Funktionen mit Gleichungen der Form $f(x) = ax^2$ sind Beispiele für **quadratische Funktionen**, sie haben die folgenden Eigenschaften:
1. Dem n-Fachen des x-Werts wird das n^2-Fache des Funktionswerts zugeordnet.
2. Die zugehörigen Graphen sind **Parabeln** mit dem **Scheitelpunkt** (0|0). Sie sind symmetrisch zur y-Achse.

Die Form der zu $f(x) = ax^2$ gehörigen Parabel hängt vom Faktor a ab.
Die zu a = 1 gehörige Parabel wird als **Normalparabel** bezeichnet.
Im Vergleich zur Normalparabel ist die Parabel der Funktion g mit der Gleichung $g(x) = 2x^2$ in y-Richtung gestreckt. Daher bezeichnet man den Faktor a in der Funktionsgleichung $f(x) = ax^2$ als **Streckfaktor der Parabel**. Für $a \neq 1$ spricht man von einer **Transformation der Normalparabel**.
Für Funktionen mit der Gleichung $f(x) = a \cdot x^2$ gilt:

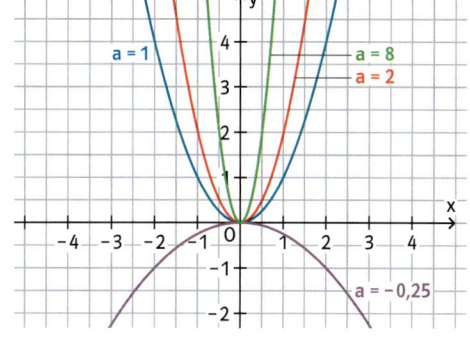

Methode
Mathematische Begriffe verstehen
2n79pi

transformare (lat.): umformen, umwandeln

Ist der Streckfaktor a positiv, ist die Parabel **nach oben geöffnet** und der Scheitelpunkt ist der tiefste Punkt der Parabel.
Ist der Streckfaktor a negativ, ist die Parabel **nach unten geöffnet** und der Scheitelpunkt ist der höchste Punkt der Parabel.
Für $-1 < a < 1$ ist die Parabel breiter als die Normalparabel (**gestauchte Parabel**).
Für $a < -1$ oder $a > 1$ ist die Parabel enger als die Normalparabel (**gestreckte Parabel**).

Auch bei gestauchten Parabeln spricht man von einem Streckfaktor, er liegt dann zwischen −1 und 1.

Beispiel 1 Parabel zeichnen
Gegeben ist die quadratische Funktion f mit $f(x) = -0{,}5x^2$. Fertige eine Wertetabelle von f an und zeichne den Funktionsgraphen.
Lösung
Wertetabelle:

x	f(x)
−3	−4,5
−2	−2
−1	−0,5
−0,5	−0,125
0	0
0,5	−0,125
1	−0,5
2	−2
3	−4,5

Graph:

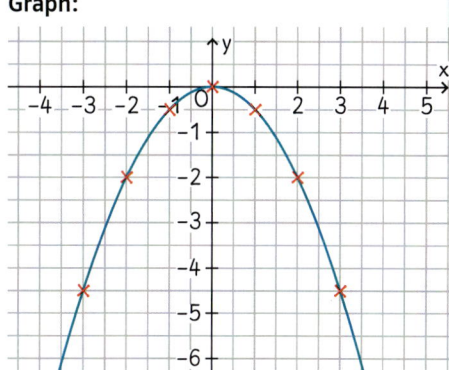

Vom Scheitelpunkt:
− 1 Einheit nach rechts oder links:
1a Einheiten nach oben oder unten.
− 2 Einheiten nach rechts oder links:
4a Einheiten nach oben oder unten.
− 3 Einheiten nach rechts oder links:
9a Einheiten nach oben oder unten.

Beispiel 2 Funktionswerte berechnen und Punktprobe durchführen
Gegeben ist die Funktion f mit $f(x) = 0{,}2 \cdot x^2$. Berechne die Funktionswerte f(3) und f(−1). Prüfe rechnerisch, ob der Punkt P(−8|13) auf der Parabel von f liegt.
Lösung
$f(3) = 0{,}2 \cdot 3^2 = 0{,}2 \cdot 9 = 1{,}8$ $\qquad f(-1) = 0{,}2 \cdot (-1)^2 = 0{,}2 \cdot 1 = 0{,}2$
Es gilt: $f(-8) = 0{,}2 \cdot (-8)^2 = 0{,}2 \cdot 64 = 12{,}8 \neq 13$.
Der Punkt P liegt also nicht auf der Parabel.

Aufgaben

1 Erstelle zur quadratischen Funktion f mit der Gleichung $f(x) = x^2$ eine Wertetabelle mit x-Werten von –4 bis 4. Wähle im Bereich zwischen –1 und 1 eine Schrittweite von 0,2, und ansonsten von 0,5. Zeichne den Graphen der Funktion f auf ein eigenes DIN-A4-Blatt. Verwende 1 cm für eine Einheit.

Tipp: Wenn du die Parabel ausschneidest und auf Pappe aufklebst, kannst du eine Schablone einer Normalparabel herstellen.

2 Zeichne die zugehörige Parabel im Bereich von –2 bis 2.
a) $f(x) = 0{,}5x^2$ b) $f(x) = -1{,}5x^2$ c) $f(x) = -2x^2$ d) $f(x) = 2{,}5x^2$

→ **Lerntipp** Seite 41, Beispiel 1

3 Prüfe rechnerisch, ob der Punkt P auf dem Graphen der Funktion f liegt.
a) $f(x) = 0{,}5x^2$ b) $f(x) = -1{,}5x^2$ c) $f(x) = -2x^2$ d) $f(x) = 2{,}5x^2$
 P(20 | 100)   P(5 | 37,5)   P(–8 | 128)   P(0,1 | 0,025)

→ **Lerntipp** Seite 41, Beispiel 2

4 a) Ordne den Graphen G_1 bis G_4 jeweils die passende Funktionsgleichung auf dem Rand und die passende Wertetabelle W_1 bis W_4 zu.

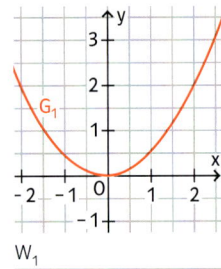
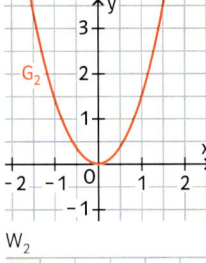
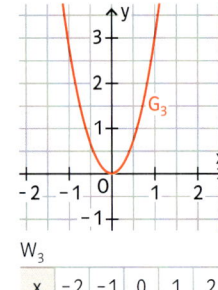
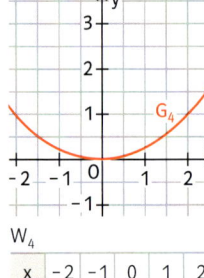

W_1
x	-2	-1	0	1	2
y	6	$\frac{3}{2}$	0	$\frac{3}{2}$	6

W_2
x	-2	-1	0	1	2
y	12	3	0	3	12

W_3
x	-2	-1	0	1	2
y	2	$\frac{1}{2}$	0	$\frac{1}{2}$	2

W_4
x	-2	-1	0	1	2
y	1	$\frac{1}{4}$	0	$\frac{1}{4}$	1

$f(x) = \frac{1}{2}x^2$

$g(x) = 3x^2$

$h(x) = \frac{1}{4}x^2$

$i(x) = \frac{3}{2}x^2$

b) Zeichne zu jeder Parabel aus Teilaufgabe a) die an der x-Achse gespiegelte Parabel und gib die passende Funktionsgleichung an.

5 Eine Straße führt unter einer Brücke hindurch. Das Brückentor kann in einem Koordinatensystem näherungsweise durch eine Parabel beschrieben werden. Die zugehörige Funktionsgleichung ist $f(x) = -\frac{4}{9}x^2$, x und f(x) in Metern. Die Straße wird im Modell durch die Punkte P(–3 | ▢) und Q(3 | ▢) begrenzt.
a) Berechne die fehlenden Koordinaten der Punkte P und Q.
b) Ermittle die Höhe des Brückentors und die Breite der Straße.

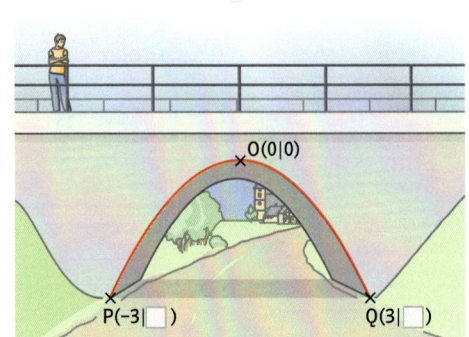

Teste dich!

→ **Lösungen**, Seite 224

6 Zeichne die zugehörige Parabel im Bereich von –3 bis 3.
a) $f(x) = -0{,}5x^2$ b) $f(x) = 0{,}25x^2$ c) $f(x) = -x^2$ d) $f(x) = -0{,}25x^2$

7 Prüfe rechnerisch, ob der Punkt P auf der Parabel der Funktion f liegt.
a) $f(x) = -5x^2$ b) $f(x) = 3x^2$ c) $f(x) = -x^2$ d) $f(x) = -0{,}25x^2$
 P(0,1 | –0,05)   P(2 | 36)   P(0,5 | –0,5)   P(2 | –1)

8 Kadir erstellt mit einer Tabellenkalkulation Wertetabellen zu den Funktionen f, g, h und k.
  a) Auf den Kärtchen sind Kadirs Formeln für die Spalte B angegeben, die sich jeweils auf die ganze Zeile übertragen lassen. Ordne jeder Funktion das passende Kärtchen zu. Gib jeweils an, ob es sich um eine quadratische oder um eine lineare Funktion handelt.
  b) Erstelle für jede Funktion eine Wertetabelle von –5 bis 5. Berechne die fehlenden Werte für –5 bis –1 im Kopf. Nutze, wo möglich, Symmetrieeigenschaften.
  c) Zeichne die Graphen der Funktionen in ein gemeinsames Koordinatensystem.

	A	B	C	D	E	F	G
1	x	0	1	2	3	4	5
2	f(x)	2	0,5	–1	–2,5	–4	–5,5
3	g(x)	0	0,5	2	4,5	8	12,5
4	h(x)	0	0,2	0,8	1,8	3,2	5
5	k(x)	0	0,2	0,4	0,6	0,8	1

I = 0,5*B1*B1
II = 0,2*B1^2
III = –1,5*B1+2
IV = 0,2*B1

9 Die Höhe eines Turms kann man mithilfe einer Uhr bestimmen. Für den freien Fall eines Gegenstands gilt näherungsweise die Gleichung $s(t) = 5t^2$, wobei t die Fallzeit in Sekunden und s die Fallstrecke in Metern angibt.
  a) Berechne die Höhe des rechts abgebildeten Turms.
  b) Ermittle, in welcher Höhe sich das obere und das mittlere Fenster befinden.

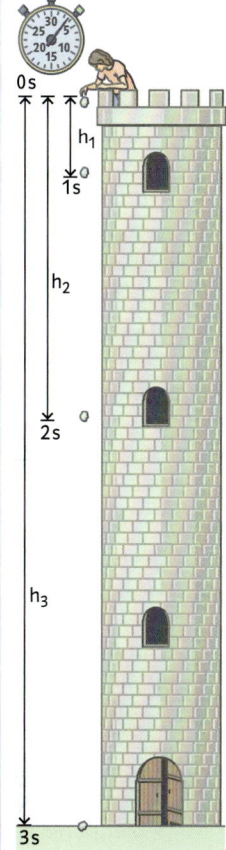

10 Der Graph der Funktion f mit $f(x) = ax^2$ verläuft durch den Punkt P. Bestimme den Wert für a. Setze hierzu die Koordinaten des Punktes P in die Funktionsgleichung ein und löse nach a auf. Notiere abschließend die Funktionsgleichung.
  a) P(1|3)   b) P(–1|–2)   c) P(5|–2)   d) P(–3|2,7)

11 Sara vermutet, dass der Brückenbogen auf dem Foto annähernd parabelförmig ist, und möchte ihre Vermutung mit einer DGS überprüfen. Hierzu fügt sie das Bild als Hintergrund in ein Koordinatsystem ein und verschiebt es so, dass der Ursprung im höchsten Punkt des Bogens liegt. Dann liest sie ab, dass P(4|–1,5) und Q(8|–6) auf dem Brückenbogen liegen.
  a) Prüfe mit diesen Angaben, ob sich die Form des Brückenbogens gut durch eine Parabel beschreiben lässt.
  b) Untersuche entsprechend eigene Brückenfotos.

MK Du kannst im Internet Fotos von Brücken suchen und mit einer DGS entsprechend untersuchen.

12 Prüfe, ob die Punkte auf dem Graphen einer gemeinsamen quadratischen Funktion f mit $f(x) = ax^2$ liegen.
  a) P(1|4), Q(–2|16)
  b) P(2|0,4), Q(–3|0,5)
  c) P(–1|3), Q(5|75), R(11|360)

13 Gib die Funktionsgleichungen zu den Parabeln aus Fig. 1 an. Erläutere dein Vorgehen und verwende die Begriffe auf dem Rand.

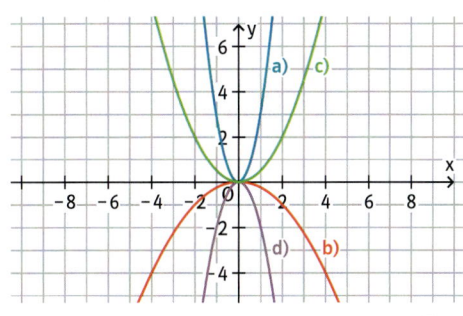

Fig. 1

Wortliste
- der Punkt
- die Koordinate
- die Funktionsgleichung
- ablesen
- auflösen
- einsetzen

● 14 Nik experimentiert mit einer Mathe-App und behauptet: „Auch das ist eine Parabel". Milla: „Das kann nicht sein, die Funktionsgleichung muss f(x) = 0 sein." Nik: „Ich habe f(x) = $\frac{1}{1000000}$ x² eingegeben. Wenn man rauszoomt, sieht man, dass es eine Parabel ist."

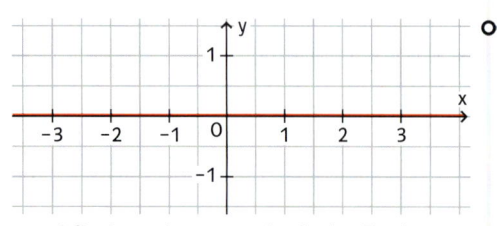

→ **Vertiefen**
Seite 63, Aufgabe 15

a) Experimentiere mit einem Funktionenplotter und finde weitere quadratische Funktionen, deren Graphen im abgebildeten Bereich aussehen wie eine Gerade mit der Gleichung g(x) = 0. Notiere deine Ergebnisse.

b) Nik vermutet: „Jede Parabel kann wie eine Gerade aussehen, wenn ich nur genug zoome." Überprüfe Niks Vermutung mit einem Funktionenplotter. Fasse deine Erkenntnisse zusammen.

Teste dich!

→ **Lösungen**, Seite 225

● 15 Der Graph der Funktion f mit der Funktionsgleichung f(x) = ax² geht durch den Punkt P(−1,5 | 9). Bestimme den Wert für a und notiere die Funktionsgleichung.

● 16 Gib die Funktionsgleichungen zu den Parabeln rechts an.

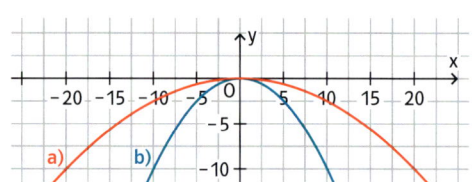

● 17 Bei einer Notbremsung nimmt die Geschwindigkeit eines Zuges in jeder Sekunde um ca. 1 m/s ab. Ein Regionalexpress fährt mit 40 m/s (= 144 km/h), als eine Notbremsung erfolgt. Lina schätzt die Länge des Bremswegs nach dem folgenden Prinzip: Zu Beginn hat der Zug eine Geschwindigkeit von 40 m/s. In der ersten Sekunde nach der Notbremsung legt er also etwa 40 m zurück. Eine Sekunde später beträgt die Geschwindigkeit nur noch 39 m/s. In der zweiten Sekunde legt der Zug also nur noch ungefähr 39 m zurück usw. Als Schätzwert für den Bremsweg erhält Lina: 40 m + 39 m + 38 m + … + 2 m + 1 m = 820 m.

a) Überprüfe Linas Ergebnis mithilfe geeigneter digitaler Hilfsmittel.
b) Ermittle einen entsprechenden Schätzwert für den Bremswegs, wenn der Zug zum Zeitpunkt der Notbremsung 20 m/s bzw. 10 m/s schnell ist.
c) Erläutere, warum Linas Ergebnis nur ein Näherungswert ist.
d) Max vermutet: Die Funktion g: *Zeit seit Beginn der Notbremsung (in s)* → *Geschwindigkeit des Zuges (in m/s)* ist näherungsweise linear und die Funktion f: *Geschwindigkeit des Zuges zum Zeitpunkt der Notbremsung (in m/s)* → *Bremsweg (in m)* ist näherungsweise quadratisch. Prüfe Max' Vermutung mithilfe geeigneter digitaler Werkzeuge.

● 18 **Gilt immer – gilt nie – es kommt darauf an**
Überprüfe, ob die folgenden Aussagen immer gelten, nie stimmen oder nur in bestimmten Fällen richtig sind. Begründe und gib gegebenenfalls die Bedingungen an.
a) Je größer der Streckfaktor a ist, desto stärker ist die zugehörige Parabel im Vergleich zur Normalparabel in y-Richtung gestreckt.
b) Sei P ein Punkt der Normalparabel. Vergrößert man die x-Koordinate von P um 2 und die y-Koordinate um 4, dann erhält man einen weiteren Punkt der Normalparabel.

Teste dein Grundwissen! Summen mit binomischen Formeln faktorisieren

→ **Grundwissen**, Seite 20
Lösungen, Seite 225

G 19 Forme durch Anwenden der binomischen Formeln in ein Produkt um.
a) a² − 2ab + b²   b) x² + 4x + 4   c) 9x² − 6x + 1   d) 0,25a² + ab + b²

3 Scheitelpunktform quadratischer Funktionen

Zeichne die Graphen zu $f(x) = ax^2$, $g(x) = (x - b)^2$ und $h(x) = x^2 + c$ mit einer DGS und erstelle Schieberegler für a, b und c. Beschreibe, welchen Einfluss die Werte a, b und c auf den Graphen haben. Gelingt es dir, die drei abgebildeten Graphen zu erzeugen?

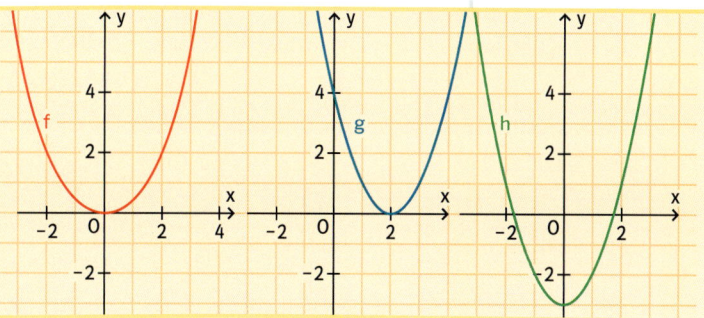

Alle bisher betrachteten Parabeln hatten den Scheitelpunkt (0|0). Wie sich die Funktionsgleichung beim Verschieben einer Parabel verändert, wird im Folgenden untersucht.

Transformation der Normalparabel: Verschiebung in y-Richtung

Die grüne Parabel ist gegenüber der blauen Normalparabel um 2 Einheiten nach unten verschoben. Ihr Scheitelpunkt ist daher (0|−2). Diese Verschiebung bewirkt, dass alle Funktionswerte um 2 verringert werden. Die neue Funktionsgleichung lautet daher $g(x) = x^2 - 2$.
Auf dieselbe Weise erhält man durch Verschiebung der Normalparabel um 1 Einheit nach oben eine Parabel mit dem Scheitelpunkt (0|1) und der zugehörigen Funktionsgleichung $h(x) = x^2 + 1$.

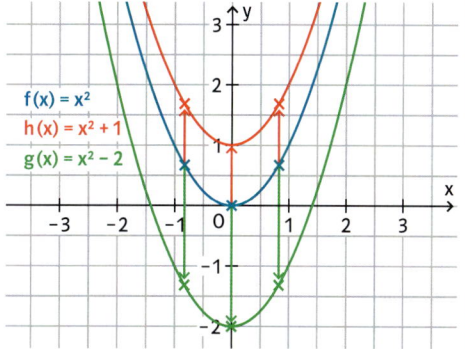

Allgemein: Verschiebt man die Normalparabel um e Einheiten in y-Richtung, so erhält man eine Parabel mit dem Scheitelpunkt S(0|e). Die y-Achse bleibt die Symmetrieachse. Die neue Funktionsgleichung ist $f(x) = x^2 + e$. Positive Werte für e verschieben die Normalparabel nach oben, negative nach unten.

Transformation der Normalparabel: Verschiebung in x-Richtung

Die grüne Parabel ist gegenüber der blauen Normalparabel um 1 Einheit nach rechts verschoben. Ihr Scheitelpunkt ist daher (1|0). Man erhält die folgende Wertetabelle:

x	-1	0	1	2	3	4
f(x)	1	0	1	4	9	16
g(x)	4	1	0	1	4	9

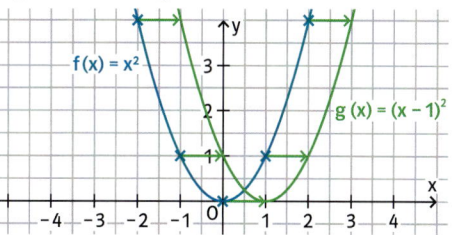

Da alle Punkte der Normalparabel um 1 nach rechts verschoben wurden, gilt:
g(0) = f(−1), g(1) = f(0), g(2) = f(1) usw., also $g(x) = f(x - 1) = (x - 1)^2$.
Auf dieselbe Weise erhält man durch Verschiebung der Normalparabel um 2 Einheiten nach links eine Parabel mit dem Scheitelpunkt (−2|0) und der zugehörigen Funktionsgleichung $h(x) = (x + 2)^2$.

Allgemein: Verschiebt man die Normalparabel um d Einheiten in x-Richtung, so erhält man eine Parabel mit dem Scheitelpunkt (d|0). Die Symmetrieachse verläuft parallel zur y-Achse durch den Scheitelpunkt. Die neue Funktionsgleichung ist $g(x) = (x - d)^2$. Positive Werte für d verschieben die Parabel nach rechts, negative nach links.

Tipp für das Aufstellen der Funktionsgleichung: Wenn man die x-Koordinate des Scheitelpunktes einsetzt, muss die Klammer 0 ergeben.

Verschiebung beliebiger Parabeln in x- und y-Richtung

Auch gestreckte Parabeln können in x- und y-Richtung verschoben werden. In der Grafik wird der Graph der Funktion f mit $f(x) = 0,5x^2$ zunächst um -3 Einheiten in x-Richtung und anschließend um 2 Einheiten in y-Richtung verschoben. Man erhält eine Parabel mit dem Scheitelpunkt $(-3|2)$.

Wie sich die Verschiebungen auf die Funktionsgleichung auswirken, wurde bereits oben gezeigt:

Verschiebungen, Streckungen und Stauchungen sind **Transformationen** der Normalparabel. Man erhält die Parabel in einer anderen (transformierten) Form.

x	-3	-2	-1	0	1	2
$f(x) = 0,5x^2$	4,5	2	0,5	0	0,5	2
$g(x) = 0,5(x+3)^2$	0	0,5	2	4,5	8	12,5
$h(x) = 0,5(x+3)^2 + 2$	2	2,5	4	6,5	10	14,5

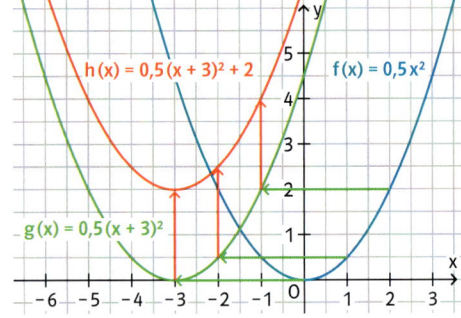

Die Scheitelpunktform einer quadratischen Funktion
Eine quadratische Funktionen mit dem Streckfaktor a und dem Scheitelpunkt $S(d|e)$ kann man durch die Funktionsgleichung $f(x) = a \cdot (x - d)^2 + e$ beschreiben.
Diese Gleichung wird **Scheitelpunktform** genannt.

Beispiel 1 Parabel anhand der zugehörigen Scheitelpunktform zeichnen
Gegeben ist die Funktion f mit der Gleichung $f(x) = (x + 1)^2 - 2$. Fertige eine Wertetabelle an und zeichne den Graphen von f.

Lösung

Wertetabelle:
Der Scheitelpunkt ist $(-1|-2)$. Um den Graphen gut zeichnen zu können, werden rechts und links vom Scheitelpunkt jeweils 2 Punkte ermittelt.

x	f(x)
-3	2
-2	-1
-1	-2
0	-1
1	2

Graph:

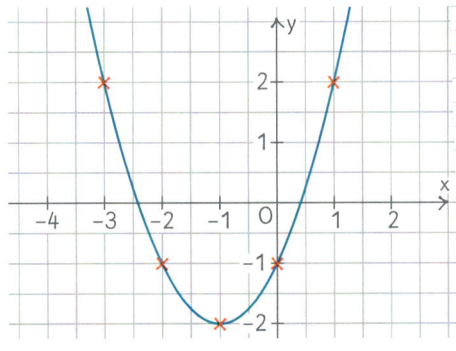

Vom Scheitelpunkt:
– 1 Einheit nach rechts oder links: 1a Einheiten nach oben
– 2 Einheiten nach rechts oder links: 4a Einheiten nach oben

Beispiel 2 Scheitelpunktform anhand der zugehörigen Parabel ermitteln
Gegeben ist der Graph von f. Ermittle die Scheitelpunktform von $f(x) = a(x - d)^2 + e$.

Lösung
Der Scheitelpunkt ist $S(-2|3)$, also $d = -2$ und $e = 3$. Bewegt man sich vom Scheitelpunkt eine Einheit nach rechts und zwei Einheiten nach unten, erreicht man wieder einen Punkt der Parabel. Also ist $a = -2$. Durch Einsetzen von a, d und e in die Scheitelpunktform erhält man
$f(x) = -2(x - (-2))^2 + 3 = -2(x + 2)^2 + 3$.

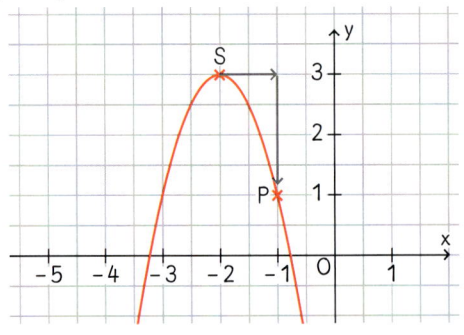

Aufgaben

1 Ordne jeder Parabel (1) bis (4) den passenden Scheitelpunkt zu. Verwende die Kärtchen. Die übriggebliebenen Buchstaben ergeben von links nach rechts ein Lösungswort.

(1) 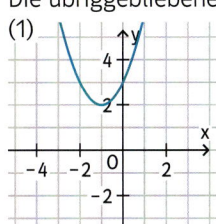 (2) 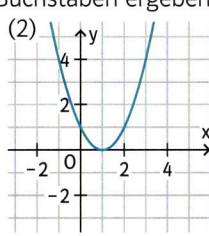 (3) 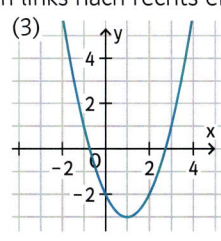 (4)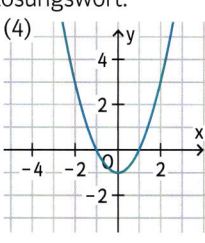

H(−1|3)   O(1|−3)   A(−3|1)   S(−2|1)   M(1|0)   K(−1|2)   E(2|−2)   R(0|−1)

2 Ordne jeder Funktionsgleichung ihren Graphen G_1 bis G_4 und ihre Wertetabelle W_1 bis W_4 zu.

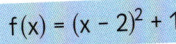 $f(x) = (x - 2)^2 + 1$ 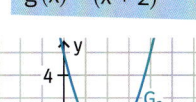 $g(x) = (x + 2)^2 - 1$ 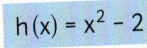 $h(x) = x^2 - 2$  $k(x) = (x - 2)^2$

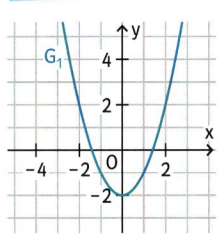   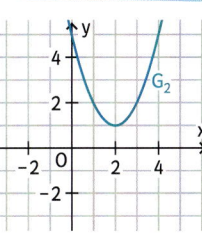   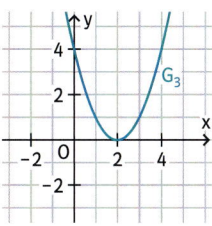   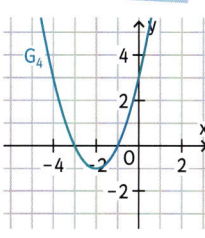

W_1

x	−2	−1	0	1	2
y	−1	0	3	8	15

W_2

x	−2	−1	0	1	2
y	16	9	4	1	0

W_3

x	−2	−1	0	1	2
y	17	10	5	8	1

W_4

x	−2	−1	0	1	2
y	2	−1	−2	−1	2

3 Prüfe, ob der Punkt P auf dem Graphen der Funktion f mit $f(x) = (x - 1)^2 + 1$ liegt.
a) P(3|5) b) P(−2|−8) c) P(2|3) d) P(0,5|1,25)

MK Bei den Aufgaben 3 bis 8 kannst du deine Lösungen mit einer DGS überprüfen.

4 Der Graph von f ist eine verschobene Normalparabel mit dem Scheitelpunkt S. Gib die Funktionsgleichung von f an.
a) S(−4|2) b) S(5|−1) c) S(2,5|1) d) S(0,1|2,7)

Lerntipp Seite 46, Beispiel 2

5 Gegeben ist die Gleichung der quadratischen Funktion f. Ermittle den Scheitelpunkt S der zugehörigen Parabel, fertige eine Wertetabelle an und zeichne die Parabel.
a) $f(x) = (x + 1)^2 + 1$ b) $f(x) = (x - 3)^2$ c) $f(x) = (x + 1)^2 - 2$

Lerntipp Seite 46, Beispiel 1

Teste dich!

Lösungen, Seite 225

6 Prüfe, ob der Punkt P auf der Parabel der Funktion f mit $f(x) = (x + 2)^2 - 3$ liegt.
a) P(1|3) b) P(−3|−2) c) P(2|13) d) P(−5|4)

7 Gegeben ist die Gleichung der quadratischen Funktion f. Ermittle den Scheitelpunkt S der zugehörigen Parabel, fertige eine Wertetabelle an und zeichne die Parabel.
a) $f(x) = (x + 2)^2 - 2$ b) $f(x) = (x + 2)^2$ c) $f(x) = (x - 3)^2 - 3$

8 a) Beschreibe, wie der jeweilige Graph aus der Normalparabel entsteht und gib den Scheitelpunkt an.
Notiere die Gleichungen der Funktionen f und g und mache eine Punktprobe mit einem beliebigen Punkt des jeweiligen Graphen, um zu prüfen, ob deine Gleichung stimmen kann.

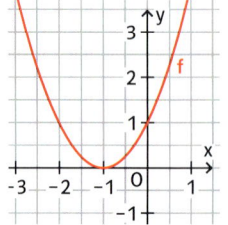
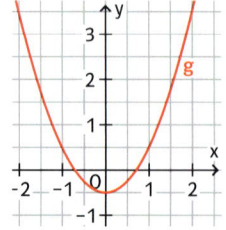

b) Stellt euch gegenseitig Rätsel wie in Teilaufgabe a) mithilfe einer DGS. Gebt hierzu die Funktionsgleichung $f(x) = (x - d)^2 + e$ ein und erstellt jeweils einen Schieberegler für d und e im Bereich von −5 bis 5. Verständigt euch über die Schrittweite der Schieberegler. Nachdem eine Person Werte für d und e eingestellt hat, liest die andere Person am Graphen die Funktionsgleichung ab. Tauscht anschließend die Rollen.

9 Ordne jeder Funktionsgleichung den passenden Graphen G_1 bis G_4 zu.

$f(x) = 2(x - 1)^2$ $h(x) = -2x^2 + 1$

$g(x) = (x + 2)^2 - 1$ $k(x) = -(x - 1)^2 + 2$

Lerntipp Seite 46, Beispiel 2

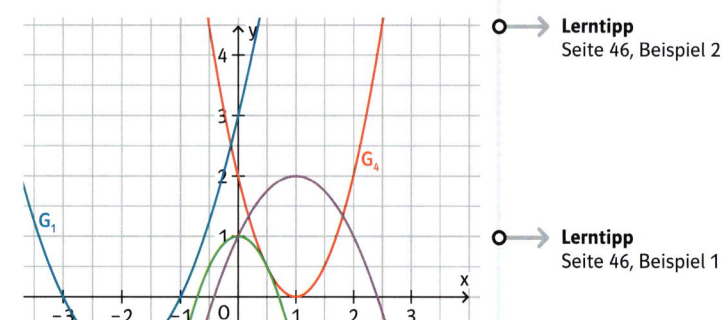

10 Ermittle den Scheitelpunkt S der zu f(x) gehörigen Parabel, fertige eine Wertetabelle an und zeichne die Parabel.
a) $f(x) = -2(x - 3)^2 + 6$
b) $f(x) = 0,5(x + 1)^2 - 1,5$

Lerntipp Seite 46, Beispiel 1

11 Gegeben ist die Gleichung der Funktion f. Beschreibe mithilfe geeigneter Kärtchen, wie der Graph der Funktion f aus der Normalparabel entstanden ist.

| 1 | „An der x-Achse gespiegelt" | 2 | „In y-Richtung mit … gestreckt." |
| 3 | „In x-Richtung um … verschoben." | 4 | „In y-Richtung um … verschoben." |

a) $f(x) = -x^2 + 1$
b) $f(x) = 2(x - 5)^2 + 7$
c) $f(x) = 0,1(x + 2)^2 - 8$
d) $f(x) = -2(x - 5)^2 + 7$
e) $f(x) = -(x - 1)^2 - 1$
f) $f(x) = -0,25(x - 3)^2$

Zur Erinnerung: Auch bei gestauchten Parabeln spricht man von einer Streckung, der Streckfaktor liegt dann zwischen −1 und 1.

12 Die Wertetabelle gehört zu einer quadratischen Funktion. Bestimme zunächst den Scheitelpunkt und dann die passende Funktionsgleichung. Beschreibe dein Vorgehen.

a)
x	−4	−3	−2	−1	0	1	2	3	4	5
f(x)	96	54	24	6	0	6	24	54	96	150

b)
x	−1	0	1	2	3	4	5	6	7	8
f(x)	−101	−68	−41	−20	−5	4	7	4	−5	−20

c)
x	−7	−6	−5	−4	−3	−2	−1	0	1	2
f(x)	0	−3,5	−6	−7,5	−8	−7,5	−6	−3,5	0	4,5

d)
x	1	2	3	4	5	6	7	8	9	10
f(x)	−4,25	−1	1,75	4	5,75	7	7,75	8	7,75	7

13 Gegeben ist die Funktion f mit $f(x) = 3(x - 2)^2 + 1$.
a) Wenn man den Graphen von f um 5 Einheiten nach links und 3 Einheiten nach unten verschiebt, erhält man eine weitere Parabel. Gib die Gleichung der zugehörigen quadratischen Funktion g an.
b) Wenn man den Graphen von f an der x-Achse spiegelt, erhält man eine weitere Parabel. Gib die Gleichung der zugehörigen quadratischen Funktion h an.

14
Der Punkt P liegt auf einer verschobenen Normalparabel mit dem Scheitelpunkt S.
Bestimme die fehlende y-Koordinate.
a) S(1|5), P(2|☐) b) S(6|0), P(5|☐) c) S(-5|5), P(-3|☐) d) S(4|-8), P(7|☐)

15 Wahr oder falsch?
Gib an, ob die folgenden Aussagen wahr oder falsch sind. Begründe.
a) Zwei Parabeln mit gleichem Streckfaktor und unterschiedlicher Symmetrieachse schneiden sich in genau einem Punkt.
b) Zwei Parabeln mit gleichem y-Achsenabschnitt und unterschiedlicher Symmetrieachse haben zwei Schnittpunkte.

16
a) Gib jeweils drei mögliche Gleichungen der Funktionen f, g, h und k an.
b) 🖥 Überprüfe deine Lösungen aus Teilaufgabe a) mit einer DGS.

> Der größte Funktionswert der Funktion f ist 3.

> Der Graph von g verläuft nur für x-Werte zwischen −1 und 1 oberhalb der x-Achse.

> Der Graph von h verläuft durch die Punkte (−3|1) und (1|1).

> Die Symmetrieachse des Graphen von k hat den Abstand 5 zur y-Achse.

Teste dich! → Lösungen, Seite 226

17
Der Punkt P liegt auf einer Parabel mit dem Streckfaktor a und dem Scheitelpunkt S.
Bestimme die fehlende y-Koordinate von P.
a) a = −1, S(−3|0), P(−1|☐)   b) a = 3, S(1|−4), P(−2|☐)
c) a = 0,25; S(−2|1), P(2|☐)   d) a = −0,1; S(−2|0), P(−7|☐)

18 Gilt immer – gilt nie – es kommt darauf an
Untersuche, ob die folgenden Aussagen immer gelten, nie stimmen oder nur in bestimmten Fällen richtig sind. Begründe und gib gegebenenfalls die Bedingungen an.
a) Der Graph der Funktion f mit f(x) = a · (x − 2)² + 1 hat genau zwei Schnittpunkte mit der x-Achse.
b) Eine verschobene Normalparabel, die den Scheitelpunkt (d|−4) hat, hat genau zwei Schnittpunkte mit der x-Achse.

19
Auf einer verschobenen Normalparabel liegen die Punkte P(−1|100) und Q(9|100). Ermittle den Scheitelpunkt der Parabel.

20
Eine verschobene Normalparabel verläuft durch die rechts markierten Punkte. Ermittle die zugehörige Funktionsgleichung.

21
Lorena behauptet: „Mit meiner Schablone der Normalparabel kann ich den Graphen jeder quadratischen Funktion zeichnen. Ich muss nur die Achsen passend skalieren."
a) Erkläre Lorenas Aussage.
b) Zeichne mit Lorenas Methode den Graphen der Funktion f mit der Gleichung f(x) = 0,25(x − 3)² − 1.

Teste dein Grundwissen! Terme zusammenfassen → Grundwissen, Seite 209
Lösungen, Seite 226

G 22
Löse die Klammern auf und vereinfache.
a) 3(x − 3) − 2   b) (a − 3) · (a − 2)   c) 1 − 2(4 − 2b)   d) −(y − 2) − 3 · y

4 Normalform und quadratische Ergänzung

Karl hat mit seiner DGS den Graphen zur Funktionsgleichung $f(x) = x^2 - 2x - 3$ gezeichnet.
„Der Graph sieht nach einer Parabel aus. Wenn ich einzelne Punkte ablese, passt alles haargenau!", stellt Karl fest.
„Stimmt, aber ich hätte den Term $(x - 1)^2 - 4$ eingegeben," antwortet Lea.

Prüfe und finde ähnliche Beispiele.

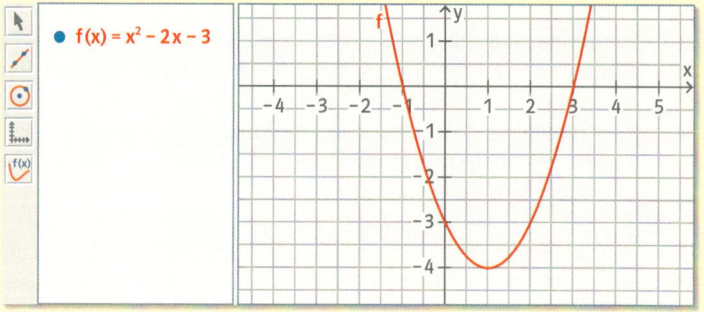

Häufig werden die Gleichungen quadratischer Funktionen nicht in der Scheitelpunktform $f(x) = a(x - d)^2 + e$, sondern in der Normalform $f(x) = ax^2 + bx + c$ angegeben. Wie man von der einen Darstellung zur anderen kommt, wird im Folgenden erklärt.

Von der Scheitelpunktform zur Normalform

$f(x) = 3 \cdot (x - 2)^2 - 8$
$ = 3 \cdot (x^2 - 4x + 4) - 8$ *Binomische Formel anwenden*
$ = 3 \cdot x^2 - 12x + 12 - 8$ *Klammer ausmultiplizieren*
$ = 3 \cdot x^2 - 12x + 4$ *Zusammenfassen*

Durch Ausmultiplizieren und Zusammenfassen erhält man aus der Scheitelpunktform eine Gleichung der Form $f(x) = ax^2 + bx + c$. Diese wird als **Normalform** bezeichnet.

Die Rechnung $f(0) = a \cdot 0^2 + b \cdot 0 + c = c$ lässt erkennen, dass der Summand c die Schnittstelle des Graphen mit der y-Achse angibt. Er heißt **y-Achsenabschnitt**.
Außerdem kann man an der Normalform den Streckfaktor a der zugehörigen Parabel ablesen. Die Koordinaten des Scheitelpunktes lassen sich an der Normalform hingegen nicht unmittelbar erkennen.

Von der Normalform zur Scheitelpunktform
Ist nur die Normalform einer quadratischen Funktion bekannt, kann man durch Anwenden einer binomischen Formel die Scheitelpunktform ermitteln:

$g(x) = 2x^2 - 10x + 15$ *Den Faktor $a = 2$ aus den ersten beiden*
$ = 2 \cdot [x^2 - 5x] + 15$ *Summanden ausklammern*
$ = 2 \cdot [x^2 - 2 \cdot 2{,}5 \cdot x + 2{,}5^2 - 2{,}5^2] + 15$ *$2{,}5^2$ addieren, damit eine binomische Formel angewendet werden kann, gleichzeitig $2{,}5^2$ subtrahieren, damit sich der Wert des Terms nicht ändert*

$ = 2 \cdot [(x - 2{,}5)^2 - 2{,}5^2] + 15$ *Binomische Formel anwenden*
$ = 2 \cdot [(x - 2{,}5)^2 - 6{,}25] + 15$ *$2{,}5^2$ berechnen*
$ = 2 \cdot (x - 2{,}5)^2 - 12{,}5 + 15$ *Äußere Klammer ausmultiplizieren*
$ = 2 \cdot (x - 2{,}5)^2 + 2{,}5$ *Zusammenfassen*

Dieses Verfahren wird **quadratische Ergänzung** genannt.

Zur Erinnerung:
$a^2 + 2 \cdot a \cdot b + b^2 = (a + b)^2$
$a^2 - 2 \cdot a \cdot b + b^2 = (a - b)^2$

Die verschiedenen Darstellungsformen quadratischer Funktionen

Die Gleichung einer quadratischen Funktion kann in **Normalform** $f(x) = ax^2 + bx + c$
oder **Scheitelpunktform** $f(x) = a(x - d)^2 + e$ angegeben werden.
Durch Ausmultiplizieren erhält man aus der Scheitelpunktform die Normalform.
Durch eine **quadratische Ergänzung** erhält man aus der Normalform die Scheitelpunktform.

An der Normalform $f(x) = ax^2 + bx + c$ kann man den **Streckfaktor a** der Parabel und den **y-Achsenabschnitt c** ablesen. Der Punkt $(0|c)$ ist der Schnittpunkt der Parabel mit der y-Achse. Den Scheitelpunkt kann man hingegen nicht unmittelbar erkennen.
Um den maximalen oder minimalen Funktionswert einer quadratischen Funktion ablesen zu können, formt man die Funktionsgleichung in die Scheitelpunktform um oder verwendet digitale Werkzeuge.

Beispiel 1 Quadratische Ergänzung durchführen
Forme in die Scheitelpunktform um und gib den Scheitelpunkt der zugehörigen Parabel an.
a) $f(x) = x^2 - 8 \cdot x + 5$ b) $f(x) = -4x^2 - 4x + 1{,}5$

Lösung

a) $f(x) = x^2 - 2 \cdot 4 \cdot x + 5$
$ = x^2 - 2 \cdot 4 \cdot x + 4^2 - 4^2 + 5$
$ = (x - 4)^2 - 16 + 5$
$ = (x - 4)^2 - 11$

Scheitelpunkt: $S(4|-11)$.

b) $f(x) = -4x^2 - 4x + 1{,}5$
$ = -4[x^2 + x] + 1{,}5$
$ = -4[x^2 + 2 \cdot 0{,}5 \cdot x] + 1{,}5$
$ = -4[x^2 + 2 \cdot 0{,}5 \cdot x + 0{,}5^2 - 0{,}5^2] + 1{,}5$
$ = -4[(x + 0{,}5)^2 - 0{,}25] + 1{,}5$
$ = -4(x + 0{,}5)^2 + 1 + 1{,}5$
$ = -4(x + 0{,}5)^2 + 2{,}5$

Scheitelpunkt: $S(-0{,}5|2{,}5)$

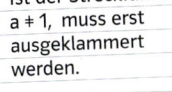

Ist der Streckfaktor a ≠ 1, muss erst ausgeklammert werden.

Beispiel 2 Quadratische Funktionen als Modell nutzen
Die Flugbahn eines Basketballs wird modellhaft durch die quadratische Funktion f mit $f(x) = -0{,}4x^2 + 1{,}6x + 1{,}5$ beschrieben, wobei x für alle Werte zwischen 0 und 3 die horizontale Entfernung vom Abwurfpunkt in Metern und $f(x)$ die Höhe des Balls in Metern angibt.
a) Bestimme die Höhe, in der der Basketball laut Modell abgeworfen wird.
b) Ermittle die maximale Höhe, die der Basketball dem Modell zufolge erreicht.

Lösung

a) Aus $f(0) = 1{,}5$ ergibt sich eine Abwurfhöhe von 1,50 Metern.
b) Am Streckfaktor $a = -0{,}4$ erkennt man, dass der Graph von f eine nach unten geöffnete Parabel ist, ihr Scheitelpunkt ist daher der höchste Punkt. Dieser lässt sich mit einer DGS ermitteln oder an der Scheitelpunktform der Funktionsgleichung ablesen (siehe unten). Am Scheitelpunkt $S(2|3{,}1)$ erkennt man, dass die maximale Höhe des Balls laut Modell 3,10 Meter beträgt.

Scheitelpunktform ermitteln:
$f(x) = -0{,}4x^2 + 1{,}6x + 1{,}5$
$ = -0{,}4[x^2 - 4x] + 1{,}5$
$ = -0{,}4[x^2 - 2 \cdot 2x] + 1{,}5$
$ = -0{,}4[x^2 - 2 \cdot 2x + 2^2 - 2^2] + 1{,}5$
$ = -0{,}4[(x - 2)^2 - 4] + 1{,}5$
$ = -0{,}4(x - 2)^2 + 1{,}6 + 1{,}5$
$ = -0{,}4(x - 2)^2 + 3{,}1$

Scheitelpunkt mit einer DGS ermitteln:

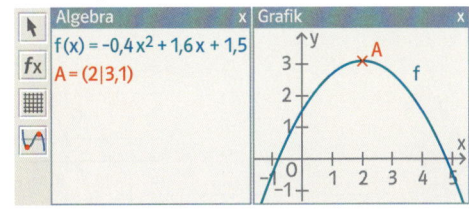

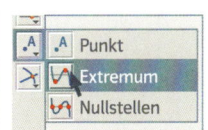

Aufgaben

1 Ordne dem Term die passende Zahl so zu, dass man eine binomische Formel anwenden kann. Die zugehörigen Buchstaben ergeben in passender Reihenfolge einen Fachbegriff aus den Naturwissenschaften als Lösungswort.
a) $x^2 - 2x + \square$ b) $x^2 + x + \square$ c) $x^2 + 14x + \square$ d) $x^2 - 8x + \square$

| A 16 | U 2 | M 1 | E 0,5 | D 42 | O 49 | S 36 | T 0,25 |

2 Ergänze die Gleichung der Funktion f durch einen passenden Wert, sodass man eine binomische Formel anwenden kann. Gib den Scheitelpunkt S der zugehörigen Parabel an.
a) $f(x) = x^2 - 6x + \square$ b) $f(x) = x^2 + 4x + \square$ c) $f(x) = x^2 + x + \square$
d) $f(x) = x^2 + 5x + \square$ e) $f(x) = x^2 - 3x + \square$ f) $f(x) = x^2 + 1,6x + \square$

3 a) Forme die Funktionsgleichungen in die Scheitelpunktform um und gib den jeweiligen Scheitelpunkt an.
(1) $f(x) = x^2 - 2x + 1$ (2) $g(x) = x^2 + 10x$ (3) $h(x) = x^2 + 4x - 5$
(4) $i(x) = x^2 + 6x$ (5) $k(x) = x^2 - 1,2x + 1,6$ (6) $l(x) = x^2 + 10x + 20$

→ **Lerntipp** Seite 51, Beispiel 1 a)

b) Umut merkt sich: „Erst halbieren, dann quadrieren." Erkläre Umuts Merkhilfe.

4 Forme in die Normalform um und gib den y-Achsenabschnitt an.
a) $f(x) = (x - 3)^2 + 9$ b) $f(x) = 2(x - 4)^2$ c) $f(x) = -3(x + 2)^2 - 11$

5 Entscheide, welche zwei Funktionsgleichungen jeweils zusammengehören. Begründe.

$f(x) = (x + 3)^2 + 4$	$g(x) = x^2 + 14 \cdot x + 102$	$h(x) = (x - 7)^2 - 53$
$i(x) = 2 \cdot (x + 4)^2 + 9$	$j(x) = 2(x - 3)^2 + 9$	$k(x) = -2(x + 3)^2 + 7$
$l(x) = 2x^2 - 12x + 27$	$m(x) = x^2 - 14x - 4$	$n(x) = x^2 + 6x + 13$
$o(x) = (x + 7)^2 + 53$	$p(x) = -2x^2 - 12x - 11$	$q(x) = 2x^2 + 16x + 41$

Teste dich!

→ **Lösungen**, Seite 226

6 Forme in die Scheitelpunktform um und gib den Scheitelpunkt S der zugehörigen Parabel an.
a) $f(x) = x^2 + 8x + 16$ b) $f(x) = x^2 - 4x$ c) $f(x) = x^2 + 6x + 1$

7 Forme in die Normalform um und gib den y-Achsenabschnitt an.
a) $f(x) = (x - 5)^2 - 14$ b) $f(x) = 5(x + 1)^2$ c) $f(x) = -2(x - 3)^2 + 14$

8 Ordne den folgenden Funktionsgleichungen jeweils den passenden Graphen G_1 bis G_5 zu.
$f(x) = -2(x - 3)^2 + 5$
$g(x) = x^2 - 2x + 3$
$h(x) = 0,5(x + 4)^2 - 2$
$i(x) = -2x^2 - 5x + 4$
$j(x) = -0,25x^2 - 2x + 1$

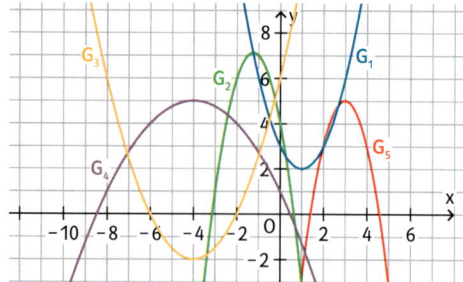

II Quadratische Funktionen

9 Wandle in die Scheitelpunktform um und gib den Scheitelpunkt S der zugehörigen Parabel an.

a) $f(x) = x^2 - 7x + 20{,}25$
b) $f(x) = x^2 + 18x + 80\frac{1}{2}$
c) $f(x) = x^2 - 9x - 9\frac{3}{4}$
d) $f(x) = 3x^2 + 15x + 6$
e) $f(x) = 2x^2 + 8x + 3$
f) $f(x) = 10x^2 - 70x + 40$
g) $f(x) = -x^2 - 4x - 5$
h) $f(x) = -3x^2 + 12x + 9$
i) $f(x) = -4x^2 - 36x + 32$

Lerntipp Seite 51, Beispiel 1

MK Kontrolliere deine Lösungen mit geeigneten digitalen Werkzeugen.

10 **Finde den Fehler!**
Die Funktionsgleichung der quadratischen Funktion f soll in die Scheitelpunktform umgewandelt werden. Erkläre, was falsch gemacht wurde, und korrigiere im Heft.

a)
$$\begin{aligned}f(x) &= -4\left[x^2 + 0{,}5 \cdot x\right] + 2 \\ &= -4\left[x^2 + 0{,}5 \cdot x + 0{,}25 - 0{,}25\right] + 2 \\ &= -4\left[(x + 0{,}5)^2 - 0{,}25\right] + 2 \\ &= -4(x + 0{,}5)^2 + 1 + 2 \\ &= -4(x + 0{,}5)^2 + 3\end{aligned}$$

b)
$$\begin{aligned}f(x) &= 2x^2 - 6 \cdot x + 3 \\ &= 2\left(x^2 - 3 \cdot x + 2{,}25 - 2{,}25\right) + 3 \\ &= 2(x - 1{,}5)^2 - 2{,}25 + 3 \\ &= 2(x - 1{,}5)^2 + 0{,}75\end{aligned}$$

11 Erläutere, welche Eigenschaften der zugehörigen Parabel man unmittelbar aus der Funktionsgleichung ablesen kann.

a) $f(x) = 1{,}5(x - 2)^2 + 1$
b) $g(x) = -2x^2 + 2x - 1$
c) $h(x) = (x - 2)^2$
d) $i(x) = 3x^2$
e) $j(x) = -(x - 6)^2 + 4$
f) $k(x) = 0{,}5x^2 - 1$

12 Die Flugkurve einer Feuerwerksrakete ist parabelförmig und lässt sich modellhaft durch die quadratische Funktion f mit $f(x) = -0{,}5x^2 + 24x$ beschreiben. Dabei gibt x die horizontale Entfernung vom Abschussort der Rakete (in m) und h(x) die Höhe über dem Boden (in m) an. Ermittle, welche maximale Höhe die Feuerwerksrakete in etwa erreicht.

Lerntipp Seite 51, Beispiel 2

13 Noel springt im Freibad vom Sprungbrett. Seine Flugbahn entspricht ungefähr einer Parabel mit der Funktionsgleichung $h(x) = -5x^2 + 2x + 3$. Hierbei ist x die horizontale Entfernung vom Absprungpunkt (in m) und h(x) die Höhe über dem Wasser (in m).
a) Ermittle die Höhe, in der Noel abgesprungen ist.
b) Bestimme mithilfe einer DGS, welche maximale Höhe Noel laut Modell während des Sprungs erreicht hat und wie weit er vom Absprungpunkt entfernt ist.
c) Gib eine Funktionsgleichung für einen Sprung aus einer anderen Höhe an. Notiere, welche Annahme du dabei machst.

Lerntipp Seite 51, Beispiel 2

14 Ein Unternehmen bietet Reithelme zu einem Verkaufspreis von aktuell 39,00 € an. Aufgrund einer Marktanalyse geht man davon aus, dass der tägliche Gewinn des Unternehmens modellhaft durch folgende Gleichung beschrieben werden kann: $G(x) = -x^2 + 70x - 1000$, wobei x den Verkaufspreis in Euro und G(x) den täglichen Gewinn in Euro angibt.

a) Berechne den ungefähren Gewinn, den das Unternehmen nach diesem Modell aktuell täglich erzielt.
b) Ermittle, zu welchem Kaufpreis das Unternehmen die Reithelme anbieten sollte, um nach diesem Modell einen maximalen Gewinn zu erzielen. Gib an, mit welchem Gewinn man laut Modell dann täglich rechnen kann.

Teste dich!

→ **Lösungen**, Seite 226

15 Ermittle die Scheitelpunktform der quadratischen Funktion f durch quadratische Ergänzung. Gib den Scheitelpunkt der zugehörigen Parabel an.
  a) $f(x) = x^2 - 2{,}2x$
  b) $f(x) = 2x^2 - 2{,}8x + 0{,}6$
  c) $f(x) = 3x^2 - 12x + 2{,}5$

16 Die Leistung P einer Turbine hängt von der Drehzahl n ab. Der Zusammenhang wird durch die Gleichung $P(n) = 300n - 0{,}8n^2$ modelliert, wobei P(n) die Leistung der Turbine in Watt bei einer Drehzahl von n angibt.
Ermittle mithilfe einer DGS, bei welcher Drehzahl die Turbine dem Modell zufolge betrieben werden sollte, damit eine maximale Leistung erzielt werden kann. Gib die laut Modell erwartete maximale Leistung an.

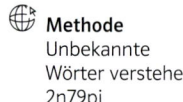
Methode
Unbekannte
Wörter verstehen
2n79pi

17 Gib an, was sich über eine quadratische Funktion f anhand der gegebenen Eigenschaften der zugehörigen Parabel sagen lässt. Begründe deine Aussagen.
  a) Die Parabel schneidet die x-Achse in den Punkten (–1|0) und (3|0).
  b) Die Parabel hat genau einen gemeinsamen Punkt mit der x-Achse.
  c) Die zugehörige Parabel hat den Scheitelpunkt S(–4|1) und schneidet die x-Achse im Punkt (–3|0).

18 Der blaue und der rote Behälter haben beide eine quadratische Grundfläche mit der Seitenlänge a bzw. 2a. Der blaue Behälter ist doppelt so hoch wie der rote Behälter. Das Wasser des gefüllten roten Behälters wird in den leeren blauen Behälter geschüttet. Entscheide, ob der blaue Behälter das gesamte Wasser fasst. Begründe.

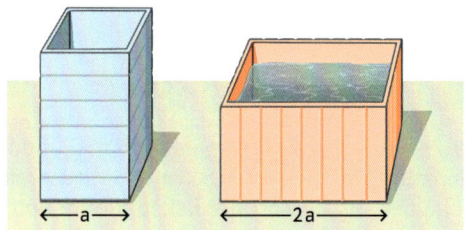

19 Aus quadratischen Platten mit der Seitenlänge x (in dm) werden durch Abschneiden von Quadraten mit der Seitenlänge 2 dm an den Ecken Kartons hergestellt.
  a) Begründe, dass $V(x) = 2(x - 4)^2$ das Volumen eines Kartons (in dm³) angibt.
  b) Berechne das Volumen des Kartons, wenn die quadratische Platte eine Seitenlänge von 50 cm bzw. 2 m hat.

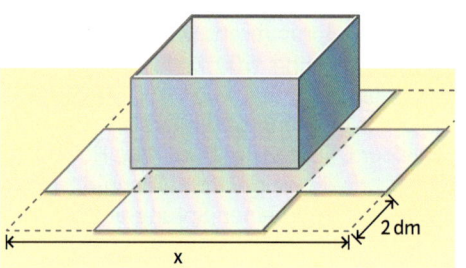

20 Wird eine Kugel mit einer Abwurfgeschwindigkeit von 8 m/s nach oben geworfen, so kann man ihre Höhe (in m) mit der Gleichung $h(t) = -5t^2 + 8t$ näherungsweise beschreiben. Dabei ist t die Zeit seit dem Abwurf (in s).
  a) Ermittle die maximale Höhe der Kugel und nach welcher Zeit sie diese erreicht.
  b) Ermittle unter Verwendung geeigneter digitaler Werkzeuge, nach welcher Zeit die Kugel wieder auf der Anfangshöhe ist. Beschreibe deine Vorgehensweise.

Teste dein Grundwissen!   Terme zusammenfassen

→ **Grundwissen**, Seite 20
Lösungen, Seite 227

G 21 Löse die Klammern auf und fasse wenn möglich zusammen.
  a) $(3x - 1) \cdot (4x - 3)$
  b) $(x - 3) \cdot (1 - x)$
  c) $2 - 4(-x + 8)$
  d) $\left(a - \frac{1}{3}\right) \cdot \left(\frac{1}{6} - a\right)$
  e) $4{,}5 - 0{,}1 \cdot (b - 4)$
  f) $\left(y - \frac{1}{5}\right) \cdot 3 - \frac{1}{3}y$

5 Aufstellen quadratischer Funktionsgleichungen

Vor der Klassenfahrt nach Barcelona hat die Klasse 9 c das Thema Parabeln behandelt. Jakob vermutet, dass die Öffnung des abgebildeten Fensters die Form einer Parabel besitzt.
Fotografiere das Bild ab und prüfe mithilfe einer DGS, ob Jakob recht hat.

Die Gleichung einer linearen Funktion kann man aufstellen, wenn man beispielsweise zwei Punkte des Graphen kennt. Wie man dabei vorgeht, ist bereits bekannt.
Im Folgenden wird vorgestellt, wie man die Gleichung einer quadratischen Funktion ermittelt, wenn man nur einzelne Punkte des Graphen kennt.

Aufstellen von Funktionsgleichungen mithilfe der Scheitelpunktform
Sind vom Graphen einer quadratischen Funktion f der Scheitelpunkt S und ein weiterer Punkt P bekannt, kann man die Funktionsgleichung in der Scheitelpunktform aufstellen.
Beispiel: $S(2|-4)$ und $P(5|14)$

1. Einsetzen der Koordinaten des Scheitelpunktes $S(2|-4)$

   $f(x) = a(x-d)^2 + e$ wird zu
   $f(x) = a(x-2)^2 - 4$

2. Einsetzen der Koordinaten des Punktes $P(5|14)$ zur Bestimmung von a

   $14 = a(5-2)^2 - 4 \quad |+4$
   $18 = a \cdot 9 \quad |:9$
   $2 = a$

3. Aufstellen der Funktionsgleichung

   $f(x) = 2(x-2)^2 - 4$

4. Probe durchführen

   $-4 = 2 \cdot (2-2)^2 - 4 = 2 \cdot 0 - 4$ (wahr)
   $14 = 2 \cdot (5-2)^2 - 4 = 2 \cdot 9 - 4$ (wahr)

Aufstellen von Funktionsgleichungen mithilfe der Normalform
Sind vom Graphen einer quadratischen Funktion f der y-Achsenabschnitt c sowie zwei weitere Punkte P und Q bekannt, kann man die Funktionsgleichung in der Normalform aufstellen.
Beispiel: $c = 3$, $P(1|4)$ und $Q(2|6)$

1. Einsetzen von c

   $f(x) = ax^2 + bx + c$ wird zu
   $f(x) = ax^2 + bx + 3$

2. Einsetzen der Koordinaten von $P(1|4)$ und $Q(2|6)$ in die Funktionsgleichung ergibt ein Gleichungssystem mit zwei Gleichungen und zwei Variablen

   $P(1|4)$ liefert I: $4 = a \cdot 1^2 + b \cdot 1 + 3$
   $Q(2|6)$ liefert II: $6 = a \cdot 2^2 + b \cdot 2 + 3$

3. Vereinfachen der Gleichungen und Lösen des Gleichungssystems

   Ia: $\quad a + b = 1$
   IIa: $\quad 4a + 2b = 3$
   $a = 0{,}5$ und $b = 0{,}5$

4. Aufstellen der Funktionsgleichung
5. Gegebenenfalls Überprüfen der Rechnung durch eine Probe

   $f(x) = 0{,}5x^2 + 0{,}5x + 3$
   $4 = 0{,}5 \cdot 1^2 + 0{,}5 \cdot 1 + 3$
   $4 = 0{,}5 + 0{,}5 + 3 \quad$ (wahr)
   $6 = 0{,}5 \cdot 2^2 + 0{,}5 \cdot 2 + 3$
   $6 = 2 + 1 + 3 \quad$ (wahr)

MK Digitale Werkzeuge
Gleichungssysteme lassen sich mit den meisten Taschenrechnern und geeigneten Apps lösen.

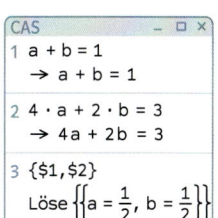

Aufstellen von Gleichungen quadratischer Funktionen
- Sind der Scheitelpunkt S und ein weiterer Punkt P einer Parabel bekannt, kann man die zugehörige **Scheitelpunktform** berechnen.
- Sind von einer Parabel der Schnittpunkt mit der y-Achse und zwei weitere Punkte bekannt, kann man die zugehörige **Normalform** berechnen.

Beispiel 1 Funktionsgleichung einer quadratischen Funktion ermitteln

Gegeben sind die drei Punkte $P(-1|0)$, $Q(0|5)$ und $R(3|-4)$ des Graphen einer quadratischen Funktion f. Bestimme die Funktionsgleichung von f und führe eine Probe durch.

Lösung

Es sind der Schnittpunkt des Graphen mit der y-Achse (Punkt Q) und zwei weitere Punkte bekannt. Daher kann die Normalform von f ermittelt werden.

→ **Lerntipp** Seite 212, Grundwissen

1. Einsetzen von $c = 5$ $\qquad f(x) = ax^2 + bx + 5$
2. Durch Einsetzen der Koordinaten von $\qquad$ I: $\quad 0 = a \cdot (-1)^2 + b \cdot (-1) + 5 \quad | -5$
   $P(-1|0)$ und $R(3|-4)$ erhält man $\qquad$ II: $\quad -4 = a \cdot 3^2 + b \cdot 3 + 5 \quad | -5$
3. Vereinfachen der Gleichungen und Lösen $\quad$ Ia: $1 \cdot a - 1 \cdot b = -5 \quad | + b$
   des Gleichungssystems $\qquad\qquad\qquad$ IIa: $9 \cdot a + 3 \cdot b = -9$

   Ib: $a = b - 5$ in IIa:

   Die erhaltene Gleichung Ib: $a = b - 5$ ist nach a aufgelöst, daher kann das Einsetzungsverfahren genutzt werden

   $9(b - 5) + 3b = -9$
   $9b - 45 + 3b = -9 \quad | + 45$
   $12b = 36 \quad | : 12$
   $b = 3$

   Einsetzen in Ib: $a = 3 - 5$
   $\qquad\qquad\qquad\quad a = -2$

4. Funktionsgleichung $\qquad\qquad f(x) = -2x^2 + 3x + 5$
5. Probe für P $\qquad\qquad\qquad 0 = -2 \cdot (-1)^2 + 3 \cdot (-1) + 5$ (wahr)
   Probe für R $\qquad\qquad\qquad -4 = -2 \cdot 3^2 + 3 \cdot 3 + 5$ (wahr)

Beispiel 2 Quadratische Funktionen als Modell nutzen

a) Man nimmt an, dass der abgebildete Brückenbogen parabelförmig ist. Ermittle die Gleichung einer quadratischen Funktion f, mit der man den Verlauf des Brückenbogens modellhaft beschreiben kann. Lege hierzu den Scheitelpunkt S in den Punkt $(0|5)$.

b) Prüfe rechnerisch, ob dem Modell zufolge ein 3,50 m hoher und 3,40 m breiter Lkw unter dem Brückenbogen hindurchfahren kann.

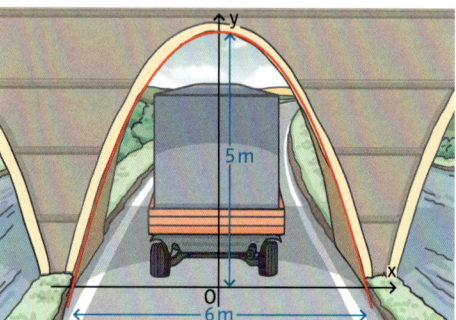

Lösung

a) Einsetzen der Koordinaten von S in die Scheitelpunktform: $f(x) = ax^2 + 5$.
Aus der Zeichnung kann man folgern, dass der Graph von f durch den Punkt $P(3|0)$ verlaufen muss.
Einsetzen der Koordinaten von P:
$0 = a \cdot 3^2 + 5 \quad | - 5$
$-5 = 9a \quad\quad\quad | : 9$
$-\frac{5}{9} = a$

Funktionsgleichung: $f(x) = -\frac{5}{9}x^2 + 5$.

b) Wenn der Lkw genau in der Mitte unter dem Brückenbogen hindurchfahren würde, entspräche dies im Modell dem Bereich zwischen $x = -1{,}7$ und $x = 1{,}7$. Es gilt:

$f(1{,}7) = -\frac{5}{9} \cdot 2{,}89 + 5 \approx 3{,}39 < 3{,}50$

Dem Modell zufolge kann der Lkw nicht unter dem Brückenbogen hindurchfahren.

Aufgaben

1 Prüfe, ob der Graph der Funktion f durch den Punkt P verläuft.
a) $f(x) = 2(x-1)^2 - 2$
   $P(4|16)$
b) $f(x) = 2(x-1)^2 - 10$
   $P(1|0)$
c) $f(x) = \frac{1}{2}(x+2)^2 + 1$
   $P(-6|9)$

2 Der Graph der quadratischen Funktion f hat den Scheitelpunkt S und verläuft durch den Punkt P. Bestimme die Scheitelpunktform von f. Führe eine Probe durch.
Die Streckfaktoren der zugehörigen Parabeln findest du zur Kontrolle auf den Kärtchen.
a) $S(-1|-3)$, $P(1|5)$ b) $S(0|6)$, $P(-3|1,5)$
c) $S(1|-10)$, $P(-3|6)$ d) $S(5|2)$, $P(4|-1)$

$a = 1$ $a = -0,5$ $a = -3$ $a = 2$

→ Lerntipp
Seite 55, Lehrtext

3 Ordne der Information über den Graphen einer quadratischen Funktion f mit der Normalform $f(x) = ax^2 + bx + c$ die passende Gleichung G1 bis G6 zu.
a) Der Graph von f verläuft durch den Punkt (1|4).
b) Der Graph von f hat den y-Achsenabschnitt 2.
c) Der Graph von f verläuft durch den Punkt (2|1).
d) Der Graph von f schneidet die y-Achse im Punkt (0|1).
e) Der Graph von f schneidet die x-Achse im Punkt (1|0).
f) Der Streckfaktor ist 2.

G1 $1 = 4a + 2b + c$ G2 $a = 2$ G3 $4 = a + b + c$ G4 $c = 2$

G5 $0 = a + b + c$ G6 $c = 1$

4 Der Graph der quadratischen Funktion f hat den y-Achsenabschnitt c und verläuft durch die Punkte P und Q. Bestimme die Normalform von f.
a) $c = -3$, $P(1|-2)$, $Q(2|3)$
b) $c = 1$, $P(1|4)$, $Q(4|1)$
c) $c = 2$, $P(2|2)$, $Q(4|6)$

→ Lerntipp
Seite 56, Beispiel 1

Teste dich!

→ Lösungen, Seite 227

5 Der Graph der quadratischen Funktion f hat den Scheitelpunkt S und verläuft durch den Punkt P. Bestimme die Scheitelpunktform von f.
a) $S(1|2)$, $P(4|-7)$
b) $S(-3|-5)$, $P(-1|3)$
c) $S(-2|-3)$, $P(-6|5)$

MK Kontrolliere deine Ergebnisse zu den Aufgaben 4, 5 und 6 mithilfe digitaler Werkzeuge.

6 Der Graph der quadratischen Funktion f hat den y-Achsenabschnitt c und verläuft durch die Punkte P und Q. Bestimme die Normalform von f.
a) $c = 5$, $P(1|3)$, $Q(2|-5)$
b) $c = 1$, $P(1|5)$, $Q(3|1)$
c) $c = 8$, $P(-2|10)$, $Q(3|-10)$

7 a) Bestimme anhand der Informationen über den Graphen der quadratischen Funktion f ihre Normalform $f(x) = ax^2 + bx + c$, indem du ein passendes Gleichungssystem aufstellst und dieses mit geeigneten digitalen Werkzeugen löst.
   (1) Der Streckfaktor ist $a = 2$, und der Graph von f verläuft durch $P(1|-1)$ und $Q(3|22)$.
   (2) Es ist $b = 4$, und die Punkte $P(-1|-8)$ und $Q(2|-5)$ liegen auf dem Graphen von f.
   (3) Es ist $c = 3$, und die Punkte $P(2|-8)$ und $Q(-1|4)$ liegen auf dem Graphen von f.
   (4) Die Punkte $P(0|0)$, $Q(-2|33)$ und $R(10|795)$ liegen auf dem Graphen von f.
   (5) Die Punkte $P(-2|-2)$, $Q(0|6)$ und $R(4|10)$ liegen auf dem Graphen von f.
   (6) Der Graph von f geht durch Verschiebung des Graphen von g mit $g(x) = -2x^2$ hervor. Er schneidet die y-Achse im Punkt $P(0|1)$ und verläuft durch den Punkt $Q(2|-3)$.
b) Stellt euch gegenseitig Aufgaben wie in Teilaufgabe a). Tauscht eure Informationen über den Graphen von f aus und haltet zur Kontrolle die Normalform von f bereit.

8 a) Gegeben sind die Graphen der quadratischen Funktionen f, g, h und k. Lies aus der Abbildung geeignete Punkte der Graphen ab und ermittle die zugehörigen Funktionsgleichungen.
   b) 🖥 Überprüfe mit einem Funktionenplotter, ob deine Ergebnisse aus Teilaufgabe a) stimmen können.

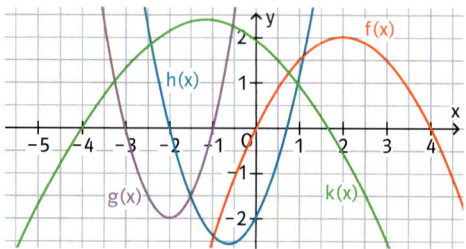

9 Die Brückenbögen der Doppelbrücke „Ponte di salti" im Tessin haben näherungsweise die Form einer Parabel. Ermittle die Gleichung einer quadratischen Funktion f, mit der man den Verlauf eines Brückenbogens modellhaft beschreiben kann. Lege hierzu den Scheitelpunkt in $(0|0)$.

Lerntipp
Seite 56, Beispiel 1

10 Das Klippenspringen in Acapulco gilt als sehr gefährlich, weil der Felsen in 35 m Höhe nicht überhängend ist: Man muss kräftig abspringen, um bis zur Landung im Wasser eine waagerechte Distanz von ca. 8 m zu überwinden. Die Sprungbahn ist annähernd parabelförmig. Ein Springer kommt waagerecht genau 8 m weit. Bestimme die Gleichung der quadratischen Funktion, mit der man die Sprungbahn beschreiben kann, wenn man den Scheitelpunkt in den Koordinatenursprung legt.

11 Beim Sportfest ist eine Disziplin der Ballwurf. Die Flugbahn eines Balles ist näherungsweise parabelförmig. Daniela wirft ihren Ball in 2 m Höhe ab. Nach einer horizontalen Strecke von 15 m befindet sich der Ball in 10,90 m Höhe, nach einer horizontalen Strecke von 25 m in 12,40 m Höhe.
   a) Ermittle die Gleichung einer quadratischen Funktion h, mit der sich die Flugbahn des Balls modellhaft beschreiben lässt. Hierbei soll x die horizontal zurückgelegte Strecke und h(x) die Höhe des Balles über dem Boden angeben, beide Angaben in Metern.
   b) Prüfe rechnerisch, ob Daniela dem Modell zufolge ihren bisherigen Rekord von 47 m übertroffen hat.

12 Riesenkängurus können bis zu 10 m weit und 3 m hoch springen. Die Sprungbahn ist annähernd eine Parabel.
   a) Bestimme die Gleichung einer Parabel, mit der modellhaft ein 10 m weiter und 3 m hoher Sprung beschrieben werden kann. Lege hierzu zunächst die Koordinaten des Scheitelpunktes fest.
   b) Prüfe rechnerisch, ob ein Riesenkänguru dem Modell zufolge über einen Kleinbus von 2 m Breite und 2,50 m Höhe springen kann.

Lerntipp
Seite 56, Beispiel 2

Teste dich!

13 Bestimme die Funktionsgleichung von f anhand der gegebenen Informationen.
a) Der Graph von f hat den y-Achsenabschnitt 3 und den Scheitelpunkt S(1|1).
b) Der Graph von f hat den Streckfaktor 0,5. Er schneidet die x-Achse unter anderem im Punkt (3|0) und die y-Achse im Punkt (0|1,5).
c) Der Graph von f ist eine verschobene Normalparabel und hat den y-Achsenabschnitt 4. Die Symmetrieachse verläuft durch den Punkt (4|0).

14 Bei der Analyse eines Vorhandschlags einer Tennisspielerin werden folgende Daten ermittelt: Der Ball wird genau über der T-Linie in einer Höhe von 50 cm getroffen und hat seine maximale Höhe von 2 m beim Netz erreicht. Prüfe mithilfe eines geeigneten Modells, ob der Ball voraussichtlich im Tennisfeld auftrifft.

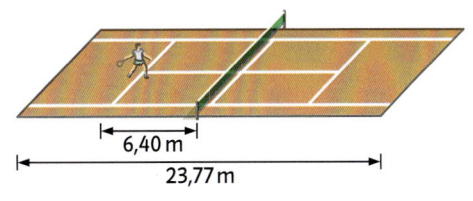

15 Prüfe, ob es genau eine Parabel mit den angegebenen Eigenschaften gibt. Falls es mehrere geeignete Parabeln gibt, formuliere eine zusätzliche Bedingung und erläutere deine Angaben.
a) Die Parabel ist eine in x-Richtung verschobene Normalparabel und geht durch den Punkt (1|4).
b) Die Parabel geht durch Verschiebung aus dem Graph der Funktion f mit $f(x) = -4x^2$ hervor. Sie schneidet die x-Achse zweimal im Abstand von 4 Längeneinheiten.

16 Pinar und Finn möchten die Gleichung einer quadratischen Funktion f aufstellen, deren Graph durch die Punkte P(−1|4), Q(2|10) und R(4|−16) verläuft. „Das läuft auf ein Gleichungssystem mit drei Gleichungen und drei Variablen hinaus und das können wir ohne Taschenrechner noch nicht," meint Finn. „Man kann die drei Punkte auch erst um eine Einheit nach rechts verschieben, dann landet P im Punkt (0|4)," antwortet Pinar. „Dann sind es nur zwei Gleichungen und zwei Variablen. Wenn ich die passende Funktionsgleichung ausgerechnet habe, verschiebe ich einfach zurück."

a) Ermittle die Funktionsgleichung von f nach Pinars Methode. Verschiebe hierzu auch Q und R um eine Einheit nach rechts und stelle zunächst die Gleichung der quadratischen Funktion g auf, deren Graph durch die drei erhaltenen Punkte P*, Q* und R* verläuft.

b) Zur Überprüfung von Pinars Funktionsgleichung führt Finn eine quadratische Regression durch (s. rechts). „Mit einer Regression erhält man doch nur eine Näherung und nicht die exakte Funktionsgleichung," zweifelt Pinar. Probiere es aus und nimm Stellung.

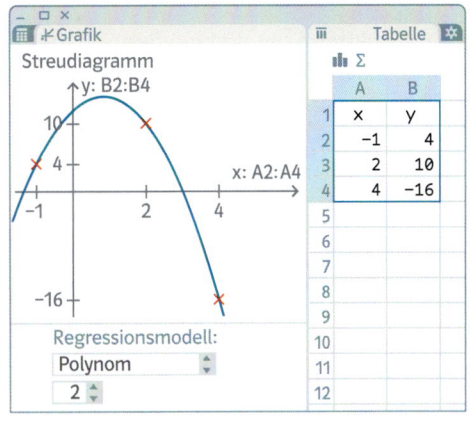

Teste dein Grundwissen! — Terme mithilfe der binomischen Formeln faktorisieren

17 Forme mit den binomischen Formeln in ein Produkt um.
a) $a^2 - 36$
b) $4x^2 - 25y^2$
c) $0{,}25 - 0{,}01x^2$

Wiederholen – Vertiefen – Vernetzen

Wiederholen und Üben

Lösungen, Seite 228

1 Gib den Scheitelpunkt der zugehörigen Parabel an. Fertige eine Wertetabelle von f an und zeichne den Funktionsgraphen.
a) $f(x) = -0{,}3 \cdot x^2$ b) $f(x) = -(x-1)^2 + 4$ c) $f(x) = 2x^2 - 8{,}5$ d) $f(x) = 0{,}4 \cdot (x+2)^2$

2 Ordne jeder Funktionsgleichung (A) bis (H) den passenden Funktionsgraphen (1) bis (8) zu. Begründe deine Entscheidung.
(A) $f(x) = x^2 - 2$ (B) $f(x) = -x^2 - 2$ (C) $f(x) = -(x-1)^2 + 2$
(D) $f(x) = -(x+1)^2 + 2$ (E) $f(x) = 2x - 2$ (F) $f(x) = -x^2 + 2$
(G) $f(x) = -2x - 2$ (H) $f(x) = 2(x-0)^2 + 2$

(1)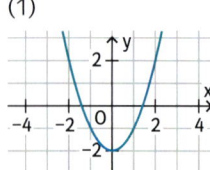
(2)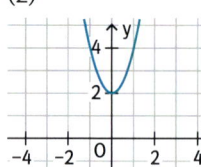
(3)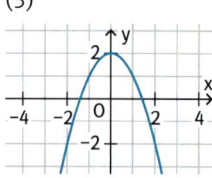
(4)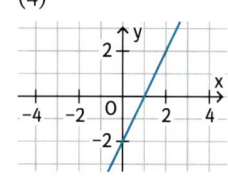
(5)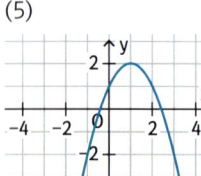
(6)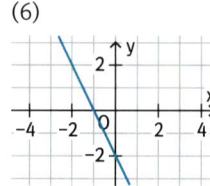
(7)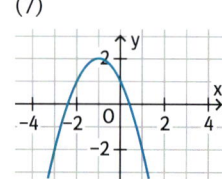
(8)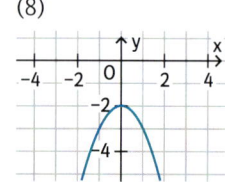

3 Gegeben ist die quadratische Funktion f mit $f(x) = 5(x-3)^2 - 1$. Bestimme die Scheitelpunkte und Gleichungen der Funktionen g, h und k anhand der Kärtchen.

> Der Graph von g entsteht, wenn man den Graphen von f an der x-Achse spiegelt.

> Verschiebt man den Graphen von f um 3 Einheiten nach rechts und 4 Einheiten nach oben, erhält man den Graphen von h.

> Der Graph von k entsteht, wenn man den Graphen von f an der y-Achse spiegelt.

4 Forme in die Scheitelpunktform um und gib den Scheitelpunkt S der zugehörigen Parabel an. Mache die Probe, indem du die Koordinaten von S in die Normalform einsetzt.
a) $f(x) = x^2 - 12x$ b) $g(x) = x^2 + x + 0{,}25$ c) $h(x) = x^2 - 20x + 95$
d) $i(x) = 3x^2 - 12x + 1$ e) $j(x) = -2x^2 + x - 4$ f) $k(x) = 4x^2 + 10x + 21$

5 Die Müngstener Brücke bei Solingen wird in einem Buch über Brücken als Beispiel für eine parabelförmige Bogenbrücke genannt. Zur modellhaften Beschreibung des unteren Brückenbogens kann man daher quadratische Funktionen verwenden. In dem Buch sind zwei Funktionsgleichungen angegeben:
$f(x) = -0{,}011x^2 + 1{,}76x - 1{,}1$ und
$f(x) = -0{,}011(x - 80)^2 + 69{,}3$.
Untersuche rechnerisch, ob dem Verlag ein Fehler unterlaufen ist.

Teste dich!

🌐 **Kopiervorlage**
Check-out
2n79pi

○ **6** Gib zu den Parabeln in Fig. 1 jeweils die zugehörige Scheitelpunktform an. Beschreibe dein Vorgehen.

○ **7** Die Wertetabellen W_1 und W_2 gehören jeweils zu einer quadratischen Funktion.
a) Bestimme die zu den Wertetabellen passenden Funktionsgleichungen.
b) Kontrolliere deine Lösungen aus Teilaufgabe a) mit einem Funktionenplotter.

W_1

x	-5	-4	-3	-2	-1	0	1	2	3	4	5
f(x)	10	5	2	1	2	5	10	17	26	37	50

W_2

x	-5	-4	-3	-2	-1	0	1	2	3	4	5
g(x)	59	44	31	20	11	4	-1	-4	-5	-4	-1

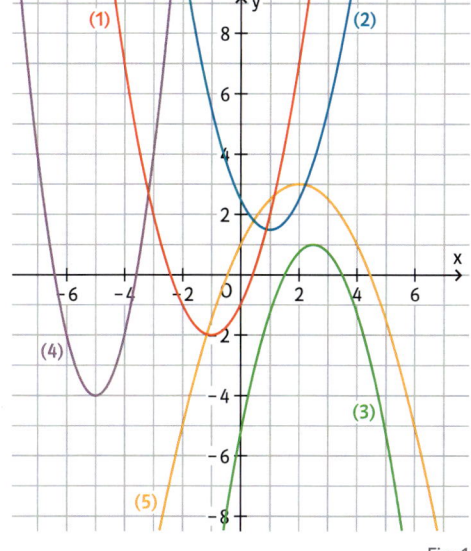
Fig. 1

○ **8** Der Graph der quadratischen Funktion f hat den Scheitelpunkt S und verläuft durch den Punkt P. Bestimme die Scheitelpunktform von f.
a) S(-1|4), P(3|12)
b) S(4|26), P(-2|10)
c) S(-3|1,5), P(2|-1)
d) S(4|-3), P(1|15)

○ **9** Der Graph der quadratischen Funktion f schneidet die y-Achse an der Stelle c und verläuft durch die Punkte P und Q. Bestimme die Normalform von f.
a) c = 9, P(-1|14), Q(1|-2)
b) c = 1, P(1|1,5), Q(2|-2)
c) c = -6, P(-2|8), Q(4|10)

○ **10** Bestimme anhand der Informationen über den Graphen der quadratischen Funktion f ihre Normalform $f(x) = ax^2 + bx + c$.
a) Der Streckfaktor ist a = 2, und der Graph von f hat den Scheitelpunkt S(3|-5).
b) Es ist b = -1, und die Punkte P(1|6) und Q(0|4) liegen auf dem Graphen von f.
c) Es ist c = 5, und die Punkte P(-1|4) und Q(2|-5) liegen auf dem Graphen von f.
d) Die Punkte P(0|6), Q(-1|-2) und R(2|10) liegen auf dem Graphen von f.
e) Die Punkte P(-2|8), Q(0|4) und R(1|0,5) liegen auf dem Graphen von f.

Kontrolliere deine Ergebnisse zu den Aufgaben 8, 9 und 10 mithilfe digitaler Werkzeuge.

Vertiefen und Anwenden

● **11** Die Flugbahn eines Fußballs nach einem Freistoß wird modellhaft durch die Funktion f mit der Funktionsgleichung $f(x) = -0,00625 x^2 + 0,15 x + 2,5$ beschrieben. Hierbei entspricht x der horizontalen Entfernung des Balls zur „Spielermauer" in Metern und f(x) der Höhe des Balls in Metern.
a) Notiere, welche vereinfachenden Modellannahmen getroffen wurden.
b) Bestimme mithilfe einer DGS, welche maximale Höhe der Fußball laut Modell erreicht hat.
c) Begründe, warum das Foto die Situation nicht darstellen kann.

Wiederholen – Vertiefen – Vernetzen

12 Rechts ist eine verschobene Normalparabel dargestellt.
  a) Gib die zugehörige Funktionsgleichung an, wenn der Ursprung des Koordinatensystems im Punkt A bzw. B bzw. C liegt.
  b) Ermittle, wo der Ursprung des Koordinatensystem liegt, wenn die dazugehörige Funktionsgleichung $f(x) = (x - 4)^2 - 2$ ist.

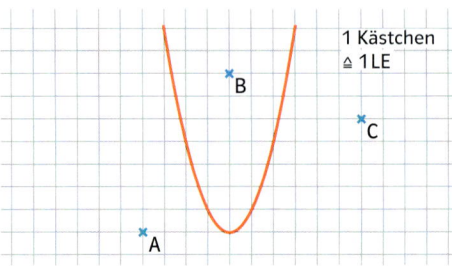

13 Der Bogen der Kölnarena in Köln entspricht laut Angaben einer Parabel. Sandra, Kira, Johannes und Paul wollen dies kontrollieren. Dazu nehmen sie ein Foto der Kölnarena und zeichnen je ein Koordinatensystem. Bestimmt die Funktionsgleichung für den Bogen der Kölnarena unter Berücksichtigung der unterschiedlich angelegten Koordinatensysteme. Vergleicht und kontrolliert eure Ergebnisse.

Sandra

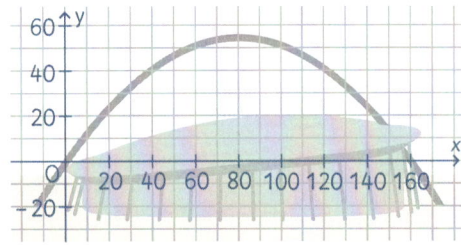

Kira

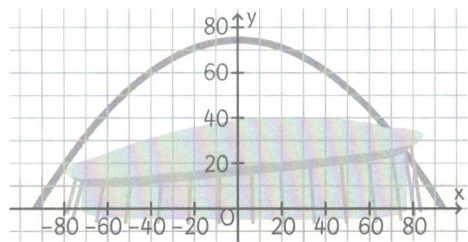

Johannes

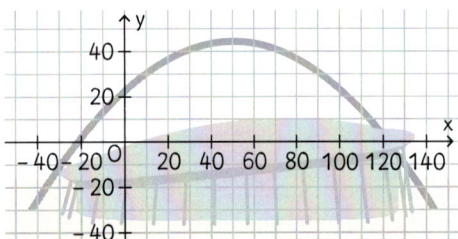

Paul

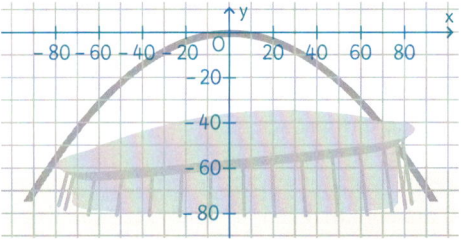

14 1998 wurde in Japan die Akashi Kaikyo Brücke fertiggestellt. Mit ihrer gewaltigen Spannweite zwischen den beiden Brückenpfeilern von 1991 m war sie 2021 die längste Hängebrücke der Welt.
Der Verlauf der Tragseile lässt sich modellhaft durch die Funktion h mit $h(x) = 0{,}000\,203\,(x - 995{,}5)^2 + 15$ beschreiben. Hierbei gibt x die waagerechte Entfernung zum linken Brückenpfeiler und h(x) die Höhe des Tragseils über der Straße an, beides in Metern.

MK Recherchiere, wo sich andere besonders lange Brücken befinden und wie sie gebaut wurden. Befragt eure Mitschüler, über welche lange Brücken sie bereits gefahren oder gelaufen sind und recheriert auch hierzu.

  a) Ermittle, welche größte und welche kleinste Höhe die Tragseile dem Modell zufolge über der Straße haben.
  b) Stelle die Funktionsgleichung auf, mit der man den Verlauf der Tragseile modellhaft beschreiben kann, wenn man den Ursprung des Koordinatensystems in den Scheitelpunkt der Parabel legt.

● 15 Liam experimentiert mit einer Mathe-App und behauptet: „Das ist eine verschobene Normalparabel."
Mia: „Das ist doch eine Gerade, die Funktionsgleichung müsste f(x) = 2x sein."
Liam: „Ich habe die Funktionsgleichung f(x) = (x + 1)² − 1 eingegeben."
a) Überprüfe, Liams Behauptung mithilfe eines Funktionenplotters.
b) Zeichne weitere verschobene Normalparabeln, die durch den Ursprung verlaufen, und prüfe, ob sie durch geeignetes Vergrößern wie eine Gerade aussehen. Notiere ggf. die Geradengleichung und den jeweils gewählten Scheitelpunkt. Fasse deine Erkenntnisse zusammen.

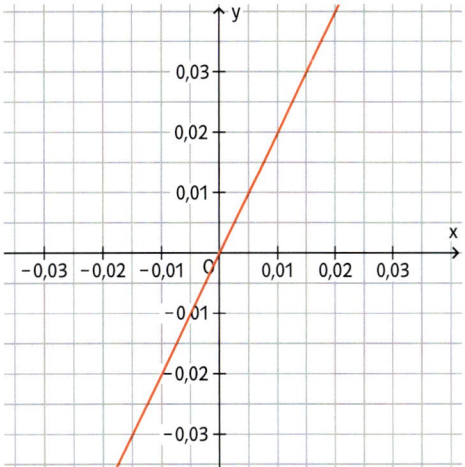

● 16 Gesucht sind verschobene Normalparabeln, die durch den Punkt P(0|2) verlaufen.
a) Gib die Gleichungen von fünf verschiedenen Funktionen an, deren Graph diese Bedingung erfüllt.
b) Hazel experimentiert mit einem Funktionenplotter und vermutet: „Die Scheitelpunkte aller Parabeln mit dieser Eigenschaft liegen auf einer gemeinsamen Parabel." Bestätige dies für deine in Teilaufgabe a) gefundenen Beispiele. Gib die zugehörige Funktionsgleichung der gemeinsamen Parabel an.
c) Untersuche, ob Hazels Feststellung auch gilt, wenn man eine beliebige Parabel verschiebt und einen anderen Punkt P wählt. Fasse deine Erkenntnisse zusammen.

Vernetzen und Erforschen

● 17 **Gilt immer – gilt nie – es kommt darauf an**
Untersuche, ob die folgenden Aussagen immer gelten, nie stimmen oder nur in bestimmten Fällen richtig sind. Gib gegebenenfalls die Bedingungen an.
Es sei f eine quadratische Funktion mit der Normalform f(x) = ax² + bx + c.
a) Verdoppelt man den x-Wert, so vervierfacht sich der Funktionswert f(x).
b) Ist b > 0, dann liegt der Scheitelpunkt links von der y-Achse.

● 18 Eine Ponyweide soll mit einem 200 m langen Zaun rechteckig eingezäunt werden. Dabei benötigt man entlang des Flusses keinen Zaun.
Die Ponyweide soll einen möglichst großen Flächeninhalt haben. Ermittle, wie lang und breit die Weide dafür sein muss.

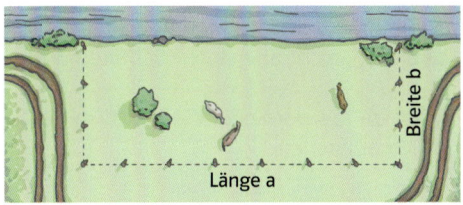

● 19 Familie Mehlert will mit einem 40 m langen Zaun einen rechteckigen Auslauf für ihre Hühner abstecken. An der Garagenwand wird kein Zaun benötigt. Die Hühner sollen eine möglichst große Fläche zur Verfügung haben.
Ermittle, wie lang und wie breit der Auslauf dafür sein muss.

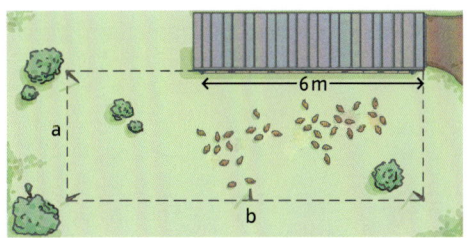

Rückblick

Quadratische Funktionen vom Typ $f(x) = ax^2$

Quadratische Funktionen mit einer Gleichung der Form $f(x) = ax^2$ haben folgende Eigenschaften:

1. Dem n-Fachen des x-Werts wird das n^2-Fache des Funktionswerts zugeordnet.
2. Die Funktionsgraphen sind **Parabeln** mit dem **Scheitelpunkt** $S(0|0)$.
3. Falls $a > 0$, ist die Parabel **nach oben geöffnet** und der Scheitelpunkt $S(0|0)$ ist der tiefste Punkt der Parabel.
   Falls $a < 0$, ist die Parabel **nach unten geöffnet**, und der Scheitelpunkt $S(0|0)$ ist der höchste Punkt der Parabel.

Der Graph von $f(x) = x^2$ heißt **Normalparabel**.
Für $-1 < a < 1$ ist die Parabel breiter als die Normalparabel (**gestauchte Parabel**).
Für $a < -1$ oder $a > 1$ ist die Parabel enger als die Normalparabel (**gestreckte Parabel**).

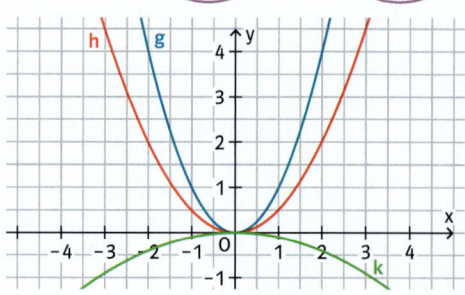

Die Scheitelpunktform einer quadratischen Funktion

Verschiebt man den Graphen der Funktion $g(x) = ax^2$ um d Einheiten in x-Richtung und um e Einheiten in y-Richtung, so hat die verschobene Parabel den Scheitelpunkt $(d|e)$, ihre **Symmetrieachse** verläuft parallel zur y-Achse durch den Scheitelpunkt.
Die zugehörige Funktionsgleichung ist $f(x) = a(x - d)^2 + e$.
Diese Gleichung bezeichnet man als die **Scheitelpunktform** der quadratischen Funktion f.

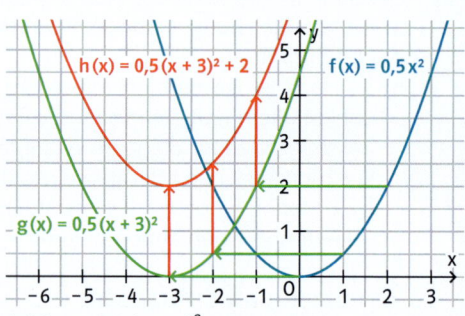

$h(x) = 0{,}5 \cdot (x + 3)^2 + 2$
Streckfaktor der Parabel: 0,5,
Scheitelpunkt der Parabel: $(-3|2)$

Die Normalform einer quadratischen Funktion

Die Gleichung jeder quadratischen Funktion f lässt sich neben der Scheitelpunktform $f(x) = a \cdot (x - d)^2 + e$ auch in der **Normalform** $f(x) = ax^2 + bx + c$ angeben.
An der Normalform kann man den **Streckfaktor a** und den **y-Achsenabschnitt c** ablesen, nicht aber ihren Scheitelpunkt.

$h(x) = 0{,}5 x^2 + 3x + 6{,}5$
Streckfaktor der Parabel: 0,5,
y-Achsenabschnitt: 6,5

Die Normalform erhält man aus der Scheitelpunktform durch Ausmultiplizieren und Vereinfachen.

Von der Scheitelpunktform zur Normalform
$f(x) = 2 \cdot (x - 1)^2 + 1$
$ = 2 \cdot (x^2 - 2x + 1) + 1$
$ = 2x^2 - 4x + 3$

Die Scheitelpunktform erhält man aus der Normalform durch die **quadratische Ergänzung**.

Von der Normalform zur Scheitelpunktform
$f(x) = 2x^2 - 4x + 3$
$ = 2(x^2 - 2x) + 3$
$ = 2(x^2 - 2 \cdot 1 \cdot x + 1^2 - 1^2) + 3$
$ = 2(x - 1)^2 - 2 \cdot 1 + 3$
$ = 2(x - 1)^2 + 1$

Runde 1

1 Erstelle eine Wertetabelle der Funktion f mit $f(x) = 0{,}25 \cdot (x + 2)^2 - 1$ und skizziere den Graphen.

2 Gegeben ist die quadratische Funktion f mit der Normalform $f(x) = 2x^2 - 8x + 19$. Bestimme die Scheitelpunktform und gib die Koordinaten des Scheitelpunktes an.

3 Gegeben sind die Graphen der Funktionen f, g und k (Grafik rechts). Gib die Gleichungen der Funktionen in der Scheitelpunktform an und bestimme die Normalform.

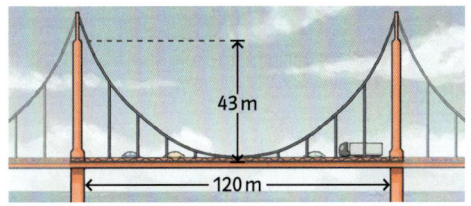

4 Der Verlauf des Tragseils zwischen den Stützen der Hängebrücke wird modellhaft mithilfe einer quadratischen Funktion f beschrieben. Der Ursprung des Koordinatensystems wird hierzu in den tiefsten Punkt der Parabel gelegt.
Ermittle die Gleichung der Funktion f.

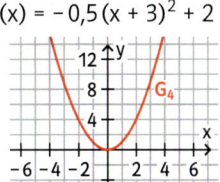

5 Wahr oder falsch?
Es sei f eine quadratische Funktion mit der Normalform $f(x) = ax^2 + bx + c$.
Gib an, ob die folgende Aussage wahr oder falsch ist und begründe: Haben a und c unterschiedliche Vorzeichen, schneidet der Graph von f die x-Achse zweimal.

Runde 2

1 Ergänze die y-Koordinate der Punkte $P(1|\square)$, $Q(-3|\square)$ und $R(8|\square)$, sodass sie auf der Parabel der Funktion f mit $f(x) = -(x+2)^2 + 6$ liegen.

2 Ordne jedem Graphen G_1 bis G_4 eine passende Funktionsgleichung zu. Begründe.
(A) $f(x) = -2(x-3)^2 + 2$ (B) $f(x) = x^2$ (C) $f(x) = 3x^2$ (D) $f(x) = -0{,}5(x+3)^2 + 2$

3 Die Parabel der quadratischen Funktion f hat den y-Achsenabschnitt -2 und verläuft durch die Punkte $P(-1|10)$ und $Q(2|-11)$. Ermittle die Normalform von f.

4 Rico wirft vom Ufer eines Sees einen Stein ins Wasser. Die Höhe des Steins wird modellhaft mithilfe der Gleichung $h(t) = -0{,}4t^2 + 2t + 1{,}5$ berechnet. Dabei gibt t die Zeit in Sekunden nach dem Abwurf an, und h(t) die Höhe in Metern über dem Wasserspiegel.
a) Gib die Bedeutung des Werts 1,5 im Sachzusammenhang an.
b) Ermittle, nach wie vielen Sekunden der Stein laut Modell seine maximale Höhe erreicht hat und wie hoch der Stein dann ist.

Exkursion

Ausgleichsgeraden und Ausgleichskurven

Um den Benzinverbrauch eines Sportwagens in Abhängigkeit von der Geschwindigkeit angeben zu können, wurden die folgenden Werte gemessen.

Geschwindigkeit (in km/h)	50	70	80	90	100	110	120
Verbrauch (in l/100 km)	7,1	7,6	8,0	8,5	9,2	10	10,9

Wenn man diese Daten als Punktdiagramm darstellt, erkennt man, dass die Punkte nicht auf einer Geraden liegen. Die blaue Ausgleichsgerade zeigt große Abweichungen. Man kann vermuten, dass die Punkte auf einer Parabel liegen. Dann muss es einen quadratischen Zusammenhang zwischen beiden Größen geben.

Mithilfe einer Tabellenkalkulation kann man sich die Ausgleichskurve sowie die Funktionsgleichung dieser Kurve anzeigen lassen. Dabei wählt das Programm die Parabel als Ausgleichskurve, bei dem die Abweichungen zu der Messreihe insgesamt am geringsten sind. Man erhält so $f(x) = 0{,}0006 \cdot x^2 - 0{,}0509 \cdot x + 8{,}1081$.

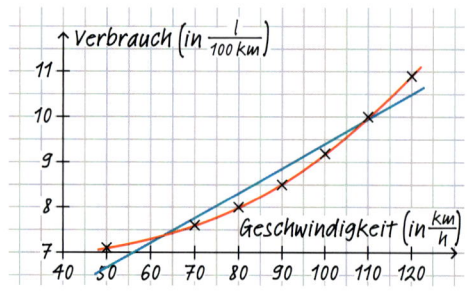

Mithilfe dieser Funktionsgleichung kann man nun Vorhersagen treffen: So würde das Auto bei einer Geschwindigkeit von 40 km/h ca. 7 Liter auf 100 km verbrauchen.

Laut Funktionsgleichung würde der Verbrauch bei 0 km/h bei 8,1081 Liter liegen. Dieser Wert ist nicht sinnvoll. Dementsprechend muss man berechnete Werte, die außerhalb der Messdaten liegen, dahingehend hinterfragen, ob sie sinnvoll sein können.

Zum Bestimmen einer Ausgleichsgeraden bzw. Ausgleichskurve, sagt man auch, dass man eine lineare Regression bzw. eine quadratische Regression durchführt.

Ausgleichskurven mit einem Tabellenkalkulationsprogramm bestimmen

In **Excel** gibt man zunächst die Daten ein und erstellt mithilfe des Diagrammassistenten einen Graphen. Nun markiert man auf dem Diagramm per Mausklick die Datenreihe und öffnet mit der rechten Maustaste die Registerkarte, in der man die „Trendlinie hinzufügen" kann.

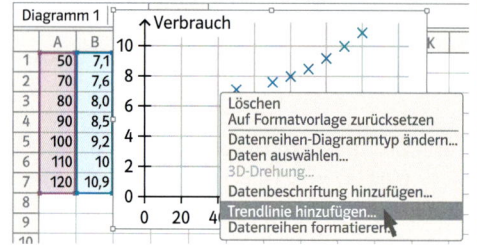

Es öffnet sich eine Registerkarte, in der man unter „Trendlinienoptionen" die Art der Trendlinie angeben kann. Glaubt man, dass ein linearer Zusammenhang vorliegt, klickt man „Linear" an. Vermutet man wie im obigen Beispiel, dass ein quadratischer Zusammenhang vorliegt, muss man „Polynomisch" (mit Grad 2) anklicken. Am Ende der Registerkarte kann man anklicken, dass der Funktionsterm direkt mit angegeben wird. Dazu setzt man per Mausklick im Feld vor dem Text „Formel im Diagramm anzeigen" ein Häkchen.

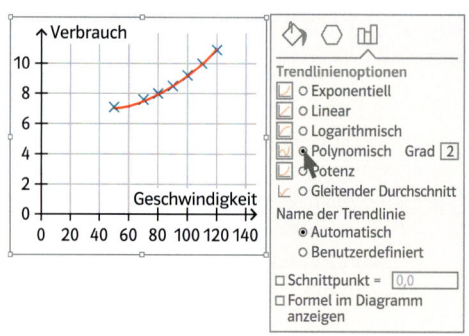

1 Die Forschungsabteilung einer Autofirma führt Bremsversuche durch.

Geschwindigkeit (in km/h)	30	50	80	100
Bremsweg auf normaler Fahrbahn (in m)	4,46	13,35	35,58	56,33
Bremsweg auf nasser Fahrbahn (in m)	6,82	19,93	52,45	82,7
Bremsweg auf Glatteis (in m)	22,4	62,78	162,17	276,89

a) Vergleiche die Daten mit der Faustregel aus der Fahrschule: „Geschwindigkeit in km/h quadrieren, dann durch 100 teilen: Das ist der Bremsweg in Metern".
b) Bestimme für die unterschiedlichen Fahrbahnsituationen den Term, mit dem sich der Bremsweg näherungsweise berechnen lässt.
c) Gib eine Vorhersage für den zu erwartenden Bremsweg bei einer Geschwindigkeit von 120 km/h bzw. 160 km/h an.

> Überlege dir, wie lang der Bremsweg ist, wenn die Geschwindigkeit 0 km/h beträgt.

2 Auf einem Hauptbahnhof wurde der Beschleunigungsvorgang von zwei ICE-Zügen untersucht.
Dazu stellten sich fünf Personen an vorher markierte Punkte, die eine Entfernung von 24,8 m, 49,6 m, 74,4 m, 99,2 m und 124 m zur Spitze des stehenden Zuges hatten. Nach dem Start des Zuges wurde gemessen, nach wie vielen Sekunden die Spitze des Zuges die markierten Punkte passierte.

Position	0 m	24,8 m	49,6 m	74,4 m	99,2 m	124 m
ICE 1	0 s	11,9 s	16,14 s	20 s	24,44 s	
ICE 2	0 s	16,81 s	26,39 s	34,9 s	43 s	50,8 s

a) Bestimme die Funktionsterme zur Beschreibung des Zusammenhanges.
b) Mache eine Vorhersage, nach wie vielen Sekunden die Spitze des Zuges 150 m, 200 m bzw. 1,5 km vom Startpunkt entfernt ist.

> **Interaktives Üben**
> Daten von weiteren Zügen sowie Dateien für die Auswertung mit Excel.
> 2n79pi

3 Zeichnet auf ein Blatt Papier ein Koordinatensystem und heftet das Blatt an eine Wand. Nehmt einen Faden und haltet ihn an zwei Punkten fest. Bestimmt die Koordinaten mehrerer Punkte, durch die der Faden verläuft. Prüft, ob der Faden eine Parabel beschreibt.

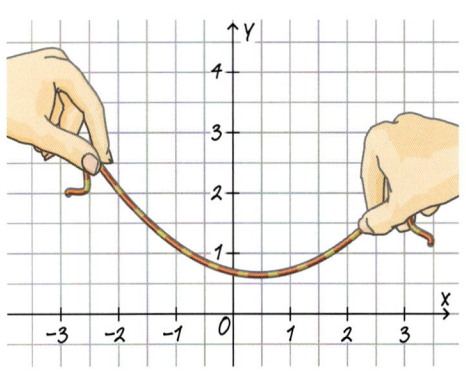

> Anstelle des Festhaltens mit den Daumen, kann man den Faden auch mit kleinen Nadeln befestigen.

4 Nehmt selbst Daten auf und analysiert, ob man diese mithilfe einer quadratischen oder linearen Funktion beschreiben kann.

III Kreise, Prismen und Zylinder

π = 3,14159265358979323846264338327950288419716939937510582097494459230781640628620899862803482534211706798214808651328230664709384...

Das kannst du bald

- Den Umfang und den Flächeninhalt von Kreisen und Kreisteilen bestimmen
- Den Oberflächeninhalt und das Volumen von Prismen und Zylindern schätzen und berechnen
- Formeln verstehen und zur Berechnung unbekannter Größen in Figuren und Körpern anwenden

Check-in

Schätze dich ein:

1. Ich kann Längen-, Flächen- und Volumenangaben in andere Einheiten umrechnen.
2. Ich kann den Flächeninhalt und den Umfang von Dreiecken und besonderen Vierecken bestimmen.
3. Ich kann das Volumen und den Oberflächeninhalt von Quadern bestimmen.
4. Ich kann Terme vereinfachen und Gleichungen lösen.

Lerntipps

zu 1. **Grundwissen**, Seite 214
zu 2. **Grundwissen**, Seite 214
zu 3. **Grundwissen**, Seite 214
zu 4. **Grundwissen**, Seite 208

Teste dich!

Lösungen, Seite 236

1 Längen-, Flächen- und Volumenangaben umrechnen
Rechne in die vorgegebene Einheit um.
a) 1235 mm in m   b) 24 005 m² in ha   c) 15 m³ in l   d) 25,38 l in dm³

2 Flächeninhalt und Umfang von Dreiecken und besonderen Vierecken bestimmen
Zeichne die Figur in dein Heft. Berechne den Flächeninhalt und den Umfang. Fehlende Größen kannst du durch Abmessen bestimmen.

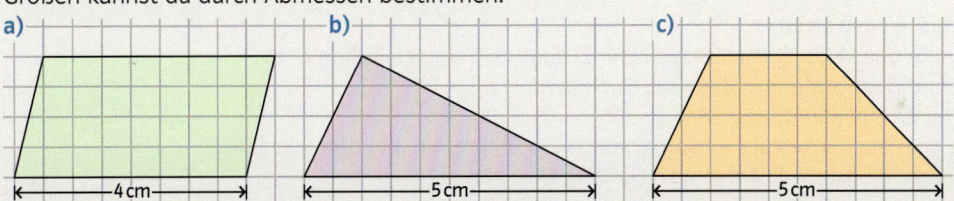

3 Volumen und Oberflächeninhalt von Quadern bestimmen
Bestimme das Volumen und den Oberflächeninhalt der Körper. Fehlende Größen kannst du durch Abmessen bestimmen.

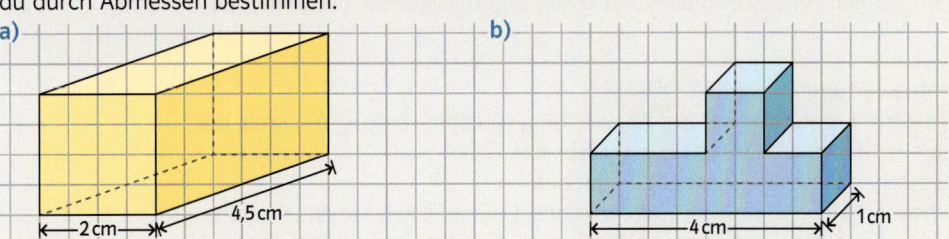

4 Terme vereinfachen und Gleichungen lösen
a) Vereinfache den Term.
   (1) $2x + 5 - 3x - 12$
   (2) $-3,4x - 2,45 + x - (0,6x + 0,45)$
b) Bestimme die Lösungsmenge der Gleichung und mache die Probe.
   (1) $4,5x - 12 = 4 + 0,5x$
   (2) $4 \cdot (x^2 - 1) = 8x^2 - 5$

Kopiervorlage
Checkliste
2n79pi

Erkundungen

MK Auf der Suche nach Kreisformeln

1. 👥 💻 **Kreisumfang untersuchen, Messergebnisse zusammenstellen**

Bestimmt von möglichst vielen verschiedenen kreisrunden Gegenständen den Durchmesser und den Umfang. Ihr könnt auch mit dem Zirkel Kreise mit verschiedenen Radien zeichnen und dann Messungen durchführen. Verwendet geeignete Messinstrumente. Haltet die Ergebnisse in einer Tabelle fest. Nutzt hierfür ein Tabellenkalkulationsprogramm.

→ Lerneinheit 1 Seite 72

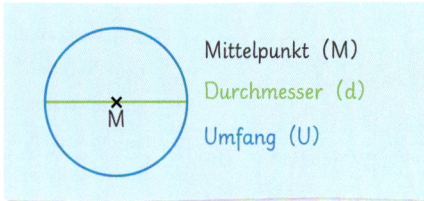

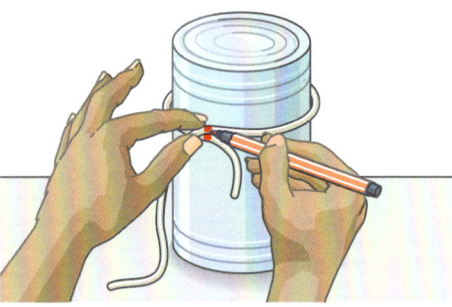
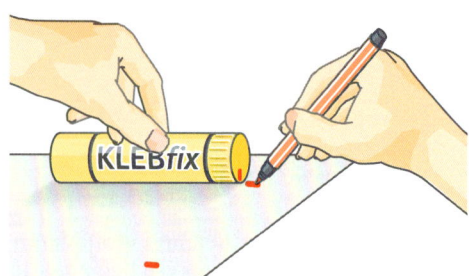

Interaktives Üben
Erstellung von Trendlinien mithilfe von Tabellenkalkulationsprogrammen
2n79pi

2. 👥 💻 **Messergebnisse auswerten**
– Untersucht mithilfe der Messergebnisse, welcher Zusammenhang zwischen dem Durchmesser d und dem Umfang U des Kreises besteht.
  Stellt eine Formel für die Zuordnung $d \rightarrow U$ auf.
– Erstellt mithilfe des Tabellenkalkulationsprogramms ein Diagramm, bei dem die 1. Achse den Durchmesser d und die 2. Achse den Umfang U angibt.
– Erstellt anschließend eine Ursprungsgerade als Trendlinie. Ermittelt die zugehörige Gleichung dieser Geraden und vergleicht diese mit den Werten aus der Formel, die ihr in Teilaufgabe a) bestimmt habt.
– In Formelsammlungen findet man die Formel $U = \pi \cdot d$. Einen Näherungswert für π liefert der Taschenrechner. Vergleicht diesen mit euren Ergebnissen aus den Teilaufgaben a) und c).

3. 👥 **Ergebnisse der Auswertung anwenden**
– Ermittelt mithilfe eurer Ergebnisse aus der Auswertung, welchen Umfang ein Kreis mit dem Durchmesser $d = 1\,m$ bzw. $d = 100\,m$ ungefähr hat.
– Schneidet Papierstreifen unterschiedlicher Längen aus.
– Bestimmt zunächst rechnerisch, welchen Durchmesser die jeweiligen Kreise ungefähr haben würden, wenn jeder Papierstreifen an den Enden so zusammengeklebt wird, dass ein Kreis entsteht. Bastelt anschließend die Kreise und kontrolliert eure Berechnungen jeweils durch eine Messung.

III Kreise, Prismen und Zylinder

Flächeninhalte und Prismen (Projekt)

In dieser Erkundung werdet ihr eigenständig zu einem der sechs abgebildeten Prismen die folgenden Aspekte erarbeiten:
(1) Eigenschaften der Figur der Grundfläche des jeweiligen Prismas,
(2) Formeln zur Berechnung des Flächeninhalts dieser Grundfläche, zur Berechnung des Volumens des Prismas, zur Berechnung des Oberflächeninhalts des Prismas und zur Berechnung des Inhalts der Mantelfläche, also der Summe der Seitenflächen des Prismas.

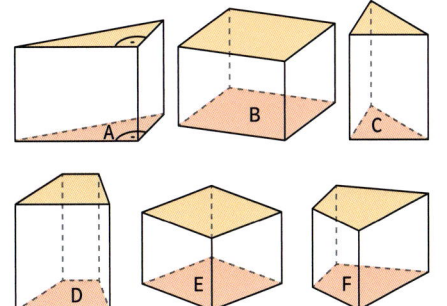

○⟶ Lerneinheit 3 Seite 81
○⟶ Lerneinheit 4 Seite 85
○⟶ Lerneinheit 5 Seite 90

Projekt zur alternativen Herleitung der Formeln für mehrere Stunden. Für die Bearbeitungsphase ist es hilfreich, die erstellten Mappen mehrfach zu kopieren.

① Organisationsphase
Jeder Gruppe wird eine der folgenden Figuren (A) bis (F) zugeteilt. Diese stellt die Grundfläche des entsprechenden Prismas dar: (A) rechtwinkliges Dreieck, (B) Parallelogramm, (C) Dreieck, (D) Trapez, (E) Raute bzw. (F) Drachen.
Damit ihr einen Überblick erhaltet, wer für welches Thema verantwortlich ist und wer welche Aspekte bereits erledigt hat, kann zur Organisation eine Tabelle erstellt werden.

⊕ **Kopiervorlage**
Tabelle zur Organisation des Projektes
2n79pi

② Erarbeitungsphase
- Wiederholt, welche Eigenschaften die Figur der Grundfläche eures Prismas hat.
- Wiederholt, wie man den Flächeninhalt und den Umfang zu eurer Figur ermittelt.
- Recherchiert und erläutert, was ein Prisma ist und wie man das Volumen, den Oberflächeninhalt und den Inhalt der Mantelfläche bestimmt.
(mögliche Quellen: Formelsammlung, Lexika, Schulbuch und Internet)

③ Produktionsphase
- Erstellt zu eurem Prisma ein Modell (z. B. aus buntem Papier oder aus Draht).
- Erstellt eine Mappe, die folgende Inhalte berücksichtigt:

A Eigenschaften der Figur der Grundfläche eures Prismas	B Erklärung der Formel für den Flächeninhalt und für den Umfang der Figur der Grundfläche eures Prismas	C Beispielaufgabe mit Lösung zum Flächeninhalt der Figur
D Erklärung der Formel für das Volumen, den Oberflächeninhalt und den Inhalt der Mantelfläche des Prismas	E Beispielaufgaben mit Lösungen zum Volumen, zum Oberflächeninhalt und zum Inhalt der Mantelfläche des Prismas	F Insgesamt fünf Übungsaufgaben zu allen Aspekten mit Lösungen (zwei leichtere, eine mittelschwere und eine schwere Aufgabe, eine weitere Aufgabe sollte eine Anwendungsaufgabe sein)

Bemerkung:
Anstelle der Mappe kann auch ein digitales Produkt erstellt werden.

④ Bearbeitungsphase
Jede Schülerin und jeder Schüler bearbeitet die Unterlagen der anderen (Erklärungen verstehen und Aufgaben lösen).
Alle sind Expertinnen und Experten für die selbst erstellten Unterlagen und stehen zur Verfügung, um Fragen der anderen zu beantworten.

⑤ Reflexionsphase
- Benennt die Gemeinsamkeiten aller Prismen.
- Welche Gruppe hat die besten Materialien erstellt? Welche Erklärungen waren besonders hilfreich? Gebt euch ein entsprechendes Feedback.

Erkundungen

1 Kreisumfang und Kreisfläche

Tina möchte an ihrem Fahrrad einen Kilometerzähler anbringen. In der Bedienungsanleitung liest sie:

- Bringen Sie an der Fahrradgabel und an einer Speiche des Vorderrads jeweils einen kleinen Magneten an.
- Geben Sie den Durchmesser des Vorderrads in den Kilometerzähler ein.

Wie funktioniert dieser Kilometerzähler?

Bisher wurde der Umfang und der Flächeninhalt von Figuren berechnet, die geradlinige Seiten haben. Wie man den Umfang und den Flächeninhalt eines Kreises ermitteln kann, wird im Folgenden gezeigt.

Kreisumfang
Bei den Gegenständen in Fig. 1 wurden jeweils der Durchmesser und der Umfang gemessen und die Werte in eine Tabelle eingetragen. In der letzten Spalte wurde jeweils der Quotient aus Umfang und Durchmesser berechnet. Man erkennt, dass der Umfang bei allen Gegenständen etwas mehr als dreimal so groß ist wie der Durchmesser. Es ist zu vermuten, dass der Kreisumfang proportional zum Durchmesser ist und dass der Proportionalitätsfaktor etwa 3 ist. Aufgrund von Messungenauigkeiten sind die Werte U : d in der Tabelle nicht exakt gleich. Man kann zeigen, dass bei Verwendung exakter Werte der Quotient U : d stets den gleichen Wert ergibt. Dieser Wert heißt **Kreiszahl π** (sprich: pi) und beträgt ungefähr 3,14.

Gegenstand	d (cm)	U (cm)	U : d
Flasche	7,3	23	3,15
CD	12	38	3,17
Tonne	29,5	92,5	3,14
Klebeband	3,2	10	3,13
Armreif	6,5	21	3,23

Fig. 1

Es gilt $\pi = \frac{U}{d}$. Nach U aufgelöst erhält man: $U = \pi \cdot d = \pi \cdot 2 \cdot r = 2\pi r$.

Den Begriff „proportional" kannst du im Grundwissen auf Seite 210 nachschlagen.

Kreisfläche
Wenn man die Formel $U = 2 \cdot \pi \cdot r$ kennt, kann man eine Formel für den Flächeninhalt des Kreises herleiten. Rechts wird ein Kreis vom Mittelpunkt aus in gleich große Kreisteile aufgeteilt, von denen einer zusätzlich noch halbiert wird. Man kann dann die Kreisteile zu einer annähernd rechteckigen Fläche zusammenlegen. Je größer die Anzahl der Kreisteile ist, desto mehr gleicht die zusammengesetzte Figur einem Rechteck. Für die beiden Seitenlängen des Rechtecks gilt:

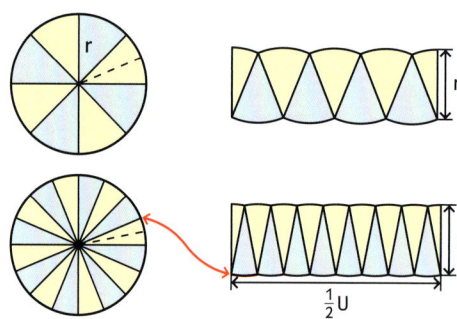

- die eine Seitenlänge entspricht dem Radius des Kreises, also r.
- die zweite Seitenlänge ist etwa halb so groß wie der Umfang des Kreises, also $\frac{U}{2}$.

π ist eine irrationale Zahl. Daher kann man π nicht exakt als Dezimalzahl angeben. Mithilfe von Computern hat man mittlerweile einen Näherungswert für π mit über 200 Milliarden Nachkommastellen bestimmt.

3,141592653589793
238462643383279502
88   419   716
9   399   375
     105   820
     974   944
     592   307
     816   406   2
    8620 8998 62
    8034 825342
     117   0679

Da $U = 2\pi r$ gilt, lässt sich der Flächeninhalt des Rechtecks wie folgt berechnen:

$A_\square = \frac{U}{2} \cdot r = \frac{2\pi r}{2} \cdot r = \pi \cdot r \cdot r = \pi r^2$. Damit gilt auch $A_\bigcirc = \pi r^2$.

Umfang und Flächeninhalt eines Kreises

Für einen Kreis mit dem Radius r, dem Umfang U und dem Flächeninhalt A gilt

Umfang: $U = 2\pi r = \pi d$
Flächeninhalt: $A = \pi r^2$

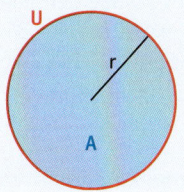

Zur Erinnerung:
Vor Klammern und zwischen Zahlen und Variablen kann man auf den Malpunkt verzichten,
z.B.: $2 \cdot \pi \cdot r = 2\pi r$

Diese Formeln kann man zur Berechnung des Radius nach r auflösen:

$U = 2 \cdot \pi \cdot r \qquad | : (2 \cdot \pi)$

$\frac{U}{2 \cdot \pi} = r$ bzw. $r = \frac{U}{2 \cdot \pi}$

$A = \pi \cdot r^2 \qquad | : \pi$

$\frac{A}{\pi} = r^2 \qquad | \sqrt{}$

$\sqrt{\frac{A}{\pi}} = r$ bzw. $r = \sqrt{\frac{A}{\pi}}$ Da der Radius r positiv ist, hat die Gleichung nur eine Lösung.

Alternativ kann man bei Aufgaben auch zunächst die bekannten Größen einsetzen und die so erhaltene Gleichung dann nach der gesuchten Größe umformen.

Beispiel 1 Flächeninhalt berechnen

Gegeben ist ein Kreis mit dem Radius r = 5 cm.

a) Überschlage den Flächeninhalt des Kreises. Berechne ihn anschließend mithilfe des Taschenrechners und vergleiche die beiden Ergebnisse.

b) Untersuche, wie sich der Flächeninhalt ändert, wenn der Radius verdoppelt wird.

Lösung

a) Überschlag mit $\pi \approx 3$:
$A_{Kreis} \approx 3 \cdot (5\,cm)^2 = 3 \cdot 25\,cm^2 = 75\,cm^2$
Rechnung mit TR:
$A_{Kreis} = \pi \cdot (5\,cm)^2 = \pi \cdot 25\,cm^2 \approx 78{,}54\,cm^2$
Der Überschlag der Kreisfläche ist um etwa 3,5 cm² kleiner als die exakte Kreisfläche.

b) $A_{größerer\ Kreis} = \pi \cdot (2 \cdot 5\,cm)^2$
$= \pi \cdot 2^2 \cdot (5\,cm)^2$
$= \pi \cdot 4 \cdot (5\,cm)^2$
$= 4 \cdot \pi \cdot (5\,cm)^2 = 4 \cdot A_{Kreis}$.
Der Flächeninhalt ver**vier**facht sich.

Beispiel 2 Umfang und Durchmesser von Kreisen berechnen

a) Berechne den Umfang eines Kreises mit dem Durchmesser d = 4 m.

b) Bestimme den Durchmesser eines Kreises mit dem Umfang U = 37,7 cm.

Lösung

a) Radius des Kreises:
$r = d : 2 = 4\,m : 2 = 2\,m$
Umfang des Kreises:
$U = 2 \cdot \pi \cdot 2\,m = 4 \cdot \pi\,m \approx 12{,}6\,m$

b) $U = \pi \cdot d \qquad | : \pi$
$d = \frac{U}{\pi}$
Durchmesser des Kreises:
$d = \frac{U}{\pi} = \frac{37{,}7\,cm}{\pi} \approx 12{,}0\,cm$

Manchmal ist es sinnvoll, das Ergebnis als Vielfaches von π anzugeben.

Aufgaben

1 Gegeben sind Angaben zu vier Kreisen. Ordne jedem Radius (R) je zwei Karten mit zugehörigem Umfang (U) und je zwei Karten mit zugehörigem Flächeninhalt (F) zu. Verwende für die Überschlagsrechnung $\pi \approx 3$.

R1	r = 3 cm	R2	r = 2 cm	R3	r = 4 cm	R4	r = 1,5 cm
U1	U = 4π cm	U2	U = 3π cm	U3	U = 6π cm	U4	U = 8π cm
U5	U ≈ 18,85 cm	U6	U ≈ 25,13 cm	U7	U ≈ 12,57 cm	U8	U ≈ 9,42 cm
F1	A = 16π cm²	F2	A = 9π cm²	F3	A = 4π cm²	F4	A = 2,25π cm²
F5	A = 12,57 cm²	F6	A = 7,07 cm²	F7	A = 28,27 cm²	F8	A = 50,27 cm²

○ 2 Francesco berechnet näherungsweise den Flächeninhalt und den Umfang eines Kreises mit dem Radius r = 10 cm und erhält für A ≈ 314 cm² und U ≈ 62,8 cm.
Prüfe Francescos Ergebnisse, indem du eine Zeichnung von einem entsprechenden Kreis auf Karopapier anfertigst und den Flächeninhalt sowie Umfang näherungsweise bestimmst.

Tipp
Der Umfang lässt sich mithilfe eines Papierstreifens bestimmen

○ 3 Frau Badu macht mit ihren beiden Kindern eine Radtour. Der Raddurchmesser des Fahrrads der Tochter beträgt 30 cm, die Räder des Fahrrads des Sohnes haben einen Durchmesser von 50 cm und die des Fahrrads der Mutter einen von 71 cm. Bestimme die Umdrehungen der Räder pro km und vergleiche die Ergebnisse.

○ 4 Das Funksignal eines Radiosenders hat eine Reichweite von 50 km. Ermittle, wie groß der Flächeninhalt des kreisförmigen Sendegebiets ist. Runde sinnvoll.

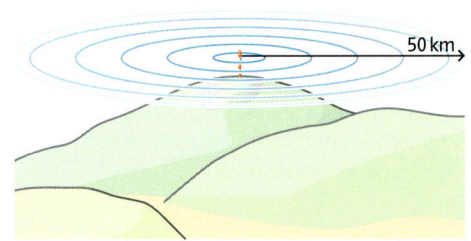

○ 5 Übertrage die Tabelle in dein Heft und berechne näherungsweise die fehlenden Größen. Rechne im Kopf mit π ≈ 3.

Lerntipp
Seite 73, Beispiel 1 a)

	a)	b)	c)	d)	e)	f)	g)
Radius	10 cm		1,5 mm	5 mm			1,2 cm
Durchmesser		8 dm			10 km	5 m	
Umfang							
Kreisflächeninhalt							

Teste dich!

Lösungen, Seite 236

○ 6 Übertrage die Tabelle in dein Heft und berechne näherungsweise die fehlenden Größen. Rechne mit π ≈ 3.

	a)	b)	c)
Radius	2 m		1,1 dm
Durchmesser		8 cm	
Umfang			
Kreisflächeninhalt			

○ 7 Ein flacher Topfdeckel hat einen Durchmesser von 20 cm. Berechne näherungsweise seinen Flächeninhalt.

● 8 Bestimme mithilfe einer Überschlagsrechnung zu dem gegebenen Kreis näherungsweise die gesuchten Größen. Rechne mit π ≈ 3.
  a) Der Umfang des Kreises beträgt U = 60 cm. Bestimme den Radius und den Flächeninhalt des Kreises.
  b) Von einem Kreis ist der Flächeninhalt A = 30 000 m² gegeben. Bestimme den Radius und den Umfang des Kreises.
  c) Berechne die Größen in den Teilaufgaben a) und b) mit dem Taschenrechner und bestimme jeweils die prozentuale Abweichung des Überschlags im Vergleich zum Ergebnis mit dem Taschenrechner. Beschreibe, was dir auffällt.

Lerntipp
Seite 73, Beispiel 2

Vertiefen ◐
Seite 94, Aufgabe 13

III Kreise, Prismen und Zylinder

9 Bestimme den Flächeninhalt der gefärbten Figur sowie die gesamte Länge der inneren und äußeren Umrandungen. Längen, die nicht berechnet werden können, können im Heft gemessen werden.

a) b) c)

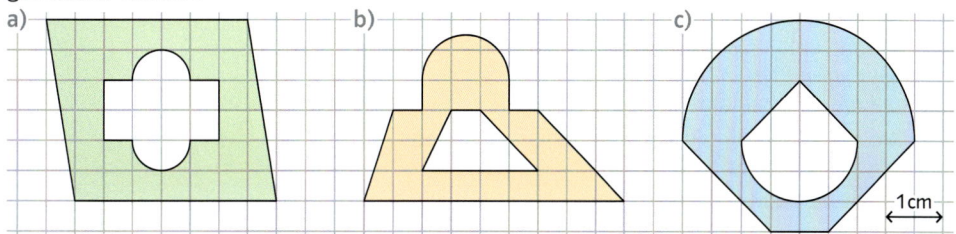

1cm

10 Bei einem 26"-Fahrrad beträgt der Raddurchmesser 26 Zoll. Berechne, welchen Weg das Fahrrad zurücklegt, wenn das Rad 350 Umdrehungen zurückgelegt hat (1 Zoll = 2,54 cm).

11 In der Pizzeria Raffaela gibt es Pizzen in zwei Größen. Die kleine „Pizza Margherita" mit einem Durchmesser von 25 cm kostet 5,40 €. Die große „Pizza Margherita" mit einem Durchmesser von 40 cm kostet 10,80 €.
  a) Schätze zunächst, bei welcher Pizza das „Preis-Leistungs-Verhältnis" besser ist. Berechne anschließend.
  b) Bestimme den Durchmesser einer Pizza, die doppelt so groß ist, wie die kleine Pizza.
  c) Vergleiche die Preise von Pizzen verschiedener Größen in Pizzerien in deiner Nähe. Beurteile, ob die Preisunterschiede gerechtfertigt sind.

12 a) Der Äquator hat eine Länge von ca. 40 000 km. Ermittle, wie groß der Erdradius r ist.
  b) Stell dir vor, ein 40 000 km langes Stahlband, das am Äquator straff um die Erde gespannt war, wird geringfügig um 2 m verlängert und so gespannt, dass der Abstand von der Erde überall gleich ist. Beurteile, ob du jetzt unter diesem Band hindurchkriechen könntest.
  c) Führe dasselbe Gedankenexperiment mit einem PKW-Reifen, der einen Radius von 33 cm hat, durch.

13 Finde den Fehler!
Beschreibe, was falsch gemacht wurde. Verwende Fachbegriffe. Die Begriffe auf dem Rand können helfen. Korrigiere die Lösung anschließend im Heft.

a) Gegeben: $A_O = 36\,cm^2$
   Gesucht: d

$$A = \pi \cdot r^2$$
$$36 = \pi \cdot r^2 \quad |:\pi$$
$$36 = r^2 \quad |\sqrt{}$$
$$6 = r$$

Der Durchmesser beträgt 6 cm.

b) Untersuche, wie sich der Flächeninhalt eines Kreises verändet, wenn man den Radius verdreifacht.

$$A = \pi \cdot r^2$$
$$r_{neu} = 3 \cdot r$$
$$A_{neu} = \pi \cdot r_{neu}^2 = \pi \cdot 3 \cdot r^2$$

also $A_{neu} = 3 \cdot A$
Der Flächeninhalt eines Kreises verdreifacht sich.

Wortliste
- der Radius
- der Durchmesser
- die Kreiszahl π
- Wurzel ziehen
- quadrieren
- dividieren durch
- multiplizieren mit
- der Faktor

14 a) Ein Kreis hat einen Radius von 4 cm. Untersuche, wie sich sein Umfang vergrößert, wenn man seinen Radius verdoppelt.
b) Untersuche, wie sich der Umfang eines beliebigen Kreises vergrößert, wenn man seinen Radius verdoppelt.
c) Ein Kreis hat einen Umfang von 78 m. Untersuche, wie sich der Durchmesser ändert, wenn der Umfang halb so groß ist.
d) Untersuche erst an konkreten Beispielen und anschließend allgemein, wie sich der Flächeninhalt eines Kreises ändert, wenn sich der Radius verdoppelt.

Lerntipp
Seite 73, Beispiel 1b)

15 Bestimme den Flächeninhalt und den Umfang der blau gefärbten Fläche.

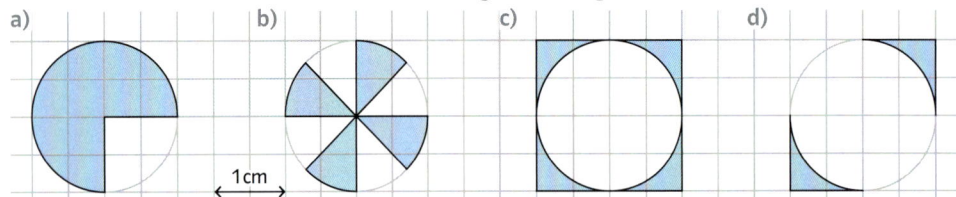

16 Wahr oder falsch?
Beurteile, ob die Aussage wahr oder falsch ist. Begründe.
Bei einem Hochrad hat das Vorderrad einen Durchmesser von 1,35 m und das Hinterrad einen Durchmesser von 45 cm.
Hakim behauptet:
„135 : 45 = 3, also dreht sich das kleine Rad 3-mal so oft wie das große."

17 Näherungswerte für die Kreiszahl π mithilfe von Tangenten bestimmen
Wenn man von Punkten, die außerhalb eines Kreises liegen, Tangenten an einen Kreis konstruiert, dann bilden die Schnittpunkte ein Vieleck. Der Flächeninhalt dieses Vielecks ist größer als der Flächeninhalt des Kreises.

Vertiefen
Seite 100, Exkursion

a) Zeichne mit einer dynamischen Geometriesoftware einen Kreis mit dem Radius r = 1 und vier beliebige Punkte A, B, C, D außerhalb des Kreises. Konstruiere durch A, B, C und D jeweils zwei Tangenten an den Kreis (siehe rechts).
b) Die Schnittpunkte der Tangenten bilden ein Achteck. Lass dieses Achteck sowie den Flächeninhalt des Achtecks anzeigen.
c) Variiere die Lage der Punkte A, B, C und D. Versuche hierbei ein Achteck zu erhalten, dessen Flächeninhalt so wenig wie möglich von dem Flächeninhalt des Kreises abweicht, für den $A_o = \pi \cdot 1^2 = \pi$ gilt.
d) Wenn man mehr als vier Punkte betrachtet, erhält man in Teilaufgabe c) Flächeninhalte des Vielecks, die näher an dem Flächeninhalt des Kreises liegen. Versuche mithilfe von Vielecken, die als Schnittpunkte von Tangenten entstehen, einen möglichst guten Näherungswert für π zu erhalten. Berechne, um wie viel Prozent dieser vom Wert des Taschenrechners für π abweicht.

Zur Erinnerung:
Die Gerade, die einen Kreis berührt (also genau einen gemeinsamen Punkt mit dem Kreis hat), heißt **Tangente**. Die Strecke vom Mittelpunkt des Kreises zum Berührpunkt der Tangente bildet mit der Tangente einen rechten Winkel.

Teste dich!
→ **Lösungen**, Seite 236

18 a) Berechne die Länge des Randes der abgebildeten gelben Figur.
b) Ermittle den Flächeninhalt der gelben Figur.

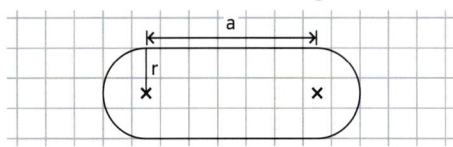

19 In Leichtathletikstadien hat die innere Laufbahn des Tartanfeldes folgende Form.

Dabei können die Längen r und a variieren.
a) Stelle eine Formel zur Berechnung der Länge der inneren Laufbahn auf.
b) Berechne die Länge der inneren Laufbahn für r = 36,90 m und a = 84 m.
c) Berechne die Länge der sechsten Bahn auf der Innenseite, wenn jede Laufbahn 1,22 m breit ist. Erläutere, warum 400-m-Läufer im Wettkampf immer versetzt starten und berechne den „Vorsprung", den ein 400-m-Läufer beim Start auf der zweiten Bahn gegenüber dem Läufer auf der ersten Bahn haben muss.

20 Bei den folgenden Figuren verdoppelt sich oben immer die Anzahl der Bögen.
a) Zeichne die vier Figuren in dein Heft, sodass der blaue Kreisbogen den Radius 2 cm hat.
b) Berechne jeweils die Länge des blauen und des roten Randes und vergleiche die Umfänge.

21 Die 5 m breite Straße des Kreisverkehrs auf dem Foto wurde neu asphaltiert. Die Oberfläche der Straße im Kreisverkehr hat einen Flächeninhalt von 550 m². In der Mitte des Kreisverkehrs soll neuer Rasen gesät werden.

a) Schätze, für wie viele Quadratmeter Rasenfläche Samen gekauft werden muss. Erstelle zunächst eine beschriftete Skizze und begründe deine Schätzung.
b) Berechne die Rasenfläche im Inneren des Kreisverkehrs.

22 Wahr oder falsch?
Beurteile, ob die Aussage wahr oder falsch ist. Begründe.
„Es gibt ein Quadrat, dessen Flächeninhalt halb so groß ist wie der Flächeninhalt des Umkreises dieses Quadrats."

→ **Erforschen** ●
Seite 97, Aufgabe 24

Teste dein Grundwissen! Gleichungen lösen
→ **Grundwissen**, Seite 208
Lösungen, Seite 237

G 23 Löse die Gleichung und mache die Probe.

a) $\frac{3}{2}x + \frac{1}{2} = -\frac{5}{2}x - 3{,}5$
b) $7\frac{3}{5} - \frac{7}{3}x = 0{,}6$
c) $-23{,}4 = \frac{3}{5} - \frac{3}{8}x$

2 Kreisteile

Ein Kennzeichen der Architektur der Gotik ist der Spitzbogen. Zeichne die Figur auf Karopapier ab und bestimme die Länge des blauen Bogens. Fehlende Längen dürfen abgemessen werden. Beschreibe dein Vorgehen.

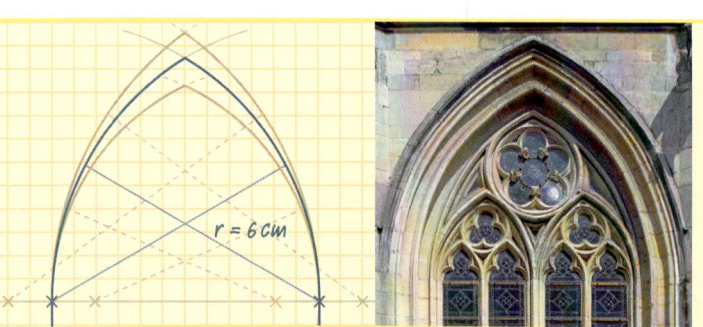

Häufig werden bei Kreisen nur Teile der Flächen oder des Umfangs betrachtet, zum Beispiel in gotischen Bauten oder auch bei Kirchenfenstern. Wie von diesen Teilen der Flächeninhalt oder auch der Umfang bestimmt werden kann, wird im Folgenden erklärt.

Die gefärbte Teilfläche des Kreises heißt **Kreisausschnitt** zum **Mittelpunktswinkel** α. Der zum Kreisausschnitt gehörende Teil der Kreislinie heißt **Kreisbogen** oder auch **Bogenlänge** b.

Beträgt der Mittelpunktswinkel zum Beispiel $\alpha = 90°$, ist der Kreisausschnitt ein Viertel des ganzen Kreises, da 90° einem Anteil von $\frac{1}{4}$ von 360° entsprechen. Damit beträgt der Flächeninhalt A ein Viertel von πr^2 und die Bogenlänge b beträgt ein Viertel von $2\pi r$.

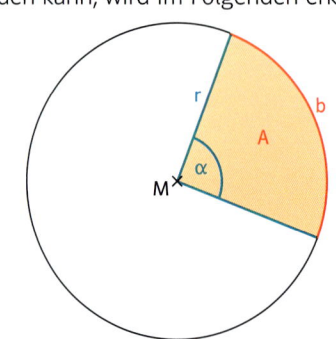

$b = \frac{90°}{360°} \cdot 2\pi r = \frac{1}{4} \cdot 2\pi r = 0{,}5 \pi r$

Allgemein sind bei gegebenem Radius r der Flächeninhalt A und die Bogenlänge b eines Kreisausschnitts proportional zum Mittelpunktswinkel α und lassen sich daher mit dem Dreisatz berechnen.

	: 360°	· 47°	· α	
Mittelpunktswinkel α	360°	1°	47°	α
Anteil am Vollwinkel	$\frac{360°}{360°} = 1$	$\frac{1°}{360°}$	$\frac{47°}{360°}$	$\frac{\alpha}{360°}$
Flächeninhalt A des Kreisausschnitts	$A = \pi r^2$	$A = \pi r^2 \cdot \frac{1°}{360°}$	$A = \pi r^2 \cdot \frac{47°}{360°}$	$A = \pi r^2 \cdot \frac{\alpha}{360°}$
Bogenlänge b	$b = 2\pi r$	$b = 2\pi r \cdot \frac{1°}{360°}$	$b = 2\pi r \cdot \frac{47°}{360°}$	$b = 2\pi r \cdot \frac{\alpha}{360°}$

Kreisbogen und Flächeninhalt eines Kreisausschnitts

Für einen **Kreisausschnitt** mit dem **Radius** r und dem **Mittelpunktswinkel** α gilt:

Die **Bogenlänge b entspricht** dem Anteil $\frac{\alpha}{360°}$ an dem Kreisumfang $2\pi r$, also gilt $b = 2\pi r \cdot \frac{\alpha}{360°}$.

Der **Flächeninhalt** $A_{\sphericalangle}$ entspricht dem **Anteil** $\frac{\alpha}{360°}$ an der Kreisfläche πr^2, also gilt $A_{\sphericalangle} = \pi r^2 \cdot \frac{\alpha}{360°}$.

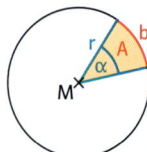

Beispiel Flächeninhalt, Bogenlänge und Mittelpunktswinkel bestimmen

Gegeben ist ein Kreis mit dem Radius 5 cm.
a) Berechne zum Mittelpunktswinkel 54° den Flächeninhalt und die Bogenlänge des Kreisausschnitts.
b) Berechne den Mittelpunktswinkel α zu einem Kreisbogen mit einer Länge von 10 cm.

Lösung
a) Anteil des Mittelpunktswinkel am Vollwinkel: $\frac{54°}{360°} = 0{,}15$

Flächeninhalt des Kreisausschnitts: $A = \pi \cdot 5^2 \cdot 0{,}15 \approx 11{,}78$, also $A \approx 11{,}78 \text{ cm}^2$
Bogenlänge: $b = 2\pi \cdot 5 \cdot 0{,}15 \approx 4{,}71$. Also $b \approx 4{,}71 \text{ cm}$.

b) Anteil des Kreisbogens am Kreisumfang: $\frac{b}{U} = \frac{10}{2\pi \cdot 5} = \frac{1}{\pi} \approx 0{,}32$

Es gilt $\frac{\alpha}{360°} = \frac{1}{\pi} \approx 0{,}32$, also $\alpha \approx 0{,}32 \cdot 360° \approx 115°$.

Aufgaben

1 Ordne jedem Kreisausschnitt (K) einen passenden Flächeninhalt (F) sowie eine passende Bogenlänge (B) zu. Verwende für die Überschlagsrechnung $\pi \approx 3$. Die übriggebliebenen Zahlen hinter F bzw. B bilden eine zweistellige Primzahl.

(K1) 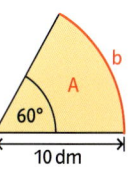 (K2) 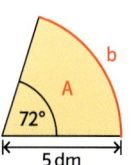 (K3)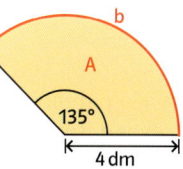

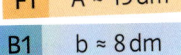

| F1 | A ≈ 15 dm² | F2 | A ≈ 50 dm² | F3 | A ≈ 16 dm² | F4 | A ≈ 18 dm² |
| B1 | b ≈ 8 dm | B2 | b ≈ 9 dm | B3 | b ≈ 10 dm | B4 | b ≈ 6 dm |

2 Berechne die Länge des Bogens.

a) Rundbogen 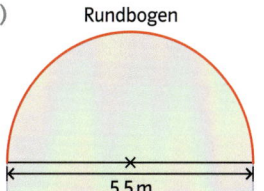 b) Flachbogen 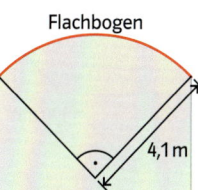 c) gotischer Spitzbogen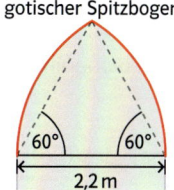

3 Der Mittelpunktswinkel in Fig. 1 beträgt α = 40°.
a) Bestimme den Flächeninhalt der gefärbten Fläche näherungsweise mit $\pi \approx 3$.
b) Bestimme den Umfang der gefärbten Fläche näherungsweise mit $\pi \approx 3$.
c) Bestimme den Flächeninhalt und den Umfang aus den Teilaufgaben a) bzw. b) mit dem Taschenrechner und vergleiche die Ergebnisse.

Fig. 1

Teste dich!

4 Berechne den Flächeninhalt und die Bogenlänge des Kreisausschnitts mit dem Radius r = 1,2 m und dem Mittelpunktswinkel α = 100°.

5 Berechne die Flächeninhalte der gefärbten Flächen näherungsweise mit $\pi \approx 3$.

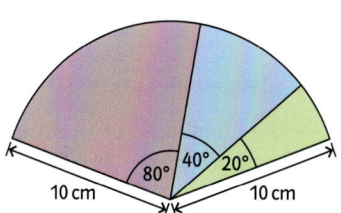

6 Berechne die fehlenden Größen für einen Kreisausschnitt mit dem Radius r, dem Mittelpunktswinkel α, der Bogenlänge b und dem Flächeninhalt A.

	a)	b)	c)	d)	e)	f)
r	2,4 m	3,5 cm	1,2 km			
α	320°			123°	213°	
b		16 cm		4 dm		12 cm
A			0,9 km²		20 m²	40 cm²

7 José sagt: „Die Formel für den Flächeninhalt des Kreisausschnitts ist gar nicht neu. Die Anteile der Fläche der Kreisausschnitte an der gesamten Kreisfläche entsprechen wie in Kreisdiagrammen den Anteilen des Mittelpunktswinkel am Vollwinkel."
Erläutere Josés Aussage am Beispiel des Kreisdiagramms rechts.

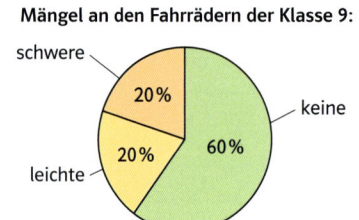

Mängel an den Fahrrädern der Klasse 9:

8 Die Erde ist etwa 150 Millionen Kilometer von der Sonne entfernt und beschreibt während eines Jahres näherungsweise eine Kreisbahn um die Sonne.
a) Berechne die Streckenlänge, die die Erde an einem Tag auf ihrer Kreisbahn zurücklegt.
b) Von der Erde aus gesehen nimmt die Sonne einen Winkel von 0,53° ein. Berechne die Länge des dazugehörenden Bogens. Diese Bogenlänge ist ein Näherungswert für den Sonnendurchmesser. Recherchiere den tatsächlichen Sonnendurchmesser und vergleiche mit dem Näherungswert.

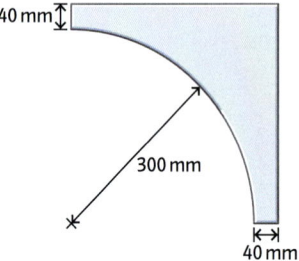

Teste dich!

9 Berechne den Mittelpunktswinkel eines Kreisausschnitts mit dem Radius 4 m, wenn
a) der Kreisausschnitt die Bogenlänge 6 m hat,
b) der Kreisausschnitt den Flächeninhalt 20 m² hat.

10 Bestimme den Flächeninhalt des Blechstücks in der Figur.

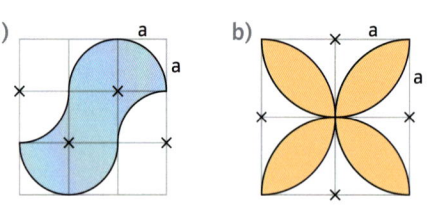

11 Jedes kleine Quadrat (Fig. 1) hat die Seitenlänge a = 3 cm. Berechne den Flächeninhalt und den Umfang der gefärbten Fläche.

12 Zeichne zwei Kreise mit gleichem Radius, von denen jeder durch den Mittelpunkt des anderen geht. Berechne die Schnittfläche der beiden Kreise.

Fig. 1

Teste dein Grundwissen! Gleichungen lösen mit Äquivalenzumformungen

Löse die Gleichungen. Führe die Probe durch.

13 a) $2,5(2 - x) + 0,5 = -3,5x + 3$ b) $(x - 3) \cdot 4 - 24 = -8(3 - x)$ c) $-(-2x + 7) = -91 - 3(x + 2)$

3 Flächen bei Prismen und Zylindern

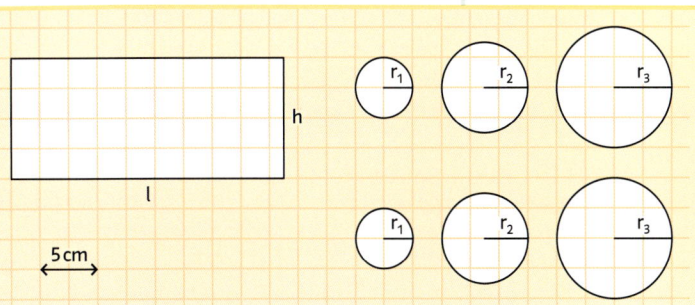

Aus dem Rechteck und zwei gleich großen Kreisen soll ein Körper hergestellt werden. Untersucht, welche der drei Kreisgrößen (r_1, r_2 oder r_3) passt, und baut den Körper im Maßstab 5 : 1 nach.

Mithilfe von Kreisen, Kreisteilen und Vielecken wird im Folgenden gezeigt, wie sich der Oberflächeninhalt von verschiedenen Körpern berechnen lässt.

Prismen sind Körper, die man sich durch Verschieben eines Vielecks im Raum entstanden vorstellen kann. Die Verschiebung erfolgt senkrecht zur **Grundfläche**. Der Abstand zwischen den beiden Grundflächen heißt **Höhe** des Prismas. Die **Oberfläche** eines Prismas besteht aus zwei zueinander kongruenten Vielecken als Grundflächen und Rechtecken als Seitenflächen. Die Gesamtheit der Seitenflächen heißt **Mantelfläche** oder **Mantel** des Prismas. Wenn man statt eines Vielecks einen Kreis als Grundfläche betrachtet, erhält man einen **Zylinder**.

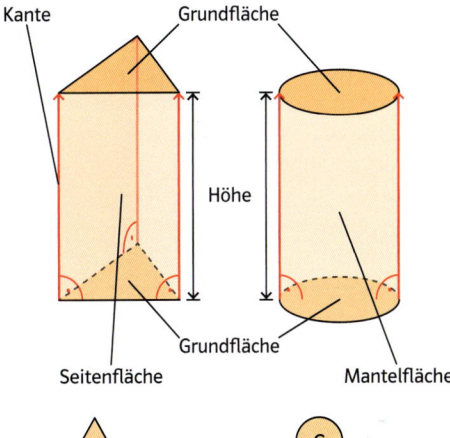

Wenn die Verschiebung wie hier senkrecht zur Grundfläche erfolgt, entsteht ein gerades Prisma. Wir sagen dazu kurz Prisma.

Wenn man den Körper entlang einiger seiner Kanten aufschneidet, erhält man das **Netz des Körpers** (s. rechts).
Für den Oberflächeninhalt O, den Grundflächeninhalt G und den Inhalt der Mantelfläche M eines Prismas bzw. Zylinders gilt O = 2 · G + M.

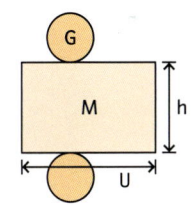

Der **Inhalt der Mantelfläche** M lässt sich mithilfe des Umfangs U der Grundfläche G und der Höhe h des Prismas berechnen. Es gilt M = U · h. Für einen Zylinder mit dem Radius r ergibt sich für den Inhalt der Mantelfläche also M = 2πr · h. Da die Grundfläche des Zylinders ein Kreis ist, gilt für den Oberflächeninhalt also O = 2 · G + M = 2 · πr^2 + 2πrh.

Mantel- und Oberflächeninhalt von Prismen und Zylindern
Für ein Prisma mit der Höhe h, dem Grundflächeninhalt G, dem Umfang der Grundfläche U, dem Oberflächeninhalt O und dem Inhalt der Mantelfläche M gilt:
M = U · h und **O = 2 · G + M**.
Für einen Zylinder mit dem Radius r gilt entsprechend **M = U · h = 2πr · h** und
O = 2 · G + M = $2\pi r^2$ + 2πrh.

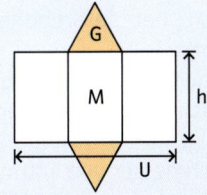
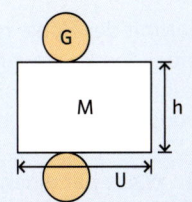

Beispiel 1 Oberflächeninhalt eines Prismas berechnen
🖻 Berechne den Oberflächeninhalt des abgebildeten Prismas.

Lösung
Die Grundfläche ist ein Trapez.

$G = \frac{1}{2} \cdot (a + c) \cdot h$
$ = \frac{1}{2} \cdot (6\,m + 12\,m) \cdot 4\,m = \frac{1}{2} \cdot 18\,m \cdot 4\,m = 36\,m^2$

$M = U \cdot h = (5\,m + 6\,m + 5\,m + 12\,m) \cdot 13\,m$
$ = 28\,m \cdot 13\,m = 364\,m^2$

$O = 2 \cdot G + M = 2 \cdot 36\,m^2 + 364\,m^2$
$ = 72\,m^2 + 364\,m^2 = 436\,m^2$

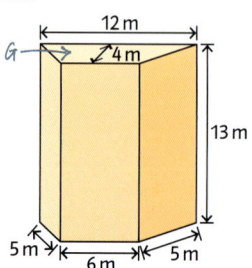

Man kann die **Rechnung mit oder ohne Einheiten** notieren. Es ist dann sinnvoll, die Einheiten wegzulassen, wenn die Rechnung dadurch übersichtlicher ist. Grundsätzlich muss man bei der Rechnung darauf achten, die Einheiten anzupassen.

Beispiel 2 Mantelflächen- und Oberflächeninhalt eines Zylinders berechnen
Berechne den Mantelflächen- und Oberflächeninhalt des abgebildeten zylindrischen Stabes, der eine Höhe von 1,5 m hat.

Lösung
Zuerst muss der Radius bestimmt und die Einheiten angepasst werden.
Mit $r = 2\,cm : 2 = 1\,cm$ und $h = 1,5\,m = 150\,cm$ erhält man für den Inhalt der Mantelfläche $M = 2\pi r h = 2 \cdot \pi \cdot 1 \cdot 150 = 300\pi \approx 942{,}48$.
Somit gilt für den Oberflächeninhalt
$O = 2 \cdot G + M = 2\pi r^2 + M = 2 \cdot \pi \cdot 1^2 + 300\pi = 302\pi \approx 948{,}76$.
Der Stab hat einen Mantelflächeninhalt von ungefähr $942{,}48\,cm^2$, und sein Oberflächeninhalt beträgt etwa $948{,}76\,cm^2$.

Aufgaben

1 a) Entscheide, ob folgende Körper Prismen sind. Begründe.
(1)　　　　　(2)　　　　　(3)　　　　　(4)

 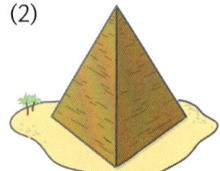 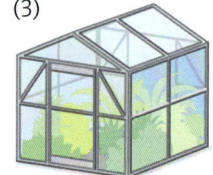 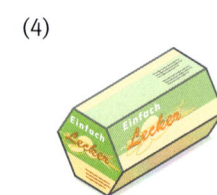

Manchmal muss man sich das abgebildete Prisma gedreht vorstellen, um die Grundfläche und die Höhe besser zu erkennen.

b) Notiere Beispiele von Körpern aus der Umwelt, dem Supermarkt etc., die näherungsweise Prismen bzw. Zylinder sind und sammle Bilder von den Gegenständen.

2 🖻 Gegeben ist ein Prisma mit den rechts angegebenen Maßen. Berechne den Inhalt der Mantelfläche und den Oberflächeninhalt des Prismas.

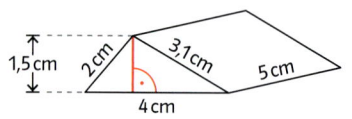

→ **Lerntipp**
Seite 82, Beispiel 1

3 🖻 Bei einem Zylinder mit der Höhe $h = 5\,cm$ hat die Grundfläche einen Radius von $r = 2\,cm$. Verwende bei den Rechnungen $\pi \approx 3$.
a) Bestimme näherungsweise den Inhalt der Mantelfläche des Zylinders.
b) Bestimme näherungsweise den Oberflächeninhalt des Zylinders.

→ **Lerntipp**
Seite 82, Beispiel 2

4 Eine zylinderförmige Walze hat einen Durchmesser von 1,10 m und ist 2,10 m breit.
a) Berechne, welche Fläche bei einer Umdrehung von der Walze abgewalzt wird.
b) Die komplette Walze soll gestrichen werden. Bestimme, für welche Fläche Farbe gekauft werden muss.

⊕ **Methode**
Unbekannte Wörter verstehen
2n79pi

○ 5 Alma hat in ihrem Heft die „Merkhilfen" rechts notiert.
   a) Finde zu jeder „Merkhilfe" eine passende Aufgabe. Überlege dir mögliche Maße.
   b) 👥 Löst gegenseitig eure Aufgaben.

1. Mantelflächeninhalt durch Umfang = Höhe
2. Oberflächeninhalt minus Mantelflächeninhalt durch 2 = Grundflächeninhalt.

○ 6 Im Jahre 1855 errichtete der Berliner Drucker Ernst Litfaß die erste Reklamesäule. Bei einer Firma kann man Litfaßsäulen in unterschiedlicher Ausführung bestellen. Bestimme jeweils die Größe der Werbefläche, die beklebt werden kann.
   a) Standardsäule: Höhe 1,92 m; ⌀ 62 cm
   b) Messesäule: Höhe 3,50 m; ⌀ 100 cm
   c) Edelstahlsäule: Höhe 2,6 m; ⌀ 95 cm

Der Durchmesser wird manchmal auch mit dem Zeichen ⌀ angegeben.

Teste dich! Lösungen, Seite 237

○ 7 🖩 Berechne den Inhalt der Mantelfläche und den Oberflächeninhalt des rechts abgebildeten Prismas.

○ 8 Berechne den Inhalt der Mantelfläche und den Oberflächeninhalt eines Zylinders mit dem Durchmesser 16 cm und der Höhe 8 cm.

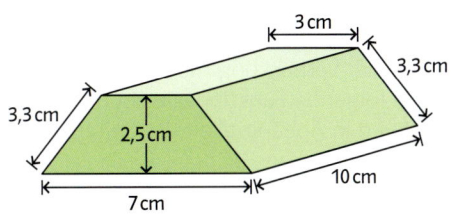

● 9 **Wahr oder falsch?**
Beurteile, ob die Aussage wahr oder falsch ist. Begründe.
   a) Die Oberfläche eines Prismas mit 6-eckiger Grundfläche besitzt 8 Begrenzungsflächen.
   b) Jedes Prisma ist ein Quader.
   c) Es gibt Prismen, deren Seitenflächen Quadrate sind.
   d) Bei jedem Prisma ist die Anzahl der Kanten dreimal so groß wie die Anzahl der Ecken.
   e) Jeder Würfel ist ein Prisma.
   f) Jeder Zylinder ist ein Prisma.

● 10 Ein zylinderförmiger Brunnen mit einem Durchmesser von 2,50 m wird 14,50 m tief ausgeschachtet und ausgemauert. Nach oben bekommt er ebenfalls aus Steinen eine 0,8 m hohe Brüstung. Ermittle, wie viele Steine man vermutlich insgesamt benötigt, wenn man davon ausgeht, dass 60 Steine für 1 m² reichen.

● 11 Ein Zylinder mit der Höhe h besitzt eine Grundfläche mit dem Radius r, den Oberflächeninhalt O und den Mantelflächeninhalt M. Bestimme die fehlenden Größen. Kontrolliere dein Ergebnis mithilfe einer Überschlagsrechnung.

r	3 dm		60 dm	
h		15 m		1,1 cm
M	94 dm²	375 m²	420 m²	69 mm²
O				

● **12** Pierre hat in seinem Heft die Rechnungen rechts zu einer Aufgabe zum Thema „Prismen" notiert.
a) Finde ein Problem, das zu Pierres Rechnungen passt.
b) Beschreibe dein Vorgehen.

1. $132\,cm^2 - 12\,cm^2 = 120\,cm^2$

2. $120\,cm^2 : 12\,cm = 10\,cm$

Teste dich! → **Lösungen**, Seite 238

● **13** Eine Outdoor-Firma möchte von dem Außenzelt mit den angegebenen Maßen 1000 Stück produzieren lassen. Das Zelt hat keine Bodenplatte.
Bestimme, wie viel der notwendige Stoff kostet, wenn man 15 % Verschnitt einkalkuliert und 1 m² des Stoffes im Einkauf 20 Euro kosten.

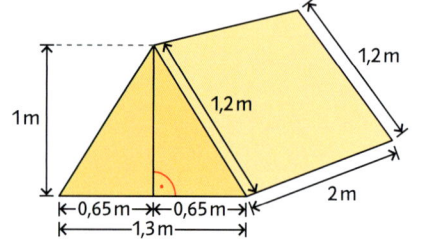

● **14** Das Volumen einer quaderförmigen Verpackung mit quadratischer Grundfläche soll 300 ml betragen. Der Hersteller der Verpackung möchte möglichst wenig Material verbrauchen. Ein Mitarbeiter gibt die folgende Funktionsgleichung einer Funktion an, die den Oberflächeninhalt der Verpackung in Abhängigkeit der Seitenlänge a der Grundfläche beschreibt:

$O(a) = 2a^2 + \frac{1200}{a}$.

a) Zeige, dass sich der Oberflächeninhalt der Verpackung in Abhängigkeit der Seitenlänge a durch die Funktion O beschreiben lässt.
b) 🖥 Zeichne den Graphen der Funktion O mithilfe eines Funktionenplotters und bestimme mithilfe des Programms die Seitenlänge a der Grundfläche, so dass der Materialverbrauch minimal wird.

● **15** Wahr oder falsch?
Beurteile, ob die Aussage wahr oder falsch ist. Begründe.
a) Wenn man bei einem Zylinder den Radius verdoppelt, vervierfacht sich der Inhalt der Mantelfläche.
b) Wenn man bei einem Prisma mit gleichbleibender dreieckiger Grundfläche den Inhalt der Mantelfläche verdoppelt, verdoppelt sich auch die Höhe.
c) Wenn man bei einem Prisma den Inhalt der Grundfläche verdoppelt, verdoppelt sich auch der Oberflächeninhalt.

Teste dein Grundwissen! **Mit Gleichungen Anwendungsaufgaben lösen** → **Grundwissen**, Seite 20
Lösungen, Seite 238

G **16** Eine Schokolade der Sorte Alpenstolz kostet 1,09 €, eine der Sorte Sportglück kostet nur 0,99 €. Timo kauft für 12,28 € insgesamt 12 Tafeln Schokolade. Lucia soll bestimmen, wie viele Tafeln Timo von jeder Sorte gekauft hat und notiert ihre Rechnung rechts.

$a \cdot 109 + (12 - a) \cdot 99 = 1228$
$a \cdot 109 + 12 \cdot 99 - a \cdot 99 = 1228$
$a \cdot 10 - 1188 = 1228$
also $a = 4$

a) Gib an, für welche Größe die Variable a inhaltlich steht.
b) Begründe, warum die Gleichung in der ersten Zeile die Situation richtig beschreibt.
c) Erläutere die einzelnen Rechenschritte.
d) Gib an, wie viele Tafeln Alpenstolz bzw. Sportglück Timo gekauft hat.

4 Prismen und Zylinder – Volumen

Erstellt aus DIN-A4-Blättern verschiedene Körpermodelle, die oben und unten offen sind. Kleben ist erlaubt, aber für jeden Körper darf nur ein DIN-A4-Blatt verwendet werden. Fertigt eine beschriftete Skizze der Körper an.
Welcher Körper hat das größte Volumen? Ihr könnt zur Überprüfung auch geeignetes Füllmaterial verwenden.

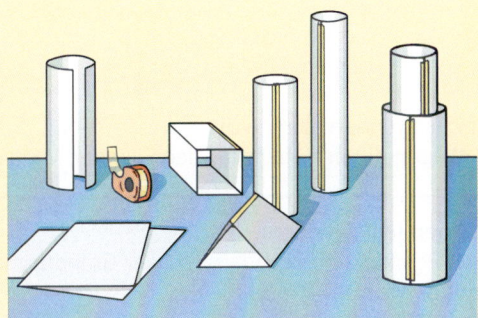

Bisher wurden die Mantel- und Oberflächeninhalte von Prismen und Zylindern thematisiert. Im Folgenden wird ausgehend von der Volumenberechnung von Quadern eine Formel für das Volumen von Prismen und Zylindern erarbeitet.

Volumina von Prismen

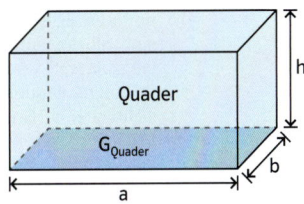
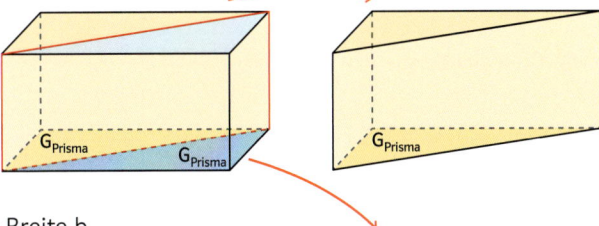

Ein Quader mit der Länge a, der Breite b und der Höhe h hat den Grundflächeninhalt
$G = a \cdot b$ und das Volumen
$V = a \cdot b \cdot h = G \cdot h$.
Ein Quader lässt sich wie dargestellt immer in zwei gleiche Prismen mit rechtwinkligen Dreiecken als Grundfläche zerlegen.
Diese beiden Prismen haben jeweils den halben Grundflächeninhalt und das halbe Volumen des Quaders. Es gilt also $V_{Prisma} = \frac{1}{2} \cdot V_{Quader} = \frac{1}{2} \cdot G_{Quader} \cdot h = G_{Prisma} \cdot h$.
Somit gilt die Formel $V = G \cdot h$ auch für Prismen mit rechtwinkligen Dreiecken als Grundfläche.
Ein beliebiges Prisma kann man zunächst in Prismen mit dreieckiger Grundfläche zerlegen und diese dann in Prismen, deren Grundflächen rechtwinklige Dreiecke sind. Somit gilt zum Beispiel für das Volumen des folgenden Prismas:
$V = G_1 \cdot h + G_2 \cdot h + \ldots + G_6 \cdot h = (G_1 + G_2 + \ldots + G_6) \cdot h = G \cdot h$.

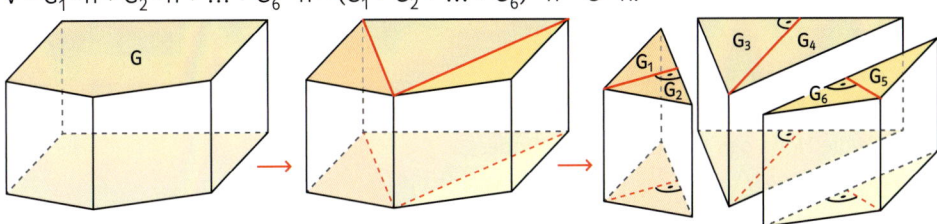

Dieses Verfahren kann man bei beliebigen Prismen durchführen. Es gilt demnach für alle Prismen mit der Grundfläche G und der Höhe h die Volumenformel $V = G \cdot h$.

Volumina von Zylindern

Ein Zylinder hat als Grundfläche einen Kreis. Da man den Kreis durch Vielecke beliebig genau annähern kann, kann man auch den Zylinder durch Prismen beliebig genau annähern. Für die Prismen gilt die Volumenformel $V = G \cdot h$.

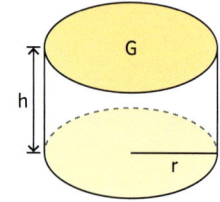
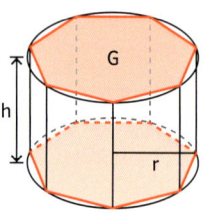

Also gilt auch für das Zylindervolumen die Formel $V = G \cdot h$. Wegen $G = \pi r^2$ folgt für den Zylinder $V = \pi r^2 \cdot h$.

Volumina von Prismen und Zylindern

Das Volumen V von Prismen und Zylindern mit der Grundfläche G und der Höhe h berechnet man mit der Formel **$V = G \cdot h$**.
Für einen Zylinder mit der Höhe h und dem Radius r der Grundfläche G gilt demnach
$V = G \cdot h = \pi r^2 \cdot h$.

Beispiel 1 Volumen eines Prismas

Berechne das Volumen des dargestellten Prismas.

Lösung
Die Grundfläche ist ein Dreieck mit $g = 8\,\text{m}$ und $h_g = 10\,\text{m}$.

$G = \frac{1}{2} \cdot g \cdot h_g = \frac{1}{2} \cdot 8\,\text{m} \cdot 10\,\text{m} = 40\,\text{m}^2$

$V = G \cdot h = 40\,\text{m}^2 \cdot 12\,\text{m} = 480\,\text{m}^3$

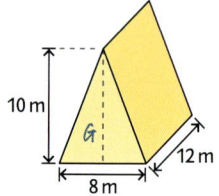

Man kann die **Rechnung mit oder ohne Einheiten** notieren. Es ist dann sinnvoll, die Einheiten wegzulassen, wenn die Rechnung dadurch übersichtlicher ist. Grundsätzlich muss man bei der Rechnung darauf achten, die Einheiten anzupassen.

Beispiel 2 Volumen eines Zylinders

Das Volumen eines zylindrischen Stabes mit einem Durchmesser von 0,5 dm beträgt 625 cm³. Berechne die Länge des Stabes. Erstelle dazu auch eine beschriftete Skizze.

Lösung
Da der Stab zylindrisch ist, kann man die Formel $V = \pi r^2 \cdot h$ verwenden. Die gesuchte Länge entspricht der Höhe h des Zylinders.

Zuerst muss man die Einheiten anpassen.   Skizze:
$r = d : 2 = 0,5\,\text{dm} : 2 = 5\,\text{cm} : 2 = 2,5\,\text{cm}$

Einsetzen der gegebenen Größen und Auflösen der Gleichung:
$625 = \pi \cdot 2,5^2 \cdot h$
$625 = \pi \cdot 6,25 \cdot h \qquad | : 6,25$
$100 = \pi \cdot h \qquad | : \pi$
$100 : \pi = h$ bzw. $h = 100 : \pi \approx 31,8$.

Der Stab ist ungefähr 31,8 cm lang.

Aufgaben

1 Entscheide, für welche Körper man die Formel $V = G \cdot h$ verwenden kann, wobei G der Grundflächeninhalt und h die Höhe des Körpers ist. Begründe.

a)   b)   c)   d)   e)   f)   g)

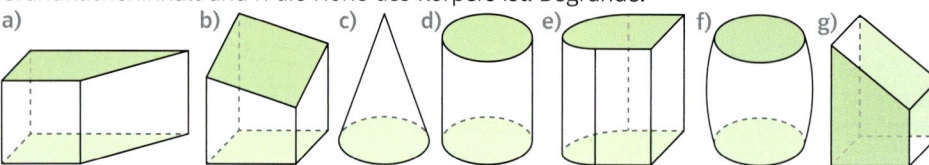

III Kreise, Prismen und Zylinder

○ **2** Berechne das Volumen des Körpers.

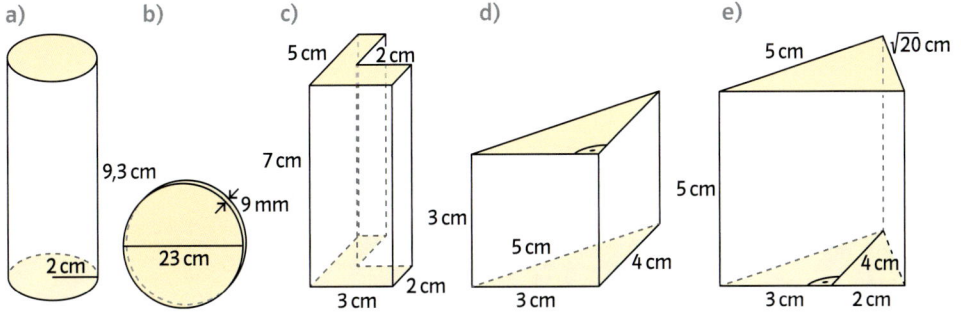

Lerntipp
Seite 86, Beispiel 1 und 2

Üben ○
Seite 94, Aufgabe 8

○ **3** 🖼 Zum Schutz vor Sturmfluten baut man an den Küsten Deiche, die das Überfluten des dahinterliegenden Landes verhindern sollen.
Ein Deich hat auf einer Länge von 10 km den rechts abgebildeten Querschnitt. Berechne, wie viele Kubikmeter Erde man zum Bau des abgebildeten Deichs benötigt.

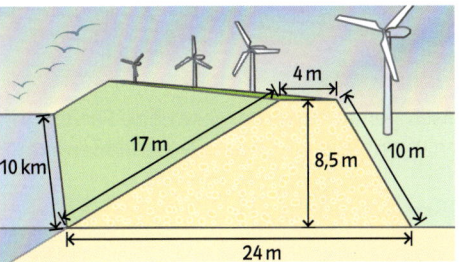

○ **4** 🖼 Familie Dichans möchte ihre neu angelegte Rasenfläche walzen, damit die Saat optimal anwachsen kann. Dazu will Frau Dichans die Walze vollständig mit Wasser füllen, damit sie das notwendige Gewicht erhält. Bestimme näherungsweise, wie viele Liter Wasser man benötigt, um die Walze vollständig zu füllen und gib dann deren Masse an. Rechne mit $\pi \approx 3$.

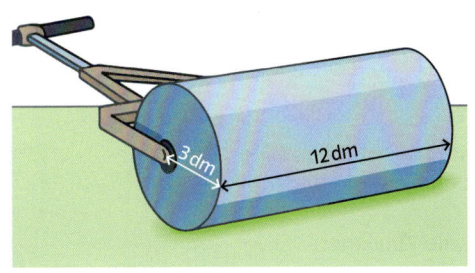

Zur Erinnerung:
$1\,l = 1\,dm^3 \approx 1\,kg$

Teste dich!

Lösungen, Seite 238

○ **5** 🖼 Das Prisma in der Figur mit der Höhe h = 4 mm hat als Grundfläche ein Parallelogramm mit den in der Figur angegebenen Maßen.
Berechne das Volumen des Prismas.

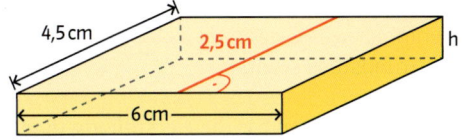

○ **6** a) Ermittle das Volumen eines Zylinders mit dem Durchmesser d = 22 m und der Höhe h = 3 m.
b) Ein Prisma mit der Höhe h = 3 dm hat eine dreieckige Grundfläche mit der Grundseite g = 5 dm und der Höhe h_g = 2 dm. Berechne sein Volumen.

● **7** Bestimme die Höhe des Zylinders bzw. des Prismas, wenn das Volumen 30 cm³ beträgt.

a)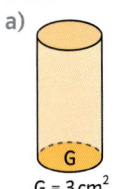
G = 3 cm²

b)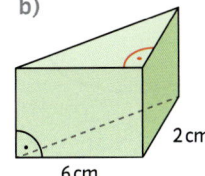

c)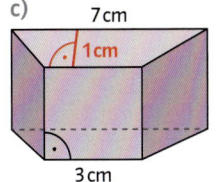

d)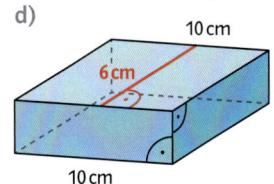

8 Bestimme die fehlenden Größen. Runde die Ergebnisse auf zwei Nachkommastellen.

a) Prisma mit dreieckiger Grundfläche

$g_{Dreieck}$	5 cm	10 m	6 dm	10 dm
$h_{g\,Dreieck}$	2 cm	3 m		
h_{Prisma}	3 cm		11 dm	7 dm
V_{Prisma}		75 m³	66 dm³	350 l

b) Zylinder

$r_{Grundfläche}$	8 cm	6 m	1,7 cm	2,5 m
$h_{Zylinder}$	3 cm	2 m		
$V_{Zylinder}$			82 cm³	80 cm³

→ **Lerntipp** Seite 86, Beispiel 2

9 Charlotte hat in ihrem Heft die Rechnungen rechts zum Thema „Prismen" notiert.
a) Finde ein Problem, das zu Charlottes Rechnung passt.
b) Beschreibe dein Vorgehen.

1) 900 cm³ : 30 cm = 30 cm²

2) 30 cm² : 6 cm = 5 cm

10 Finde den Fehler!
Beschreibe, was falsch gemacht wurde. Verwende Fachbegriffe. Die Begriffe auf dem Rand können helfen. Korrigiere die Lösung anschließend im Heft.

a) $V_{Packung}$ = G · h
  = 7 cm · 14 cm · 14 cm
  = 1372 cm³

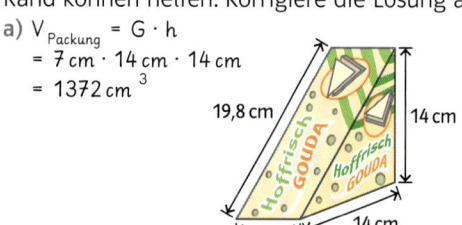

b)

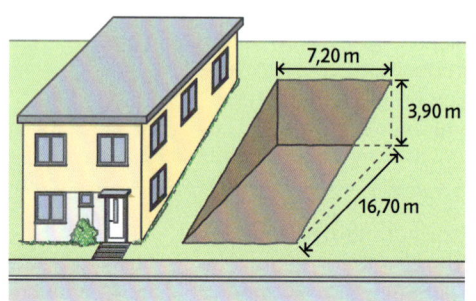

$V_{Packung}$ = G · h = 40 · 3 · 0,5 · 24 = 1440
Das Volumen der Schoko-Verpackung beträgt 1440 cm³.

Wortliste
• die Grundfläche
• die Höhe
• rechtwinklig
• die Grundseite
• das Dreieck
• das Prisma
• die Einheiten

11 Bei einem Haus am Hang wird die Baugrube so ausgehoben, dass die Bodenplatte waagerecht ist.
a) Berechne, wie viele Kubikmeter Erde durch das Ausbaggern abtransportiert werden müssen.
b) Bestimme, wie tief eine Baugrube gleichen Volumens für ein Haus mit gleichem Grundflächeninhalt wäre, wenn es auf einem ebenen Grundstück stünde.

12 Bestimme, wie viele cm² Blech man für die Herstellung einer Konservendose mit dem Durchmesser d und dem Volumen V benötigt, wenn für den Rand und den Verschnitt 15 % Blech hinzugerechnet werden.
a) d = 1 dm; V = 1 l
b) d = 80 mm; V = 0,5 l
c) d = 25 cm; V = 2 l

13 Die Formen der Getränkedosen A und B mit den Maßen Höhe h_A = 1,7 dm und Radius r_A = 0,9 dm bzw. h_B = 1,3 dm und r_B = 1,1 dm werden untersucht.
a) Schätzt, welche Dose das größere Volumen bzw. den größeren Oberflächeninhalt hat.
b) Kontrolliert eure Schätzungen rechnerisch mithilfe der angegebenen Maße.
c) Ermittelt verschiedene Maße für Dosen mit einem Volumen von einem Liter. Untersucht, bei welcher dieser Dosen der Materialverbrauch am geringsten ist.

→ **Vertiefen** Seite 95, Aufgabe 18

14

a) Schätze die Abmessungen des Tanks auf dem Foto. Beschreibe dein Vorgehen.
b) Bestimme nun, wie viele Liter Treibstoff ungefähr in den Tank passen.
c) 👥 Vergleicht eure Ergebnisse.
d) 👥 Ferdi behauptet: „Wenn ich die Maße des Tanks nur halb so groß schätze wie Aris, dann erhalte ich auch nur die Hälfte des Volumens." Überprüft, ob Ferdi recht hat.

Anwenden
Seite 95, Aufgabe 16

Teste dich!

Lösungen, Seite 238

15 Die Sarone-Schokolade wird in einem besonderen Karton verpackt (Fig. 1).
a) Bestimme, wie viele cm³ Schokolade die Schachtel enthält, wenn man 25 % des Volumens der Verpackung für Luft zwischen Verpackung und Schokolade einplant.
b) Berechne, wie viele cm² Karton man für die Verpackung benötigt, wenn zusätzliche 10 % für Klebeflächen zu berücksichtigen sind.
c) Bestimme für das gleiche Verpackungsvolumen die Länge des Kartons, wenn dieser ein Prisma mit dem Querschnitt aus Fig. 2 als Grundfläche besitzt.

Fig. 1   Fig. 2

16 Bestimme den Radius eines Zylinders mit einer Höhe von 12 cm und einem Volumen von 360 cm³.

17 Die folgenden durchbohrten Körper haben alle die Länge 2·a. Das kreisrunde Bohrloch hat jeweils den Durchmesser $d = \frac{a}{2}$.
a) Bestimme für jeden Körper das Volumen und den Oberflächeninhalt für a = 4 cm.
b) Bestimme das Volumen und den Oberflächeninhalt für ein allgemeines a.
c) Ermittle, für welchen Wert von a das Volumen jeweils 100 cm³ beträgt.

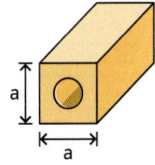 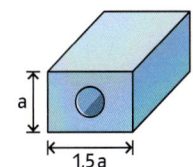  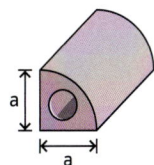 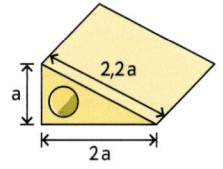

18 Begründe die folgende Aussage: Wenn bei einem Zylinder oder einem Prisma der Flächeninhalt der Grundfläche G, der Oberflächeninhalt O und das Volumen V bekannt sind, kann man den Umfang der Grundfläche mit der folgenden Formel berechnen:
$$U = \frac{O \cdot G}{V} - 2 \cdot \frac{G^2}{V}.$$

Anwenden
Seite 95, Aufgabe 17

Teste dein Grundwissen! Probleme lösen mithilfe von Gleichungen

Grundwissen, Seite 208
Lösungen, Seite 238

19 Carlas Mutter ist heute 6-mal so alt wie Carla. In vier Jahren ist die Mutter 30 Jahre älter als Carla. Bestimme das Alter von Carla und ihrer Mutter heute.

5 Das Prinzip von Cavalieri

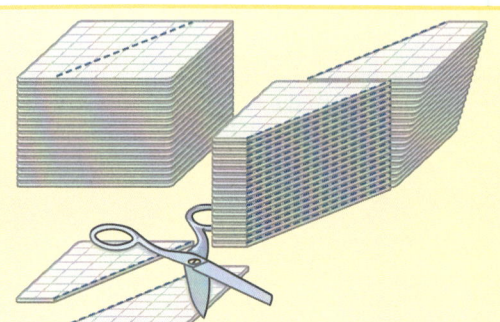

Susan hat von einem Haufen Bierdeckel jeden einzelnen auf die gleiche Weise zerschnitten und neu zusammengelegt. Zerschneide selbst Bierdeckel und lege sie neu zusammen.
Vergleiche die Grundflächeninhalte und Volumina der entstehenden Körper.

In einem Parallelogramm hängt der Flächeninhalt nur von der Grundseite und der Höhe ab. Dass sich dieser Sachverhalt auch auf Körper übertragen lässt, wird im Folgenden gezeigt.

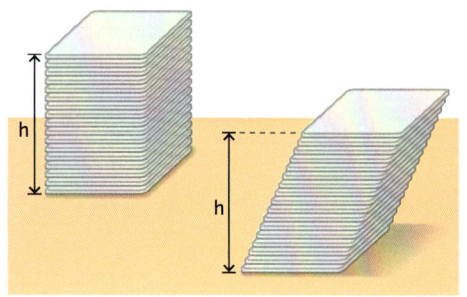

Verformt man den Stapel quadratischer Notizblätter so, dass die einzelnen Blätter weiterhin parallel zueinanderliegen, so bleiben die zur Grundfläche parallelen Querschnittsflächen gleich. Auch die Höhe des Stapels bleibt unverändert. Da kein Blatt hinzugefügt oder weggenommen wurde, bleibt das Volumen des Stapels ebenfalls gleich.

Dieser Zusammenhang lässt sich beim Vergleich zweier Körper nutzen, die die folgenden Voraussetzungen erfüllen:
1. Die Flächeninhalte der Grundflächen sind gleich groß: $G_1 = G_2$.
2. Die Körper haben die gleichen Höhen.
3. Im gleichen Abstand parallel zur Grundfläche liegende Schnittflächen haben den gleichen Flächeninhalt: $S_1 = S_2$.
Die Form der Schnittflächen S_1 und S_2 kann hierbei verschieden sein.

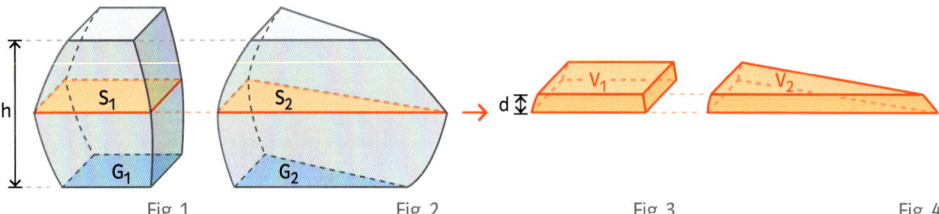

Fig. 1　　　　Fig. 2　　　　Fig. 3　　　　Fig. 4

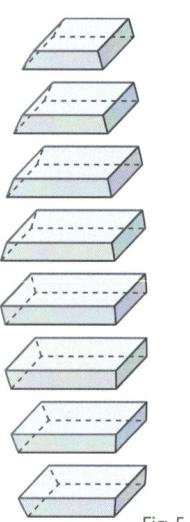

Fig. 5

Die zwei in Fig. 1 und Fig. 2 dargestellten Körper erfüllen die obigen Voraussetzungen. Aus beiden werden in gleicher Höhe parallel zur Grundfläche Scheiben der Dicke d ausgeschnitten (vgl. Fig. 3 und Fig. 4).
Je kleiner man d wählt, umso weniger unterscheiden sich Grund- und Deckflächeninhalt der Scheiben. Diese Scheiben können dann näherungsweise als Prismen betrachtet werden und haben somit annähernd das gleiche Volumen.
Diese Überlegung gilt für jedes derart herausgeschnittene Scheibenpaar. Auf diese Art lassen sich beide Körper vollständig in paarweise volumengleiche Scheiben zerlegen (siehe Fig. 5). Also ist auch das Volumen der beiden Körper gleich groß.

III Kreise, Prismen und Zylinder

Satz des Cavalieri
Zwei Körper haben das gleiche Volumen, wenn für sie gilt:
1. Die Flächeninhalte der Grundflächen sind gleich: $G_1 = G_2$.
2. Sie haben die gleichen Höhen.
3. Ihre Schnittflächen, im gleichen Abstand parallel zur Grundfläche, haben den gleichen Flächeninhalt: $S_1 = S_2$.

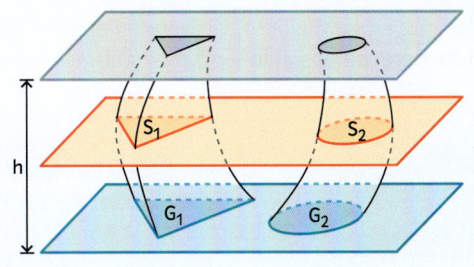

Beispiel Volumen eines schiefen Körpers berechnen
Berechne das Volumen des Körpers in Fig. 1.
Lösung
Der Körper hat das gleiche Volumen wie ein 10 cm hoher Zylinder mit dem Grundkreisdurchmesser 4 cm (Fig. 2).
$V = \pi r^2 \cdot h = \pi \cdot (2\,\text{cm})^2 \cdot 10\,\text{cm} \approx 126\,\text{cm}^3$.

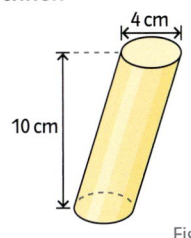
Fig. 1

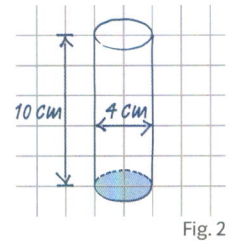
Fig. 2

Aufgaben

1 Berechne das Volumen der Körper.

a)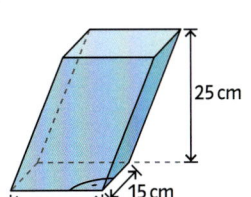

b)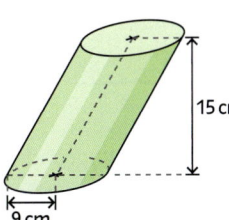

c)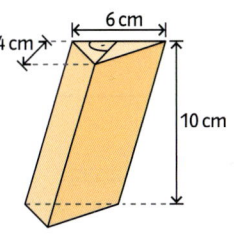

d) Skizziere für die Teilaufgaben a) und c) jeweils das Schrägbild eines Quaders, der die gleiche Höhe und das gleiche Volumen hat wie der gezeigte Körper und beschrifte den Quader jeweils mit seinen Maßen.

2 Der Cayan Tower ist ein Wolkenkratzer in Dubai. Die Höhe des Turms beträgt bei 76 Stockwerken 306 Meter, seine Gestalt zeichnet sich durch eine 90-Grad-Drehung nach oben hin aus. Bestimme das Volumen des Gebäudes, wenn jedes Stockwerk eine Fläche von 111 m² hat.

Teste dich!   **Lösungen**, Seite 238

3 a) Berechne das Volumen des Körpers.
b) Skizziere das Schrägbild eines Quaders, der die gleiche Höhe und das gleiche Volumen hat wie der Körper und beschrifte den Quader mit seinen Maßen.

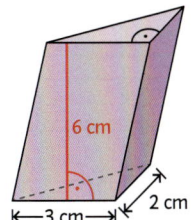

5 Das Prinzip von Cavalieri

4 Finde den Fehler!
Beschreibe, was falsch gemacht wurde. Verwende Fachbegriffe. Die Begriffe auf dem Rand können helfen. Berechne anschließend die richtige Lösung im Heft.

Wortliste
- die Grundfläche
- die Deckfläche
- die Höhe
- senkrecht zu
- das Volumen
- ein Rechteck
- ein Quader
- ein Kreis
- ein Zylinder

a)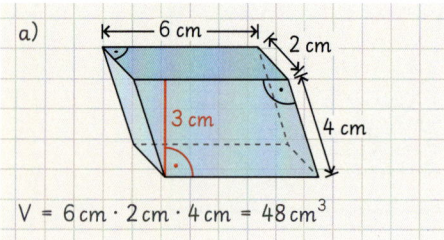
$V = 6\,cm \cdot 2\,cm \cdot 4\,cm = 48\,cm^3$

b) Gegeben sind das Volumen $V = 200\,cm^3$ und der Radius $r = 2\,cm$ der Grundfläche eines schiefen Zylinders. Berechne die Höhe h.
$V = \pi \cdot (2\,cm)^2 \cdot h = 200\,cm^3 \quad |:2\,cm^2$
$\pi \cdot h = 100\,cm \quad |:\pi$
$h \approx 31,8\,cm$

5 Entscheide, welche Körper das gleiche Volumen besitzen. Prüfe hierfür jeweils die drei Voraussetzungen des Satzes von Cavalieri.

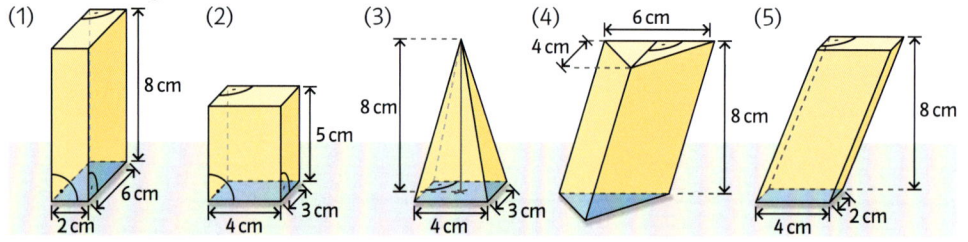

6 Skizziere zwei Körper, die als zueinander parallele Grund- und Deckflächen ein Quadrat mit einer Seitenlänge von 4 cm und jeweils eine Höhe von 6 cm haben, deren Volumen aber trotzdem nicht gleich ist.

Teste dich! → **Lösungen**, Seite 239

7 Wahr oder falsch?
Beurteile, ob die folgende Aussage wahr oder falsch ist und begründe.
a) Ein gerades Prisma hat immer den gleichen Rauminhalt wie jedes schiefe Prisma mit der gleichen Grundfläche und der gleichen Höhe.
b) Ein Zylinder und ein Kegel haben die gleiche Höhe und den gleichen Kreis als Grundfläche, also haben sie auch das gleiche Volumen.

In einem schiefen Prisma sind die Seitenflächen teilweise Parallelogramme und keine Rechtecke.

---

8 Stelle für den roten Körper im Würfel jeweils eine Formel zur Berechnung des Volumens in Abhängigkeit von s auf und bestimme den prozentualen Anteil des Volumens des roten Körpers am Würfelvolumen.

a)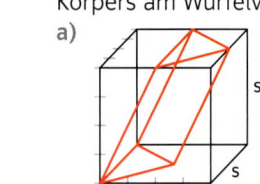
b)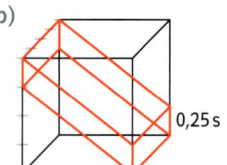
c)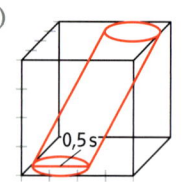

Teste dein Grundwissen! **Lösungsmengen von Gleichungen**
→ **Grundwissen**, Seite 20
Lösungen, Seite 239

9 Bestimme die Lösungsmenge der Gleichung.
a) $-\frac{1}{2}\left(-\frac{2}{3}x - 5\right) = 2{,}5 + \frac{1}{3}x$
b) $-(0{,}5 - 0{,}25x) = 1{,}5x - 2$
c) $-\frac{3}{5}x + 4 + x = 0{,}4x$

Wiederholen – Vertiefen – Vernetzen

III Kreise, Prismen und Zylinder

Wiederholen und Üben

→ **Lösungen**, Seite 239

1 Bestimme näherungsweise den Umfang und den Flächeninhalt des Kreises. Gib jeweils den Radius und den Durchmesser des Kreises an. Rechne mit $\pi \approx 3$.

a) b) c)

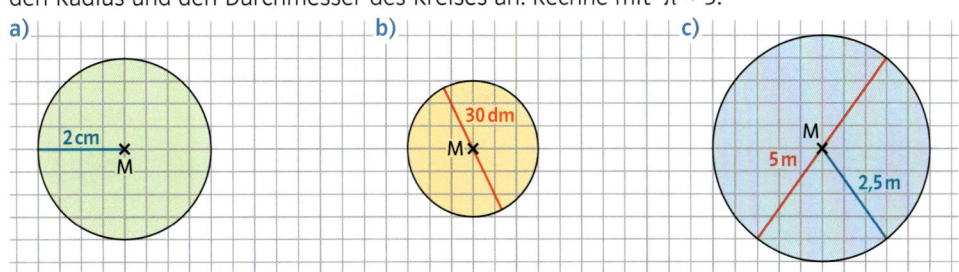

2 Entscheide, welche der beiden blauen bzw. grünen Strecken dem Umfang des jeweiligen Kreises entsprechen. Schätze zunächst. Lies dann den Radius des Kreises ab und berechne die Streckenlänge näherungsweise mit $\pi \approx 3$.

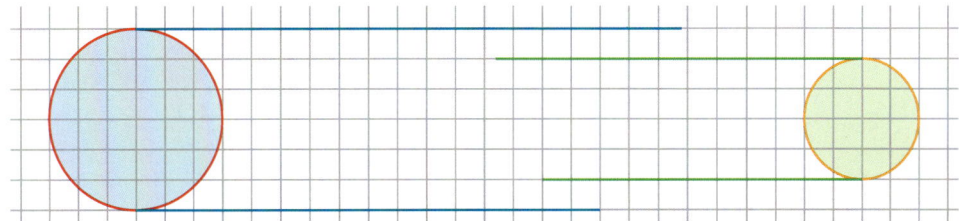

3 Berechne den Flächeninhalt des blau gefärbten Kreisrings.

a) 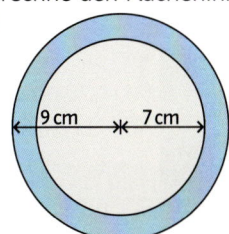 b) 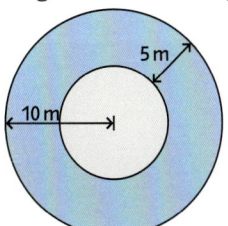 c)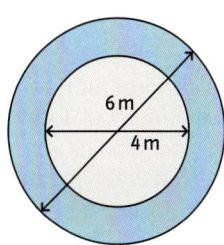

4 Bestimme aus den Angaben den Radius des Kreises.
a) U = 68 m   b) A = 160 cm²   c) U = 4,8 cm   d) A = 29 mm²

5 Ein kreisförmiger Tisch hat einen Durchmesser von 1,10 m. Bestimme die Kantenlänge eines flächengleichen quadratischen Tisches.

6 Berechne den Flächeninhalt und die Bogenlänge des Kreisausschnitts.
a) r = 7 cm, α = 45°   b) r = 1 m, α = 240°   c) r = 25 m, α = 9°

7 Entscheide, welche der abgebildeten Körper Prismen sind. Gib für die Prismen jeweils die Art der Grundfläche an.

I II III IV V VI VII VIII

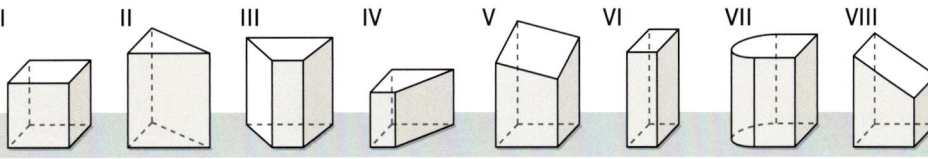

Teste dich!

Kopiervorlage
Check-out
2n79pi

Wiederholen – Vertiefen – Vernetzen

8 Bestimme das Volumen und den Oberflächeninhalt des Prismas bzw. des Zylinders. Berechne die Ergebnisse in Teilaufgabe c) näherungsweise mit $\pi \approx 3$.

a)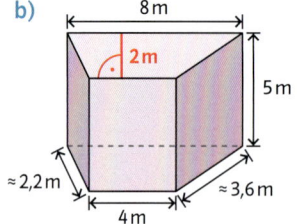
b)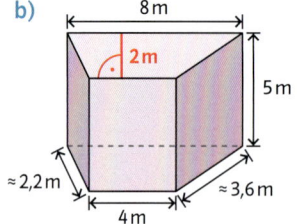
c)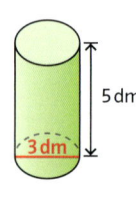

9 Berechne das Volumen eines Prismas mit der Höhe $h = 7\,cm$, dessen Grundfläche
a) ein rechtwinkliges Dreieck mit den Kathetenlängen 5 cm und 12 cm ist,
b) ein Dreieck mit der Grundseite 10 cm und der Höhe 6 cm ist,
c) ein Trapez mit den Grundseitenlängen 4 cm und 8 cm sowie der Höhe 3 cm ist.

10 In Hamburg steht das 21 m breite Bürogebäude Dockland. Die Seitenfläche ist ein Parallelogramm mit 134 m Länge und 25 m Höhe. Berechne das Volumen des Gebäudes.

11 In Rottweil wurde 2017 der Turm mit der höchsten öffentlichen Plattform für Besucher in Deutschland eröffnet. Der Turm ist 246 m hoch und hat einen Radius von 10,5 m. Im Durchschnitt ist die Außenmauer des Turms 31 cm dick. Berechne die ungefähre Menge an Beton, welcher für die zylinderförmige Innenschale verbaut wurde.

Wiederholen und Üben

12 Ein Stück glattes Blech soll zu Wellblech verformt werden, dessen Querschnitt sich aus aufeinanderfolgenden Halbkreisen mit dem Radius r zusammensetzt. Berechne, wie viele Meter glattes Blech man für ein 90 cm breites Wellblech benötigt.

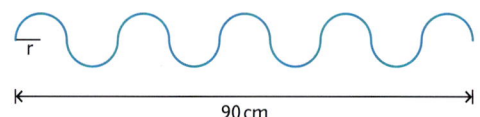

13 Ein kreisrunder Seerosenteich hat den Radius $r_1 = 7\,m$.
a) Um den Teich wird ein 2 m breiter Weg angelegt. Berechne, welchen Flächeninhalt der Weg hat.
b) Bestimme wie breit der Weg wäre, wenn sein Flächeninhalt 130 m² betragen würde.

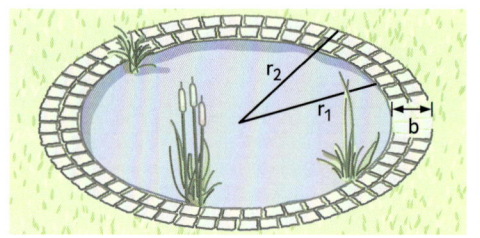

14 Für Kugelstoßanlagen sind die Maße
d = 2,135 m und α = 40° vorgeschrieben.
Bei der Ausführung in der Figur beträgt der
Radius r = 24 m.
a) Bestimme den Flächeninhalt der Abwurfzone und des Wurffelds der Anlage.
b) Berechne die Zaunlänge der kreisrunden Abwurfzone.

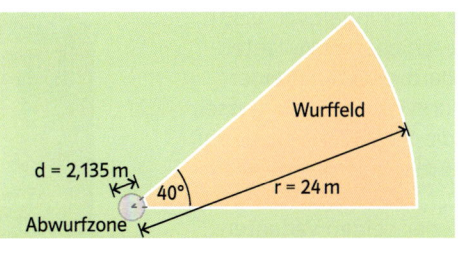

15 Kalzit oder Doppelspat ist ein häufig vorkommendes Mineral, welches in Form von schiefen Prismen kristallisiert.
a) Berechne das Volumen und den Oberflächeninhalt des abgebildeten Doppelspats.
b) 1 cm³ wiegt ca. 2,6 g. Berechne die Masse des abgebildeten Prismas.

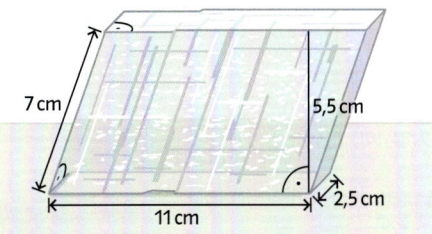

16 Die Weltraumrakete Ariane 5 hat vier zylinderförmige Treibstoffbehälter. Die beiden seitlichen Treibstoffbehälter in den „Strap-on-Boostern" sind 31,6 m lang und haben einen Durchmesser von 3,0 m. Die Behälter der 1. und 2. Stufe im Mittelteil haben beide einen Durchmesser von 5,4 m und sind 30,7 m bzw. 4,5 m lang.
a) Beurteile, ob die beiden seitlichen Treibstoffbehälter zusammen mehr Treibstoff enthalten als die Behälter im Mittelteil. Schätze zuerst und rechne dann.
b) Die „Strap-on-Booster" werden zuerst verwendet und, direkt nachdem sie aufgebraucht sind, in einer Höhe von 55 km leer abgetrennt.
Bestimme, wie viele Liter Treibstoff die Rakete für diese Strecke durchschnittlich pro Kilometer verbraucht.
c) Vergleiche den Treibstoffverbrauch mit dem Verbrauch eines Autos, indem du z. B. untersuchst, wie viele Kilometer ein Kleinwagen mit Verbrennungsmotor mit der gleichen Menge Treibstoff fahren könnte.
d) Recherchiere im Internet über die Geschichte der Raumfahrt und dem Ziel der Raumfahrt sowie den ökologischen Konsequenzen von „Weltraumtourismus".

17 Handwerker benutzen zur Kreisumfangsberechnung oft die folgende Faustformel:
„Kreisumfang gleich Durchmesser mal 3 plus 5 Prozent vom Ergebnis".
a) Berechne den Umfang eines Kreises mit r = 5 cm mithilfe der Faustformel.
b) Berechne den Näherungswert für π, der bei dieser Faustformel verwendet wird.

18 Ein DIN-A4-Blatt (ca. 21 cm breit und ca. 29,7 cm lang) wird an den kurzen Seiten zusammengeklebt, sodass eine Rolle (Zylinderform) entsteht. Der überlappende Kleberand beträgt dabei 7 mm.
a) Bestimme den Umfang der Papierrolle.
b) Bestätige durch eine Rechnung, dass der Radius der Rolle ca. r ≈ 4,62 cm beträgt.
c) Bestimme das Volumen des entstandenen Zylinders.
d) Man kann das DIN-A4-Blatt auch entlang der kurzen Seite zusammenrollen, sodass eine längere und schmalere Rolle entsteht.
Bestimme das Volumen, wenn man auch hier 7 mm für den Kleberand benötigt und berechne, um wie viel Prozent das Ergebnis von dem Ergebnis aus Teilaufgabe c) abweicht.

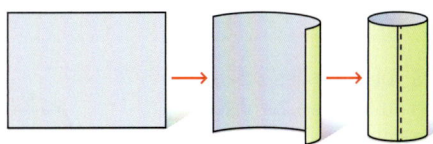

Wiederholen – Vertiefen – Vernetzen

19 Getränkedosen für einen Inhalt von 0,33 l werden in zwei verschiedenen Varianten verkauft: Die Standardversion mit einer Höhe von 115 mm und einem Durchmesser von 67 mm sowie die Sleek-Can-Version mit einer Höhe von 146 mm und einem Durchmesser von 58 mm.
  a) Schätze, welche der beiden Varianten den geringeren Materialverbrauch hat.
  b) Kontrolliere deine Schätzung durch eine Rechnung.
  c) Berechne den Materialverbrauch, wenn für die Falz und den Verschnitt 18 % hinzugerechnet werden müssen.

20 Aluminium wird als massiver Zylinderblock verarbeitet.
  a) Berechne den Radius eines 4 m langen Zylinderblocks mit der Masse 20,6 t.
  b) Der Zylinderblock wird zu einer 0,2 mm dicken und 4 m breiten Folie ausgewalzt. Berechne die Länge der Folie.

1 m³ Aluminium hat die Masse 2,7 t.

21 An einem Berghang ist ein Stapel mit 1,50 m langen Holzstämmen aufgestellt. Bestimme, wie viele Raummeter Holz der Stapel enthält.

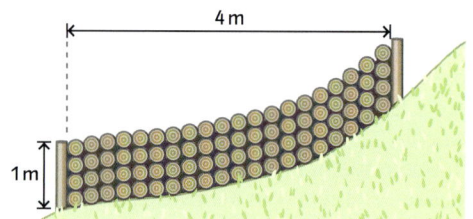

Raummeter, auch Ster genannt, ist eine Bezeichnung aus der Forstwirtschaft für 1 m³ geschichtetes Holz mit Zwischenräumen.

22 Das Volumen des Häuschens in Fig. 1 wurde auf zwei unterschiedliche Weisen berechnet. Erläutere die beiden Lösungswege. Verwende Fachbegriffe.

Lösungsweg 1:
$V_{Haus} = 5 \cdot 4 \cdot 3 + 5 \cdot 5 \cdot 0{,}5 \cdot 3$
$= 60 + 37{,}5$
$= 97{,}5$, also $V_{Haus} = 97{,}5 \text{ m}^3$

Lösungsweg 2:
$V_{Haus} = (5 \cdot 4 + 5 \cdot 5 \cdot 0{,}5) \cdot 3$
$= (20 + 12{,}5) \cdot 3$
$= 32{,}5 \cdot 3$
$= 97{,}5$, also $V_{Haus} = 97{,}5 \text{ m}^3$

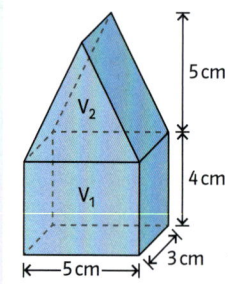

Fig. 1

23 Rachel meint: „Um das Volumen des schiefen Körpers berechnen zu können, benötige ich den Satz des Cavalieri."
Jero entgegnet: „Den Satz des Cavalieri kenne ich nicht, aber ich benötige zur Berechnung des Volumens dieses Körpers eigentlich nur die Formel für die Volumenberechnung von Prismen."
Erläutere die Äußerungen von Rachel und Jero und begründe, warum beide recht haben.

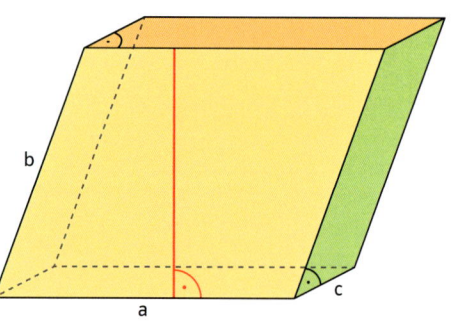

Vernetzen und Erforschen

24 In ein Quadrat werden jeweils 1, 4, 9, ... n^2 Kreise eingezeichnet, wobei n eine beliebige natürliche Zahl ist. Jan meint: „Der Flächeninhalt aller Kreise zusammen ist immer gleich." Untersuche, ob Jans Aussage wahr ist.

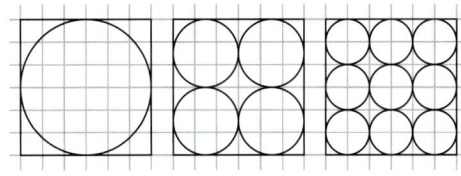

25 Berechne, wie lang die Schlangenlinie nach 2, 3, 4, 5 Halbkreisbögen ist? Vergleiche die Länge der Schlangenlinie mit dem Umfang eines Kreises mit einem Radius von 1 cm.

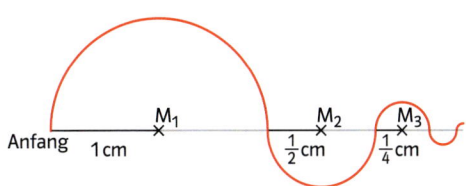

26 a) Schätze zunächst, bei welcher Figur der gefärbte Flächeninhalt am größten ist.
b) Bestimme jeweils eine Formel zur Berechnung des Inhalts der gefärbten Flächen.
c) Berechne, welchen Wert a jeweils annehmen muss, damit der Flächeninhalt der gefärbten Fläche den Wert 20 cm² annimmt.

(1) 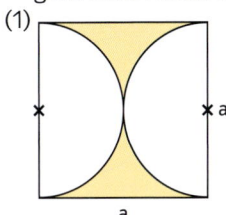 (2) 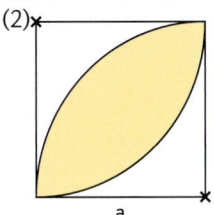 (3) 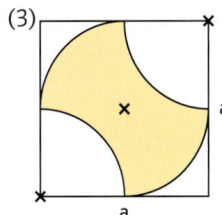 (4)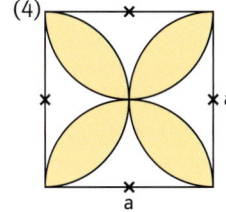

27 In der Abbildung ist eine zylinderförmige Torte aufgeschnitten und näherungsweise als Quader angeordnet worden. Leite mithilfe dieses Bildes die Volumenformel für den Zylinder her.

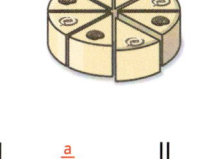

28 Aus drei gleichen Quadern wurden verschiedene Figuren so herausgeschnitten, dass jeweils alle Querschnittsflächen, die parallel zur Grundfläche liegen, denselben Flächeninhalt haben.
Begründe, warum das Volumen I jeweils doppelt so groß wie II und III ist.

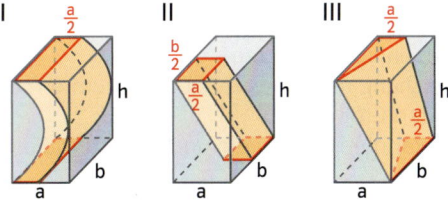

29 Überprüfe, ob die Angaben des Erlebnisparks stimmen könnten.

Die höchste Schaukel der Welt!
SIZE DOES MATTER!

Mit einer Neigung von bis zu 120° schwingt sich XXL 45 Meter in die Höhe. Ein unglaubliches und unvergleichliches Erlebnis! Absolut einzigartig!

Technische Daten:
Flughöhe: ca. 45 m
Länge des Schaukelarms: 22 m
maximal zurückgelegter Schaukelweg: 92 m

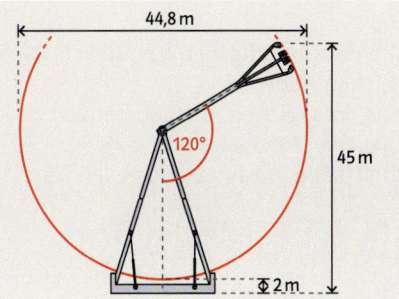

Rückblick

Flächeninhalt und Umfang eines Kreises
Für einen Kreis mit dem Radius r gilt:
Umfang $U = 2\pi r$
Flächeninhalt $A = \pi r^2$
Für die **Kreiszahl** π gilt: $\pi \approx 3{,}14$

Kreisbogen und Flächeninhalt eines Kreisausschnitts
Für einen Kreisausschnitt mit dem Radius r und dem Mittelpunktswinkel α gilt:

Bogenlänge $b = 2\pi r \cdot \frac{\alpha}{360°}$

Flächeninhalt $A_{Kreisausschnitt} = \pi r^2 \cdot \frac{\alpha}{360°}$

Volumen und Oberflächeninhalt von Prismen und Zylindern
Für das Volumen V von Prismen und Zylindern mit dem Grundflächeninhalt G und der Höhe h gilt $V = G \cdot h$.
Für einen Zylinder mit dem Radius r der Grundfläche gilt somit
$V = \pi r^2 \cdot h$.
Der Oberflächeninhalt O von Prismen und Zylindern besteht aus den beiden Grundflächeninhalten G und dem Inhalt der Mantelfläche M. Daher gilt
$O = 2 \cdot G + M = 2 \cdot G + U \cdot h$ (U ist der Umfang der Grundfläche).
Für einen Zylinder gilt somit
$O = 2 \cdot G + M = 2 \cdot \pi r^2 + 2\pi r \cdot h$.

Arbeiten mit Formeln
Mithilfe von Formeln kann man eine unbekannte Größe berechnen, wenn man alle anderen in der Formel vorkommenden Größen kennt. Dabei kann man auf zwei verschiedene Arten vorgehen:
1. Möglichkeit: Einsetzen und Auflösen
(1) Man setzt alle bekannten Größen in die Formel ein.
(2) Man berechnet die unbekannte Größe mithilfe von Äquivalenzumformungen.
2. Möglichkeit: Auflösen und Einsetzen
(1) Man löst die Gleichung mithilfe von Äquivalenzumformungen nach der gesuchten Größe auf.
(2) Man setzt die bekannten Größen ein und bestimmt die gesuchte Größe.

Satz des Cavalieri
Zwei Körper haben das gleiche Volumen, wenn für sie gilt:
1. Die Flächeninhalte der Grundflächen sind gleich: $G_1 = G_2$.
2. Sie haben die gleichen Höhen.
3. Ihre Schnittflächen, im gleichen Abstand parallel zur Grundfläche, haben den gleichen Flächeninhalt: $S_1 = S_2$.
 Die Form der Schnittflächen kann verschieden sein.

Kreis mit Durchmesser $d = 8\,cm$:
Radius $r = d : 2 = 4\,cm$
Umfang $U = 2 \cdot \pi \cdot 4\,cm \approx 25{,}1\,cm$
Flächeninhalt $A = \pi \cdot (4\,cm)^2 \approx 50{,}3\,cm^2$

$b = 2\pi r \cdot \frac{\alpha}{360°}$
$ = 2\pi \cdot 18\,cm \cdot \frac{72°}{360°}$
$ \approx 22{,}62\,cm$

$A = \pi r^2 \cdot \frac{\alpha}{360°}$
$ = \pi \cdot (18\,cm)^2 \cdot \frac{72°}{360°}$
$ \approx 203{,}58\,cm^2$

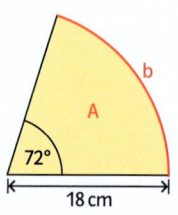

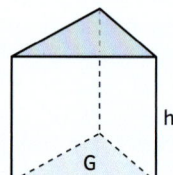

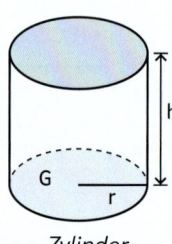

Prisma mit dreieckiger Grundfläche   *Zylinder*

Für ein Dreieck mit der Grundseite $g = 4\,cm$ und dem Flächeninhalt $A = 20\,cm^2$ soll die zugehörige Höhe h_g bestimmt werden.

1. Möglichkeit: $20 = \frac{1}{2} \cdot 4 \cdot h_g \quad |:2$
$ 10 = h_g$

2. Möglichkeit: $A = \frac{1}{2} \cdot g \cdot h_g \quad |\cdot 2$
$ 2 \cdot A = g \cdot h_g \quad |:g$
$ \frac{2 \cdot A}{g} = h_g \quad bzw. \quad h_g = \frac{2 \cdot A}{g}$
$ h_g = \frac{2 \cdot 20}{4} = 10$

Die Höhe h_g beträgt $10\,cm$.

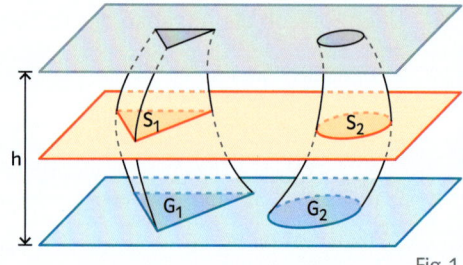

Fig. 1

Test

III Kreise, Prismen und Zylinder

Runde 1

→ Lösungen, Seite 242

1. In Fig. 1 wird aus einem quadratischen Blech ein Kreisring ausgesägt. Bestimme den Flächeninhalt des Kreisrings.

2. Bestimme den Inhalt des gefärbten Kreisausschnitts in Fig. 2 sowie seine Bogenlänge.

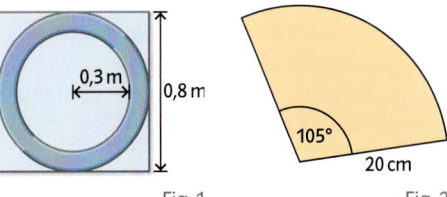

Fig. 1   Fig. 2

3. ⚀ Ein Parallelogramm mit der Grundseite $g = 5\,cm$ und der Höhe $h_g = 3\,cm$ ist Grundfläche eines Prismas mit dem Volumen $V = 120\,cm^3$. Bestimme die Höhe des Prismas.

4. Der Fernsehsatellit ASTRA befindet sich in 35 900 km Höhe über der Erdoberfläche und steht scheinbar am Himmel still, da er in genau 24 Stunden eine Kreisbahn in Richtung der Erddrehung durchläuft. Berechne, welche Strecke er in einer Stunde näherungsweise zurücklegt.

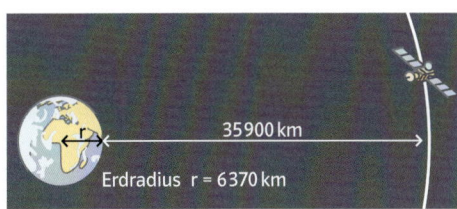

5. Ein Rohr ist 1 m lang und hat einen Außendurchmesser von 10 cm. Die Innenfläche ist um 10 % kleiner als die äußere Fläche. Fertige eine Skizze an und berechne den Innendurchmesser des Rohrs.

Runde 2

→ Lösungen, Seite 243

1. a) ⚀ Ein Trapez mit den Grundseiten $a = 12\,cm$ und $c = 6\,cm$ sowie der Höhe $h = 3\,cm$ ist die Grundfläche eines Prismas, das 11 cm hoch ist. Berechne das Volumen des Prismas.
   b) ⚀ Berechne näherungsweise das Volumen und den Oberflächeninhalt eines Zylinders mit dem Radius $r = 7\,dm$ und der Höhe $h = 9\,dm$. Verwende $\pi \approx 3$.

2. Vor etwa 50 000 Jahren schlug ein Meteorit im Gebiet des heutigen Arizona ein. Er hinterließ einen nahezu kreisförmigen Krater von rund 1,3 km Durchmesser.
   a) Bestimme, wie lange eine Rundwanderung um den Kraterrand dauert, wenn man ca. 2 km in der Stunde schafft.
   b) Berechne den Flächeninhalt des Kreises, der durch den Krater entstanden ist.

3. a) Berechne für $r = 2\,m$ und $\alpha = 30°$ die Bogenlängen b bzw. c und die Flächeninhalte der roten und gelben Flächen.
   b) Zeige, dass unabhängig von r und α der Inhalt der gelben Fläche dreimal so groß wie der Inhalt der roten Fläche ist.

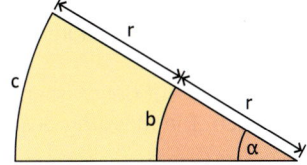

4. Skizziere zwei unterschiedliche Prismen mit rechteckiger Grundfläche, die das Volumen $V = 40\,cm^3$ und die Höhe $h = 4\,cm$ haben.

Exkursion

Die Geschichte der Zahl π

Wir wissen nicht, wann und in welchem Land ein interessierter Mensch zum ersten Mal den Zusammenhang zwischen dem Durchmesser eines Kreises und seinem Umfang bzw. Flächeninhalt erforscht hat.
Die älteste bekannte Aufzeichnung aber stammt aus Ägypten. Etwa 1850 v. Chr. notierte der Schreiber Ahmes auf dem sogenannten **Papyrus Rhind:**

„Nimm $\frac{1}{9}$ vom Durchmesser weg und konstruiere ein Quadrat aus dem Rest; das hat die gleiche Fläche wie der Kreis."

1 a) Erläutere, was nebenstehende Zeichnung mit dem Zitat auf dem Papyrus zu tun hat.
b) Zeige, dass Ahmed für die Kreiszahl π die Näherung $3\frac{13}{81}$ erhielt und dass diese Näherung um weniger als 1% von dem Wert abweicht, den der Taschenrechner liefert.

Eine der ältesten mathematischen Problemstellungen ist die „Quadratur des Kreises". Dabei geht es darum, ein Quadrat zu konstruieren, das denselben Flächeninhalt wie ein gegebener Kreis hat. Erst vor etwa 100 Jahren haben Mathematiker herausgefunden, dass man dies mit Zirkel und Lineal gar nicht konstruieren kann. Daher bedeutet die Redewendung „Das ist wie die Quadratur des Kreises", dass ein Problem nicht lösbar ist.

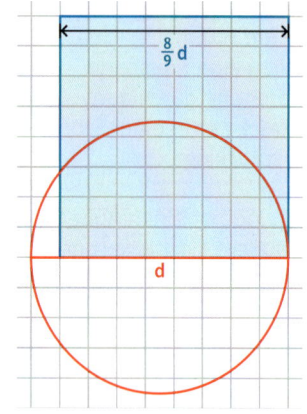

Obwohl Ahmes auf seinem Papyrus einen sehr genauen Wert nennt, rechneten Ägypter, Babylonier und Hebräer in der Landvermessung noch tausend Jahre später mit der Zahl 3 als Verhältnis von Kreisumfang zu Durchmesser.
So findet man auch in der Bibel im Alten Testament über ein rundes Wasserbecken im Tempel Salomons:

„Und er machte ein Meer, gegossen von einem Rand zum andern zehn Ellen weit, rundumher, und fünf Ellen hoch, und eine Schnur dreißig Ellen lang war das Maß ringsum."
(1. Könige 7:13)

Der Kreisumfang wird hier mit 30 Ellen genannt, der Durchmesser mit 10 Ellen, also wieder ein Verhältnis von $\frac{U}{d} = 3$. Das war etwa im sechsten Jahrhundert v. Chr.

Ab dem fünften Jahrhundert v. Chr. versuchten Wissenschaftler in Griechenland mit ganz neuen Ideen, den Flächeninhalt eines Kreises durch Näherungsverfahren immer genauer zu bestimmen.
Die erste schriftliche Herleitung geht auf den Wissenschaftler Archimedes von Syrakus zurück. Er schreibt in seinem Buch „Die Messung des Kreises" etwa 250 v. Chr.:

„Das Verhältnis des Umfangs eines beliebigen Kreises zu seinem Durchmesser ist kleiner als $3\frac{1}{7}$, aber größer als $3\frac{10}{71}$."

Archimedes von Syrakus
griech. Mathematiker
287–212 v. Chr.

2 Berechne jeweils, um wie viel Prozent $3\frac{1}{7} = \frac{22}{7}$ zu groß, $3\frac{10}{71} = \frac{223}{71}$ zu klein ist und um wie viel Prozent der Mittelwert aus $3\frac{1}{7}$ und $3\frac{10}{71}$ (nach oben oder unten) von π abweicht.

Archimedes nutzte bei seinen systematischen Untersuchungen die Idee der Intervallschachtelung. Er legte in einen Kreis mit Radius 1 und um diesen Kreis herum regelmäßige Vielecke, und berechnete deren Umfänge. Dadurch erhielt er Näherungen für den Kreisflächeninhalt und den Kreisumfang, die etwas zu klein bzw. etwas zu groß waren und damit zur Einschachtelung dienen konnten.

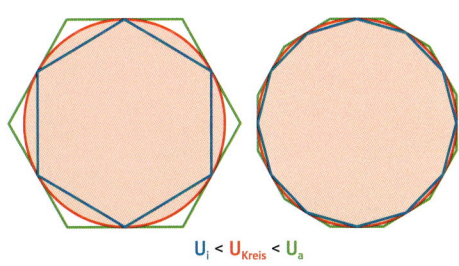

$U_i < U_{Kreis} < U_a$

MK Konstruktion des Archimedes

3 💻 Nutze im Folgenden eine dynamische Geometriesoftware, um die Idee von Archimedes umzusetzen, und erforsche, zu welchen Ergebnissen er gekommen sein muss.

a) **Konstruktion der Figur**
 (1) Zeichne einen Kreis mit dem Mittelpunkt $A(0|0)$ und dem Radius $r = 1$.
 (2) Erstelle einen Schieberegler n zwischen 3 und 200, der die Anzahl der Ecken festlegt.
 (3) Zeichne die Winkel γ und δ wie rechts abgebildet ein. Die Winkelgröße soll jeweils $\frac{360°}{2n}$ betragen, damit mit diesem Winkel für einen beliebigen Wert von n ein regelmäßiges n-Eck konstruiert werden kann.
 (4) Konstruiere eine Tangente t im Punkt $T(0|-1)$ an den Kreis.
 (5) Bestimme wie in der abgebildeten Figur die Punkte S_l, S_r, T_l und T_r als Schnittpunkte der Schenkel von γ und δ mit dem Kreis bzw. mit der Tangente t.
 (6) Konstruiere mithilfe der Strecke $\overline{S_l S_r}$ ein regelmäßiges n-Eck, das innerhalb des Kreises liegt und mithilfe der Strecke $\overline{T_l T_r}$ ein regelmäßiges n-Eck, in dem der Kreis liegt.

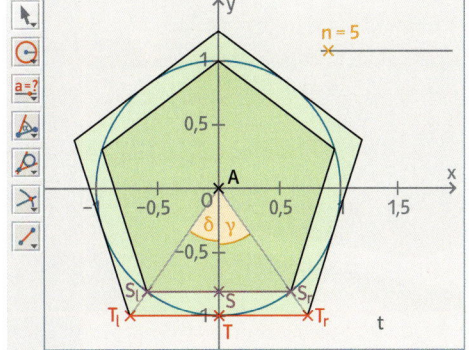

Gut zu wissen:
Die Länge der Strecke $\overline{S\,S_r}$ auf der Sekante bezeichnen Mathematiker auch als Sinus (γ), die Länge der Strecke $\overline{T\,T_r}$ auf der Tangente als Tangens (γ), weil sie auf der Sehne (Sinus) bzw. der Tangente liegen.

 Tangenten

b) **Flächeninhalt der n-Ecke und π**
 (1) Berechne den Flächeninhalt des äußeren und des inneren n-Ecks.
 (2) Verändere mithilfe des Schiebereglers die Anzahl der Ecken und untersuche, bei welchem n-Eck man ungefähr die Näherungswerte für π von Archimedes erhält.
 (3) Berechne, um wie viel der Flächeninhalt der inneren und äußeren Vielecke jeweils von π abweicht. Die Abweichungen kannst du durch Formeln wie $F_n - \pi$ durch die Software berechnen lassen. Es ist auch möglich, die prozentuale Abweichung von π durch $\frac{F_n - \pi}{\pi} \cdot 100$ ausrechnen zu lassen.
 (4) Gib an, für welches n-Eck der Flächeninhalt der inneren bzw. der äußeren Vielecke jeweils um weniger als 1 % bzw. weniger als 0,1 % von π abweicht.

F_n = Fläche(<Vieleck>)

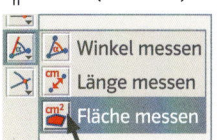

c) **Umfang der n-Ecke und 2π**
 (1) Berechne den Umfang der Vielecke als das n-Fache der Strecke $\overline{S_l S_r}$ bzw. das n-Fache der Strecke $\overline{T_l T_r}$.
 (2) Untersuche, ab welchem Wert von n der Umfang der n-Ecke jeweils vom Umfang des Kreises um weniger als 1 % bzw. weniger als 0,1 % abweicht.

IV Potenzen und Potenzgesetze

100 Meter 10^2 m

10 000 Kilometer 10^7 m

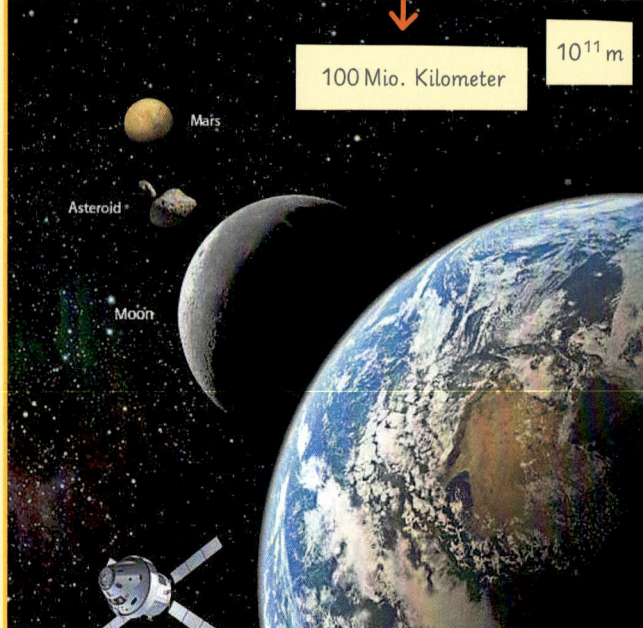

100 Mio. Kilometer 10^{11} m

Das kannst du bald

- Potenzen mit negativen Exponenten berechnen
- Zahlen mithilfe von Zehnerpotenzen darstellen
- Terme mit Potenzen geschickt berechnen
- Wurzeln mithilfe von Potenzen schreiben

Check-in

Schätze dich ein:

1. Ich kann Potenzen mit natürlichen Zahlen im Exponenten berechnen.
2. Ich kann Terme mithilfe der Rechenregeln geschickt berechnen.
3. Ich kann einfache Quadratwurzeln im Kopf berechnen.
4. Ich kann mit Quadratwurzeln geschickt rechnen.
5. Ich kann Terme mit Variablen vereinfachen.

Lerntipps

zu 1. **Grundwissen**, Seite 206
zu 2. **Grundwissen**, Seite 209
zu 3. **Beispiel 1**, Seite 9
zu 4. **Beispiele**, Seite 21
zu 5. **Grundwissen**, Seite 208

Teste dich!

Lösungen, Seite 243

1 Potenzen berechnen
Berechne im Kopf und notiere das Ergebnis im Heft.
a) 5^2 b) $(-5)^2$ c) 3^4 d) 4^3 e) $(-4)^3$ f) $\left(\frac{2}{3}\right)^2$

2 Terme geschickt berechnen
Berechne möglichst geschickt.
a) $6 \cdot 5^2 + 4 \cdot 5^2$ b) $3 \cdot (4 + 2^2)$ c) $7^2 : 3 - 19 : 3$
d) $(3 + 4) \cdot 10^2$ e) $3 \cdot 7^2 + 3 + 7 \cdot 7^2$ f) $5 \cdot 5^4 + 11 - 5^5$
g) $\frac{1}{81} \cdot \left(\frac{2}{7}\right)^2 \cdot 9^2 \cdot \frac{49}{2}$ h) $8 \cdot \left(\frac{1}{6}\right)^3 + 28 \cdot \left(\frac{1}{6}\right)^3$ i) $6^2 \cdot \left(\frac{1}{3} + \frac{1}{4}\right)$

3 Quadratwurzeln im Kopf berechnen
Berechne im Kopf. Notiere das Ergebnis im Heft.
a) $\sqrt{81}$ b) $\sqrt{225}$ c) $\sqrt{1}$ d) $\sqrt{\frac{4}{9}}$ e) $\sqrt{0{,}25}$ f) $\sqrt{0{,}01}$

4 Quadratwurzeln geschickt berechnen
Berechne möglichst geschickt. Nutze die Rechenregeln für Wurzeln.
a) $\sqrt{50} \cdot \sqrt{2}$ b) $\frac{\sqrt{50}}{\sqrt{2}}$ c) $\sqrt{108} \cdot \sqrt{\frac{1}{3}}$ d) $\sqrt{3} : \sqrt{12}$ e) $\sqrt{12{,}1} \cdot \sqrt{0{,}1}$ f) $\frac{\sqrt{0{,}72}}{\sqrt{2}}$

5 Terme mit Variablen vereinfachen
a) Vereinfache die Terme so weit wie möglich. Die Variable x steht jeweils für eine beliebige positive Zahl. Prüfe durch Einsetzen von x = 4, ob deine Termumformung richtig sein kann.
(1) $\sqrt{x} + \sqrt{x} + 6\sqrt{x}$ (2) $\sqrt{9x} : \sqrt{x}$ (3) $\sqrt{x} \cdot (\sqrt{x} + 5\sqrt{x})$ (4) $\sqrt{3x} \cdot \sqrt{27x}$
b) Joshua hat folgende Termumformung notiert:
$\sqrt{a + b} = \sqrt{a} + \sqrt{b}$
Zeige mithilfe eines Zahlenbeispiels, dass Joshuas Termumformung für beliebige Zahlen a > 0 und b > 0 nicht korrekt ist.

Kopiervorlage
Checkliste
2n79pi

Erkundungen

Potenzen in der Homöopathie

In der Homöopathie, einer alternativmedizinischen Heilmethode, werden Arzneien mithilfe des sogenannten Potenzierens hergestellt. Potenzieren bedeutet hier, dass die heilenden Substanzen schrittweise mit Alkohol oder destilliertem Wasser verdünnt und geschüttelt werden. Nach Ansicht von Samuel Hahnemann wird bei jedem dieser Schritte die medizinische Wirkung der Substanz verstärkt (potenziert), die Substanz selbst aber wird immer stärker verdünnt.

Samuel Hahnemann (1755–1843) ist der Begründer der Homöopathie.

→ Lerneinheit 2 Seite 110

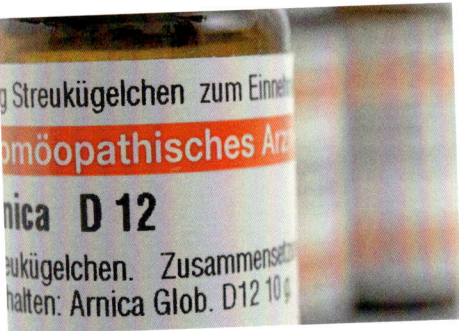

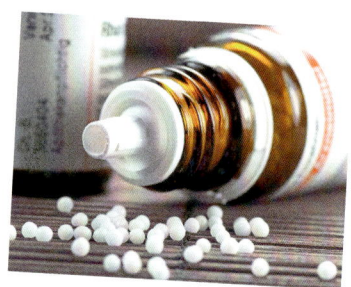

1. In der Homöopathie gibt es z. B. „D-Potenzen". Die Konzentration D1 bedeutet: In 10 Teilen der Arznei ist ein Teil des Wirkstoffs enthalten; bei D2 ist es ein Teil in 100 Teilen usw. Ermittle, wie viele Milliliter Belladonna D6 (Tollkirsche) sich aus 1 ml des Wirkstoffs herstellen lassen?
Bestimme, wie viele Milliliter reines Chelidonium (Schöllkraut) in 50 ml der Arznei Chelidonium D4 enthalten sind.

2. Lege folgende Tabelle für die Potenzen D1, D2, D3, D6, D9, D12, D20 und D23 an. Bei der Potenz D1 z. B. beträgt der Wirkstoffanteil $\frac{1}{10}$, das entspricht etwa einem Tropfen Wirkstoff pro 1 ml oder anschaulich einem Tropfen auf eine Menge von der Größe einer Erbse. Fülle die Tabelle aus. Gib in der rechten Spalte eine anschauliche Vergleichsmenge an.

Potenz	Anteil des Wirkstoffs	Das entspricht	
		einem Tropfen pro …	bzw. einem Tropfen pro …
D1	1 : 10 = 10^{-1}	1 ml	Erbse
D2	1 : 100 = 10^{-2}	1 cl	halbem Esslöffel
D3	1 :		

10^3 = 1 Tausend
10^6 = 1 Million
10^9 = 1 Milliarde
10^{12} = 1 Billion
10^{15} = 1 Billiarde
10^{18} = 1 Trillion
10^{21} = 1 Trilliarde
…

$\frac{1}{10} = 10^{-1}$

$\frac{1}{100} = \frac{1}{10^{-2}} = 10^{-2}$

3. Die Wirksamkeit der homöopathischen Mittel wird von vielen Naturwissenschaftlern angezweifelt. Erläutere, welche Gründe hierfür aufgeführt werden könnten.
Recherchiere hierzu auch im Internet. Achte bei der Auswertung der Informationen darauf, wer für die Veröffentlichung der Informationen verantwortlich ist und ob wissenschaftliche Forschungsergebnisse berücksichtigt wurden.

Methode
Recherche im Internet
2n79pi

IV Potenzen und Potenzgesetze

Rechengesetze für Potenzen erforschen

Für das Rechnen mit Potenzen gibt es Rechengesetze, mit denen man Terme vereinfachen kann. Diese sind hilfreich, um Rechnungen einfacher durchführen zu können.

→ Lerneinheit 3 Seite 114

→ Lerneinheit 4 Seite 118

→ Lerneinheit 5 Seite 121

Forschungsaufträge

1. Terme vergleichen
Untersuche, welche auf den Karten abgebildeten Terme gleichwertig sind. Hierfür kannst du zunächst Zahlen für x und y einsetzen und die Ergebnisse vergleichen. Fünf Terme bleiben übrig.

A $x^2 \cdot x^5$ B $x^2 + x^5$ C $x^2 : x^5$ D $(x^5)^2$ E x^7 F $x^5 - x^2$ G x^{10}

H x^{-3} I $(x^2)^5$ J $x^5 : x^2$ K $\frac{x^2}{x^5}$ L x^3 M $\frac{x^5}{x^2}$ N $x^3 \cdot y^3$

O $\frac{x^3}{y^3}$ P $(x \cdot y)^3$ Q $\left(\frac{x}{y}\right)^3$ R $\frac{x}{y}$ S $(x \cdot y)^6$ T $(x \cdot y)^9$

2. Rechengesetze für Potenzen formulieren
Für das Rechnen mit Potenzen gibt es Rechengesetze
- für das Multiplizieren und Dividieren von Potenzen mit gleicher Basis,
- für das Multiplizieren und Dividieren von Potenzen mit gleichem Exponenten,
- für das Potenzieren von Potenzen.

a) Ordne die gleichwertigen Terme, die du in Forschungsauftrag 1 gefunden hast, den drei oben genannten Rechenregeln für Potenzen zu.
b) Formuliere Regeln für die Anwendung von Rechengesetzen. Verwende hierbei die folgenden Satzbausteine. Notiere zu jedem formulierten Satz ein Rechenbeispiel.

⊕ **Methode**
Unbekannte Wörter verstehen
2n79pi

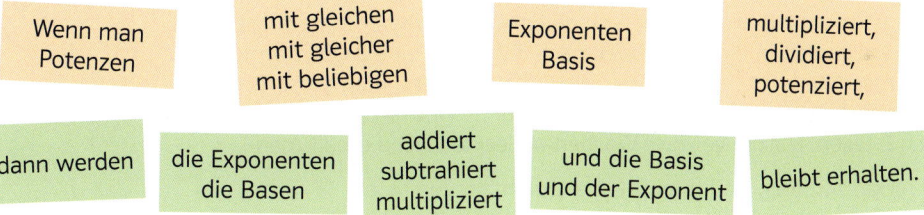

3. Rechengesetze für Potenzen begründen
Oskar begründet die Gültigkeit des Rechengesetzes zur Multiplikation von Potenzen mit gleicher Basis mithilfe der folgenden Rechnung:
$5^4 \cdot 5^2 = (5 \cdot 5 \cdot 5 \cdot 5) \cdot (5 \cdot 5) = 5 \cdot 5 \cdot 5 \cdot 5 \cdot 5 \cdot 5 = 5^6$
a) Erläutere die Rechenschritte.
b) Notiere in ähnlicher Weise Rechnungen, die die Gültigkeit der anderen in Forschungsauftrag 2 formulierten Rechengesetze veranschaulichen.

4. Falsche Umformungen entdecken
Untersuche, welche der folgenden Rechnungen richtig bzw. falsch sind.

A $4^2 + 4^3 = 4^5$ B $5^2 + 4^2 = 9^2$ C $7^5 : 7^3 = 7^2$

D $x^2 \cdot x^3 = x^5$ E $x^2 \cdot y^2 = (xy)^2$ F $(4^2)^3 = 4^5$

Erkundungen

1 Potenzen mit ganzzahligen Exponenten

Robert: „Schade, dass man ein Blatt Papier nur 7-mal falten kann. Selbst wenn das Blatt nur ein Zehntel Millimeter dick wäre, und man es 42-mal falten könnte, dann könnte man sich den Mond ‚von oben' anschauen."
Überprüfe, ob Robert recht hat.

Mithilfe der Potenzschreibweise kann man Produkte kürzer und übersichtlicher darstellen. Die Potenzschreibweise kann aber auch hilfreich sein, wenn man eine Zahl mehrfach durch dieselbe Zahl dividiert. Hierfür nutzt man Potenzen mit negativen Exponenten. Dass dies sinnvoll ist und welche Bedeutung negative Exponenten dann haben, wird an einem Beispiel erläutert.

Wenn man z. B. davon ausgeht, dass sich die Größe der von Seerosen bewachsenen Fläche in einem Teich jede Woche verdoppelt, dann erhält man die in der Folgewoche bewachsene Fläche durch eine Multiplikation mit der Zahl 2. Für die in zwei oder drei Wochen bewachsene Fläche muss man den aktuell bewachsenen Flächeninhalt zwei bzw. dreimal verdoppeln. Man muss also Produkte berechnen, in denen der Faktor 2 mehrfach enthalten ist. Diese Produkte kann man in der Potenzschreibweise notieren. So kann man z. B. $2 \cdot 2 \cdot 2 = 2^3$ als **Potenz** (gesprochen „2 hoch 3") schreiben. Die Hochzahl 3 in dieser Potenz wird **Exponent**, die Grundzahl 2 wird **Basis** genannt.

Basis — a^b — Exponent
Potenz

Wenn zu Beobachtungsbeginn z. B. eine Fläche von einem Quadratmeter bedeckt ist, dann müsste aufgrund der Annahmen in diesem Modell nach 3 Wochen eine 8 Quadratmeter große Fläche von Seerosen bedeckt sein $(1 \cdot 2^3 = 1 \cdot 2 \cdot 2 \cdot 2 = 8)$. Wenn man entsprechend berechnen will, wie groß die bedeckte Fläche ein, zwei, drei … Wochen zuvor war, muss man mehrfach durch 2 teilen. Für die vor drei Wochen bedeckte Fläche erhält man dann $\frac{1}{2 \cdot 2 \cdot 2} = \frac{1}{2^3} = \frac{1}{8}$ Quadratmeter, weil man dreimal durch 2 teilen muss.

Statt $\frac{1}{2^3}$ kann man auch 2^{-3} schreiben. Die folgende Übersicht verdeutlicht, warum diese Schreibweise sinnvoll ist und warum $2^0 = 1$ definiert ist.

$2 \cdot 2 \cdot 2$	→	$2 \cdot 2$	→	2	→	1	→	$\frac{1}{2}$	→	$\frac{1}{2 \cdot 2}$	→	$\frac{1}{2 \cdot 2 \cdot 2}$
=	:2	=	:2	=	:2	=	:2	=	:2	=	:2	=
2^3	→	2^2	→	2^1	→	2^0	→	2^{-1}	→	2^{-2}	→	2^{-3}

Potenzen mit ganzzahligen Exponenten

Für beliebige Basen a und positive natürliche Exponenten n gilt:

$a^n = \underbrace{a \cdot a \ldots a \cdot a}_{n \text{ Faktoren}}$

Für beliebige Basen $a \neq 0$ und positive natürliche Exponenten n gilt:

$a^{-n} = \frac{1}{a^n} = \frac{1}{\underbrace{a \cdot a \cdot \ldots \cdot a \cdot a}_{n \text{ Faktoren}}} = \frac{1}{a^n} = \left(\frac{1}{a}\right)^n = \underbrace{\frac{1}{a} \cdot \frac{1}{a} \cdot \ldots \cdot \frac{1}{a} \cdot \frac{1}{a}}_{n \text{ Faktoren}}$

Außerdem definiert man für alle Zahlen $a \neq 0$, dass **$a^0 = 1$** ist.

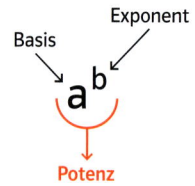

$a^{-2} = 1 : a^2 = \frac{1}{a^2}$

$a^{-1} = 1 : a = \frac{1}{a}$

$a^0 = 1$

IV Potenzen und Potenzgesetze

Potenzen mit Brüchen als Basis berechnen
Wenn man eine Potenz mit einem negativen Exponenten und einem Bruch als Basis berechnen möchte, kann man wie folgt vorgehen:

$$\left(\frac{3}{4}\right)^{-2} = 1 : \left(\frac{3}{4}\right)^2 = 1 : \left(\frac{3}{4} \cdot \frac{3}{4}\right) = 1 : \left(\frac{3 \cdot 3}{4 \cdot 4}\right) = 1 : \left(\frac{3^2}{4^2}\right) = 1 \cdot \frac{4^2}{3^2} = 1 \cdot \frac{4 \cdot 4}{3 \cdot 3} = 1 \cdot \left(\frac{4}{3} \cdot \frac{4}{3}\right) = \left(\frac{4}{3}\right)^2$$

Es gilt folglich $\left(\frac{3}{4}\right)^{-2} = \left(\frac{4}{3}\right)^2$. Man kann hier also den Kehrwert der Basis und gleichzeitig die Gegenzahl des Exponenten bilden. Dieses Verfahren lässt sich bei beliebigen negativen Exponenten anwenden, wenn die Basis ein Bruch $\frac{a}{b} \neq 0$ ist.

$\left(\frac{a}{b}\right)^{-n} = \left(\frac{b}{a}\right)^n$
für $a \neq 0$ und $b \neq 0$

Beispiel 1 Wert einer Potenz berechnen
Berechne.
a) 5^{-2} b) $(-5)^{-2}$ c) -5^{-2} d) $\left(\frac{1}{5}\right)^{-2}$

Lösung
a) 5^{-2}
$= \frac{1}{5^2}$
$= \frac{1}{25}$

b) $(-5)^{-2}$
$= \frac{1}{(-5)^2}$
$= \frac{1}{25}$

c) -5^{-2}
$= -\frac{1}{5^2}$
$= -\frac{1}{25}$

d) $\left(\frac{1}{5}\right)^{-2}$
$= \left(\frac{5}{1}\right)^2$
$= 5^2$
$= 25$

Beispiel 2 Terme berechnen
a) Berechne den Wert des Terms $2 + 3 \cdot (x + 1)^{-2}$.

(1) für $x = 2$ (2) für $x = -2$ (3) für $x = \frac{1}{2}$

b) Begründe, warum man den Term aus Teilaufgabe a) für $x = -1$ nicht berechnen kann.

Lösung
a) *Man setzt für x jeweils den gegebenen Wert ein und berechnet den Wert des Terms unter Beachtung der Rechenregeln zur Berechnung von Termen.*

(1) $2 + 3 \cdot (2 + 1)^{-2}$
$= 2 + 3 \cdot 3^{-2}$
$= 2 + 3 \cdot \frac{1}{3^2}$
$= 2 + \cancel{3} \cdot \frac{1}{\cancel{9}_3}$
$= 2 + \frac{1}{3} = 2\frac{1}{3}$

(2) $2 + 3 \cdot (-2 + 1)^{-2}$
$= 2 + 3 \cdot (-1)^{-2}$
$= 2 + 3 \cdot \frac{1}{(-1)^2}$
$= 2 + 3 \cdot \frac{1}{1}$
$= 2 + 3 = 5$

(3) $2 + 3 \cdot \left(\frac{1}{2} + 1\right)^{-2}$
$= 2 + 3 \cdot \left(\frac{3}{2}\right)^{-2}$
$= 2 + 3 \cdot \left(\frac{2}{3}\right)^2$
$= 2 + \cancel{3} \cdot \frac{4}{\cancel{9}_3}$
$= \frac{6}{3} + \frac{4}{3} = \frac{10}{3} = 3\frac{1}{3}$

b) Wenn man $x = -1$ in den Term einsetzen würde, müsste man eine Potenz mit einem negativen Exponenten und der Basis 0 berechnen, weil $-1 + 1 = 0$ ist. Man würde dann bei der Anwendung der Definition $a^{-2} = \frac{1}{a^2}$ einen Term erhalten, bei dem man durch 0 teilen müsste. Dies ist nicht möglich.

> Klammern zuerst, Potenzieren vor Punktrechnung, Punkt- vor Strichrechnung

Aufgaben

1 Gib an, welche Zahlen auf den Kärtchen gleich sind. Vier Kärtchen bleiben übrig und können zu einem Lösungswort zusammengesetzt werden.

Lerntipp
Seite 107, Beispiel 1

1 Potenzen mit ganzzahligen Exponenten

2 Berechne.
a) 2^4
b) 2^{-4}
c) $(-3)^4$
d) -4^3
e) 3^{-3}
f) 4^{-2}
g) 3^{-4}
h) 4^{-3}
i) $\left(\frac{3}{4}\right)^3$
j) $\left(\frac{1}{4}\right)^2$
k) $\left(\frac{1}{3}\right)^2$
l) $\left(\frac{1}{3}\right)^{-2}$
m) $\left(\frac{1}{4}\right)^{-3}$
n) $\left(\frac{1}{7}\right)^2$
o) $(-7)^{-2}$
p) $\left(-\frac{3}{7}\right)^{-2}$

3 Berechne im Kopf und sortiere der Größe nach. Beginne mit der kleinsten Zahl. In der richtigen Reihenfolge ergeben die Karten den Namen einer europäischen Stadt.

→ **Üben**
Seite 130, Aufgabe 1

| 2^0 | O | 2^3 | N | 8^{-1} | V | 9^1 | A | 2^{-1} | R | 4^{-1} | E |

4 Schreibe als Potenz mit negativem Exponenten.
a) $\frac{1}{3^4}$
b) $\frac{1}{5^4}$
c) $\frac{1}{3^8}$
d) $\frac{1}{25}$
e) $\frac{1}{49}$
f) $\frac{1}{64}$
g) $\frac{1}{100}$
h) $\frac{1}{2}$

5 Berechne.
a) $2 + 2^2$
b) $2 + 2^{-2}$
c) $2 \cdot 3^2$
d) $2 \cdot 3^{-2}$
e) $(3 + 2)^{-2}$
f) $2 \cdot (5 - 3)^{-2}$
g) $2 \cdot (-2)^{-2}$
h) $-2 \cdot 2^{-2}$
i) $\left(\frac{1}{2} + \frac{3}{2}\right)^{-3}$
j) $\left(\frac{2}{7} + \frac{3}{7}\right)^{-2}$
k) $(0{,}2 + 0{,}3)^{-2}$
l) $\frac{2}{3} \cdot \left(\frac{4}{3}\right)^{-2}$

Klammern zuerst, Potenzieren vor Punktrechnung, Punkt- vor Strichrechnung

6 Berechne den Wert des Terms für $x = 2$ und $x = -2$.
a) x^2
b) x^{-2}
c) x^{-1}
d) x^{-3}
e) $2 \cdot x^{-2}$
f) $2 + x^{-2}$
g) $\frac{1}{2}x^{-3}$
h) $\frac{1}{2}x^{-4}$
i) $(x + 1)^{-2}$
j) $(x - 1)^{-2}$
k) $2 + 2 \cdot x^{-1}$
l) $2 + (2x)^{-1}$

→ **Lerntipp**
Seite 107, Beispiel 2 a)

Teste dich!

→ **Lösungen**, Seite 244

7 Berechne.
a) 5^3
b) 5^{-3}
c) 3^5
d) 3^{-5}
e) $\left(\frac{1}{6}\right)^{-1}$
f) $\left(\frac{5}{6}\right)^2$
g) $\left(\frac{5}{6}\right)^{-2}$
h) $\left(\frac{3}{2}\right)^{-4}$

8 Berechne.
a) $3 + 3^2$
b) $3 + 3^{-2}$
c) $2 \cdot 3^0$
d) $2 \cdot 3^{-2}$
e) $2 \cdot \left(\frac{1}{2}\right)^{-2}$
f) $2 \cdot \left(-\frac{1}{2}\right)^{-2}$
g) $2 \cdot \left(\frac{2}{3}\right)^{-2}$
h) $2 + 2 \cdot (1 + 1)^{-1}$

9 Notiere den Term mit positiven Exponenten und berechne dann.
a) $\frac{2^{-3}}{3^7}$
b) $\frac{4^{-2}}{2^3}$
c) $\frac{2^{-4}}{4^2}$
d) $\frac{2^{-5}}{7^2}$
e) $\frac{4^4}{3^{-7}}$
f) $\frac{3^3}{2^{-2}}$

10 Notiere die Zahlenfolge mit Potenzen, beschreibe die Struktur und gib die nächsten Zahlen der Zahlenfolge an. Verwende für deine Beschreibung geeignete Begriffe aus der Wortliste.
a) 16, 8, 4, 2, …
b) 125, 25, 5, 1, …
c) 1000, 100, 10, 1, …
d) $\frac{1}{49}, \frac{1}{7}, 1, \ldots$
e) $\frac{1}{16}, \frac{1}{4}, 1, \ldots$
f) $\frac{9}{4}, \frac{3}{2}, 1, \ldots$

Wortliste
- die Potenz
- die Basis
- der Exponent
- sich vergrößern um …
- größer werden um …
- sich verkleinern um …
- kleiner werden um …

g) Überprüfe die Ergebnisse aus a) bis f) mit einer Tabellenkalkulation. Gib hierzu jeweils die Basis und den Exponenten der ersten Zahlen ein und berechne die Potenz wie in der Tabelle. Erweitere dann die Tabelle nach rechts.

B3		=	=B1^B2		
	A	B	C	D	E	F
1	Basis	2	2	2	2	2
2	Exponent	4	3	2	1	0
3	Potenz	16	8	4	2	1
4						

11 Finja behauptet: „Wenn die Hochzahl negativ ist, muss man den Bruch umdrehen und bei der oberen Zahl das Vorzeichen tauschen." Formuliere Finjas Aussage mithilfe der Fachbegriffe aus der Wortliste und notiere ein Beispiel, das diese Regel veranschaulicht.

Wortliste
- der Kehrwert
- der Zähler
- der Nenner
- die Potenz
- der Exponent
- die Basis
- die Gegenzahl

12 Finde den Fehler!
Erkläre, was falsch gemacht wurde und korrigiere die Lösung. Verwende Fachbegriffe.

a) $3^2 = 3 \cdot 2 = 6$	b) $-2^4 = 16$	c) $4^{-2} = -16$	d) $\left(\frac{1}{3}\right)^{-2} = \frac{1}{9}$
e) $2 \cdot 3^2 = 6^2 = 36$	f) $(-5)^2 = -25$	g) $\left(-\frac{2}{3}\right)^{-1} = \frac{3}{2}$	h) $\left(\frac{2}{3}\right)^{-2} = \frac{3^2}{2} = \frac{9}{2}$

13 Setze für das Kästchen > oder < ein, ohne den genauen Wert der Potenzen zu berechnen. Kontrolliere deine Lösung mit dem Taschenrechner.

a) $12^{-8} \square 12^{-9}$ b) $10^{-8} \square 11^{-8}$ c) $\left(\frac{2}{3}\right)^7 \square \left(\frac{2}{3}\right)^8$ d) $\left(\frac{2}{5}\right)^{-7} \square \left(\frac{2}{5}\right)^{-8}$

e) $\left(\frac{3}{4}\right)^{-5} \square \left(\frac{4}{3}\right)^{-5}$ f) $\left(\frac{5}{6}\right)^{-8} \square \left(\frac{5}{7}\right)^{-8}$ g) $10^4 \square \left(\frac{1}{11}\right)^{-5}$ h) $0{,}3^{-7} \square \left(\frac{1}{3}\right)^{-7}$

14 a) 🖩 Berechne jeweils den Wert des Terms für $x = -\frac{2}{3}$ und $x = \frac{2}{3}$.

(1) $2 \cdot x^{-2}$ (2) $32 - 16 \cdot x^{-3}$ (3) $\frac{1}{2} + 4 \cdot (x-1)^{-2}$

b) Gib zu jedem Term an, welche Zahl man für x nicht einsetzen kann. Begründe.

Lerntipp Seite 107, Beispiel 2

Teste dich!   **Lösungen**, Seite 244

15 a) 🖩 Berechne den Wert des Terms $2 \cdot (x-3)^{-3}$ für $x = 2{,}5$ und $x = \frac{1}{3}$.
b) Gib an, welche Zahl man bei dem Term aus a) für x nicht einsetzen kann. Begründe.

16 Blätterteig besteht aus feinen Schichten aus Teig und Butter. Man stellt ihn her, indem man den Teig mit Butter einstreicht und faltet. Anschließend rollt man den Teig aus und schlägt ihn z. B. wie am Rand abgebildet zusammen. Dann rollt man den Teig wieder aus und schlägt ihn erneut zusammen. Durch das Wiederholen des Vorgangs vervielfachen sich die Schichten.

Einfache Tour

Doppelte Tour

a) Untersuche, wie viele Butterschichten entstehen bei
(1) einer einfachen Tour, zwei doppelten Touren und einer einfachen Tour,
(2) drei einfachen Touren, einer doppelten Tour, zwei einfachen Touren.
b) 💻 Gehe von einem Teig aus, der zu Beginn 5 mm dick ist. Es werden wiederholt einfache bzw. doppelte Touren durchgeführt. Der Teig wird stets wieder so ausgerollt, dass er 5 mm dick ist. Gib eine Formel für die Dicke einer aus Teig und Butter bestehenden Schicht nach n einfachen bzw. n doppelten Touren an. Untersuche mithilfe einer Tabellenkalkulation, wie viele Touren jeweils notwendig sind, bis eine Schicht dünner als 10^{-4} mm ist.

17 Untersuche, für welche natürlichen Zahlen a und n sich a^{-n} als abbrechende Dezimalzahl schreiben lässt. Notiere Beispiele und versuche dann eine Regel zu formulieren.

Teste dein Grundwissen!   **Lineare Funktionen in Sachzusammenhängen**

Grundwissen, Seite 211
Lösungen, Seite 244

18 a) Ein Radfahrer braucht 21 Minuten für 10 km. Berechne die Durchschnittsgeschwindigkeit.
b) Berechne, wie lange man für 45 km benötigt, wenn man konstant 22 km/h fährt.

2 Zahlen mit Zehnerpotenzen schreiben

Felizze wundert sich über das Ergebnis der zweiten Rechnung.
Erläutere, was die Taschenrechneranzeige in der letzten Zeile bedeuten könnte.
Überprüfe deine Vermutung, indem du weitere Beispiele mit dem Taschenrechner untersuchst.

```
                        DEG
5^14      6103515625
5^15
       3.051757813E10
```

Wenn man Potenzen berechnet und die Ergebnisse als Dezimalzahl darstellt, dann erhält man zum Teil unübersichtliche Anzeigen. So ist z. B. 20^7 = 1 280 000 000 und 20^{-7} = 0,000 000 000 781 25. Da es bei solchen Zahlen umständlich ist, die Anzahl der Stellen vor oder nach dem Komma abzuzählen, verwendet man hierfür häufig eine kürzere „wissenschaftliche" Schreibweise mit Zehnerpotenzen.

20^7 = 1 280 000 000 = 1,28 *Milliarden* kann man mit Zehnerpotenzen auch als $1{,}28 \cdot 10^9$ schreiben, denn 20^7 = 1 280 000 000 = 1,28 · 1 000 000 000 = $1{,}28 \cdot 10^9$.
Man kann der Schreibweise $1{,}28 \cdot 10^9$ entnehmen, dass in der üblichen Dezimalzahldarstellung nach der ersten Stelle noch **neun** weitere Stellen vor dem Komma folgen und braucht diese nicht abzuzählen.

Auch Zahlen mit sehr vielen Nachkommastellen, die nah bei null liegen, kann man mithilfe von Zehnerpotenzen darstellen. Hierfür verwendet man Zehnerpotenzen mit negativen Exponenten. So lässt sich z. B. 20^{-7} = 0,000 000 000 781 25 wie folgt schreiben:

20^{-7} = 0,000 000 000 781 25 = $7{,}8125 \cdot \frac{1}{10\,000\,000\,000}$ = $7{,}8125 \cdot \frac{1}{10^{10}}$ = $7{,}8125 \cdot 10^{-10}$.

Die Schreibweise $7{,}8125 \cdot 10^{-10}$ zeigt, dass die Ziffer 7 in der üblichen Dezimalzahldarstellung ohne Zehnerpotenzen an der **10.** Stelle nach dem Komma stehen muss.

...
10^3 = 1000
10^2 = 100
10^1 = 10
10^0 = 1
$10^{-1} = \frac{1}{10}$ = 0,1
$10^{-2} = \frac{1}{100}$ = 0,01
$10^{-3} = \frac{1}{1000}$ = 0,001
...

> **Zahlen mit Zehnerpotenzen darstellen**
> Große Zahlen sowie Zahlen, die in der Nähe von Null liegen, werden häufig mithilfe von Zehnerpotenzen dargestellt. Es gilt z. B.
> $2{,}3 \cdot 10^5$ = 230 000, $\qquad\qquad$ $7{,}8 \cdot 10^{-5}$ = 0,000 078.

$1{,}234 \cdot 10^3$ bedeutet eine Kommaverschiebung um **3** Stellen nach rechts:
$1{,}234 \cdot 10^3$ = 1234

Bei $1{,}4 \cdot 10^{-2}$ verschiebt man das Komma um **2** Stellen nach links:
$1{,}4 \cdot 10^{-2}$ = 0,014

In den Naturwissenschaften hat man es häufig mit sehr großen Maßzahlen oder Maßzahlen in der Nähe von Null zu tun. So beträgt z. B. der Durchmesser eines Kohlenstoffatoms 0,000 000 000 14 m. Wenn man dies mithilfe von Zehnerpotenzen darstellt, verwendet man üblicherweise die **wissenschaftliche Schreibweise** (englisch: scientific notation, Abkürzung SCI). Hierbei steht vor der Zehnerpotenz stets ein Faktor, der mindestens gleich 1 und kleiner als 10 ist, z. B. 0,000 000 000 14 m = $1{,}4 \cdot 10^{-10}$ m.
Taschenrechner oder Tabellenkalkulationen zeigen Zahlen wie $1{,}4 \cdot 10^{-10}$ z. B. in der Form **1,4 E −10** an. Das E steht hierbei für „Exponent zur Basis 10". **1,4 E −10** bedeutet also „1,4 mal 10 hoch −10".
Die Zahl 10^{20} wird in der wissenschaftlichen Schreibweise in der Form $1{,}0 \cdot 10^{20}$ oder $1 \cdot 10^{20}$ bzw. 1,0 E 20 oder 1 E 20 notiert.

```
           DEG
1.4*10^-10
      1.4E-10
```

```
            DEG
10^20
       1E20
```

Man verwendet in den Naturwissenschaften häufig auch passende Vorsilben für die Maßeinheit.
(vgl. Aufgabe 11, Seite 112)

IV Potenzen und Potenzgesetze

Beispiel Wissenschaftliche Schreibweise
a) Notiere die Zahlen mithilfe von Zehnerpotenzen in wissenschaftlicher Schreibweise.
  (1) 5200 (2) 4 000 000
  (3) 0,000 78 (4) 0,000 002

b) Schreibe die Zahlen ohne Verwendung von Zehnerpotenzen.
  (1) $3{,}1 \cdot 10^4$ (2) $6 \cdot 10^5$
  (3) $2{,}1 \cdot 10^{-3}$ (4) $1 \cdot 10^{-6}$

Lösung
a) (1) $5200 = 5{,}2 \cdot 10^3$
  (2) $4\,000\,000 = 4 \cdot 10^6$
  (3) $0{,}000\,78 = 7{,}8 \cdot 10^{-4}$
  (4) $0{,}000\,002 = 2 \cdot 10^{-6}$

b) (1) $3{,}1 \cdot 10^4 = 31\,000$
  (2) $6 \cdot 10^5 = 600\,000$
  (3) $2{,}1 \cdot 10^{-3} = 0{,}0021$
  (4) $1 \cdot 10^{-6} = 0{,}000\,001$

Aufgaben

1 Gib an, zu welcher Karte die Zahl gehört.
a) $1{,}5 \cdot 10^4$ b) $2{,}2 \cdot 10^6$ c) $3{,}7 \cdot 10^7$ d) $1{,}2 \cdot 10^2$
e) $8{,}9 \cdot 10^8$ f) $1{,}9 \cdot 10^{-2}$ g) $5{,}5 \cdot 10^{-3}$ h) $7{,}1 \cdot 10^{-4}$

A Kleiner als $\frac{1}{1000}$ **B** Größer als $\frac{1}{1000}$ und kleiner als 1 **C** Größer als 1 und kleiner als 1000 **D** Größer als 1000 und kleiner als eine Million **E** Größer als eine Million

2 Gib an, welche Karten den gleichen Wert haben.

A $0{,}012 \cdot 10^6$ **B** $0{,}0012$ **C** $120 \cdot 10^{-2}$ **D** $1{,}2 \cdot 10^4$ **E** $12 \cdot 10^{-3}$ **F** $0{,}12 \cdot 10^{-3}$
G $120 \cdot 10^{-6}$ **H** $1{,}2 \cdot 10^{-3}$ **I** $0{,}012 \cdot 10^{-1}$ **K** $0{,}0012 \cdot 10^{-1}$ **L** $0{,}012$

3 Notiere die Zahlen in wissenschaftlicher Schreibweise.
a) 200 000 000 b) 35 400 000 c) 100 000 000 000 d) 700 000 000
e) 0,000 004 f) 0,000 017 g) 0,000 000 001 h) 0,000 002
i) 4 300 000 j) 0,000 123 k) 123 456 789 l) 0,000 000 123

→ **Üben**
Seite 130, Aufgaben 4 und 5

4 Schreibe die Zahlen ohne Verwendung von Zehnerpotenzen.
a) $3{,}7 \cdot 10^5$ b) $4{,}9 \cdot 10^9$ c) $5 \cdot 10^3$ d) $1 \cdot 10^9$
e) $2{,}3 \cdot 10^{-4}$ f) $5{,}1 \cdot 10^{-5}$ g) $3{,}88 \cdot 10^{-7}$ h) $8 \cdot 10^{-6}$
i) $1{,}234 \cdot 10^{-2}$ j) $2{,}45678 \cdot 10^4$ k) $5{,}102\,030\,4 \cdot 10^5$ l) $1{,}05 \cdot 10^1$

→ **Lerntipp**
Seite 111, Beispiel

5 Notiere die vom Taschenrechner angezeigte Zahl in der wissenschaftlichen Schreibweise und als Dezimalzahl ohne Verwendung von Zehnerpotenzen.

a) 5^{20} DEG
 9.536743164E13

b) 20^{-10} DEG
 9.765625E-14

c) 16^{10} DEG
 1.099511628E12

Der Taschenrechner zeigt hier gerundete Werte an.

6 Gib die Zahlen der Zahlenfolge in wissenschaftlicher Schreibweise an und notiere die zwei nächsten Zahlen der Zahlenfolge.
a) 12, 120, 1200, …   b) 79, 790, 7900, …   c) 60 000, 6000, 600, …
d) 200, 20, 2, …   e) $\frac{1}{10}, \frac{1}{100}, \frac{1}{1000}, \ldots$ f) $\frac{12}{100}, \frac{12}{1000}, \frac{12}{10\,000}, \ldots$

→ **Üben**
Seite 130, Aufgabe 2

Teste dich!

Lösungen, Seite 244

7 Gib in wissenschaftlicher Schreibweise an.
a) 420 000   b) 32 000 000   c) 0,000 02   d) 0,000 000 365   e) 0,0001

8 Schreibe die Zahlen ohne Verwendung von Zehnerpotenzen.
a) $5 \cdot 10^4$ b) $1{,}234 \cdot 10^9$ c) $32 \cdot 10^{-6}$ d) 10^{-4} e) $0{,}234 \cdot 10^{-3}$

9 Gib in wissenschaftlicher Schreibweise an.
a) 5 Millionen   b) 3,2 Milliarden   c) 7,9 Billionen   d) $123 \cdot 10^5$
e) $0{,}003 \cdot 10^{-6}$ f) $13 \cdot 10^{-5}$ g) 100^3 h) 1000^{-2}

10 Berechne die Potenzen der Zahlen in der Zahlenfolge und gib das Ergebnis in wissenschaftlicher Schreibweise an. Gib dann die nächsten beiden Zahlen der Zahlenfolge an.

a) $20, 20^2, 20^3, 20^4, \ldots$ b) $30, 30^2, 30^3, 30^4, \ldots$ c) $\frac{1}{5}, \left(\frac{1}{5}\right)^2, \left(\frac{1}{5}\right)^3, \left(\frac{1}{5}\right)^4, \ldots$

11 Man verwendet in den Naturwissenschaften häufig passende Vorsilben für Maßeinheiten. Einige sind in Fig. 1 abgebildet.

Anwenden
Seite 132, Aufgabe 23

a) Schreibe die Größe in der in Klammern angegebenen Einheit.
(1) Länge der Erdbahn: $9{,}4 \cdot 10^8$ km (m)
(2) Durchmesser einer Zelle: 20 μm (m)
(3) Entfernung Erde–Mond: $3{,}84 \cdot 10^5$ km (m)
(4) Wellenlänge des blauen Lichts: 480 nm (m)
(5) Leistung eines Kraftwerks: 1,8 GW (W)
(6) Atomdurchmesser: 0,1 nm (m)

b) Schreibe die Größen in der angegebenen Einheit. Verwende die wissenschaftliche Schreibweise.
(1) Fläche Europas: 10 000 000 km² (m²)
(2) Wasservolumen im Bodensee: 48 000 000 000 m³ (l)
(3) Kohlenstoffatom (Radius): 70 pm (m)
(4) Dicke von Alufolie: 15 μm (m)
(5) Entfernung Sonne–Mars: 228 Gm (m)
(6) Gewicht eines Pollenkorns: 0,5 μg (g)

Vorsilben zur Bezeichnung großer Einheiten:
Deka (da): 10
Hekto (h): 10^2
Kilo (k): 10^3
Mega (M): 10^6
Giga (G): 10^9
Tera (T): 10^{12}
Peta (P): 10^{15}

Vorsilben zur Bezeichnung kleiner Einheiten:
Dezi (d): 10^{-1}
Zenti (c): 10^{-2}
Milli (m): 10^{-3}
Mikro (μ): 10^{-6}
Nano (n): 10^{-9}
Piko (p): 10^{-12}

Fig. 1

c) Yannick behauptet: „1 mm ist ein Tausendstel eines Meters und 1 km ist 1000-mal so lang wie ein Meter." Formuliere zu den in Fig. 1 angegebenen Vorsilben mindestens fünf ähnliche Aussagen zu großen oder kleinen Einheiten.

12
a) Das Alter des Universums wird auf $4{,}3 \cdot 10^{17}$ Sekunden geschätzt. Berechne, wie viele Jahre das sind.
b) Die Erde ist von der Sonne ca. 150 Millionen Kilometer entfernt. Gib die Entfernung in wissenschaftlicher Schreibweise an und berechne, wie lang das Licht dafür braucht.
c) Die Andromedagalaxie ist die zur Milchstraße nächstgelegene Galaxie: Sie ist ca. 2,5 Millionen Lichtjahre von der Erde entfernt. Berechne diese Entfernung in Kilometern.

Ein Lichtjahr ist die Strecke, die das Licht in einem Jahr zurücklegt (Lichtgeschwindigkeit: ca. 300 000 $\frac{km}{s}$).

13 Finde den Fehler!
Erkläre, was falsch gemacht wurde, und korrigiere im Heft.

a) $3{,}0 \cdot 10^2 = 3{,}000$
b) $2{,}4 \cdot 10^{-3} = 0{,}00024$
c) $10\text{E}5 = 10^5$
d) $2{,}4 \cdot 10^{-1} = 24$
e) $7\text{E}5 = 7^5$
f) $2 \cdot 10^{-2} = 20^{-2}$

Teste dich!

14
Gib in der Einheit an, die in der Klammer steht, und verwende die wissenschaftliche Schreibweise. Hinweise zu Vorsilben von Einheiten findest du in Aufgabe 11 auf Seite 112.
a) Rotes Blutkörperchen: 0,008 mm (in m)
b) Herpesvirus: 180 Nanometer (in m)
c) Entfernung Sonne–Neptun: 4,5 Tm (in m)
d) Gewicht eines Pottwals: 45 Mg (in g)

15
Florence hat in den Taschenrechner die Zahlen eingegeben, die aus ihrer Sicht die größte und die zweitgrößte Zahl darstellen, die der Taschenrechner anzeigen kann. Ermittle, wie weit die beiden Zahlen auf einem Zahlenstrahl auseinanderliegen, bei dem eine Längeneinheit 1 cm lang ist.

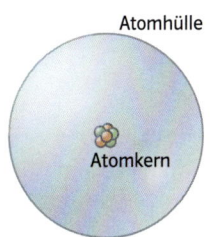

16
Atome haben einen Durchmesser von ca. 10^{-10} m. Der Atomkern hat einen Durchmesser von ca. 10^{-13} m und enthält ca. 99,9 % der Masse des gesamten Atoms.
a) Berechne, um welchen Faktor der Durchmesser des Kerns kleiner ist als der des Atoms.
b) Um die Größenverhältnisse zu veranschaulichen, stellt man sich das Atom als Ballon mit einem Durchmesser von 10 m vor. Eine kleine Kugel im Ballon soll der Atomkern sein. Berechne, wie groß der Durchmesser dieser Kugel sein müsste.
c) Ermittle das Gewicht der Kugel im Ballon, wenn der gesamte Ballon 1 t wiegt.

17
In 1 cm³ Wasser sind etwa $3{,}35 \cdot 10^{22}$ Moleküle enthalten. Wie groß diese Zahl ist, zeigt die folgende Aufgabe.
a) Angenommen, aus einem Flugzeug wird irgendwo über Deutschland 1 l Wasser ausgeschüttet und in diesem Moment würden die Wassermoleküle in Sandkörner (ca. 1 mm Durchmesser) verwandelt und sich gleichmäßig über Deutschland verteilen. Schätze ab, wie hoch Deutschland (Fläche ca. $3{,}5 \cdot 10^5$ km²) etwa mit Sand bedeckt wäre.
b) Man denkt sich die Moleküle von 1 l Wasser „gefärbt" und schüttet diese ins Meer. Nach einigen Jahren, wenn sich das gefärbte Wasser über die Weltmeere verteilt hat, nimmt man Proben von jeweils 1 l. Untersuche, ob man im Durchschnitt in jeder Probe mindestens ein „gefärbtes Molekül" findet (Volumen der Weltmeere ca. $1{,}34 \cdot 10^9$ km³).

Teste dein Grundwissen! Wahr oder falsch?

18
Gib an, ob die folgenden Aussagen wahr oder falsch sind. Begründe deine Entscheidung.
a) Wenn drei Liter Milch 1,77 € kosten, dann kosten fünf Liter 2,95 €.
b) Die Zuordnung „Dicke eines Buchs" → „Preis eines Buchs" ist proportional.
c) Jede Gerade ist der Graph einer proportionalen Funktion.
d) Jede proportionale Funktion ist eine lineare Funktion.

3 Potenzen mit gleicher Basis

Auf welchen Kärtchen steht die gleiche Zahl?

$2^6 : 2^2$ 2^6 32 $2^2 \cdot 2^2 \cdot 2^2$
16 2^3
$2^2 \cdot 2^3$ $2^4 - 2^2$ $2^2 + 2^3$
8 2^5

Bisher wurden Potenzen als Kurzschreibweise für Produkte sowie für die Darstellung von Zahlen in wissenschaftlicher Schreibweise verwendet. Wenn mehrere Potenzen in einem Term auftreten, lassen sich die Terme manchmal vereinfachen. Wie man dabei vorgehen kann, wenn in einem Produkt von Potenzen die Basen gleich sind, wird im Folgenden erläutert.

Eine Potenz ist eine abkürzende Schreibweise für ein Produkt. Daraus ergibt sich zum Beispiel:

$5^3 \cdot 5^4 = \underbrace{(5 \cdot 5 \cdot 5)}_{\text{3 Faktoren}} \cdot \underbrace{(5 \cdot 5 \cdot 5 \cdot 5)}_{\text{4 Faktoren}} = \underbrace{5 \cdot 5 \cdot 5 \cdot 5 \cdot 5 \cdot 5 \cdot 5}_{\text{7 Faktoren}} = 5^7$

Allgemein gilt $a^m \cdot a^n = a^{m+n}$. Dies kann man so begründen:

$a^m \cdot a^n = \underbrace{(a \cdot a \cdot \ldots \cdot a)}_{\text{m Faktoren}} \cdot \underbrace{(a \cdot a \cdot \ldots \cdot a)}_{\text{n Faktoren}} = \underbrace{a \cdot a \cdot \ldots \cdot a}_{\text{m + n Faktoren}} = a^{m+n}$

Bei einer Division von Potenzen kann man ähnlich vorgehen. Es gilt zum Beispiel

$3^7 : 3^5 = \frac{3^7}{3^5} = \frac{3 \cdot 3 \cdot \cancel{3} \cdot \cancel{3} \cdot \cancel{3} \cdot \cancel{3} \cdot \cancel{3}}{\cancel{3} \cdot \cancel{3} \cdot \cancel{3} \cdot \cancel{3} \cdot \cancel{3}} = \frac{3 \cdot 3}{1} = \frac{3^2}{1}$ und somit $3^7 : 3^5 = 3^{7-5} = 3^2$ bzw. $\frac{3^7}{3^5} = 3^{7-5} = 3^2$.

Allgemein gilt $\frac{a^m}{a^n} = a^{m-n}$.

> Die Gültigkeit dieser Regeln für negative Exponenten wird in Aufgabe 17 auf Seite 117 gezeigt.

Potenzgesetze für Produkte und Quotienten von Potenzen mit gleicher Basis

Beim Multiplizieren von Potenzen mit gleicher Basis werden die Exponenten addiert. Die Basis bleibt erhalten.

$$a^m \cdot a^n = a^{m+n} \quad (a \neq 0; \; m, n \in \mathbb{Z})$$

Beim Dividieren von Potenzen mit gleicher Basis werden die Exponenten subtrahiert. Die Basis bleibt erhalten.

$$\frac{a^m}{a^n} = a^m : a^n = a^{m-n} \quad (a \neq 0; \; m, n \in \mathbb{Z})$$

> In der Klammer wird angegeben, welche Zahlen man für die Variablen einsetzen kann.

Für die Addition und Subtraktion von Potenzen mit gleicher Basis gibt es keine entsprechende Regel. Es gilt zum Beispiel $2^2 + 2^3 = 4 + 8 = 12$. Die Zahl 12 lässt sich jedoch nicht als Potenz mit der Basis 2 und einem ganzzahligen Exponenten schreiben.

Summen und Differenzen von Potenzen lassen sich aber mithilfe des Distributivgesetzes vereinfachen, wenn sowohl die Basis als auch der Exponent gleich sind. Es gilt zum Beispiel

$4 \cdot 3^5 + 2 \cdot 3^5 = (4 + 2) \cdot 3^5 = 6 \cdot 3^5$.

Die Summe oder Differenz von Zahlen in Zehnerpotenzschreibweise kann man berechnen, indem man diese mit der gleichen Zehnerpotenz schreibt und dann das Distributivgesetz anwendet.

$4{,}1 \cdot 10^5 + 3{,}2 \cdot 10^6$
$= 0{,}41 \cdot 10 \cdot 10^5 + 3{,}2 \cdot 10^6$
$= 0{,}41 \cdot 10^6 + 3{,}2 \cdot 10^6$
$= (0{,}41 + 3{,}2) \cdot 10^6$
$= 3{,}61 \cdot 10^6$

IV Potenzen und Potenzgesetze

Beispiel 1 Potenzen mit gleicher Basis mithilfe eines Potenzgesetzes berechnen
Vereinfache. Gib das Ergebnis ohne negative Exponenten an. Berechne anschließend.
a) $5^5 \cdot 5^{-6}$
b) $\frac{7^{10}}{7^8}$
c) $\left(\frac{1}{2}\right)^3 \cdot \left(\frac{1}{2}\right)^2 : \left(\frac{1}{2}\right)^5$

Lösung
a) $5^5 \cdot 5^{-6}$
$= 5^{5+(-6)}$
$= 5^{-1}$
$= \frac{1}{5^1} = \frac{1}{5}$

b) $\frac{7^{10}}{7^8}$
$= 7^{10-8}$
$= 7^2$
$= 49$

c) $\left(\frac{1}{2}\right)^3 \cdot \left(\frac{1}{2}\right)^2 : \left(\frac{1}{2}\right)^5$
$= \left(\frac{1}{2}\right)^{3+2-5}$
$= \left(\frac{1}{2}\right)^0 = 1$

Beispiel 2 Fehler in Termumformungen nachweisen
Zeige durch Einsetzen von Zahlen für die Variable, dass die Rechnung falsch ist.
a) $x^3 + x^2 = x^5$ f
b) $x^2 \cdot x^2 = 2x^2$ f

Lösung
Man kann zeigen, dass die Umformung falsch ist, indem man für die Variable einen Wert einsetzt, für den die Gleichung nicht stimmt.

a) Für $x = 2$ gilt:
$2^3 + 2^2 = 2 \cdot 2 \cdot 2 + 2 \cdot 2 = 8 + 4 = 12$
$2^5 = 2 \cdot 2 \cdot 2 \cdot 2 \cdot 2 = 32$
$12 \neq 32$, also ist die Rechnung falsch.
Möglich wäre z.B. $x^3 + x^2 = x^2 \cdot (x + 1)$.

b) Für $x = 3$ gilt:
$3^2 \cdot 3^2 = 9 \cdot 9 = 81$
$2 \cdot 3^2 = 2 \cdot 9 = 18$
$81 \neq 18$, also ist die Rechnung falsch.
Richtig wäre $x^2 \cdot x^2 = x^{2+2} = x^4$.

Beispiel 3 In Sachaufgaben geschickt mit Zehnerpotenzen rechnen
Die Entfernung des Neptun von der Sonne beträgt ca. $4,5 \cdot 10^9$ km. Die Entfernung der Erde von der Sonne beträgt ca. $1,5 \cdot 10^8$ km.
a) Berechne, wie viele Kilometer der Neptun weiter von der Sonne entfernt ist als die Erde.
b) Berechne, um welchen Faktor der Neptun weiter von der Sonne entfernt ist als die Erde.

Lösung
a) $4,5 \cdot 10^9 - 1,5 \cdot 10^8 = 4,5 \cdot 10^9 - 0,15 \cdot 10^9 = 4,35 \cdot 10^9 = 4\,350\,000\,000$
Der Neptun ist ca. 4,35 Milliarden Kilometer weiter von der Sonne entfernt als die Erde.

b) $\frac{4,5 \cdot 10^9}{1,5 \cdot 10^8} = \frac{4,5}{1,5} \cdot \frac{10^9}{10^8} = 3 \cdot 10^{9-8} = 3 \cdot 10^1 = 3 \cdot 10 = 30$
Der Neptun ist ca. 30-mal so weit von der Sonne entfernt wie die Erde.

○ **1** Gib an, welche Karten denselben Wert haben. Du erhältst ein Lösungswort.

1 $2^2 \cdot 2^2$	2 $2 \cdot 2^4$	3 $2^6 \cdot 2^{-5}$	4 $2^{-2} \cdot 2^4$	5 $2^2 \cdot 2^4$	6 $2^4 \cdot 2^4$
Z 2^6	P 2^4	Ü 2	E 2^8	F 2^5	T 4

○ **2**  Vereinfache und gib das Ergebnis ohne negative Exponenten an.
a) $3^2 \cdot 3^3$
b) $12^3 \cdot 12^{-4}$
c) $11^2 \cdot 11^5$
d) $7^{-3} \cdot 7^3$
e) $10^{-3} \cdot 10^{-1}$
f) $0,5^4 \cdot 0,5^2$
g) $1^{-13} \cdot 1^{-14}$
h) $17^4 \cdot 17^{13}$
i) $9^9 \cdot 9^{-9}$
j) $6^7 \cdot 6^{-2}$
k) $1,2^{-5} \cdot 1,2^7$
l) $2^{-2} \cdot 2^{-2}$

Lerntipp
Seite 115, Beispiel 1 a)

Üben ○
Seite 130, Aufgabe 3

○ **3** Vereinfache und gib das Ergebnis ohne negative Exponenten an.
a) $12^6 : 12^2$
b) $2,5^3 : 2,5^0$
c) $\frac{7^{-1}}{7^{13}}$
d) $5^{-2} : 5^4$
e) $\frac{9^5}{9^{-6}}$
f) $\frac{15^{-12}}{15^{-3}}$
g) $8^{12} : 8^{-12}$
h) $\frac{33^5}{33^7}$

Lerntipp
Seite 115, Beispiel 1 b) und 1 c)

4 Vereinfache und berechne.

a) $2^{-5} \cdot 2^9$ b) $\frac{5^6}{5^8}$ c) $0{,}3^2 : 0{,}3^{-1}$ d) $(-12)^5 \cdot (-12)^{-3}$

e) $7^{21} \cdot 7^{-22}$ f) $10^{-12} : 10^{-9}$ g) $\frac{(-2)^6}{(-2)^3}$ h) $0{,}1^3 \cdot 0{,}1^{-4}$

i) $(-1)^{15} \cdot (-1)^{17}$ j) $1{,}1^{-5} \cdot 1{,}1^7$ k) $0{,}19^2 : 0{,}19^0$ l) $\frac{6^{-13}}{6^{-11}}$

Lösungen zu Aufgabe 4:

144   $\frac{1}{25}$ 10

0,0361 $\frac{1}{7}$ 0,001

$\frac{1}{36}$ 16   1

−8   0,027   1,21

5 Ordne den blauen Kärtchen das passende gelbe Kärtchen zu (a ≠ 0).

A $a^{-3} \cdot a^5$ B $a^5 \cdot a^{-2}$ C $a^4 : a^{-4}$ D $a^{-6} : a^{-14}$ a^8 1 a^2

E $a^9 : a$ F $a^5 \cdot a^3$ G $a^{-1} \cdot a$ H $a^4 : a$ a^3

6 Fehler in Termumformungen nachweisen

a) Zeige, dass die Termumformungen falsch sind, indem du den Wert des Terms links und rechts vom Gleichheitszeichen berechnest und die Ergebnisse vergleichst.

(1) $10^5 - 10^3 = 10^2$ f (2) $3 \cdot 10^2 + 2 \cdot 10^3 = 5 \cdot 10^5$ f (3) $\frac{10^6}{10^2} = 10^3$ f

b) Zeige durch Einsetzen von Zahlen für die Variable, dass die Rechnung falsch ist.

(1) $x^4 + x^3 = x^7$ f (2) $x^3 \cdot x^3 = 2x^3$ f (3) $x^4 - x^2 = x^2$ f (4) $2 + x^2 = 2x^2$ f

Teste dich!

7 Vereinfache und berechne.

a) $10^2 \cdot 10^5$ b) $10^7 : 10^3$ c) $0{,}5^3 \cdot 0{,}5^{-2}$ d) $\frac{5^4}{5^5}$

e) $(-5)^4 \cdot (-5)^{-2}$ f) $15^5 \cdot 15^{-5}$ g) $\frac{(-2)^{-3}}{(-2)^{-5}}$ h) $\frac{2^2}{2^{-2}}$

8 Vereinfache und berechne dann.

a) $3 \cdot 10^5 \cdot 4 \cdot 10^5$ b) $2{,}5 \cdot 10^4 \cdot 4 \cdot 10^4$ c) $2 \cdot 10^5 \cdot 4 \cdot 10^{-3}$

d) $\frac{5{,}5 \cdot 10^5}{1{,}1 \cdot 10^3}$ e) $\frac{7{,}5 \cdot 10^8}{1{,}5 \cdot 10^3}$ f) $\frac{2 \cdot 10^{-4}}{4 \cdot 10^8}$

g) $3 \cdot 10^5 + 2 \cdot 10^5$ h) $5 \cdot 10^4 - 2 \cdot 10^4$ i) $2{,}5 \cdot 10^5 - 2 \cdot 10^3$

9 Es ist $x \neq 0$. Vereinfache den Term und berechne den Wert des Terms für $x = 10$.

a) $3x^3 + 2x^3$ b) $2 \cdot x^{-3} + 3 \cdot x^{-3}$ c) $6x^{-2} - 10x^{-2}$ d) $32x^5 - 13x^5$

10 Die Erde ist ca. $1{,}5 \cdot 10^8$ km von der Sonne entfernt, der Neptun ca. $4{,}5 \cdot 10^9$ km. Licht legt in einer Sekunde ca. 300 000 km zurück. Berechne, wie lang das Licht von der Sonne bis zur Erde bzw. von der Sonne bis zum Neptun benötigt.

11 a) Berechne, um wie viele Kilometer die Planeten näher oder weiter von der Sonne entfernt sind als die Erde.

Planet	Merkur	Venus	Erde	Mars	Jupiter	Saturn
Abstand von der Sonne	$5{,}79 \cdot 10^7$ km	$1{,}08 \cdot 10^8$ km	$1{,}50 \cdot 10^8$ km	$2{,}28 \cdot 10^8$ km	$7{,}78 \cdot 10^8$ km	$1{,}43 \cdot 10^9$ km

b) Berechne, um welchen Faktor die Planeten näher oder weiter von der Sonne entfernt sind als die Erde.

IV Potenzen und Potenzgesetze

12 Ergänze die Lücken in deinem Heft (x ≠ 0).
a) $x^5 = \frac{x^8}{x^\square}$
b) $x^7 \cdot x^\square = x^2$
c) $5x^7 - 4x^7 = x^\square$
d) $x^{-3} : x^\square = 1$
e) $7x^3 - 2x^\square = 5x^3$
f) $x^{-10} \cdot x^9 = x^\square$
g) $x^5 = \frac{x}{x^\square}$
h) $\frac{x^\square}{x^{-8}} = x^2$

13 Vereinfache mithilfe der Potenzgesetze (x ≠ 0; y ≠ 0; m ∈ ℤ)
a) $x^3 \cdot x^7$
b) $x^5 : (5x^{-8})$
c) $x^5 \cdot x^{10} \cdot x^{-11}$
d) $xy^4 - x \cdot y^4 + y^4$
e) $\frac{x \cdot x^2}{x^5}$
f) $x^2 \cdot x^2 + x^{-5} \cdot x^2$
g) $x^3 y + \frac{x^6 \cdot y}{x^3}$
h) $x^2 \cdot y^3 \cdot x \cdot y^{-4}$
i) $\frac{x \cdot y}{x^5 \cdot y^2}$
j) $x^m \cdot x^{2m}$
k) $x^{2m} : x^{3m}$
l) $(x^{-m} \cdot x) : x^{1-m}$

> **Vertiefen**
> Seite 133, Aufgabe 27

14 Carlotta sagt: „Ich merke mir das Potenzgesetz, indem ich mir ein einfaches Beispiel ansehe, zum Beispiel 2^3 mal 2^4. Dann schreibe ich alles mit Malpunkten. Es sind dann 7 Zweien in einer Reihe, also muss es 2^7 sein."
a) Notiere zu Carlottas Überlegungen eine passende Rechnung mit allen Rechenschritten.
b) Notiere Carlottas Erläuterungen mithilfe von Fachbegriffen aus der Wortliste.
c) Notiere als Begründung für die Gültigkeit des Potenzgesetzes bei der Division von Potenzen mit gleicher Basis ein ähnliches Beispiel und erläutere die Rechenschritte.

> **Wortliste**
> • die Potenz
> • die Basis
> • der Exponent
> • die Faktoren
> • das Produkt
> • addieren mit
> • subtrahieren von

Teste dich!

> **Lösungen**, Seite 245

15 Vereinfache mithilfe der Potenzgesetze (x ≠ 0; m ∈ ℤ)
Berechne dann für x = 10 und m = 3.
a) $x^3 : x^2$
b) $x^5 \cdot x^2$
c) $x^{-2} \cdot x^3$
d) $\frac{x^3}{x^{-2}}$
e) $x^4 + x \cdot x^3$
f) $\frac{x^2}{x^3 \cdot x^5} + x^{-3} \cdot x^{-3}$
g) $x^m \cdot x^m$
h) $\frac{x^{5m}}{x^{4m}} - x^{2m} \cdot x^{-m}$

16 Vereinfache und berechne.
a) $5^2 + 5^3$
b) $6^3 - 6^2$
c) $10^5 - 10^3$
d) $3,5 \cdot 10^2 + 1,7 \cdot 10^2$
e) $7,3 \cdot 10^4 + 1,1 \cdot 10^3$
f) $4,5 \cdot 10^7 - 6 \cdot 10^5$
g) $3 \cdot 2^8 - 5 \cdot 2^7$
h) $5 \cdot 20^3 + 2 \cdot 20^4$
i) $21 \cdot 11^2 - 11^4$

17 Begründung der Rechenregeln für beliebige Basen und ganzzahlige Exponenten
a) Elif notiert als Begründung dafür, dass die erste Regel aus dem Merkkasten auf Seite 114 auch für negative Exponenten gilt, folgende Rechnung:

$2^{-3} \cdot 2^{-2} = \frac{1}{2^3} \cdot \frac{1}{2^2} = \frac{1}{2 \cdot 2 \cdot 2} \cdot \frac{1}{2 \cdot 2} = \frac{1}{2^5} = 2^{-5}$. Erläutere die Rechenschritte.

b) Begründe in ähnlicher Weise an selbst gewählten Beispielen, dass die Regel für die Division von Potenzen mit gleicher Basis (s. Merkkasten) für negative Exponenten stimmt.
c) Antonia behauptet: „Zahlenbeispiele sind kein Beweis. Man muss die Regeln für beliebige Basen und beliebige ganzzahlige Exponenten beweisen. Daher muss man Platzhalter wie a, b und n verwenden." Erläutere Antonias Gedanken mit eigenen Worten. Zeige, dass die Rechenregeln (s. Merkkasten) für beliebige negative Exponenten gelten. Hierbei kannst du dich an dem Lehrtext über dem Merkkasten orientieren.

18 Begründe, dass für a ≠ 0 aus den Potenzgesetzen für Potenzen mit gleicher Basis folgt, dass $a^0 = 1$ gelten muss.

Teste dein Grundwissen!   **Schnittpunkt bestimmen**

> **Grundwissen**, Seite 211
> **Lösungen**, Seite 245

G 19 Gegeben sind die Funktionen f und g mit f(x) = 2x − 3 und g(x) = −0,5x + 2.
a) Zeichne die Graphen der Funktionen f und g in ein gemeinsames Koordinatensystem.
b) Bestimme den Schnittpunkt der Graphen aus a). Überprüfe deine Lösung rechnerisch.

4 Potenzen mit gleichen Exponenten

Zeige anhand von Beispielen, dass die beiden Aussagen in den Sprechblasen richtig sind. Untersuche, ob man für die Summe von Quadratzahlen ähnliche Aussagen formulieren kann.

Ich glaube, dass das Produkt aus zwei Quadratzahlen immer eine Quadratzahl ist.

Wenn man drei Quadratzahlen miteinander multipliziert, erhält man auch eine Quadratzahl.

Nicht nur Produkte von Potenzen mit gleichen Basen, sondern auch Produkte von Potenzen mit gleichen Exponenten lassen sich vereinfachen.
Bei einem Produkt von Potenzen mit den gleichen positiven Exponenten kommen verschiedene Faktoren jeweils gleich häufig vor. Wenn man dann das Assoziativgesetz und das Kommutativgesetz anwendet, kann man wie in dem folgenden Beispiel das Produkt solcher Potenzen wiederum als Potenz schreiben.
$5^2 \cdot 2^2 = (5 \cdot 5) \cdot (2 \cdot 2) = 5 \cdot 5 \cdot 2 \cdot 2 = 5 \cdot 2 \cdot 5 \cdot 2 = (5 \cdot 2) \cdot (5 \cdot 2) = (5 \cdot 2)^2$
Eine solche Rechnung lässt sich für beliebige Basen a und b und natürliche Exponenten n durchführen:

$a^n \cdot b^n = \underbrace{a \cdot a \cdot a \cdot \ldots \cdot a}_{\text{n-mal Faktor a}} \cdot \underbrace{b \cdot b \cdot b \cdot \ldots \cdot b}_{\text{n-mal Faktor b}} = \underbrace{(a \cdot b) \cdot (a \cdot b) \cdot (a \cdot b) \cdot \ldots \cdot (a \cdot b)}_{\text{n-mal Faktor } a \cdot b} = (a \cdot b)^n$

In gleicher Weise kann man Quotienten von Potenzen mit den gleichen Exponenten vereinfachen:

$a^n : b^n = \dfrac{a^n}{b^n} = \dfrac{\overbrace{a \cdot a \cdot a \cdot \ldots \cdot a}^{\text{n-mal Faktor a}}}{\underbrace{b \cdot b \cdot b \cdot \ldots \cdot b}_{\text{n-mal Faktor b}}} = \underbrace{\dfrac{a}{b} \cdot \dfrac{a}{b} \cdot \dfrac{a}{b} \cdot \ldots \cdot \dfrac{a}{b}}_{\text{n-mal Faktor } \frac{a}{b}} = \left(\dfrac{a}{b}\right)^n$

Diese Regeln gelten auch für Potenzen mit beliebigen ganzzahligen Exponenten.

Der Nachweis, dass diese Regeln auch für negative Exponenten gelten, erfolgt in Aufgabe 15 auf Seite 120.

Potenzgesetz für Produkte und Quotienten von Potenzen mit gleichen Exponenten
Bei Produkten oder Quotienten von Potenzen mit gleichen Exponenten werden die Basen miteinander multipliziert bzw. dividiert. Der gemeinsame Exponent bleibt erhalten.
$$a^n \cdot b^n = (a \cdot b)^n$$
$$a^n : b^n = \dfrac{a^n}{b^n} = \left(\dfrac{a}{b}\right)^n \quad (a \neq 0 \text{ und } b \neq 0, n \in \mathbb{Z})$$

Für die Addition oder Subtraktion von Potenzen mit gleichem Exponenten gibt es keine entsprechende Regel. Es gilt zum Beispiel $2^3 + 3^3 = 8 + 27 = 35$ und $(2 + 3)^3 = 5^3 = 125 \neq 35$.

Beispiel 1 Multiplikation und Division von Potenzen mit gleichen Exponenten.
Berechne möglichst geschickt.

a) $1{,}25^4 \cdot 4^4$
b) $\left(\dfrac{1}{5}\right)^6 : 2^6$
c) $\dfrac{3^{-4} \cdot 4^{-4}}{6^{-4}}$

Lösung

a) $1{,}25^4 \cdot 4^4$
$= (1{,}25 \cdot 4)^4$
$= \left(\dfrac{5}{4} \cdot 4\right)^4$
$= 5^4$
$= 625$

b) $\left(\dfrac{1}{5}\right)^6 : 2^6$
$= \left(\dfrac{1}{5} : 2\right)^6$
$= \left(\dfrac{1}{5} \cdot \dfrac{1}{2}\right)^6$
$= \left(\dfrac{1}{10}\right)^6 = \dfrac{1}{1\,000\,000}$

c) $\dfrac{3^{-4} \cdot 4^{-4}}{6^{-4}}$
$= \left(\dfrac{3 \cdot 4}{6}\right)^{-4} = \left(\dfrac{12}{6}\right)^{-4}$
$= 2^{-4} = \dfrac{1}{2^4} = \dfrac{1}{16}$

> **Beispiel 2** Terme mit Potenzen berechnen
> Vereinfache den Term ($x \neq 0$; $y \neq 0$).
> a) $\frac{(10xy)^4}{(2x)^4}$
> b) $(8x)^3 \cdot \left(\frac{y}{4x}\right)^3$
>
> **Lösung**
> a) $\frac{(10xy)^4}{(2x)^4} = \left(\frac{10xy}{2x}\right)^4$
> $= (5y)^4 = 5^4 \cdot y^4 = 625 y^4$
>
> b) $(8x)^3 \cdot \left(\frac{y}{4x}\right)^3 = \left(8x \cdot \frac{y}{4x}\right)^3$
> $= (2y)^3 = 2^3 \cdot y^3 = 8y^3$

Aufgaben

○ **1** Ordne jeder roten Karte eine grüne Karte zu. Du erhältst ein Lösungswort.

| 1 $3^5 \cdot 5^5$ | 2 $\frac{2^4}{4^4}$ | 3 $12^3 : 6^3$ | 4 $\left(\frac{1}{3}\right)^5 \cdot 12^5$ | 5 $\left(\frac{1}{12}\right)^3 \cdot 4^3$ | 6 $2^{-2} \cdot 5^{-2}$ |

| E $0{,}5^4$ | H 15^5 | D 4^5 | I $\frac{1}{27}$ | L 8 | N $\frac{1}{100}$ |

○ **2** Berechne mithilfe des Potenzgesetzes für Potenzen mit gleichen Exponenten. → **Lerntipp** Seite 118, Beispiel 1

a) $15^3 : 5^3$ b) $5^6 \cdot 2^6$ c) $\frac{45^3}{9^3}$ d) $1{,}5^4 \cdot 2^4$

e) $\frac{38^3}{19^3}$ f) $0{,}2^4 \cdot 10^4$ g) $75^4 : 25^4$ h) $\frac{120^3}{40^3}$

i) $125^{-1} \cdot 8^{-1}$ j) $\frac{77^2}{11^2}$ k) $\frac{3^2}{21^2}$ l) $0{,}01^4 \cdot 300^4$

○ **3** Berechne möglichst geschickt. Kontrolliere mit dem Taschenrechner. → **Lerntipp** Seite 118, Beispiel 1

a) $\left(\frac{5}{8}\right)^3 \cdot \left(\frac{4}{5}\right)^3$ b) $8^{-1} : 4^{-1}$ c) $3{,}5^3 : 7^3$ d) $\left(\frac{3}{2}\right)^4 : \left(\frac{3}{4}\right)^4$

e) $0{,}5^2 \cdot 3^2$ f) $\left(\frac{12}{9}\right)^4 \cdot \left(\frac{3}{8}\right)^4$ g) $0{,}1^{-5} \cdot 10^{-5}$ h) $12^{-2} : 4^{-2}$

i) $\left(\frac{2}{3}\right)^4 \cdot 3^4$ j) $56^{-2} : 8^{-2}$ k) $\left(\frac{29}{11}\right)^{-3} \cdot \left(\frac{33}{58}\right)^{-3}$ l) $\left(\frac{3}{8}\right)^4 : \left(\frac{6}{4}\right)^4$

○ **4** Ordne jeweils zwei äquivalente Terme einander zu.

| A $(2x)^2 : 2^2$ | B $\frac{x^2}{4}$ | C $\frac{x^3}{8}$ | D $(3x)^3 : 6^3$ | E $\frac{x^2}{2}$ | F $\frac{(3x)^2}{18}$ | G x^2 | H $\frac{(2x)^2}{4^2}$ |

○ **5** Vereinfache den Term ($x \neq 0$; $y \neq 0$).

a) $(26x)^3 : 13^3$ b) $\left(\frac{1}{2}y\right)^4 \cdot 4^4$ c) $\frac{(15x)^4}{(3x)^4}$ d) $\left(\frac{2}{x}\right)^5 \cdot x^5$

e) $\frac{(16y)^{-5}}{8^{-5}}$ f) $\frac{x^3}{(2x)^3}$ g) $144^2 : (12x)^2$ h) $\frac{(4y)^3}{(16y)^3}$

○ **6** **Fehler in Termumformungen nachweisen**
Zeige, dass die folgenden Termumformungen falsch sind, indem du für die Basen $a \neq 0$, $b \neq 0$ und $c \neq 0$ Zahlen einsetzt, für die die Gleichung nicht stimmt.

| a) $a^2 + b^2 = (a+b)^2$ f | b) $a^3 - b^3 = (a-b)^3$ f |
| c) $\frac{a^2}{b^2 + c^2} = \left(\frac{a}{b+c}\right)^2$ f | d) $a^2 \cdot b^3 = (ab)^5$ f |

Teste dich! → **Lösungen**, Seite 245

○ **7** Vereinfache und berechne.
a) $120^3 : 4^3$ b) $\frac{1024^3}{2048^3}$ c) $4^{-5} \cdot 2{,}5^{-5}$ d) $\left(\frac{3}{16}\right)^3 : \left(\frac{15}{8}\right)^3$

8 Bilal und Lisa berechnen das Produkt $2^5 \cdot 2^5$ auf unterschiedliche Weise. Erkläre und gib an, welche Rechengesetze sie verwendet haben.

Bilal	$2^5 \cdot 2^5$
	$= 2^{5+5}$
	$= 2^{10}$

Lisa	$2^5 \cdot 2^5$
	$= (2 \cdot 2)^5$
	$= 4^5$

9 Schreibe ohne Klammern ($x \neq 0$; $y \neq 0$).

a) $(5z)^2$ b) $\left(\frac{4}{x}\right)^{-2}$ c) $\left(\frac{z}{10}\right)^4$ d) $(0{,}2w)^3$ e) $\left(\frac{ab}{2}\right)^0$ f) $\left(\frac{x}{4y}\right)^3$

10 Vereinfache mithilfe der Potenzgesetze für gleiche Basen und gleiche Exponenten.

a) $\frac{12^4}{3^4} \cdot 4^{-8}$ b) $\frac{5^3}{15^3} \cdot \left(\frac{1}{3}\right)^7$ c) $10^6 \cdot 3^3 \cdot 10^{-3}$ d) $\frac{25^7 \cdot 4^7}{100^3}$

11 Finde den Fehler!
Erkläre, was falsch gemacht wurde und korrigiere im Heft.

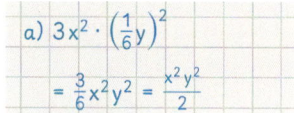

a) $3x^2 \cdot \left(\frac{1}{6}y\right)^2$
$= \frac{3}{6}x^2y^2 = \frac{x^2y^2}{2}$

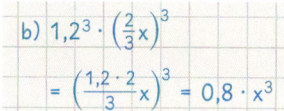

b) $1{,}2^3 \cdot \left(\frac{2}{3}x\right)^3$
$= \left(\frac{1{,}2 \cdot 2}{3}x\right)^3 = 0{,}8 \cdot x^3$

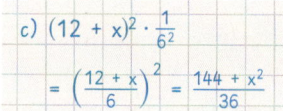

c) $(12 + x)^2 \cdot \frac{1}{6^2}$
$= \left(\frac{12 + x}{6}\right)^2 = \frac{144 + x^2}{36}$

> **Teste dich!** Lösungen, Seite 245

12 Berechne mithilfe der Potenzgesetze.

a) $\frac{10^{-2}}{10^{-4}} \cdot 2^3 \cdot 5^3$ b) $8^5 \cdot \left(\frac{1}{4}\right)^5 \cdot 5^5 \cdot \left(\frac{1}{10}\right)^5$ c) $25^4 \cdot 4^4$

d) $\left(\frac{2}{3}\right)^5 \cdot \left(\frac{3}{8}\right)^4 + \left(\frac{2}{3}\right)^4 \cdot \left(\frac{3}{8}\right)^5$ e) $\frac{1{,}5 \cdot 10^8 \cdot 6^5}{6^6}$ f) $\frac{8\,000\,000 \cdot 2{,}5 \cdot 10^{23}}{4 \cdot 10^{-11}}$

13 Vereinfache die Terme ($a \neq 0$ und $b \neq 0$) und berechne für $a = 2$ und $b = -1$.

a) $a^3 \cdot a^2 \cdot b^6 \cdot b^{-1}$ b) $\left(\frac{a}{2}\right)^4 \cdot \left(\frac{b}{a}\right)^4 \cdot b^2 \cdot \left(\frac{1}{ab}\right)^2$ c) $\left(\frac{a}{b}\right)^{-3} \cdot \left(\frac{a}{b}\right)^5 \cdot (2b)^2$

14 a) Erkläre mithilfe des abgebildeten Würfels, warum $(4x)^3 = 4^3 \cdot x^3$ ist.
b) Die Kantenlänge a eines Würfels wird um den Faktor k ($k > 1$) verlängert. Untersuche, wie sich dann der Oberflächeninhalt und das Volumen verändern.
c) Untersuche, ob die Ergebnisse aus Teilaufgabe b) auch für $k < 1$ gelten.

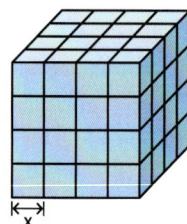

15 a) Zeige, dass $2^{-2} \cdot 5^{-2} = (2 \cdot 5)^{-2}$ und $\frac{2^{-2}}{5^{-2}} = \left(\frac{2}{5}\right)^{-2}$ gilt, indem du die Terme zunächst ohne negative Exponenten schreibst.
b) Zeige, dass $a^{-p} \cdot b^{-p} = (a \cdot b)^{-p}$ und $\frac{a^{-p}}{b^{-p}} = \left(\frac{a}{b}\right)^{-p}$ für $p > 0$ und $a \neq 0$ sowie $b \neq 0$ gilt, indem du die Terme zunächst ohne negative Exponenten notierst.

> **Teste dein Grundwissen!**   **Wahr oder falsch?** Grundwissen, Seite 21
> Lösungen, Seite 246

G 16 Die Gerade g verläuft durch die Punkte $P(2|3)$ und $Q(4|-1)$. Gib an, ob die folgenden Aussagen wahr oder falsch sind. Begründe.
a) Die Steigung der Geraden g ist positiv.
b) Die Gerade g schneidet die y-Achse im Punkt $S_y(0|5)$.
c) Die Gerade g schneidet die x-Achse im Punkt $S_x(3|0)$.

5 Potenzieren von Potenzen

Stephi, Marco und Claas sollen die drei Zahlen so miteinander verknüpfen, dass das Ergebnis möglichst groß ist. Welche Zahl könnte Stephi vorschlagen?

Wenn man Potenzen mit sich selbst multipliziert, erhält man Potenzen von Potenzen. Hierfür lässt sich ähnlich wie bei den Produkten und Quotienten von Potenzen mit gleicher Basis oder gleichem Exponenten eine Rechenregel herleiten, mit der man Terme vereinfachen und Berechnungen schneller durchführen kann.

Bei der Potenz $(2^4)^3$ wird die Potenz 2^4 dreimal mit sich selbst multipliziert. Wenn man dies als Produkt notiert und das Potenzgesetz für Potenzen mit gleichen Basen anwendet, kann man den Term wie folgt vereinfachen:
$(2^4)^3 = 2^4 \cdot 2^4 \cdot 2^4 = 2^{4+4+4} = 2^{3 \cdot 4} = 2^{12}$
Die Basis 2 bleibt erhalten. Der Exponent lässt sich als Produkt der beiden Exponenten 3 und 4 berechnen.

Man kann nachweisen, dass diese Regel für beliebige Basen $a \neq 0$ und ganzzahlige Exponenten m und n gilt.
Die folgende Rechnung zeigt für natürliche Exponenten m und n, dass man Potenzen potenzieren kann, indem man die Basis nicht verändert und die Exponenten multipliziert:
$(a^m)^n = \underbrace{a^m \cdot a^m \cdot a^m \cdot \ldots \cdot a^m}_{n\text{-mal Faktor } a^m} = a^{\underbrace{m+m+m+\cdots+m}_{n\text{-mal der Summand } m \text{ im Exponenten}}} = a^{n \cdot m} = a^{m \cdot n}$

Der Beweis für negative Exponenten wird auf Seite 124 in Aufgabe 22 thematisiert.

Potenzgesetz für das Potenzieren von Potenzen
Beim Potenzieren von Potenzen werden die Exponenten miteinander multipliziert. Die Basis ändert sich nicht.
$$(a^m)^n = a^{m \cdot n} \quad (a \neq 0;\ m, n \in \mathbb{Z})$$

Beispiel 1 Potenzen potenzieren
Vereinfache mithilfe des Potenzgesetzes für das Potenzieren von Potenzen und berechne.

a) $(2^3)^2$ b) $((-10)^3)^2$ c) $(5^4)^{-1}$ d) $\left(\left(\frac{3}{2}\right)^{-2}\right)^2$

Lösung

a) $(2^3)^2$
$= 2^{3 \cdot 2}$
$= 2^6$
$= 64$

b) $((-10)^3)^2$
$= (-10)^{3 \cdot 2}$
$= (-10)^6$
$= 1\,000\,000$

c) $(5^4)^{-1}$
$= 5^{4 \cdot (-1)}$
$= 5^{-4}$
$= \frac{1}{5^4}$
$= \frac{1}{625}$

d) $\left(\left(\frac{3}{2}\right)^{-2}\right)^2$
$= \left(\frac{3}{2}\right)^{-2 \cdot 2}$
$= \left(\frac{3}{2}\right)^{-4} = \left(\frac{2}{3}\right)^4$
$= \frac{2^4}{3^4} = \frac{16}{81}$

Zur Erinnerung:
$\left(\frac{a}{b}\right)^{-m} = \left(\frac{b}{a}\right)^m$
$(a \neq 0;\ b \neq 0)$

Beispiel 2 Potenzgesetze anwenden, um Terme zu vereinfachen

Vereinfache den Term mithilfe der Potenzgesetze und prüfe, ob der vereinfachte Term für $x = 2$ und $y = 10$ dasselbe Ergebnis liefert wie der ursprüngliche Term ($x \neq 0$; $y \neq 0$).

a) $\dfrac{(x^2)^4}{(x^2)^3}$

b) $(x^{-2})^{-1} \cdot y^2$

Lösung

a) $\dfrac{(x^2)^4}{(x^2)^3}$ *Potenzen von Potenzen: Exponenten multiplizieren*

$= \dfrac{x^{2 \cdot 4}}{x^{2 \cdot 3}}$ *Division von Potenzen mit gleicher Basis: Exponenten subtrahieren*

$= \dfrac{x^8}{x^6}$

$= x^{8-6} = x^2$

Für $x = 2$ erhält man:
$2^2 = 4$
$\dfrac{(2^2)^4}{(2^2)^3} = \dfrac{4^4}{4^3} = 4^1 = 4.$

b) $(x^{-2})^{-1} \cdot y^2$ *Potenzen von Potenzen: Exponenten multiplizieren*

$= x^{(-2) \cdot (-1)} \cdot y^2$

$= x^2 \cdot y^2$ *Multiplikation von Potenzen mit gleichem Exponenten: Basen multiplizieren*

$= (x\,y)^2$

Für $x = 2$ und $y = 10$ erhält man
$(2 \cdot 10)^2 = 20^2 = 400$
$(2^{-2})^{-1} \cdot 10^2 = \left(\dfrac{1}{2^2}\right)^{-1} \cdot 100$
$= \left(\dfrac{1}{4}\right)^{-1} \cdot 100 = 4 \cdot 100 = 400.$

Aufgaben

1 Vereinfache die Potenzen von Potenzen. Berechne anschließend.

a) $(10^3)^2$ b) $(100^2)^3$ c) $(21^7)^0$ d) $(2^2)^2$ e) $\left(\left(\dfrac{2}{3}\right)^2\right)^2$ f) $\left(\left(\dfrac{1}{10}\right)^2\right)^3$

Lerntipp Seite 121, Beispiel 1

2 Schreibe als Potenz mit einem Exponenten. Überprüfe deine Lösung mit dem Taschenrechner.

a) $\left(\left(\dfrac{1}{2}\right)^3\right)^4$ b) $\left(\left(\dfrac{3}{5}\right)^2\right)^6$ c) $\left(\left(-\dfrac{7}{8}\right)^5\right)^4$ d) $\left(\left(\dfrac{9}{4}\right)^5\right)^2$ e) $\left(\left(-\dfrac{4}{7}\right)^4\right)^7$ f) $\left(\left(\dfrac{2}{11}\right)^3\right)^3$

Üben Seite 130, Aufgabe 9

3 Gib an, welche der Terme auf den Kärtchen den Wert 1 haben.

A $(-1^3)^2$ B $((-1)^3)^5$ C $((-1)^2)^3$ D $(-1^2)^3$ E $((-1)^3)^4$ F $-(1^3)^2$

4 Berechne.

a) $(5^{-1})^3$ b) $\left(\left(\dfrac{1}{2}\right)^{-3}\right)^2$ c) $(10^{-2})^{-3}$ d) $\left(\left(\dfrac{3}{5}\right)^3\right)^{-1}$ e) $\left(\left(\dfrac{5}{8}\right)^{-1}\right)^{-2}$ f) $\left(\left(\dfrac{3}{2}\right)^{-2}\right)^2$

Lerntipp Seite 121, Beispiel 1 d)

5 Schreibe als Potenz mit einem Exponenten ($x \neq 0$). Prüfe, ob der vereinfachte Term für $x = 2$ dasselbe Ergebnis liefert wie der ursprüngliche Term.

a) $(x^2)^3$ b) $(x^{-2})^2$ c) $(x^{-2})^{-2}$ d) $(x^3)^2$ e) $(x^5)^{-1}$ f) $(x^{-1})^{-5}$

Lerntipp Seite 122, Beispiel 2

6 Kuba vereinfacht den Term $2^4 \cdot 2^3$ und beschreibt ein Vorgehen: „Ich multipliziere Potenzen mit gleicher Basis, indem ich die Basis beibehalte und die Exponenten addiere, also erhalte ich $2^4 \cdot 2^3 = 2^{4+3} = 2^7$."
Gehe vor wie Kuba. Die Kärtchen können helfen.

a) $3^2 \cdot 3^5$ b) $5^4 \cdot 2^4$

c) $\dfrac{6^{10}}{6^6}$ d) $\dfrac{10^6}{5^6}$

e) $(4^3)^5$ f) $\left(\left(\dfrac{1}{3}\right)^3\right)^{-1}$

A Potenzen mit gleichen Basen multiplizieren/dividieren

B Potenzen mit gleichen Exponenten multiplizieren/dividieren

C Potenz einer Potenz

D die Exponenten addieren/subtrahieren/beibehalten

E die Basen multiplizieren/dividieren/beibehalten

F die Exponenten miteinander multiplizieren

○ **7** Ordne den Karten 1 bis 6 die passende Karte mit einem Buchstaben zu. Als Lösungswort erhältst du den Namen einer Stadt in Afrika.

| $5^3 \cdot 5^3$ 1 | $(5^3)^3$ 2 | $\dfrac{5^3}{5^2}$ 3 | $\dfrac{5^2}{5^3}$ 4 | $\dfrac{10^5}{2^5}$ 5 | $\dfrac{4^5}{20^5}$ 6 |

| 5 N | 5^{-5} I | 5^6 B | $\dfrac{1}{5}$ G | 5^9 A | 5^5 U |

→ **Üben** ○ Seite 130, Aufgabe 6

Teste dich!

→ **Lösungen**, Seite 246

○ **8** Vereinfache und berechne.
a) $(2^2)^3$
b) $\left(\left(\dfrac{1}{10}\right)^3\right)^3$
c) $\left(\left(\dfrac{2}{3}\right)^3\right)^{-1}$
d) $(3^{-2})^2$

○ **9** Vereinfache mithilfe eines Potenzgesetzes und berechne. Gib an, welches Potenzgesetz du verwendet hast.
a) $2^2 : 2^5$
b) $\dfrac{20^5}{2^5}$
c) $\left(\left(\dfrac{1}{10}\right)^{-3}\right)^{-2}$
d) $5^6 \cdot 5^{-3}$

● **10** Gib an, welche Karten den Wert 1 000 000 haben. Fünf Karten bleiben übrig und lassen sich zu einem Lösungswort zusammenlegen.

| 10^6 A | $10^3 \cdot 10^3$ B | $10^4 \cdot 10^2$ C | $(10^1)^5$ D | $20^6 - 10^6$ E | $\dfrac{10^6}{10}$ F |

| $\dfrac{10^8}{10^2}$ G | $\dfrac{10^1}{10^{-5}}$ H | $5^6 \cdot 2^6$ I | $(10^3)^2$ J | $\dfrac{10^7}{10}$ K | $\dfrac{20^6}{2^6}$ L |

| $10 \cdot \dfrac{40^5}{4^5}$ M | $\dfrac{1}{10^{-6}}$ N | $\left(\dfrac{5}{2}\right)^6 \cdot 4^6$ O | $(10^2)^4$ P | $2^6 \cdot 5^6$ Q | $5^6 + 5^6$ R |

● **11** Finde den Fehler!
Erkläre, was falsch gemacht wurde und korrigiere im Heft.

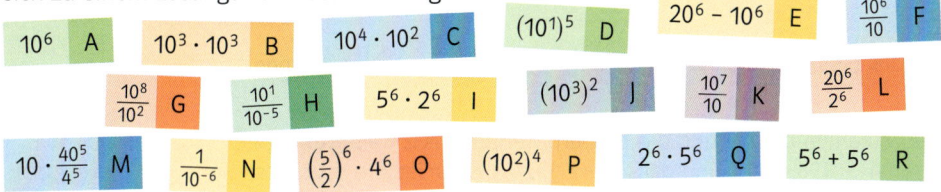

a) $3^2 \cdot 3^3 = 9^5$ b) $5^3 \cdot 4^3 = 20^6$ c) $(3^2)^4 = 3^6$ d) $\dfrac{4 \cdot 10^3}{2 \cdot 10^5} = 2 \cdot 10^8$ e) $\dfrac{5^0}{5^2} = 5^2$
f) $2^{-3} \cdot 2^4 = 2^{-12}$ g) $2^3 + 2^2 = 2^5$ h) $3^2 + 4^2 = 7^2$ i) $4^2 : 2^4 = 2^{+2}$

● **12** Luca behauptet: „Die Potenz einer Quadratzahl kann man mit einer kleineren Basis notieren. $4^3 = 2^6$, weil $4 = 2^2$ ist."
a) Zeige mithilfe einer Rechnung, dass $4^3 = 2^6$ ist.
b) Erläutere in eigenen Worten, warum $4^3 = (2^2)^3 = 2^6$ ist. Verwende Fachbegriffe.
c) Schreibe die Potenzen mit einer kleineren Basis. Verwende Lucas Überlegung.
 (1) 9^3 (2) 25^4 (3) 49^3 (4) 36^{10} (5) 121^5 (6) 100^{-5}
d) Lucy meint: „Nicht nur Potenzen von Quadratzahlen lassen sich mit kleineren Basen schreiben. Man kann z.B. 8^4 auch mit der Basis 2 notieren, weil $8^4 = (2^3)^4 = 2^{12}$ ist."
Schreibe die Potenzen mit möglichst kleiner Basis. Nutze hierfür Lucys Überlegung.
 (1) 8^5 (2) 27^2 (3) 16^3 (4) 81^5 (5) 1000^4 (6) 256^3

→ **Vertiefen** ● Seite 132, Aufgaben 20, 21 und 22

→ **Lerntipp** Die Formulierungen auf den Karten in Aufgabe 6 können helfen.

● **13** Schreibe als eine Potenz.
a) $\dfrac{2^5 \cdot 4^{10}}{8^2}$
b) $\dfrac{5^7 \cdot 25^3}{125^4}$
c) $\dfrac{81^6}{9^4 \cdot 27^3}$
d) $\dfrac{3^2 \cdot 2^2 \cdot 36^3}{6^7}$
e) $\dfrac{9^3 \cdot 3^4}{81}$
f) $\dfrac{7^5 \cdot 49^2}{7}$
g) $\dfrac{1}{64} \cdot 2^4 \cdot 4^3$
h) $3^{-5} \cdot \dfrac{1}{9} \cdot 81$

→ **Vertiefen** ● Seiten 131 und 132, Aufgaben 16, 17 und 18

14 a) Gabrieles Mathematiklehrerin meint, dass man mithilfe der Potenzgesetze auch Einheiten umrechnen kann. Sie notiert hierzu die rechts abgebildete Rechnung.

$1\,m^2 = (10\,dm)^2 = 10^2\,dm^2 = 100\,dm^2$
$1\,m^2 = (10^2\,cm)^2 = 10^4\,cm^2 = 10\,000\,cm^2$

   (1) Erläutere die Rechenschritte in der Rechnung von Gabrieles Mathematiklehrerin. Gib jeweils an, welches Potenzgesetz verwendet wird.
   (2) Notiere in ähnlicher Weise Beispiele zur Umrechnung von Volumeneinheiten.

b) Gabriele behauptet: „Man kann in wissenschaftlicher Schreibweise angegebene Flächeneinheiten umwandeln, indem man die Längen umwandelt und dann quadriert:"

$7{,}1 \cdot 10^2\,m^2 = 7{,}1 \cdot 10^2 \cdot (100\,cm)^2 = 7{,}1 \cdot 10^2 \cdot (10^2\,cm)^2 = 7{,}1 \cdot 10^2 \cdot 10^4\,cm^2 = 7{,}1 \cdot 10^6\,cm^2$

   (1) Erläutere, warum die obigen Rechenschritte richtig sind.
   (2) Formuliere für das Umwandeln von Volumeneinheiten, die in wissenschaftlicher Schreibweise angegeben werden, eine ähnliche Regel und ein dazu passendes Beispiel.

15 Vereinfache die Terme und ordne sie ohne Berechnung des Endergebnisses dem richtigen Kärtchen zu.

a) $5^{15} \cdot 2^{15}$ b) $\frac{3^4}{8^4}$ c) $\frac{30^7}{2^7}$ d) $(2^3)^3$ e) $9^3 \cdot 9^2$ f) $\frac{11^8}{11^3}$

g) $(8^2)^2$ h) $\frac{3^4 \cdot 3^7}{3^{11}}$ i) $\frac{21^2}{22^2}$ j) $2^2 \cdot 2^6$ k) $\frac{22^9}{21^9}$ l) $\frac{2^7}{2^{80}}$

> 0 und < 0,5   > 0,5 und < 2   > 2 und < 100 000   > 100 000

16 a) Leni hat die Quadratzahlen bis 20^2 und die Zweierpotenzen bis 2^{10} auswendig gelernt. Sie weiß, dass $14^2 = 196 \approx 200$ und dass $2^{10} = 1024 \approx 1000$ ist. Sie sagt, dass sie mithilfe der gerundeten Werte und der Potenzgesetze z.B. gute Näherungswerte für 14^4 und 2^{20} bestimmen kann. Erläutere, wie sie vorgehen kann und bestimme die Näherungswerte für 14^4 und 2^{20} ohne Taschenrechner. Vergleiche mit dem exakten Wert, den der Taschenrechner liefert.

b) Bestimme mithilfe der angegebenen Näherungswerte und der Potenzgesetze Näherungswerte für die Potenzen. Vergleiche dann mit dem Wert des Taschenrechners.
(1) 2^{18} (2) 5^{10} (3) 6^9 (4) 17^6 (5) 22^6 (6) 28^6

$2^9 = 512 \approx 500$
$5^5 = 3125 \approx 3000$
$6^3 = 216 \approx 200$
$17^2 = 289 \approx 300$
$22^2 = 484 \approx 500$
$28^2 = 784 \approx 800$

17 Wer ist schneller? Mit Potenzgesetzen gegen den Taschenrechner
a) Die erste Runde rechnest du geschickt im Kopf, dein Partner gibt die Terme in den Taschenrechner ein. Bei Runde 2 tauscht ihr. Vergleicht die Ergebnisse. Wer war schneller?

Runde 1:
A) $5^{-6} \cdot 4^{13} \cdot 4^{-11} \cdot 5^8$
B) $(-2)^3 \cdot 1^3 \cdot 4^1 \cdot (-0{,}5)^3$
C) $(((-1)^2)^3)^4$
D) $(-(20^2 \cdot 5)^{-2})^0$

Runde 2:
A) $10^{-9} \cdot 2^4 \cdot 10^8 : 2^5$
B) $2{,}5^2 : (-5)^1 \cdot 4^0 : 5^2$
C) $(-(-(-2)^{-2})^2)^{-2}$
D) $(-(10^3 \cdot 0{,}1)^2)^{-2}$

b) Entwerft selbst zwei Runden mit Lösungen und gebt sie einem anderen Paar.

18 Vereinfache den Term mithilfe der Potenzgesetze und prüfe, ob der vereinfachte Term für $x = 2$ und $y = 5$ dasselbe Ergebnis liefert wie der ursprüngliche Term ($x \neq 0$; $y \neq 0$).

a) $(xy)^3$ b) $(xy^2)^{-2}$ c) $\left(\frac{x^4}{x^2}\right)^2$ d) $(x^3)^2 : x^4$

e) $(x^2)^3 \cdot x^{-3}$ f) $\left(\frac{x^5}{x^2}\right)^2$ g) $(x^{-1})^{-3} \cdot y^3$ h) $\left(\frac{x^2}{y^2}\right)^2$

Lerntipp
Seite 122, Beispiel 2

19 Schreibe ohne Klammer (x ≠ 0; y ≠ 0; z ≠ 0).

a) $(2x^2)^3$ b) $\left(\frac{x}{2y^2}\right)^4$ c) $(2z^2y)^4$ d) $\left(\frac{2z}{y^2}\right)^3$ e) $(xy^3)^{-1}$ f) $((5z)^2)^2$

Beachte:
$(2x)^2 = 2^2 \cdot x^2 = 4x^2$

20 Ergänze die fehlenden Zahlen in deinem Heft.

a) $8y^6 = (2y^\square)^3$ b) $z^8x^6 = (z^4x^3)^\square$ c) $27a^6 = (3a^\square)^\bigcirc$

d) $\square x^4 = (11x^2)^\bigcirc$ e) $5x^{12}y^\square = 5(x^3y^2)^\bigcirc$ f) $32x^\square = (\bigcirc x^2)^5$

21 Gilt immer – gilt nie – es kommt darauf an
Entscheide, ob die folgenden Aussagen immer gelten, nie stimmen oder nur in bestimmten Fällen richtig sind. Begründe.

a) Das Produkt von Potenzen lässt sich vereinfachen, indem man die Basen miteinander multipliziert.
b) Das Produkt von Potenzen lässt sich vereinfachen, indem man die Exponenten addiert.
c) Das Produkt aus zwei Zahlen, die durch 2 teilbar sind, ist durch 4 teilbar.

Teste dich! → **Lösungen**, Seite 246

22 Ordne die Zahlen absteigend der Größe nach: $3^2, 2^3, (2^2)^3, 2^{(2^3)}$ und $2^{(3^2)}$.

23 Gib an, wie viele Nullen die Zahl hat, wenn man sie als Dezimalzahl notiert.

a) $(10^7)^{10}$ b) $10 \cdot 10^{30} \cdot (10^{-2})^2$ c) $((10^{10})^{10})^{10}$

d) $5^{10} \cdot 2^{10} \cdot 10^{-3}$ e) $10^{(5^2)}$ f) $\frac{10^2}{10^{-22}} \cdot (10^{10})^{10}$

24 a) Zeige, dass $(5^3)^{-2} = 5^{-6}$ ist, ohne das Potenzgesetz für das Potenzieren von Potenzen anzuwenden. Notiere hierzu zunächst den Term ohne negative Exponenten.

b) Zeige, dass folgende Gleichungen für m > 0 und n > 0 richtig sind, ohne das Potenzgesetz für das Potenzieren von Potenzen anzuwenden (a ≠ 0).

(1) $(a^m)^{-n} = a^{-m \cdot n}$ (2) $(a^{-m})^n = a^{-m \cdot n}$ (3) $(a^{-m})^{-n} = a^{m \cdot n}$

25 a) Zeige, dass $(x^m)^n = (x^n)^m$ ist.
b) Untersuche, ob $(x^m)^n = x^{(m^n)}$ ist.

26 a) Setze die Dominosteine zusammen.
b) Entwerft selbst ein solches Domino-Spiel und löst es gegenseitig.

Kopiervorlage
Dominosteine
2n79pi

A) $-((-a)^{-2})^{-3}$ | a^6

B) $-a^4$ | $\frac{a^3 \cdot a^{-10}}{a \cdot a^5}$

C) a^{-13} | $((-a)^2)^{-5}$

D) a^8 | $(-a^{-4})^{-1}$

E) a^{-3} | $(-a)^6$

F) $((-a)^{-2})^{-3}$ | $\frac{a^5 \cdot a^{12} \cdot a^{-3}}{a^{-3} \cdot a^5 \cdot a^4}$

G) $-a^5$ | $\frac{-a^6 \cdot a^{-8}}{a^5 \cdot a^3}$

H) $\frac{1}{a^{10}}$ | $-(a^{-5})^{-1}$

I) $-\frac{1}{a^{10}}$ | $\frac{a^4 \cdot a^2}{a^6 \cdot a^3}$

Teste dein Grundwissen! **Anwendung mit funktionalen Zusammenhängen** → **Grundwissen**, Seite 211
Lösungen, Seite 246

27 In einem Becken sind 400 m³ Wasser. Es werden 250 l pro Minute abgepumpt.
a) Bestimme eine Gleichung für die Funktion f: Zeit (in min) → Wasser im Becken (in l).
b) Zeichne den Graphen von f und untersuche hiermit, wie lange es dauert, bis die Hälfte des Wassers abgepumpt ist.
c) Berechne, wie lange es dauert, bis das Becken leergepumpt ist.

6 Potenzen mit rationalen Exponenten

„Das ist ja einfach", beschwert sich Johanna. „Hier ist ein neues Rätsel: Um wie viele Leute, Katzen, Mäuse und Ähren geht es, wenn die Lösung 1024 Körner ist?"

Aus dem Papyrus Rhind:

7 Leute haben je 7 Katzen, jede Katze fängt 7 Mäuse, jede Maus frisst 7 Ähren, jede Ähre hat 7 Körner.

Wie viele Körner haben die Katzen vor den Mäusen bewahrt?

Der Papyrus Rhind ist ein altägyptisches Dokument, in dem verschiedene mathematische Probleme beschrieben sind.

Bisher wurden Potenzen mit ganzzahligen Exponenten betrachtet. Dass man Wurzeln als Potenzen mit einem Bruch im Exponenten definieren kann und wie man Potenzen mit beliebigen Brüchen im Exponenten definiert, wird im Folgenden erläutert.

n-te Wurzeln

Wenn man die Seitenlänge x eines Quadrats sucht, von dem man den Flächeninhalt A kennt, kann man die Gleichung $x^2 = A$ (für $x > 0$) lösen und die Wurzel aus A berechnen. Für $A = 16\,cm^2$ erhält man z. B. $x = \sqrt{16}\,cm = 4\,cm$.

$A = x^2;\ x = \sqrt{A}$

Wenn man die Kantenlänge x eines Würfels sucht, von dem das Volumen bekannt ist, muss man die Lösung der Gleichung $V = x^3$ für $x > 0$ bestimmen. Diese wird dritte Wurzel genannt. Man schreibt $x = \sqrt[3]{V}$.

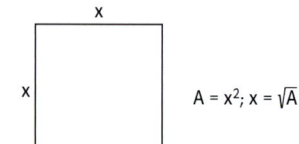

$V = x^3;\ x = \sqrt[3]{V}$

Für ein Volumen von $V = 27\,cm^3$ erhält man $x = \sqrt[3]{27}\,cm = 3\,cm$, denn $3^3 = 27$.

Auf die gleiche Weise definiert man allgemein die n-te Wurzel $\sqrt[n]{a}$ als die nicht negative Lösung für x der Gleichung $x^n = a$. Für die Quadratwurzel aus a kann man daher auch $\sqrt[2]{a}$ schreiben. In der Regel wird aber die Schreibweise $\sqrt{a}$ verwendet.

Wie bei der Quadratwurzel ist für positive Zahlen das Ziehen der n-ten Wurzel die Umkehrung der Potenzierung mit n.
Es gilt $\left(\sqrt[n]{a}\right)^n = a$ und $\sqrt[n]{a^n} = a$.

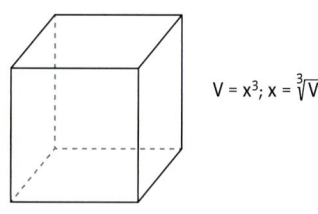

Rationale Exponenten

$\sqrt[3]{5}$ soll als Potenz mit der Basis 5 geschrieben werden.

Gesucht ist ein Exponent q mit $\sqrt[3]{5} = 5^q$.
Mit den Rechengesetzen für Potenzen folgt $5 = \left(\sqrt[3]{5}\right)^3 = (5^q)^3 = 5^{3 \cdot q}$, also muss $3 \cdot q = 1$, das heißt $q = \frac{1}{3}$ sein. Das Ziehen der dritten Wurzel ist gleichbedeutend mit dem Potenzieren mit $\frac{1}{3}$. Allgemein entspricht dem Ziehen der n-ten Wurzel das Potenzieren mit $\frac{1}{n}$.

Die Potenzgesetze sollen auch für n-te Wurzeln gelten. Wenn man zum Beispiel $\sqrt[3]{7}$ mit sich selbst multipliziert, erhält man $\left(\sqrt[3]{7}\right)^2 = \left(7^{\frac{1}{3}}\right)^2 = 7^{\frac{1}{3} \cdot 2} = 7^{\frac{2}{3}}$. Dadurch kann man Potenzen $a^{\frac{m}{n}}$ für beliebige rationale Exponenten mithilfe von n-ten Wurzeln definieren.

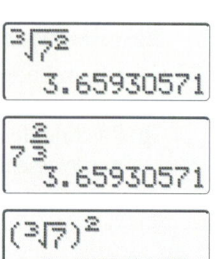

IV Potenzen und Potenzgesetze

> **n-te Wurzeln und Potenz mit rationalem Exponenten**
> Die nicht negative Lösung für x der Gleichung $x^n = a$ (mit $a \geq 0$) wird **n-te Wurzel aus a** genannt. Man schreibt $x = \sqrt[n]{a}$. Statt $\sqrt[2]{a}$ schreibt man auch $\sqrt{a}$.
> Potenzen mit rationalen Exponenten kann man mithilfe von n-ten Wurzeln darstellen.
> Es gilt: $a^{\frac{1}{n}} = \sqrt[n]{a}$; $a^{\frac{m}{n}} = \sqrt[n]{a^m} = \left(\sqrt[n]{a}\right)^m$; $a^{-\frac{m}{n}} = \frac{1}{\sqrt[n]{a^m}} = \frac{1}{\left(\sqrt[n]{a}\right)^m}$ (a > 0; m > 0; n > 0).

Die Potenzgesetze gelten auch für Potenzen mit rationalen Exponenten.

Potenzen mit rationalen Exponenten werden nur für nicht negative Basen definiert, weil die Potenzgesetze sonst nicht gelten würden. Wenn man zum Beispiel $\sqrt[3]{-8} = -2$ definieren würde, weil $(-2)^3 = -8$ ist, dann ergibt sich in der folgenden Rechnung durch die Anwendung der Potenzgesetze ein Widerspruch:
$\sqrt[3]{-8} = (-8)^{\frac{1}{3}} = (-8)^{\frac{2}{6}} = ((-8)^2)^{\frac{1}{6}} = 64^{\frac{1}{6}} = \sqrt[6]{64} = 2 \neq -2$. Wenn man also die Lösung der Gleichung $x^3 = -8$ mithilfe einer dritten Wurzel oder eines rationalen Exponenten ausdrücken will, dann schreibt man $x = -\sqrt[3]{8} = -8^{\frac{1}{3}} = -2$.

Beispiel 1 n-te Wurzel berechnen
Berechne.

a) $\sqrt[4]{16}$ b) $\sqrt[5]{0{,}00001}$ c) $\sqrt[4]{\frac{81}{625}}$ d) $\sqrt[3]{27^2}$

Lösung

a) $\sqrt[4]{16} = 2$
(denn $2^4 = 16$)

b) $\sqrt[5]{0{,}00001} = 0{,}1$
(denn $0{,}1^5 = 0{,}00001$)

c) $\sqrt[4]{\frac{81}{625}} = \frac{3}{5}$
$\left(\text{denn } \left(\frac{3}{5}\right)^4 = \frac{81}{625}\right)$

d) $\sqrt[3]{27^2} = 27^{\frac{2}{3}} = \left(\sqrt[3]{27}\right)^2 = 3^2 = 9$
(denn $3^3 = 27$)

Beispiel 2 Potenzen mit rationalen Exponenten berechnen
Berechne.

a) $125^{\frac{1}{3}}$ b) $0{,}0016^{\frac{1}{4}}$ c) $\left(\frac{8}{27}\right)^{\frac{2}{3}}$ d) $4^{-\frac{1}{2}}$

Lösung

a) $\sqrt[3]{125} = 5$
b) $\sqrt[4]{0{,}0016} = 0{,}2$
c) $\left(\left(\frac{8}{27}\right)^{\frac{1}{3}}\right)^2 = \left(\frac{2}{3}\right)^2 = \frac{4}{9}$
d) $\frac{1}{4^{\frac{1}{2}}} = \frac{1}{\sqrt{4}} = \frac{1}{2}$

Beispiel 3 Potenzgesetze anwenden und Terme vereinfachen
Schreibe die Potenzen mit rationalen Exponenten und vereinfache mithilfe der Potenzgesetze (a > 0; b > 0). Erläutere dein Vorgehen und gib das jeweilige Potenzgesetz an.

a) $\left(\sqrt[5]{a^3}\right)^{-5}$ b) $\frac{\sqrt{a}}{\sqrt[3]{a^6}}$ c) $\sqrt[3]{a} \cdot b^{\frac{1}{3}}$

Potenzgesetze
$a^r \cdot a^s = a^{r+s}$
$a^r : a^s = a^{r-s}$
$a^r \cdot b^r = (ab)^r$
$(a^r)^s = a^{rs}$

Lösung
Man notiert die Wurzel als Potenz mit einem rationalen Exponenten.

a) $\left(\sqrt[5]{a^3}\right)^{-5} = \left(a^{\frac{3}{5}}\right)^{-5}$
$a^{\frac{3}{5} \cdot (-5)} = a^{-3}$

Man vereinfacht den Term, indem man die Exponenten miteinander multipliziert (Potenzgesetz für das Potenzieren von Potenzen).

b) $\frac{\sqrt{a}}{\sqrt[3]{a^6}} = \frac{a^{\frac{1}{2}}}{a^{\frac{6}{3}}} = \frac{a^{\frac{1}{2}}}{a^2} = a^{\frac{1}{2} - 2} = a^{-\frac{3}{2}}$

Man erhält einen Quotienten aus Potenzen mit derselben Basis. Diesen kann man vereinfachen, indem man die Exponenten subtrahiert (Potenzgesetz für Quotienten aus Potenzen mit gleichen Basen).

c) $\sqrt[3]{a} \cdot b^{\frac{1}{3}} = a^{\frac{1}{3}} \cdot b^{\frac{1}{3}} = (ab)^{\frac{1}{3}}$

Im Produkt aus Potenzen mit gleichen Exponenten kann man die Basen miteinander multiplizieren und den Exponenten beibehalten (Potenzgesetz für Produkte von Potenzen mit gleichen Exponenten).

Aufgaben

1 Ordne den Karten 1 bis 6 den passenden Buchstaben zu. Du erhältst ein Lösungswort.

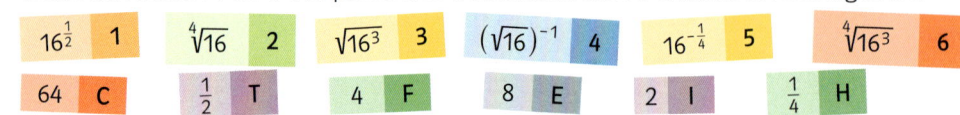

| $16^{\frac{1}{2}}$ | 1 | $\sqrt[4]{16}$ | 2 | $\sqrt{16^3}$ | 3 | $(\sqrt{16})^{-1}$ | 4 | $16^{-\frac{1}{4}}$ | 5 | $\sqrt[4]{16^3}$ | 6 |

| 64 | C | $\frac{1}{2}$ | T | 4 | F | 8 | E | 2 | I | $\frac{1}{4}$ | H |

2 Berechne.
a) $\sqrt[3]{8}$ b) $\sqrt[3]{27}$ c) $\sqrt[4]{81}$ d) $\sqrt[7]{1}$ e) $\sqrt[3]{125}$ f) $\sqrt[5]{32}$
g) $\sqrt[3]{\frac{8}{27}}$ h) $\sqrt[3]{\frac{1}{64}}$ i) $\sqrt[3]{0{,}001}$ j) $\sqrt[3]{0{,}008}$ k) $\sqrt[3]{0{,}064}$ l) $\sqrt[3]{0}$

→ **Lerntipp** Seite 127, Beispiel 1

3 a) Gib an, zwischen welchen beiden ganzen Zahlen die n-te Wurzel liegen muss.
(1) $\sqrt[3]{7}$ (2) $\sqrt[3]{9}$ (3) $\sqrt[3]{0{,}5}$ (4) $\sqrt[3]{30}$ (5) $\sqrt[4]{15}$ (6) $\sqrt[4]{33}$
b) Gib die n-ten Wurzeln aus a) näherungsweise mithilfe des Taschenrechners an.

4 Notiere als n-te Wurzel und berechne dann.
a) $64^{\frac{1}{2}}$ b) $16^{\frac{1}{4}}$ c) $27^{\frac{1}{3}}$ d) $1000^{\frac{1}{3}}$ e) $625^{\frac{1}{4}}$ f) $216^{\frac{1}{3}}$
g) $\left(\frac{27}{8}\right)^{\frac{1}{3}}$ h) $\left(\frac{32}{100\,000}\right)^{\frac{1}{5}}$ i) $0{,}008^{\frac{1}{3}}$ j) $0{,}0001^{\frac{1}{4}}$ k) $\left(\frac{1}{8}\right)^{\frac{2}{3}}$ l) $0{,}16^{\frac{3}{2}}$

→ **Lerntipp** Seite 127, Beispiel 2

5 a) Notiere die Lösung für a als Wurzel. Gib an, zwischen welchen natürlichen Zahlen a liegt (a > 0).
(1) $a^2 = 20$ (2) $a^3 = 20$ (3) $a^4 = 15$ (4) $a^5 = 15$ (5) $a^5 = 70$ (6) $a^{22} = 2$
b) Überprüfe deine Ergebnisse aus Teilaufgabe a) mit einem Taschenrechner.

6 Untersuche mithilfe der Potenzgesetze, welche Karten denselben Wert haben.

| A $5^{\frac{1}{2}} \cdot 5^{\frac{1}{4}}$ | B $5^{-\frac{1}{2}} \cdot 5^{\frac{2}{3}}$ | C $5^{\frac{5}{6}} : 5^{\frac{1}{4}}$ | D $5^{\frac{1}{2}} : 5^{\frac{5}{12}}$ | E $5^{\frac{1}{2}} \cdot 5^{-\frac{5}{3}}$ | F $5^{\frac{1}{3}} \cdot 5^{\frac{1}{4}}$ | G $5^{-\frac{2}{3}} \cdot 5^{\frac{3}{4}}$ | H $5^2 : 5^{\frac{5}{4}}$ |

→ **Üben** Seiten 130 und 131, Aufgaben 10 und 12

7 Schreibe als Potenzen mit rationalen Exponenten und berechne dann mithilfe der Potenzgesetze (a > 0; b > 0). Erläutere dein Vorgehen und gib das jeweilige Potenzgesetz an.
a) $\sqrt[3]{4} \cdot \sqrt[3]{2}$ b) $\sqrt[3]{9} \cdot \sqrt[3]{3}$ c) $\sqrt[6]{32} \cdot \sqrt[6]{2}$ d) $\sqrt[3]{6} \cdot \sqrt[3]{36}$
e) $\frac{\sqrt[3]{16}}{\sqrt[3]{2}}$ f) $\frac{\sqrt[4]{162}}{\sqrt[4]{2}}$ g) $\frac{\sqrt{64}}{\sqrt[3]{64}}$ h) $\left(\sqrt[3]{9}\right)^2 \cdot \sqrt[3]{9}$

→ **Lerntipp** Seite 127, Beispiel 3

Teste dich!

→ **Lösungen**, Seite 246

8 Schreibe als n-te Wurzel und berechne.
a) $169^{\frac{1}{2}}$ b) $8000^{\frac{1}{3}}$ c) $\left(\frac{27}{125}\right)^{\frac{1}{3}}$ d) $0{,}0016^{\frac{1}{4}}$

9 Berechne.
a) $4^{\frac{2}{3}} \cdot 16^{\frac{2}{3}}$ b) $0{,}1^{\frac{1}{4}} \cdot 0{,}081^{\frac{1}{4}}$ c) $\left(\frac{27}{10\,000}\right)^{\frac{1}{3}} \cdot 10^{\frac{1}{3}}$ d) $121^{\frac{2}{3}} \cdot \left(\frac{11}{8}\right)^{\frac{2}{3}}$

---

10 Sortiere der Größe nach. Beginne mit der kleinsten Zahl.

| 2^{-3} | | $8^{\frac{1}{3}}$ | $\left(\frac{1}{2}\right)^{-3}$ | $3^{0{,}5}$ | 3^{-2} | $\left(\frac{1}{3}\right)^{-2}$ | | $\sqrt[3]{27}$ | $\left(\frac{1}{3}\right)^{-3}$ |

→ **Vertiefen** Seiten 131 und 132, Aufgaben 13 und 19

11 Gib die fehlenden Zahlen an.

a) $3^{\frac{2}{\square}} = \sqrt[5]{3^{\triangle}}$
b) $\sqrt[4]{7^8} = 7^{\square}$
c) $\sqrt[6]{5^3} = 5^{\square}$
d) $5^{-\frac{\square}{3}} = \frac{1}{\sqrt{5^{\square}}}$
e) $a^2 = \sqrt[\square]{a^{\triangle}}$
f) $\sqrt[5]{a^{\square}} = a\sqrt[5]{a}$

12 a) Gib an, welche der Zahlen auf den Kärtchen gleich sind.

$5^{\frac{1}{3}}$ $\frac{1}{\sqrt[3]{5}}$ $\frac{1}{5^{-\frac{2}{3}}}$ $5^{\frac{2}{6}}$ $\sqrt[3]{5}$ $\sqrt[3]{5^2}$ $\left(\sqrt[6]{5}\right)^2$ $5^{-\frac{2}{6}}$ $(5^6)^{\frac{1}{9}}$

→ **Vertiefen**
Seite 131, Aufgabe 15

b) Gib möglichst viele Schreibweisen mit Wurzeln und Potenzen für 3 und 0,25 an.

13 Schreibe die Potenzen mit rationalen Exponenten und vereinfache mithilfe der Potenzgesetze (a > 0; b > 0). Erläutere dein Vorgehen. Gib das jeweilige Potenzgesetz an.

a) $\sqrt[3]{a} \cdot a^2$
b) $\sqrt[5]{a} \cdot \sqrt[5]{a^2}$
c) $\left(\sqrt[3]{a^5}\right)^{-6}$
d) $\dfrac{\sqrt[4]{a^3}}{\sqrt[8]{a^5}}$
e) $\sqrt[5]{a} \cdot b^{\frac{1}{5}}$
f) $\sqrt[3]{a} \cdot \sqrt[6]{b^2}$

Teste dich!

→ **Lösungen**, Seite 247

14 Vereinfache (a > 0; b > 0) und berechne für a = 8 und b = 81.

a) $\left(\sqrt[3]{a^2}\right)^2$
b) $\sqrt[12]{a} \cdot \sqrt[6]{a} \cdot \sqrt[12]{a}$
c) $\left(\sqrt{b} \cdot \sqrt[8]{b} \cdot \sqrt[8]{b}\right)^{\frac{1}{3}}$
d) $\dfrac{\sqrt[3]{a}}{\sqrt[3]{b}} \cdot \sqrt[3]{3}$

---

15 a) Untersuche die Fragen zu den Potenzen mit der Basis a > 0 und beliebigen Exponenten z mithilfe eines digitalen Werkzeugs.
(1) Für welche Werte von z ist a^z größer als a?
(2) Für welche Werte von a ist a^z größer als a?

b) Begründe die Ergebnisse aus Teilaufgabe a) mithilfe von Potenzgesetzen, indem du den Exponenten z bzw. die Basis a als Bruch notierst.

Ellipsenbahn:

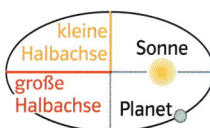

16 Die Planeten unseres Sonnensystems bewegen sich auf Ellipsenbahnen um die Sonne. Das dritte Kepler'sche Gesetz lautet: Das Verhältnis der Quadrate der Umlaufzeiten T_1 bzw. T_2 zweier Planeten um die Sonne ist genauso groß wie das Verhältnis der dritten Potenzen der großen Halbachsen r_1 bzw. r_2 ihrer Umlaufbahnen: $\dfrac{T_1^2}{T_2^2} = \dfrac{r_1^3}{r_2^3}$.

a) Die Umlaufzeit der Erde beträgt 365,26 Tage, die der Venus 224,7 Tage. Die große Halbachse der Erdumlaufbahn ist $1{,}496 \cdot 10^8$ km lang. Bestimme die Länge der großen Halbachse der Venusumlaufbahn.

b) Die große Halbachse der Marsumlaufbahn ist $2{,}279 \cdot 10^8$ km lang. Berechne die Umlaufzeit des Mars um die Sonne.

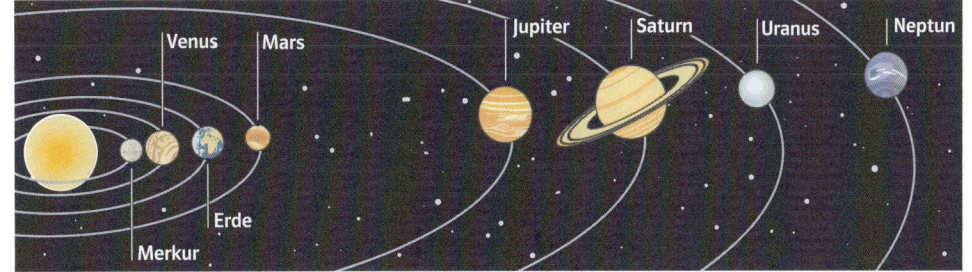

Der Mathematiker, Johannes Kepler aus Weil der Stadt lebte von 1571 bis 1630 und machte wichtige Entdeckungen zu den Bewegungen der Planeten.

Teste dein Grundwissen!   Funktionsgleichungen bestimmen

→ **Grundwissen**, Seite 211
Lösungen, Seite 247

17 Gegeben ist die Funktion f mit $f(x) = 2x + 3$.
a) Gib die Gleichung einer Funktion g an, deren Graph parallel zum Graphen von f liegt.
b) Bestimme die Gleichung einer Funktion h, die dieselbe Nullstelle hat wie f.

Wiederholen – Vertiefen – Vernetzen

Wiederholen und Üben

→ **Lösungen**, Seite 247

1 Setze für das Kästchen eines der Zeichen >, < oder = ein, ohne den genauen Wert der Potenzen zu berechnen. Kontrolliere deine Lösung mit dem Taschenrechner.
a) $4^2 \square 3^3$ b) $4^{-2} \square 3^{-3}$ c) $2^{-2} \square \frac{1}{16}$ d) $3^{-4} \square 9^{-2}$
e) $10^{-1} \square \frac{3}{10}$ f) $25^{-1} \square 5^{-2}$ g) $\left(\frac{1}{5}\right)^3 \square 5^{-3}$ h) $100^{-2} \square 10^{-4}$
i) $7^{-3} \square 7^2$ j) $\left(\frac{3}{4}\right)^4 \square \left(\frac{4}{3}\right)^{-4}$ k) $\left(\frac{2}{3}\right)^3 \square \left(\frac{3}{2}\right)^3$ l) $\left(\frac{3}{4}\right)^{-2} \square \left(\frac{4}{3}\right)^{-2}$

2 Notiere die Zahlen in wissenschaftlicher Schreibweise und gib die nächsten drei Zahlen der Zahlenfolge an.
a) 2100, 210 000, 21 000 000, …
b) 5000, 500, 50, …
c) 32, 32 000, 32 000 000, 32 000 000 000, …
d) $\frac{7}{10}, \frac{7}{1000}, \frac{7}{100\,000}, \frac{7}{10\,000\,000}, \ldots$

3 Gib an, für welche Zahl $\square$ steht.
a) $10^4 \cdot 10^\square = 10^3$ b) $10^\square \cdot 10^2 = 10^{-2}$ c) $10^4 : 10^\square = 10^3$ d) $10^\square \cdot 10^4 = 10^6$

4 Ergänze die fehlende Zahl.
a) $6{,}4 \cdot 10^\square = 0{,}0064$ b) $0{,}0025 = 2{,}5 \cdot 10^\square$ c) $7{,}32 \cdot 10^\square = 73\,200$ d) $\square \cdot 10^5 = 23\,410$

5 Schreibe ohne die Verwendung von Zehnerpotenzen.
a) $4 \cdot 10^4$ b) $7{,}96 \cdot 10^3$ c) $55{,}32 \cdot 10^9$ d) $1{,}71 \cdot 10^{-3}$ e) $6{,}85 \cdot 10^{11}$
f) $13{,}87 \cdot 10^6$ g) $765 \cdot 10^{-4}$ h) 10^{-5} i) $0{,}502 \cdot 10^{-5}$ j) 10^6

6 a) Gib an, welche Kärtchen den Wert 1 haben. Drei Kärtchen bleiben übrig und lassen sich zu einem Lösungswort zusammensetzen.

| $\frac{10^3}{1000}$ A | $\frac{10^3}{5^3 \cdot 2^3}$ B | 7^0 C | $\frac{(10^2)^5}{10^{10}}$ D | $10^6 - 10^6$ E | $\frac{5^5}{4^5}$ F |
| $\frac{5^3}{125}$ G | $10^{-5} \cdot 5^5 \cdot 2^5$ H | $\frac{7 \cdot 10^6}{7\,000\,000}$ I | $\frac{(10^3)^2}{10^6}$ J | $\frac{2{,}2 \cdot 10^{-7}}{22 \cdot 10^{-8}}$ K | $\frac{0}{5^0}$ L |

b) Erstelle weitere Karten wie in Teilaufgabe a), die den Wert 1 haben.

7 Vereinfache und berechne.
a) $15^4 : 5^4$ b) $\left(\frac{3}{2}\right)^3 \cdot \left(\frac{4}{9}\right)^3$ c) $5^{\frac{1}{2}} \cdot 5^{1{,}5}$ d) $6^4 \cdot \left(\frac{1}{3}\right)^4$
e) $64^{\frac{1}{2}} : 64^{\frac{1}{3}}$ f) $\left(\frac{27}{8}\right)^{\frac{5}{3}} : \left(\frac{27}{8}\right)^2$ g) $1{,}2^5 \cdot 12^5$ h) $2^7 \cdot 5^7$

8 Berechne.
a) $5 \cdot 2^3 - 3 \cdot 2^3$ b) $4 \cdot 3^5 - 5 \cdot 3^5$ c) $3 \cdot 7^4 + 7 \cdot 7^3$ d) $2 \cdot 5^3 - 5^4$
e) $3 \cdot 10^4 - 2 \cdot 10^2$ f) $\left(\frac{1}{3}\right)^5 \cdot 9 - \left(-\frac{1}{3}\right)^4$ g) $12 \cdot 3^3 - 3^3 \cdot 5$ h) $10 \cdot \left(\frac{1}{2}\right)^3 + \left(\frac{1}{2}\right)^4$

9 Schreibe als Potenz mit einem positiven Exponenten.
a) $(3^{-2})^5$ b) $\left(\left(\frac{1}{5}\right)^{-2}\right)^4$ c) $((-1)^3)^4$ d) $(2^7)^{-7}$ e) $(3^4)^{0{,}25}$ f) $\left(\left(\frac{2}{3}\right)^{-2}\right)^{-1}$

Teste dich!

Kopiervorlage
Check-out
2n79pi

10 Ordne die Zahlen der Größe nach. Beginne mit der kleinsten.

$2^{\frac{1}{4}}$ A 2^2 B $2^{-\frac{1}{2}}$ F 2^0 C $2^{\frac{1}{2}}$ D $2^{1{,}5}$ E
2^{-2} G 2^1 H

130

11 a) Gib an, welche Beschreibung zu welcher Rechnung passt ($a \neq 0$).

(1) $\frac{8^5}{4^5} = \left(\frac{8}{4}\right)^5 = 2^5$ (2) $a^3 \cdot a^{-4} = a^{3-4} = a^{-1}$ (3) $(a^3)^4 = a^{12}$

A Es handelt sich um ein Produkt aus Potenzen mit der gleichen Basis. Man addiert die Exponenten und behält die Basis bei.

B Es handelt sich um eine Potenz einer Potenz. Man kann die Exponenten multiplizieren und die Basis beibehalten.

C Es handelt sich um einen Quotienten von Potenzen mit gleichen Exponenten. Man dividiert die Basen. Der gemeinsame Exponent bleibt erhalten.

b) Vereinfache die Terme und erläutere dein Vorgehen ($a \neq 0$).

(1) $\frac{a^5}{a^3}$ (2) $a^3 \cdot a^{-5}$ (3) $\frac{7^5}{14^5}$ (4) $(2^3)^{-1}$

12 Schreibe die Potenz als Wurzel und berechne.

a) $8^{\frac{1}{3}}$ b) $243^{\frac{1}{5}}$ c) $4^{\frac{3}{2}}$ d) $49^{\frac{1}{2}}$ e) $16^{\frac{1}{4}}$ f) $16^{\frac{3}{4}}$

g) $32^{\frac{2}{5}}$ h) $25^{-\frac{3}{2}}$ i) $\left(\frac{1}{4}\right)^{\frac{1}{2}}$ j) $\left(\frac{1}{4}\right)^{-\frac{1}{2}}$ k) $\left(\frac{8}{27}\right)^{-\frac{1}{3}}$ l) $\left(\frac{81}{16}\right)^{-\frac{3}{4}}$

Vertiefen und Anwenden

13 Gib an, in welchem Bereich auf der Zahlengeraden die Zahlen liegen müssen. Begründe.

a) $\sqrt[3]{2}$ b) $\sqrt{12}$ c) $\sqrt[3]{22}$ d) $\sqrt[3]{39}$ e) $\sqrt[4]{70}$ f) $\sqrt[3]{115}$

g) $\sqrt[5]{90\,000}$ h) $\sqrt[3]{180}$ i) $\sqrt[3]{900}$ j) $\sqrt[3]{250}$ k) $\sqrt[4]{15}$ l) $\sqrt{55}$

14 Berechne $5^{-4} \cdot 5^{-4}$ auf zwei verschiedene Arten. Erläutere dein Vorgehen.

15 Dimitrij verwendet einen Taschenrechner auf dem Handy, der keine Taste für die Berechnung der n-ten Wurzel besitzt. Er gibt daher Potenzen ein und notiert die Exponenten mithilfe des Zeichens für „Geteilt".

```
8^1/3       2
8^2/3       4
64^5/6      32
```

a) Gib an, welche Wurzeln Dimitrij berechnet hat. Begründe durch eine Rechnung ohne Taschenrechner, dass die Ergebnisse des Taschenrechners (siehe Abbildung oben) stimmen.

b) Berechne $\sqrt[8]{1250}$, $\sqrt[7]{3^8}$ und $\sqrt{99}$ mit Dimitrijs Methode und vergleiche das Ergebnis mit dem Wert, den der Taschenrechner liefert, wenn man $\sqrt[8]{1250}$, $\sqrt[7]{3^8}$ bzw. $\sqrt{99}$ eingibt.

16 Vereinfache mithilfe der Potenzgesetze ($x \neq 0$; $y \neq 0$; $z \neq 0$). Berechne dann für $x = 2$, $y = 4$ und $z = 5$.

a) $\frac{x^3}{x^2}$ b) $x^4 \cdot x^5 \cdot x^{-3}$ c) $\frac{x^5}{y^5}$ d) $(x^2)^3$

e) $\frac{x^3 \cdot x^8}{x^6 \cdot x^2}$ f) $x^4 \cdot z^4$ g) $(x^3)^2 \cdot x^{-3}$ h) $(x^2 \cdot z^2)^3$

i) $\frac{x^3 \cdot x^5 \cdot x^8}{x^6 \cdot x^7}$ j) $x^3 \cdot y^{-3}$ k) $\frac{(xy)^7}{x^5 \cdot y^5}$ l) $(2x)^2 \cdot 2x^2$

17 Ordne jeweils zwei äquivalente Terme einander zu ($x \neq 0$; $y \neq 0$).

A $(2x)^2 : (6y^2)^2$ **B** $3x^{-2} \cdot (xy)^4$ **C** $\frac{x^2}{9y^4}$ **D** $\frac{x^4}{3y^4}$ **E** $3x^2y^4$ **F** $(3x^2y)^2 \cdot (3y^2)^{-3}$

Wiederholen – Vertiefen – Vernetzen

18 Berechne. Prüfe vorher, ob man den Term mithilfe eines Potenzgesetzes vereinfachen kann.
a) $2^5 \cdot 5^5 + 10^5$
b) $4^3 + 2^3 \cdot 5^3$
c) $3^4 \cdot 3^{-2} \cdot 3^3$
d) $3^4 \cdot 3^{-2} + 3^3$
e) $\left(\frac{20^5}{2^5}\right)^3$
f) $20^3 - 5^3 \cdot 5^3$
g) $20^4 : 5^4 - \frac{80^4}{20^4}$
h) $\left(\frac{7^2 + 7^2}{7^2}\right)^8 : \frac{8^6}{4^6}$

19 Untersuche mithilfe von Zahlen und formuliere dann Sätze mithilfe der Satzbausteine.

Wenn die Basis einer Potenz	• größer als 1 ist • größer als 0 und kleiner als 1 ist	und	der Exponent	• positiv ist, • negativ ist,	dann ist der Wert der Potenz	• kleiner als 1. • größer als 1.

20 Schreibe als Potenz mit der Basis b.
a) 9^5; b = 3
b) 2^6; b = 8
c) $\left(\frac{1}{3}\right)^{10}$; b = $\frac{1}{9}$
d) 10^{10}; b = 100
e) $\left(\frac{9}{4}\right)^5$; b = $\frac{3}{2}$
f) 3^9; b = 27
g) 16^8; b = 4
h) $\left(\frac{1}{2}\right)^4$; b = $\frac{1}{4}$

21 Schreibe als Potenz mit möglichst kleiner natürlicher Basis.
a) 16^3
b) 125^3
c) 49^5
d) 9^{10}
e) 256^6
f) 81^2

22 Schreibe als Potenz mit negativem Exponenten und einer möglichst kleinen natürlichen Zahl als Basis.
a) $\frac{1}{128}$
b) $\frac{1}{512}$
c) $\frac{1}{625}$
d) $\frac{1}{1000}$
e) $\frac{1}{216}$
f) $\frac{1}{243}$
g) 0,2
h) 0,04
i) 0,01
j) 0,001
k) 0,25
l) 0,125

23 Pro Herzschlag werden etwa 80 ml in die Aorta, die Hauptschlagader, gepumpt. Pro Minute schlägt das Herz im Schnitt etwa 70-mal. Wie viel Liter Blut hat das Herz eines 85 Jahre alten Menschen insgesamt in die Aorta gepumpt? Gib die Anzahl der Liter in wissenschaftlicher Schreibweise an.

24 Linda wundert sich, dass die Speicherkapazität von ihrem Tablet eine „krumme Zahl" ist. Elena meint, dass das etwas mit Zweierpotenzen zu tun hat.
a) Recherchiere im Internet nach Beispielen für Speicherkapazitäten und untersuche, ob die Maßzahlen Zweierpotenzen sind.
b) Recherchiere Begründungen dafür, dass Speicherkapazitäten von Computern mit Zweierpotenzen zusammenhängen.

Methode
Recherche im Internet
2n79pi

25 a) Erläutere, welche Potenzen in der Tabelle berechnet werden.
b) Untersuche, an welchen Stellen in der Tabelle gleiche Zahlen stehen und begründe mithilfe der Potenzgesetze, warum man dort gleiche Werte erhalten muss.
c) Die Formel in B2 wurde für die Berechnung anderer Zellen kopiert. Dabei wurden $-Zeichen verwendet. Erläutere, warum dies hier hilfreich ist.
d) Erstelle ein Kalkulationsblatt wie in der Tabelle bei dem die Basen Zehnerpotenzen sind.

Über die Bedeutung des $-Zeichens in einer Tabellenkalkulation kannst du dich auch im Internet informieren.

B2 | = | =$A2^B$1

	A	B	C	D	E	F
1		−2	−1	0	1	2
2	0,25	16	4	1	0,25	0,0625
3	0,5	4	2	1	0,5	0,25
4	1	1	1	1	1	1
5	2	0,25	0,5	1	2	4
6	4	0,0625	0,25	1	4	16

26 Matteo meint, dass die Wurzelgesetze ein Spezialfall der Potenzgesetze sind. Zeige mithilfe der Definition von Potenzen mit rationalen Exponenten und den Potenzgesetzen, dass er recht hat.

Lerntipp
Die Wurzelgesetze findest du auf Seite 20.

27 Emma möchte mit dem Taschenrechner $7^{1258} : 7^{1256}$ berechnen. Sie erhält eine Fehlermeldung.
a) Bestimme das Ergebnis der Rechnung mithilfe eines Potenzgesetzes.
b) Karim meint, dass die Zwischenergebnisse für Emmas Taschenrechner zu groß sind. Erläutere, was Karim damit meint.

Vernetzen und Erforschen

28 Bei Wind weicht die gefühlte Außentemperatur von der gemessenen Lufttemperatur ab. Die Windchill-Temperatur beschreibt die gefühlte Temperatur in Abhängigkeit von der Windgeschwindigkeit und der Lufttemperatur. Meteorologen berechnen sie mit folgender Formel: WCT = $13{,}12 + 0{,}6125 \cdot T - 11{,}37 \cdot v^{0{,}16} + 0{,}3965 \cdot T \cdot v^{0{,}16}$
(WTC: Windchill-Temperatur in °C, T: Lufttemperatur in °C, v: Windgeschwindigkeit in $\frac{km}{h}$).

a) Untersuche folgende Fragen mithilfe eines geeigneten digitalen Werkzeugs.
  (1) Wie groß ist die gefühlte Temperatur bei einer Windgeschwindigkeit von 50 km/h und einer Lufttemperatur von 20 °C?
  (2) Bei welcher Windgeschwindigkeit stimmt die gefühlte Temperatur ungefähr mit der Lufttemperatur überein?
  (3) Bei welcher Außentemperatur beträgt die gefühlte Temperatur 0 °C, wenn die Windgeschwindigkeit 70 km/h beträgt?
b) (1) Stelle den Zusammenhang zwischen der Windgeschwindigkeit und der gefühlten Temperatur für eine festgelegte Außentemperatur grafisch dar.
  (2) Stellt Fragen, die man mithilfe des Graphen beantworten kann und beantwortet sie euch gegenseitig.

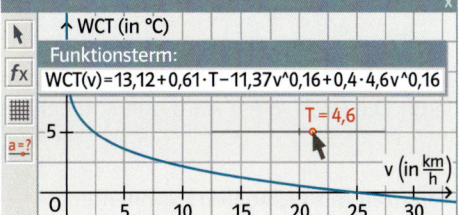

29 Gilt immer – gilt nie – es kommt darauf an
Überprüfe, ob die folgenden Aussagen immer gelten, nie stimmen oder nur in bestimmten Fällen richtig sind. Begründe jeweils.
a) Wenn man die Basis und den Exponenten vertauscht, erhält man das gleiche Ergebnis.
b) Wenn der Exponent eine gerade Zahl ist, spielt das Vorzeichen der Basis für den Wert des Terms keine Rolle.
c) Potenzen mit negativen Exponenten sind kleiner als 1.

30 Die Seitenmitten eines gleichseitigen Dreiecks bilden jeweils die Eckpunkte des nächsten Dreiecks. Das äußere Dreieck hat eine Seitenlänge von 4 cm.
a) Erstelle ein Tabellenkalkulationsblatt, dem man die Seitenlänge des n-ten Dreiecks entnehmen kann.
b) Bestimme eine Formel zur Berechnung der Seitenlänge des n-ten Dreiecks. Untersuche mit dem Kalkulationsblatt und der Formel, welches Dreieck eine Seitenlänge von $\frac{1}{1024}$ cm hat.

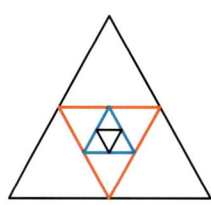

Rückblick

Potenzen mit ganzzahligen Exponenten
Für eine beliebige Zahl a und positive natürliche Zahlen n gilt:

$a^n = \underbrace{a \cdot a \ldots a \cdot a}_{n \text{ Faktoren}}$

$2^3 = 2 \cdot 2 \cdot 2 = 8$

Für beliebige Zahlen $a \neq 0$ und positive natürliche Zahlen n gilt:

$a^{-n} = \dfrac{1}{a^n} = \dfrac{1}{\underbrace{a \cdot a \ldots a \cdot a}_{n \text{ Faktoren}}} = \dfrac{1}{a^n} = \underbrace{\dfrac{1}{a} \cdot \dfrac{1}{a} \ldots \dfrac{1}{a} \cdot \dfrac{1}{a}}_{n \text{ Faktoren}}$

$2^{-3} = \dfrac{1}{2^3} = \dfrac{1}{2 \cdot 2 \cdot 2} = \dfrac{1}{8}$

Außerdem definiert man für alle Zahlen $a \neq 0$, dass $a^0 = 1$ ist.

$2^0 = 1$

Für Potenzen mit einem Bruch als Basis gilt: $\left(\dfrac{a}{b}\right)^{-n} = \left(\dfrac{b}{a}\right)^n$
($a \neq 0$; $b \neq 0$).

$\left(\dfrac{2}{7}\right)^{-2} = \left(\dfrac{7}{2}\right)^2 = \dfrac{49}{4}$

Zahlen mit Zehnerpotenzen darstellen
Große Zahlen sowie Zahlen, die in der Nähe von null liegen, werden häufig mithilfe von Zehnerpotenzen angegeben.
Bei der **wissenschaftlichen Schreibweise** (englisch *scientific notation*, Abkürzung SCI) steht vor der Zehnerpotenz stets ein Faktor, der mindestens gleich 1 und kleiner als 10 ist.

$230\,000 = 2{,}3 \cdot 10^5$

$0{,}000\,078 = 7{,}8 \cdot 10^{-5}$

Potenzgesetze
Beim Multiplizieren bzw. Dividieren von Potenzen mit gleicher Basis $a \neq 0$ kann man die Exponenten addieren bzw. subtrahieren. Die gemeinsame Basis bleibt dann erhalten.

$a^m \cdot a^n = a^{m+n}$ $\qquad a^m : a^n = \dfrac{a^m}{a^n} = a^{m-n}$

$3^4 \cdot 3^2 = 3^{4+2} = 3^6$

$3^6 : 3^2 = \dfrac{3^6}{3^2} = 3^{6-2} = 3^4$

Beim Multiplizieren und Dividieren von Potenzen mit gleichen Exponenten kann man die Basen $a \neq 0$ und $b \neq 0$ multiplizieren bzw. dividieren. Der gemeinsame Exponent bleibt dann erhalten.

$a^n \cdot b^n = (a \cdot b)^n$ $\qquad a^n : b^n = \dfrac{a^n}{b^n} = \left(\dfrac{a}{b}\right)^n$

$5^4 \cdot 2^4 = (5 \cdot 2)^4$

$3^5 : 7^5 = \dfrac{3^5}{7^5} = \left(\dfrac{3}{7}\right)^5$

Beim Potenzieren von Potenzen kann man die Exponenten miteinander multiplizieren. Die Basis $a \neq 0$ wird dann beibehalten.
$(a^m)^n = a^{m \cdot n}$

$(10^2)^4 = 10^{2 \cdot 4} = 10^8$

n-te Wurzeln und Potenzen mit rationalen Exponenten
Die nicht negative Lösung für x der Gleichung $x^n = a$ (mit $a \geq 0$) wird **n-te Wurzel aus a** genannt.

Man schreibt $\mathbf{x = \sqrt[n]{a}}$.

Statt $\sqrt[2]{a}$ schreibt man auch $\sqrt{a}$.

$x^3 = 64$ ($x > 0$)

$x = \sqrt[3]{64} = 4,$

(denn $4^3 = 64$)

Potenzen mit rationalen Exponenten kann man mithilfe von n-ten Wurzeln darstellen. Es gilt:

$a^{\frac{1}{n}} = \sqrt[n]{a}$

$a^{\frac{m}{n}} = \sqrt[n]{a^m} = \left(\sqrt[n]{a}\right)^m$

$a^{-\frac{m}{n}} = \dfrac{1}{\sqrt[n]{a^m}} = \dfrac{1}{\left(\sqrt[n]{a}\right)^m}$ (a, m, n > 0)

$25^{\frac{1}{2}} = \sqrt{25} = 5$

$8^{\frac{1}{3}} = \sqrt[3]{8} = 2$

$32^{\frac{2}{5}} = \left(\sqrt[5]{32}\right)^2 = 2^2 = 4$

$3^{\frac{2}{3}} = \sqrt[3]{3^2} = \sqrt[3]{9} \approx 2{,}1$

$\left(\dfrac{16}{81}\right)^{-\frac{3}{4}} = \left(\dfrac{81}{16}\right)^{\frac{3}{4}} = \left(\sqrt[4]{\dfrac{81}{16}}\right)^3 = \left(\dfrac{3}{2}\right)^3 = \dfrac{27}{8}$

Test

IV Potenzen und Potenzgesetze

Runde 1

→ **Lösungen**, Seite 251

1 Berechne möglichst geschickt mithilfe der Potenzgesetze.
a) $17^5 \cdot 17^{-4}$
b) $\frac{11^7}{11^5}$
c) $(123^9)^0$
d) $\left(\frac{9}{8}\right)^4 \cdot \left(\frac{4}{9}\right)^4$
e) $25 \cdot 10^{-11} \cdot 8 \cdot 10^{12}$
f) $9{,}1 \cdot 10^7 + 1{,}4 \cdot 10^8$

2 Berechne.
a) $\sqrt[5]{32}$
b) $\sqrt[4]{\frac{81}{625}}$
c) $\sqrt[4]{0{,}000\,000\,01}$
d) $\sqrt[3]{\frac{27}{8000}}$

3 Schreibe die Zahlen aus der Zahlenfolge als Potenz mit derselben Basis und gib die nächsten beiden Zahlen der Zahlenfolge an.
a) 64, 8, 1, ...
b) 10 000, 100, 1, ...
c) $\frac{8}{125}, \frac{4}{25}, \frac{2}{5}, ...$

4 Die Menge von 12 g Kohlenstoff besteht aus $6 \cdot 10^{23}$ Kohlenstoff-Atome.
a) Um einen Eindruck von der Größe dieser Zahl zu bekommen, stellt man sich vor, $6 \cdot 10^{23}$ Menschen stehen nebeneinander Schulter an Schulter. Bestimme, wie lang eine solche Menschenkette wäre. Vergleiche mit der Entfernung Erde – Mond (384 400 km).
b) Auf der Erde leben etwa 7,6 Milliarden Menschen. Untersuche, wie viel Gramm Kohlenstoff dies entsprechen würde, wenn jeder Mensch ein Kohlenstoff-Atom wäre.

Für die Schulterbreite eines Menschen darfst du einen Wert schätzen.

5 a) Max behauptet: „Die zweite Wurzel aus der zweiten Wurzel ist die vierte Wurzel. Also ist die dritte Wurzel aus der dritten Wurzel die sechste Wurzel." Untersuche, ob er recht hat.
b) Begründe mithilfe von Potenzgesetzen, warum man die vierte Wurzel auch als Potenz mit dem Exponenten $\frac{1}{4}$ schreibt.

Runde 2

→ **Lösungen**, Seite 251

1 Berechne.
a) $3{,}2^{-2} \cdot 3{,}2^3$
b) $242^{\frac{1}{2}} : 2^{\frac{1}{2}}$
c) $\left(\frac{1}{4}\right)^3 \cdot \left(\frac{16}{3}\right)^3$
d) $\left(\frac{27}{8}\right)^{\frac{1}{3}} \cdot \left(\frac{27}{8}\right)^{-1}$

2 Gib in Wurzelschreibweise an und berechne.
a) $25^{\frac{1}{2}}$
b) $0{,}125^{\frac{1}{3}}$
c) $\left(\frac{16}{81}\right)^{-\frac{1}{4}}$
d) $\left(\frac{49}{100}\right)^{-\frac{3}{2}}$

3 Vereinfache den Term und berechne für $x = 2$ und $y = 5$ ($x \neq 0$; $y \neq 0$).
a) $x^{-3} \cdot y^{-3}$
b) $(x^2 \cdot y^2)^3$
c) $\left(\frac{y^5}{y^3}\right)^{-1}$
d) $\left(\frac{x^5}{x^3}\right)^2 + x^3 \cdot x$

4 Notiere in der angegebenen Einheit. Verwende die wissenschaftliche Schreibweise.
a) Fläche der Antarktis: 14 000 000 km² (in m²)
b) Wassermenge im Atlantik: 354 700 000 000 000 dm³ (in m³)
c) Durchmesser eines Atoms: 0,000 000 000 2 m (in mm)

5 Die Seitenmitten eines Quadrats bilden jeweils die Eckpunkte des nächstkleineren Quadrats. Das große Quadrat hat eine Seitenlänge von 8 cm.
a) Bestimme eine Formel zur Berechnung der Seitenlänge des n-ten Quadrats.
b) Untersuche, beim wievielten Quadrat die Seitenlänge zum ersten Mal kleiner als 0,002 cm ist.

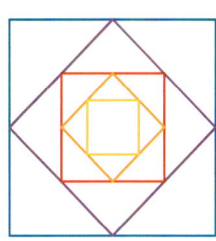

Exkursion

Wie dick sind eigentlich Frischhalte- oder Alufolien?

Welche Folie ist dicker, Frischhaltefolie oder Alufolie? Und wie dick sind sie überhaupt? Derart geringe Dicken lassen sich schlecht mit einem Lineal ausmessen. Selbst mit einem Mikrometer, einem Messgerät für sehr geringe Längen (vgl. Foto rechts), kann man eine Folienlage nicht genau bestimmen. Man kann sich aber behelfen, indem man mehrere Lagen der Folie betrachtet.

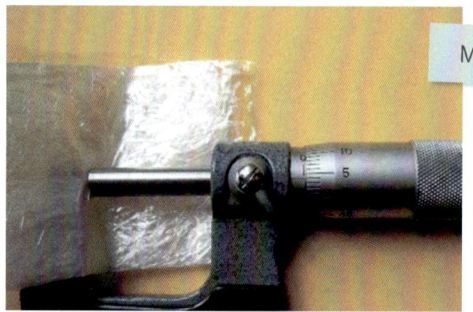

Mikrometer

Durchführung eines Messexperiments

1 Vorbereitung

Jede Gruppe benötigt
- ausreichend Folie (etwa 1 m)
- einige Zahnstocher
- ein Lineal oder besser eine Schieblehre

Schieblehre

Nehmt das 1 m lange Stück Folie und faltet es sorgfältig in der Mitte zusammen; achtet darauf, dass ihr zwischen den Lagen keine Luft einschließt. Fahrt so lange fort, bis das gefaltete Folienstück eine messbare Höhe erreicht hat; die Höhe kann man leichter messen, wenn man die Lagen z. B. zwischen zwei Zahnstochern einklemmt und deren Abstand misst. Faltet nun so oft wie möglich weiter und messt die Höhen. Notiert in einer Tabelle jeweils die Anzahl f der Faltungen, die Anzahl der zugehörigen Lagen und die gemessene Höhe h (siehe rechts). Wenn ihr weitere Daten sammeln wollt, könnt ihr mehrere Stapel übereinanderlegen und auch deren Höhe messen.

f	Lagen	h
0	$2^0 = 1$	
1	$2^1 = 2$	
2		
3		
4		

2 Auswertung des Messexperiments

a) Stellt die Beziehung *Anzahl der Faltungen → Anzahl der Lagen* grafisch dar. Gebt einen Term an, mit dem man die Lagenanzahl aus der Anzahl der Faltungen berechnen kann.

b) Stellt die Beziehung *Anzahl der Lagen → Höhe des Stapels* grafisch dar. Bestimmt nun die Dicke der Folie. Diskutiert und legt fest, wie ihr am besten vorgehen könnt. Hier kann es hilfreich sein, ein Tabellenkalkulationsprogramm einzusetzen.

c) Stellt in der Klasse eure Messergebnisse vor und erläutert euer Vorgehen. Vergleicht eure Ergebnisse.

d) Vergleicht euer Ergebnis für die Dicke der Frischhaltefolie mit dem Messwert des Mikrometers im obersten Foto auf dieser Seite. Überlegt, wie oft die Folie hier wohl gefaltet wurde und ermittelt, welche Foliendicke sich daraus ergäbe.

> Prüft, ob ihr vergleichbar dünnes (Verpackungs-)Material findet, das ihr messen könnt.

> **MK Tipp:**
> Man kann auch alle Messdaten in einem Tabellenkalkulationsprogramm sammeln und die Dicke mit einer Trendgeraden ermitteln.

3 Rechnen mit den Ergebnissen des Messexperiments

a) Stellt für jede Folie eine Gleichung der Form h(f) = … auf, mit der man die Höhe h des Folienstapels für eine gegebene Anzahl f von Faltungen berechnen kann.

b) Bearbeitet nun mithilfe der Gleichung aus Teilaufgabe a) die folgenden Aufgaben für beide Folien. Schätzt zunächst und überprüft dann die Schätzungen durch eine Rechnung. Geht arbeitsteilig vor und stellt euch die Lösungen gegenseitig vor.

(1) Bestimme, welche Höhe ein Stapel erreicht, wenn alle Schülerinnen und Schüler deiner Schule ihr Materialstück so oft falten, wie sie Jahre alt sind, und ihre Stapel aufeinanderlegen.

(2) Überlegt, wie oft man ein Verpackungsmaterial (theoretisch) mindestens falten müsste, damit der Stapel die Länge der angegebenen Strecke erreicht, und gebt euer Ergebnis jeweils an.

> eine Höhe von mindestens 20 m

> die Höhe des Eiffelturms (ca. 300 m)

> die Länge des Erddurchmessers (ca. 12 760 km)

(3) Formuliert selbst weitere Fragen und gebt sie euch gegenseitig zum Lösen.

4 Projekt: Ursachen und Folgen von Verpackungsmüll untersuchen

Obwohl sowohl Frischhaltefolie als auch Alufolie sehr dünn sind, trägt die Verwendung dieser Folien dazu bei, dass viel Verpackungsmüll entsteht, der die Umwelt belastet. Mithilfe der folgenden Forschungsaufträge könnt ihr untersuchen, wie viel Verpackungsmüll ihr verursacht, welche Folgen er hat und wie man ihn vermeiden kann. Ihr könnt die Projekte arbeitsteilig in Gruppen bearbeiten und die Ergebnisse unter anderem mithilfe geeigneter Diagramme z. B. auf Postern, als Zeitungsartikel oder auf einer digitalen Plattform präsentieren.

Wofür verwendet ihr zu Hause Alu- und Frischhaltefolie?
Führt in der Klasse eine Umfrage durch. Überlegt euch, welche Fragen ihr stellt und welche Antwortmöglichkeiten es geben sollte, damit man die Ergebnisse gut auswerten kann. Untersucht auch, welche Alternativen es gibt, um den Gebrauch von Alu- und Frischhaltefolie zu vermeiden.

Wo landet der Müll?
Recherchiert, was mit dem Verpackungsmüll passiert, den wir produzieren. Welcher Anteil wird wiederverwertet oder z. B. zur Energiegewinnung genutzt? Untersucht insbesondere die Folgen von Plastikmüll für die Umwelt, die Tierwelt und die Ozeane.

Wie viel Verpackungsmüll produziert ihr selbst?
Untersucht bei euch zu Hause eine Woche lang, wie viel Müll durch Verpackungen entsteht. Ihr könnt die weggeworfenen Verpackungen z. B. auflisten oder auch wiegen. Welche Verpackungen wären vermeidbar? Wie?

Wie viel Müll entsteht in Deutschland?
Recherchiert, wie viel Müll in Deutschland pro Jahr entsteht, was das für Müll ist und ob die Materialien recycelt werden. Vergleicht dies auch mit anderen Ländern.

V   Satz des Pythagoras und Körper

Das kannst du bald

- Den Satz des Pythagoras verstehen, begründen und anwenden
- Längen in Körpern berechnen
- Das Volumen und den Oberflächeninhalt von Pyramiden, Kegeln und Kugeln schätzen und berechnen
- Formeln begründen

Check-in

Schätze dich ein: 😊 😐 ☹️

1. Ich kann den Flächeninhalt und den Umfang von Rechtecken, Dreiecken, Trapezen und Kreisen berechnen.
2. Ich kann mithilfe von Formeln unbekannte Größen berechnen.
3. Ich kann Formeln nach verschiedenen Variablen umstellen.
4. Ich kann mit Wurzeln rechnen.
5. Ich kann das Volumen und den Oberflächeninhalt eines Prismas und eines Zylinders berechnen.

Lerntipps

zu 1. **Grundwissen**, Seite 214
zu 2. **Grundwissen**, Seite 214
zu 3. **Grundwissen**, Seite 209
zu 4. **Beispiel 1**, Seite 9
zu 5. **Beispiele**, Seiten 82 und 86

Teste dich! → Lösungen, Seite 252

1 Flächeninhalte und Umfänge berechnen
Berechne den Flächeninhalt A und den Umfang U der Figur.

a)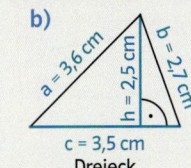
Rechteck

b)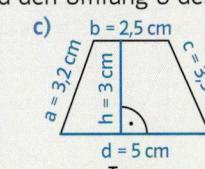
Dreieck

c)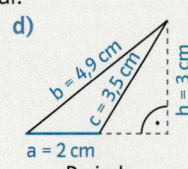
Trapez

d)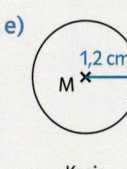
Dreieck

e)
Kreis

2 Unbekannte Größen bestimmen
Das Dreieck hat die Grundseite $g = 4{,}5\,\text{cm}$ und den Flächeninhalt $A = 4{,}95\,\text{cm}^2$.
a) Berechne die Höhe des Dreiecks.
b) Bestätige deine Rechnung durch Nachmessen der Höhe.

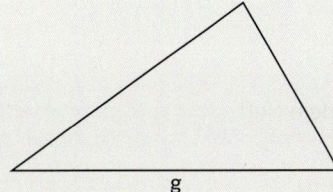

3 Formeln umstellen
Stelle die angegebene Formel nach den genannten Variablen um.
a) $A = \frac{1}{2} \cdot g \cdot h$ (nach g bzw. h) b) $a = \frac{V}{b}$ (nach V bzw. b) c) $A = \pi \cdot r^2$ (nach r)

4 Mit Wurzeln rechnen
Berechne.
a) $\sqrt{25 + 144}$ b) $\sqrt{25} + \sqrt{144}$ c) $\sqrt{289 - 225}$ d) $\sqrt{289} - \sqrt{225}$

5 Volumen und Oberflächeninhalte von Prismen und Zylindern berechnen
a) Berechne das Volumen und den Oberflächeninhalt des abgebildeten Prismas.
b) Berechne den Inhalt der Mantelfläche, der Oberfläche und des Volumens eines Zylinders mit dem Durchmesser 8 cm und der Höhe 4 cm.

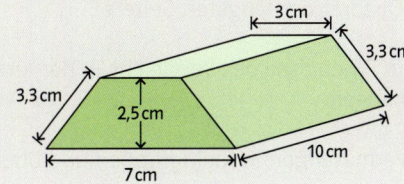

Kopiervorlage Checkliste
2n79pi

Erkundungen

Der Satz des Pythagoras

Gegeben sind sechs Dreiecke mit den Seiten s, k und e sowie dem Winkel ε.
Bei allen Dreiecken ist e die längste der drei Seiten.

→ Lerneinheit 1
Seite 142

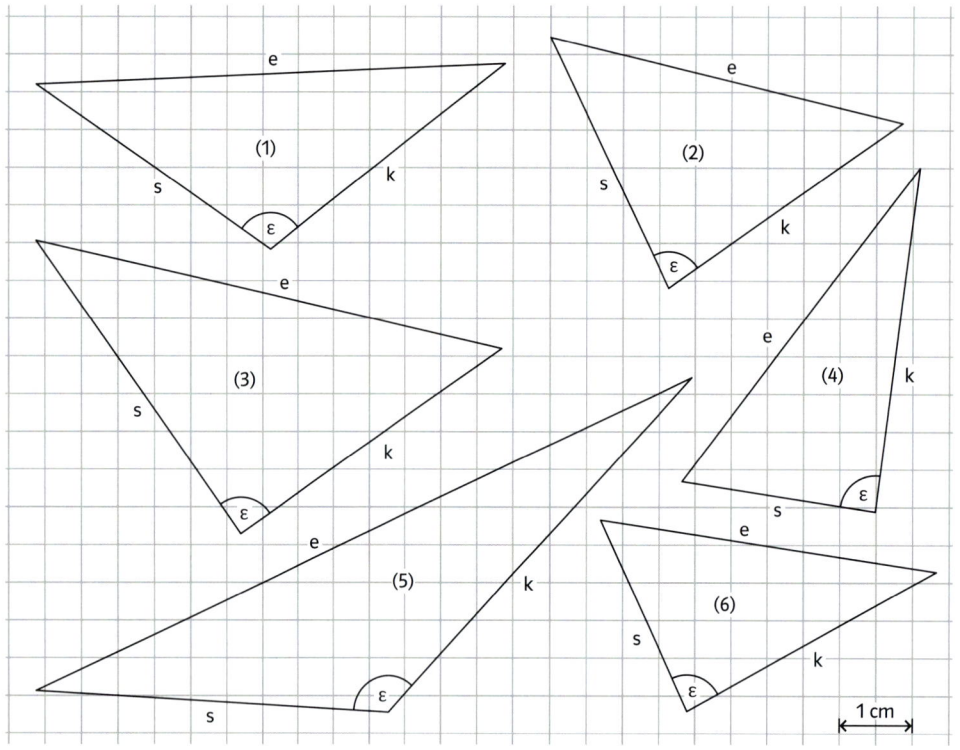

Dreiecke untersuchen

1. Übertrage die Tabelle in dein Heft.

Nr.	gemessene Größen				berechnete Werte				
	ε	s	k	e	s^2	k^2	$s^2 + k^2$	e^2	$s^2 + k^2 \lessgtr e^2$
1									
2									
3									
...									

Kopiervorlage
Dreiecke und Tabelle
2n79pi

2. a) Miss in den oben abgebildeten Dreiecken die Längen der Seiten s, k und e sowie die Größe des Winkels ε und übertrage die Daten in deine Tabelle im Heft.
   b) Berechne die fehlenden Werte in den noch leeren Spalten. Notiere in der letzten Spalte, ob die Summe der Quadrate der beiden kürzeren Seiten $k^2 + s^2$ kleiner/gleich/größer ist als das Quadrat der längsten Seite e^2.

3. Untersucht, wie die Ergebnisse des Vergleichs in der letzten Spalte mit der Größe des Winkels ε zusammenhängen.

4. Vergleicht eure Vermutungen in Kleingruppen und überprüft sie an eigenen Dreiecken.

Vorlage
Einen Beweis, in dem der Zusammenhang des Satzes von Pythagoras mit Papier und Schere begründet wird, findest du unter dem Code:
2n79pi

V Satz des Pythagoras und Körper

Formelsammlung vervollständigen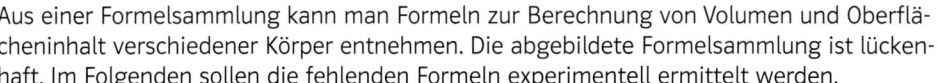

Aus einer Formelsammlung kann man Formeln zur Berechnung von Volumen und Oberflächeninhalt verschiedener Körper entnehmen. Die abgebildete Formelsammlung ist lückenhaft. Im Folgenden sollen die fehlenden Formeln experimentell ermittelt werden.

→ Lerneinheit 3
Seite 152

Quader	Zylinder	Pyramide	Kreiskegel	Kugel
mit quadratischer Grundfläche		mit quadratischer Grundfläche		
Volumen: $V = G \cdot h$ Oberfläche: $O = 2 \cdot G + 4a \cdot h$	Volumen: $V = \pi r^2 \cdot h$ Grundfläche: $G = \pi r^2$ Mantelfläche: $M = 2\pi r \cdot h$ Oberfläche: $O = 2 \cdot \pi r^2 + 2\pi r \cdot h$	Volumen: $V = ?$ Oberfläche: $O = ?$ Mantellinie: $s = \sqrt{h^2 + \left(\frac{a}{2}\right)^2}$ Mantelfläche: $M = ?$	Volumen: $V = ?$ Mantellinie: $s = \sqrt{r^2 + h^2}$ Grundfläche: $G = \pi r^2$ Mantelfläche: $M = ?$	Volumen: $V = ?$ Oberfläche: $O = ?$

Das Volumen und den Oberflächeninhalt von Kugeln kann man näherungsweise mit Experimenten bestimmen. Führt die angedeuteten oder auch eigene Verfahren durch.

→ Lerneinheit 4
Seite 156

→ Lerneinheit 5
Seite 160

Experimentieridee 1: Vergleicht das Volumen eines Quaders mit dem Volumen einer Pyramide, wobei beide Körper die gleiche Grundfläche und die gleiche Höhe haben. Erstellt die Körper dazu zunächst aus dickerem Papier. Zum Füllen könnt ihr Reis verwenden und zum Abmessen der Volumina einen Messbecher. Formuliert eine Formel für das Volumen einer Pyramide.

Experimentieridee 2: Vergleicht das Volumen eines Zylinders mit dem Volumen eines Kegels, wobei beide Körper die gleiche Grundfläche und die gleiche Höhe haben. Erstellt die Körper dazu zunächst aus dickerem Papier. Zum Füllen könnt ihr Reis verwenden und zum Abmessen der Volumina einen Messbecher. Formuliert eine Formel für das Volumen eines Kegels.

Experimentieridee 3: Schneidet einen Tennisball in der Hälfte durch, sodass zwei gleich große Halbkugeln entstehen. Vergleicht nun das Volumen einer Halbkugel mit dem Volumen eines Kegels bzw. mit dem einer Pyramide, wobei der Kegel und die Pyramide die gleiche Höhe haben wie die Halbkugel und eine Grundfläche besitzen, die dem Flächeninhalt der kreisförmigen Bodenfläche der Halbkugel entspricht.
Erstellt zunächst den Kegel und die Pyramide zum Experimentieren aus dickerem Papier. Zum Füllen könnt ihr Reis verwenden und zum Abmessen der Volumina einen Messbecher. Formuliert eine Formel für das Volumen der Halbkugel bzw. der Kugel.

Experimentieridee 4: Ein Kegel hat ein Volumen von 120 cm³. Erstellt aus dickerem Papier einen entsprechenden Kegel sowie einen Zylinder mit gleicher Grundfläche und gleichem Volumen. Vergleicht die Höhen der beiden Körper.

Experimentieridee 5: Um für die Oberflächeninhalte Formeln aufzustellen, kann man beispielsweise die Netze betrachten oder etwa für die Kugel einen Apfel schälen …
Formuliert Formeln für die Oberflächeninhalte der verschiedenen Körper.

Ein kleines Spiel: Formeln in der Formelsammlung nachschlagen
In einer Gruppe von etwa fünf Personen wird eine Schülerin oder ein Schüler zur Spielleitung ernannt. Die Spielleitung nennt einen mathematischen Begriff oder eine Formel aus der Formelsammlung. Die anderen Personen suchen nun in einer Formelsammlung den Begriff oder die Formel. Die oder der Schnellste erhält einen Punkt. Die Spielleitung entscheidet darüber, ob die Antworten richtig sind und wer am schnellsten war. Wer zuerst fünf Punkte hat, hat gewonnen und ist im nächsten Spiel die neue Spielleitung.

Weiterführende Aufträge
- 🖥 Mithilfe einer dynamischen Geometriesoftware könnt ihr eure Ergebnisse auch kontrollieren. Verwendet dazu die Maße eurer gebastelten Körper.
- Ebenso könnt ihr die Formeln in einer Formelsammlung nachschlagen.

Erkundungen

1 Der Satz des Pythagoras

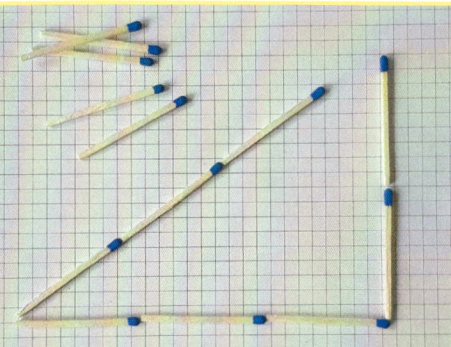

Rechts wurde vergeblich versucht, mit acht Streichhölzern ein rechtwinkliges Dreieck zu legen. Wenn das Dreieck rechtwinklig sein soll, bleibt eine Lücke. Probiert aus, ob es mit einer anderen Anzahl von Streichhölzern möglich ist, ein rechtwinkliges Dreieck zu legen.

Mithilfe des Satzes von Pythagoras kann man in einem rechtwinkligen Dreieck bei zwei bekannten Seitenlängen die dritte Seitenlänge berechnen. Außerdem ermöglicht es der Satz des Pythagoras, auch ohne Winkelmesser zu entscheiden, ob ein Winkel in einem Dreieck ein spitzer, rechter oder stumpfer ist, wenn man die Seitenlängen kennt. Diese Zusammenhänge werden im Folgenden erläutert.

Pythagoras von Samos (etwa 570 v. Chr. - 475 v. Chr.)

In Fig. 1 und Fig. 2 sind vier kongruente rechtwinklige Dreiecke mit den Seiten a, b und c unterschiedlich angeordnet. In beiden Fällen füllen die Dreiecke Teile der gleich großen rot umrandeten Quadrate aus. Die verbleibenden weißen Flächen des Quadrats müssen somit gleich groß sein. Dass diese Flächen jeweils Quadrate sind, wird im Folgenden gezeigt:

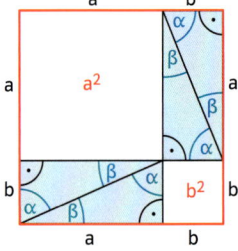
Fig. 1

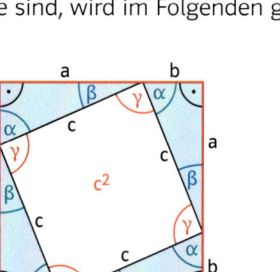
Fig. 2

Da die Winkelsumme in den rechtwinkligen blauen Dreiecken 180° beträgt, gilt $\alpha + \beta = 90°$. Jeweils zwei der rechtwinkligen Dreiecke bilden ein Rechteck. Die beiden weißen Vierecke sind Quadrate mit den Seiten a bzw. b und den Flächeninhalten a^2 bzw. b^2.

Mit $\alpha + \beta + \gamma = 180°$ und $\alpha + \beta = 90°$ erhält man $\gamma = 90°$. Das weiße Viereck ist daher ein Quadrat mit der Seitenlänge c und dem Flächeninhalt c^2.

Da die weißen Flächen in Fig. 1 in der Summe mit der weißen Fläche in Fig. 2 übereinstimmen, erhält man $a^2 + b^2 = c^2$. Die Seite c, die dem rechten Winkel gegenüberliegt, ist die längste Seite des rechtwinkligen Dreiecks und heißt **Hypotenuse**. Die beiden kürzeren Seiten a und b heißen **Katheten**. Damit gilt der Satz des Pythagoras.

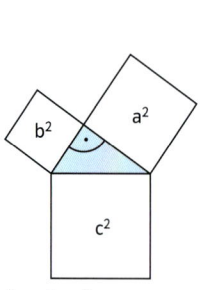
$a^2 + b^2 = c^2$

Satz des Pythagoras
Wenn ein Dreieck rechtwinklig ist, dann gilt für die Längen a und b der Katheten und für die Länge c der Hypotenuse $a^2 + b^2 = c^2$.

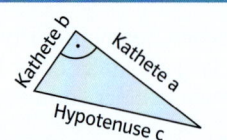

Es gilt auch die **Umkehrung des Satzes von Pythagoras:** Wenn in einem Dreieck für die Seitenlängen a, b und c die Gleichung $a^2 + b^2 = c^2$ erfüllt ist, dann hat das Dreieck gegenüber der Seite c einen rechten Winkel.

Mit der Umkehrung des Satzes von Pythagoras kann man allein durch eine Rechnung entscheiden, ob ein Dreieck rechtwinklig ist oder nicht.

spitzwinkliges Dreieck	rechtwinkliges Dreieck	stumpfwinkliges Dreieck
$a^2 + b^2 > c^2$	$a^2 + b^2 = c^2$	$a^2 + b^2 < c^2$

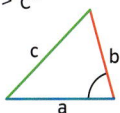 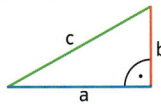 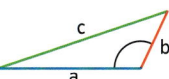

Beispiel 1 Katheten und Hypotenusen erkennen und berechnen

a) Formuliere den Satz von Pythagoras für das abgebildete Dreieck.
b) Berechne s, wenn r = 6,5 cm und t = 3,8 cm ist.
c) Berechne t, wenn r = 4,3 cm und s = 12,1 cm ist.

Lösung

a) Das Dreieck ist rechtwinklig mit der Hypotenuse s und den Katheten r und t. Damit gilt $r^2 + t^2 = s^2$.

b) Für die Hypotenuse s gilt: $s^2 = r^2 + t^2$. Also ist $s = \sqrt{r^2 + t^2}$.
$s = \sqrt{r^2 + t^2} = \sqrt{(6,5\,cm)^2 + (3,8\,cm)^2} = \sqrt{56,69\,cm^2} \approx 7,5\,cm$.

c) Aus $r^2 + t^2 = s^2$ folgt:
$t^2 = s^2 - r^2$ bzw. $t = \sqrt{s^2 - r^2} = \sqrt{(12,1\,cm)^2 - (4,3\,cm)^2} = \sqrt{127,92\,cm^2} \approx 11,3\,cm$.

Gleichungen wie $s^2 = 56,69$ haben 2 Lösungen. Da hier eine Länge berechnet wird, ist nur die positive Lösung sinnvoll.

Beispiel 2 Ein Dreieck auf Rechtwinkligkeit überprüfen

Überprüfe, ob das Dreieck mit den angegebenen Seitenlängen rechtwinklig, spitzwinklig oder stumpfwinklig ist. Gib gegebenenfalls an, an welcher Ecke der rechte Winkel liegt.

a) a = 17 mm, b = 8 mm und c = 15 mm
b) a = 7 m, b = 12 m und c = 900 cm

Lösung

a) *Da a die längste Seite ist, prüft man $b^2 + c^2 = a^2$.*
Es gilt $b^2 + c^2 = 8^2 + 15^2 = 289$ und $a^2 = 17^2 = 289$, also $b^2 + c^2 = a^2$.
Das Dreieck ist rechtwinklig. Der rechte Winkel liegt beim Eckpunkt A.

b) *Da b die längste Seite ist, berechnet man b^2 und vergleicht mit der Summe $a^2 + c^2$.*
Es ist c = 900 cm = 9 m. Es gilt $a^2 + c^2 = 7^2 + 9^2 = 130$ und $b^2 = 12^2 = 144$.
Da 130 ≠ 144 ist, ist das Dreieck nicht rechtwinklig. Die Seitenlängen a und c sind in der Summe kürzer als bei einem rechtwinkligen Dreieck. Es ist stumpfwinklig.

Man kann die **Rechnung mit und ohne Einheiten** notieren. Es ist dann sinnvoll, die Einheiten wegzulassen, wenn die Rechnung dadurch übersichtlicher wird. Grundsätzlich muss man bei der Rechnung darauf achten, die Einheiten anzupassen.

Aufgaben

1 Jede Gleichung gehört zu einem Dreieck. Ordne zu.

A $u^2 = v^2 + w^2$
B $w^2 - u^2 = v^2$
C $u^2 + w^2 = v^2$
E $u^2 = v^2 - w^2$
D $u^2 + v^2 = w^2$
F $u^2 - w^2 = v^2$

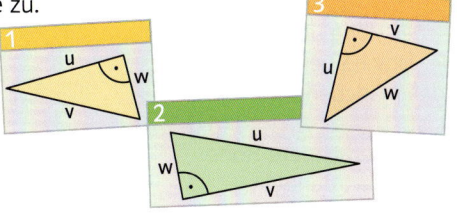

1 Der Satz des Pythagoras

○ **2** 🖼 Berechne die Länge der Hypotenuse.

a)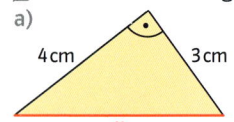
b)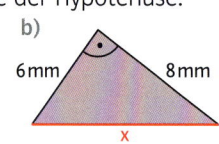
c)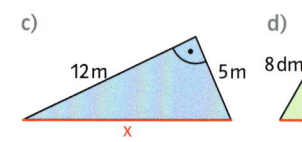
d)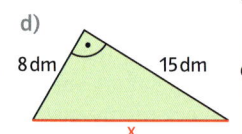

→ **Lerntipp** Seite 143, Beispiel 1

→ **Üben** ○ Seite 164, Aufgabe 1

○ **3** Berechne die fehlende Kathetenlänge. Runde auf zwei Nachkommastellen.

a)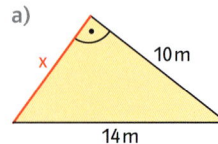
b)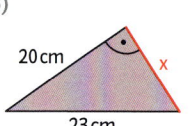
c)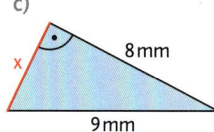
d)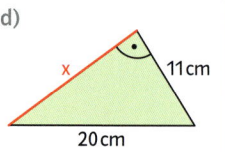

→ **Lerntipp** Seite 143, Beispiel 1

○ **4** Berechne die fehlende Seitenlänge.

a)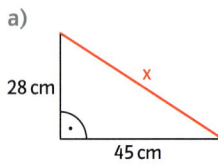
b)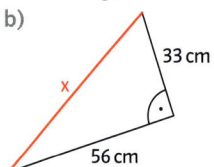
c)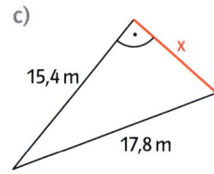
d)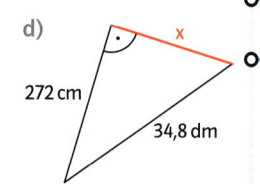

→ **Lerntipp** Seite 143, Beispiel 1

→ **Üben** ○ Seite 164, Aufgaben 2 und 5

○ **5** Prüfe, ob das Dreieck mit den angegebenen Seitenlängen rechtwinklig ist. Gib für diesen Fall die Ecke an, in der der rechte Winkel liegt.
a) a = 5 cm, b = 12 cm, c = 13 cm
b) a = 4 cm, b = 6 cm, c = 5 cm
c) a = 7 cm, b = 25 cm, c = 24 cm
d) a = 8 cm, b = 9 cm, c = 12 cm

→ **Lerntipp** Seite 143, Beispiel 2

→ **Üben** ○ Seite 164, Aufgabe 3

→ **Vertiefen** ◐ Seite 165, Aufgabe 8

○ **6** Eine Leiter mit einer Länge von 1,5 m wird an eine Wand gelehnt. Der Abstand der Fußpunkte der Leiter bis zur Wand beträgt 30 cm. Berechne, wie hoch die Leiter an der Wand steht.

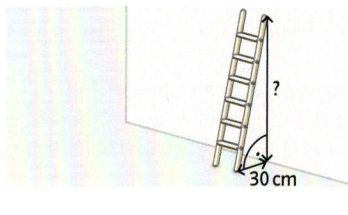

Teste dich!

→ **Lösungen**, Seite 252

○ **7** Berechne die Länge der Seite x im Dreieck.

○ **8** Prüfe, ob ein Dreieck mit den Seitenlängen a = 10 m, b = 13 m und c = 8 m rechtwinklig ist.

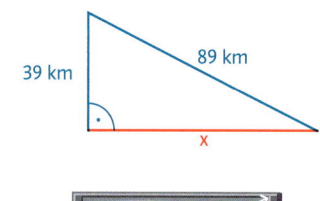

○ **9** Der abgebildete Monitor hat eine Breite von 48 cm und eine Höhe von 32 cm. Berechne mit diesen Angaben die Länge der Bildschirmdiagonale.

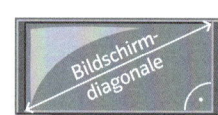

◐ **10** a) Berechne, in welcher Höhe über dem Erdboden sich der Drache befindet, wenn die Hand des Mädchens auf einer Höhe von 1,50 m ist.
b) Erläutere, warum die berechnete Höhe nur einen Näherungswert darstellt.

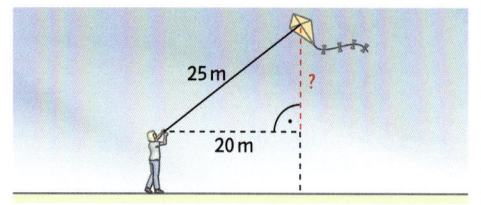

11 Finde den Fehler!

Beschreibe, was falsch gemacht wurde. Verwende Fachbegriffe. Die Begriffe auf dem Rand können helfen. Notiere anschließend die richtige Lösung im Heft.

Wortliste
- die Kathete
- die Hypotenuse
- der Satz des Pythagoras
- die Einheiten

a)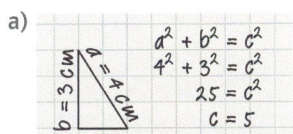

b)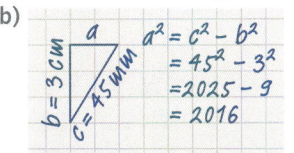

c)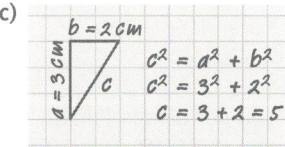

12

Im alten Ägypten hat man Überlieferungen zufolge für die Feldmessung von Winkeln Zwölfknotenschnüre verwendet, bei denen die Abstände zwischen zwei Knoten immer gleich sind. Mithilfe von rechten Winkeln sollten die Felder fair vermessen werden.

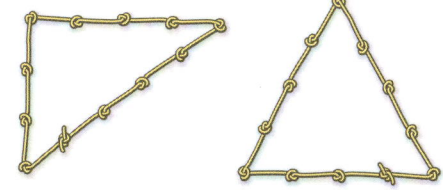

a) Zeichnet mithilfe der Methode der alten Ägypter ein Quadrat mit der Seitenlänge von 1,20 m auf dem Schulhof. Als Material dürft ihr Kreide, 2 m Schnur und einen Zollstock verwenden. Kontrolliert am Ende die Ergebnisse der verschiedenen Gruppen.

b) Erläutert, wie man mithilfe einer Zwölfknotenschnur rechte Winkel abmessen kann.

13

Um zwei sich berührende Leisten rechtwinklig auszurichten, misst der Tischler auf der einen Leiste 90 cm und auf der anderen 120 cm ab und markiert diese Stellen. Dann werden die beiden Leisten so ausgerichtet, dass die Markierungen 150 cm Abstand haben. Erkläre dieses Verfahren.

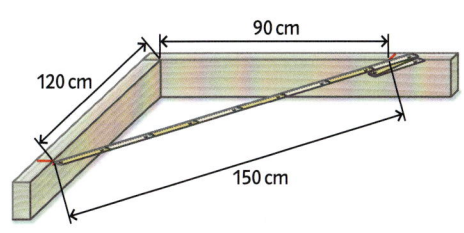

14 Abstand von Punkten im Koordinatensystem

a) Berechne mit dem Satz des Pythagoras den Abstand der beiden Punkte A und B in der Grafik. Übertrage sie anschließend in dein Heft und kontrolliere den berechneten Abstand durch Messen.

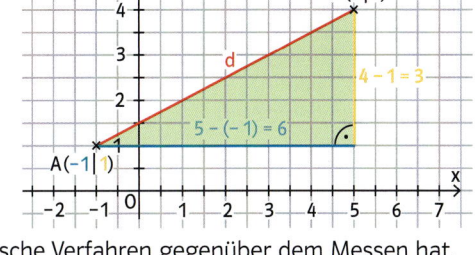

b) Beschreibe ein Verfahren, mit dem man allgemein mithilfe des Satzes von Pythagoras den Abstand d zweier Punkte in einem Koordinatensystem bestimmen kann. Gib an, welche Vorteile das rechnerische Verfahren gegenüber dem Messen hat.

c) Bestimme den Abstand der beiden Punkte durch Messung und Rechnung.
   (1) $A(1|1)$ und $B(4|7)$
   (2) $C(2|3)$ und $D(5|4)$
   (3) $E(8|6)$ und $F(3|2)$
   (4) $G(-3|1)$ und $H(4|6)$
   (5) $I(7|-4)$ und $J(-3|2)$
   (6) $K(0|-8)$ und $L(-2|-1)$

d) Firat hat mithilfe eines Tabellenkalkulationsprogramms schrittweise den Abstand zweier Punkte berechnet. Ordne den Zellen C5, E5, C6, E6, G6 und H6 die passenden Formeln auf den Kärtchen zu. Gib anschließend eine Formel an, mit der man die Länge ohne Zwischenschritte direkt aus den Koordinaten der Punkte berechnen kann.

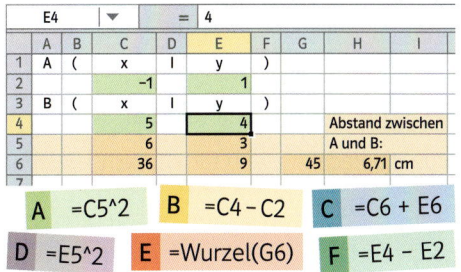

Teste dich! → **Lösungen**, Seite 252

15 Berechne, wie hoch eine Klappleiter von 3,10 m Länge reicht, wenn für einen sicheren Stand eine Standbreite von 1,40 m vorgeschrieben ist.

16 Berechne den Abstand der beiden Punkte.
a) A(2|6) und B(4|8)   b) C(3|9) und D(5|2)

17 In der abgebildeten Figur ist das große Viereck ein Quadrat und die Seiten a, b und c kommen mehrfach vor. Die Textbausteine A bis K ergeben in der richtigen Reihenfolge eine Begründung für den Satz des Pythagoras. Sortiere diese Textbausteine und führe die fehlenden rechnerischen Umformungen aus.

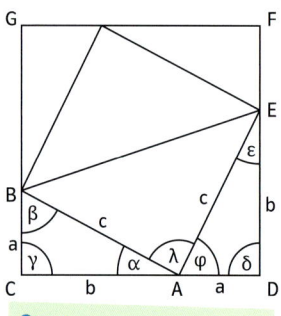

B Den Flächeninhalt des Trapezes BCDE erhält man mit der Flächeninhaltsformel.

C Weil der Winkel ∢CAD gestreckt ist, ist der Winkel λ 90° groß.

D Die Winkel α und β ergeben zusammen 90°.

E Der Flächeninhalt des Trapzes BCDE setzt sich aus den Flächeninhalten der Dreiecke ABC, ADE und AEB zusammen.

F Da das Viereck CDFG ein Quadrat ist, sind die Winkel γ und δ rechte Winkel.

G $A = \frac{1}{2} \cdot (a + b) \cdot (b + a)$

H Die Winkel α und ε sind gleich groß.

I Die Winkel α und φ ergeben zusammen 90°.

J $A = \frac{1}{2} \cdot ab + \frac{1}{2} \cdot ab + \frac{1}{2} \cdot c^2$

K In der Figur sind die Dreiecke ABC und ADE kongruent.

Start: Aufgrund des Innenwinkelsummensatzes ergeben die Winkel α, β und γ zusammen 180°.

A Die Winkel β und φ sind gleich groß.

Ende: Durch Gleichsetzen und Termumformungen erhält man $a^2 + b^2 = c^2$.

18 Rechts sind vier zueinander kongruente rechtwinklige Dreiecke so zusammengesetzt, dass sie das blaue Viereck umschließen.
a) Begründe, dass dieses blaue Viereck ein Quadrat ist.
b) Drücke den Flächeninhalt des blauen Quadrats mit den Katheten a und b aus.
c) Drücke den Flächeninhalt dieses blauen Quadrats mithilfe des Flächeninhaltes des rotumrandeten Quadrats und den Flächeninhalten der vier kongruenten Dreiecke aus.
d) Setze die beiden Terme gleich und leite durch Umformungen den Satz von Pythagoras her.

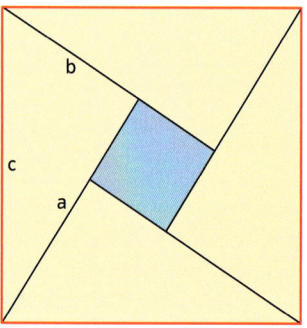

→ **Erforschen**
Seite 167, Aufgabe 18

Teste dein Grundwissen!   **Mit Wurzeln rechnen**

→ **Beispiel 1**, Seite 21
Lösungen, Seite 253

G **19** Berechne, indem du die Rechenregeln für Wurzeln anwendest.
a) $\sqrt{576}$ b) $\sqrt{1296}$ c) $\frac{\sqrt{27}}{\sqrt{12}}$ d) $\sqrt{2 \cdot 98}$

2 Pythagoras in Figuren und Körpern

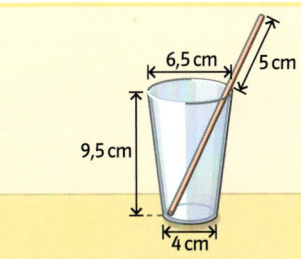

Ein 9,5 cm hohes Glas hat am Boden einen Durchmesser von 4 cm und am oberen Glasrand einen Durchmesser von 6,5 cm. Wie lang muss der Strohhalm sein, damit er 5 cm aus dem Glas herausragt?

Mithilfe des Satzes des Pythagoras können in rechtwinkligen Dreiecken Seitenlängen berechnet werden. Um in Figuren und Körpern Streckenlängen zu berechnen, kann man geeignete rechtwinklige Dreiecke suchen und deren Seitenlängen dann mit dem Satz des Pythagoras berechnen. Wie man dabei vorgeht, wird an einem Beispiel gezeigt.

Raumdiagonale in einem Quader

Um bei einem Quader mit den Kantenlängen a, b und c die Länge der Raumdiagonale d zu bestimmen, kann man zunächst die Diagonale d_1 der Grundfläche bestimmen. Da das gelb dargestellte Dreieck ABC bei B einen rechten Winkel hat, erhält man mithilfe des Satzes von Pythagoras $d_1^2 = a^2 + b^2$. Das orangefarbene Dreieck ACD

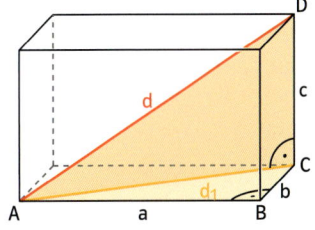

ist ebenfalls rechtwinklig mit dem rechten Winkel bei C. Daher kann man den Satz des Pythagoras ein zweites Mal anwenden und erhält $d^2 = d_1^2 + c^2$. Wenn man d_1^2 durch $a^2 + b^2$ ersetzt, erhält man $d^2 = a^2 + b^2 + c^2$ und damit $d = \sqrt{a^2 + b^2 + c^2}$.

> **Strategie zur Berechnung von Streckenlängen in der Ebene und im Raum**
> 1. Fertige eine Skizze an und beschrifte sie mit den gegebenen und gesuchten Streckenlängen.
> 2. Suche nach rechtwinkligen Dreiecken. Eventuell sind zusätzliche Hilfslinien nötig. Beschrifte auch diese.
> 3. Berechne mithilfe des Satzes des Pythagoras die gesuchten Streckenlängen.

Pyramiden haben ein Vieleck als Grundfläche; die Kanten laufen auf eine Spitze außerhalb der Grundfläche zu. **Kegel** haben eine Kreisfläche als Grundfläche und eine Spitze außerhalb der Grundfläche. Pyramiden und Kegel werden abhängig von der Grundfläche und der Lage der Spitze unterschiedlich bezeichnet. Wenn die Spitze über dem Mittelpunkt der Grundfläche liegt, spricht man von einer **geraden Pyramide** bzw. einem **geraden Kegel**. Bei allen anderen Lagen liegt eine **schiefe Pyramide** bzw. ein **schiefer Kegel** vor.

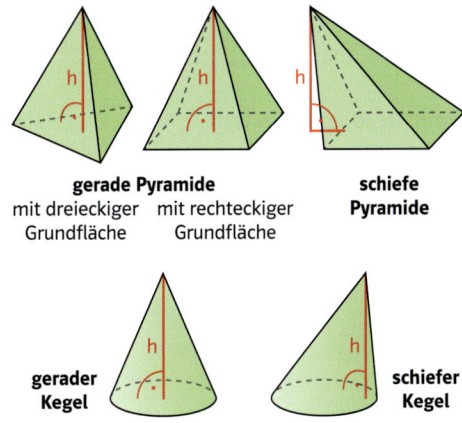

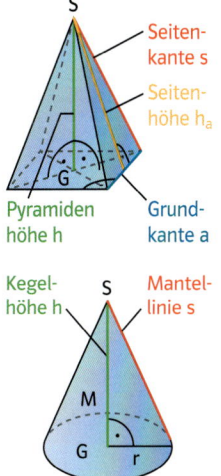

Beispiel Rechtwinklige Dreiecke in Körpern nutzen

Das Dach eines Kirchturms hat die Form einer quadratischen Pyramide mit den Grundkanten a = 4 m und der Höhe h = 3 m.
a) Zeichne ein Schrägbild des Daches im Maßstab 1 : 100.
b) Zeichne ein geeignetes rechtwinkliges Dreieck ein, mit dessen Hilfe man die Dachfläche berechnen kann. Berechne den Flächeninhalt des Daches.
c) Berechne die Länge der Seitenkanten s der Pyramide auf zwei verschiedene Arten.

Lösung

a) *Beim Maßstab 1 : 100 entspricht 1 cm in der Abbildung 100 cm = 1 m in der Wirklichkeit. Die Grundkanten a der Pyramide wurden daher in der Abbildung 4 cm lang gezeichnet, wobei die schräg nach hinten laufenden Kanten verkürzt dargestellt werden. Um die Spitze der Pyramide einzuzeichnen, zeichnet man zunächst die beiden Diagonalen der Grundfläche und geht dann vom Schnittpunkt P aus 3 cm nach oben.*

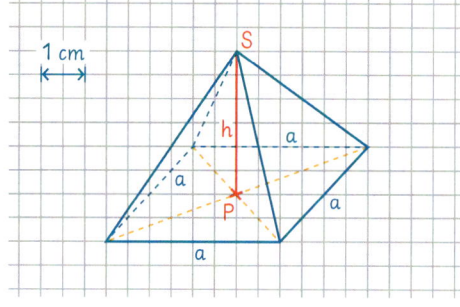

Fig. 1

b) Das Dreieck MPS ist rechtwinklig mit den Katheten $\frac{a}{2}$ und h und der Hypotenuse h_1 (vgl. Fig. 2). Mithilfe des Satzes von Pythagoras erhält man

$h_1^2 = \left(\frac{a}{2}\right)^2 + h^2$ und damit

$h_1 = \sqrt{\left(\frac{a}{2}\right)^2 + h^2} = \sqrt{(2\,\text{m})^2 + (3\,\text{m})^2} \approx 3{,}6\,\text{m}.$

Für den Flächeninhalt des Daches gilt dann

$A = 4 \cdot \left(\frac{1}{2} \cdot a \cdot h_1\right) \approx 2 \cdot 4\,\text{m} \cdot 3{,}6\,\text{m} = 28{,}8\,\text{m}^2.$

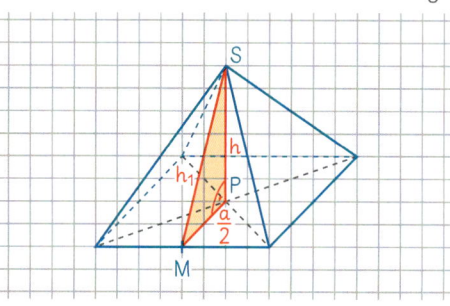

Fig. 2

c) 1. Möglichkeit:
Das Dreieck AMS ist rechtwinklig mit den Katheten $\frac{a}{2}$ und h_1 und der Hypotenuse s (vgl. Fig. 3). Mithilfe des Satzes von Pythagoras erhält man

$s^2 = \left(\frac{a}{2}\right)^2 + h_1^2$ und damit

$s = \sqrt{\left(\frac{a}{2}\right)^2 + h_1^2} \approx \sqrt{(2\,\text{m})^2 + (3{,}6\,\text{m})^2} \approx 4{,}1\,\text{m}.$

2. Möglichkeit:
Das Dreieck APS ist rechtwinklig mit den Katheten h und $\overline{AP}$.
Die Strecke $\overline{AP}$ ist halb so lang wie die Hypotenuse $\overline{AC}$ im rechtwinkligen Dreieck ABC (vgl. Fig. 4).

Es gilt $\overline{AC}^2 = a^2 + a^2 = 2a^2$, also $\overline{AC} = \sqrt{2}\,a$.

Mit $\overline{AP} = \frac{\overline{AC}}{2} = \frac{\sqrt{2}\,a}{2} = \frac{a}{\sqrt{2}}$ erhält man

$s^2 = \overline{AP}^2 + h^2$ und damit

$s = \sqrt{\overline{AP}^2 + h^2} = \sqrt{\left(\frac{a}{\sqrt{2}}\right)^2 + h^2} = \sqrt{\frac{a^2}{2} + h^2}$

$= \sqrt{\frac{(4\,\text{m})^2}{2} + (3\,\text{m})^2} \approx 4{,}1\,\text{m}.$

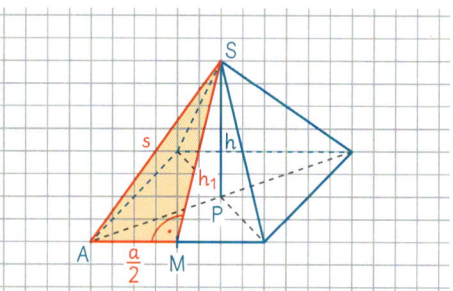

Fig. 3

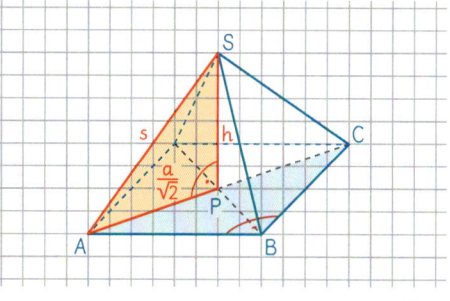

Fig. 4

Aufgaben

1 a) Die Seitenlängen eines Quadrats sind 7 cm lang. Zeichne das Quadrat. Miss seine Diagonale. Kontrolliere dein Ergebnis durch eine Rechnung.
b) Ein Rechteck ist 15,5 cm lang und 7,2 cm breit. Berechne die Längen der Diagonalen. Zeichne das Rechteck. Kontrolliere dein Ergebnis durch eine Messung.
c) In einem gleichschenkligen Dreieck ist die Basis 5 cm lang, die Schenkel sind 8 cm lang. Berechne die Höhe zur Basis und den Flächeninhalt des Dreiecks. Erstelle eine geeignete Skizze.

→ **Lerntipp** Seite 148, Beispiel

Zur Erinnerung:

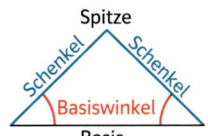

2 Ordne jeder Aufgabe ein passendes Dreieck zu und löse die Aufgabe. Die Dreiecke können auch mehrfach verwendet werden.
a) Eine Leiter ist 4,50 m lang. Sie muss mindestens 1,50 m von der Wand entfernt aufgestellt werden. Bestimme, in welcher Höhe die Leiter an der Wand aufsetzt.
b) Eine Klappleiter ist 2,50 m lang. Für einen sicheren Stand ist eine Standbreite von 1,20 m vorgeschrieben. Bestimme die Höhe der Leiter.
c) Zwischen zwei Häusern wird ein Seil gespannt. In die Seilmitte wird eine Lampe gehängt. Die beiden Haken sind auf gleicher Höhe angebracht und 4,50 m voneinander entfernt. Das Seil ist 5,10 m lang. Bestimme die Höhe der Lampe.
d) Ein Fahnenmast wird mit Drahtseilen an der Erde befestigt. Sie sind 5,10 m lang und werden am Mast in einer Höhe von 4,50 m angebracht. Bestimme, wie groß der Platz um den Mast mindestens sein muss.

3 a) Berechne zunächst die Länge der Strecke a. Berechne anschließend damit die Länge der Strecke b.
b) Berechne, wie sich die Länge der Diagonale b ändert, wenn man die gegebenen Längen jeweils um 3 cm verlängert.

→ **Lerntipp** Seite 148, Beispiel

4 Unten ist das Schrägbild einer geraden Pyramide mit rechteckiger Grundfläche dargestellt. Dabei ist $\overline{AB} \neq \overline{BC}$. Überprüfe, ob die Formeln auf den Kärtchen stimmen.

A $\overline{AM}^2 + \overline{BM}^2 = \overline{AB}^2$

C $\overline{PM}^2 + \overline{MS}^2 = \overline{PS}^2$

B $\overline{AB}^2 + \overline{BC}^2 = \overline{AC}^2$

D $\overline{AS}^2 + \overline{BS}^2 = \overline{AB}^2$

E $\overline{MB}^2 + \overline{MS}^2 = \overline{BS}^2$

5 Rechts sind Körper aus zwei Kegeln mit dem Radius 8 cm und mit einer Seitenlänge s dargestellt.
a) Berechne die Länge der Höhe h für s = 12 cm.
b) Berechne die Länge s für h = 36 cm.

Teste dich!

→ **Lösungen**, Seite 253

○ **6** Zeichne ein Rechteck mit den Seitenlängen 6 cm und 4 cm. Verbinde die vier Mittelpunkte der vier Seiten. Berechne die Seitenlängen des entstandenen Vierecks.

○ **7** a) Zeichne das Schrägbild einer quadratischen Pyramide mit der Grundkante a = 8 cm und der Höhe h = 6 cm.
b) Markiere im Schrägbild den Mittelpunkt M einer Grundkante und zeichne die Verbindungsstrecke von M zur Spitze S. Berechne die Länge der Strecke $\overline{MS}$.
c) Berechne die Länge der vier Seitenkanten der Pyramide.

● **8** a) Bestimme den Flächeninhalt eines gleichseitigen Dreiecks mit einem Umfang von 1 m.
b) Bestimme den Umfang eines gleichseitigen Dreiecks mit einem Flächeninhalt von 1 m².

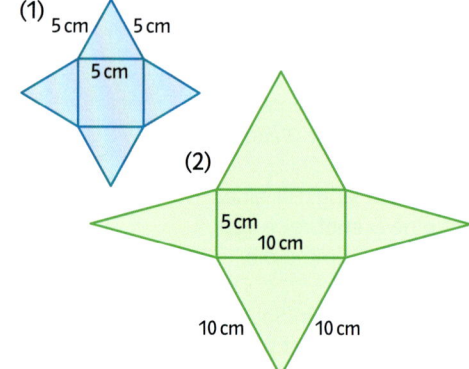

● **9** a) Erstelle Pyramiden mit den angegebenen Netzen und miss die Höhen der Pyramiden. Kontrolliere anschließend die Höhen durch eine Rechnung.
b) Berechne den Flächeninhalt der vier Seitenflächen der Pyramiden.

● **10** Zeichne das Schrägbild eines Quaders mit den Kantenlängen 8 cm, 5 cm und 3 cm.
a) Zeichne zwei verschieden lange Diagonalen in die Seitenflächen ein und berechne deren Längen.
b) Zeichne eine Raumdiagonale ein und berechne deren Länge.
c) Gib einen Schätzwert für die längste Strecke in deinem Klassenzimmer an. Miss die nötigen Größen und berechne sie anschließend.

● **11** a) Ein quaderförmiger Karton hat die Maße 60 cm × 40 cm × 30 cm. Zeichne ein Schrägbild im Maßstab 1:10.
b) Berechne, wie lang ein Stab höchstens sein dürfte, damit er in den Karton passt.
c) Bestimme, wie lang die Kantenlänge eines würfelförmigen Kartons mindestens sein müsste, damit ein Stab der Länge 10 cm hineinpasst.

● **12** Die Höhe der Seitenflächen einer geraden quadratischen Pyramide beträgt 15 m. Es soll **SP** die Höhe der Pyramide ermittelt werden. Untersuche die nachfolgende Schülernotiz auf fachsprachliche Fehler bzw. Ungenauigkeiten und korrigiere sie.

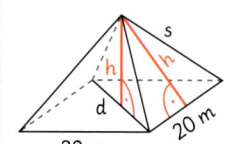

Mit einer Höhe h kann man die Seitenlänge s der Pyramide bestimmen:
$10^2 + 15^2 = s^2$, also $s = \sqrt{10^2 + 15^2} \approx 18{,}03$.
Somit haben die dreieckigen Seitenflächen eine Kantenlänge von ca. 18,03 m.
Mit der Höhe h kann man auch die Höhe h bestimmen: $h^2 + 10^2 = 15^2$, also
$h = \sqrt{15^2 - 10^2} \approx 11{,}18$. Somit beträgt die Höhe h ca. 11,18 m.
Zur Kontrolle kann man auch die Diagonale d der Pyramide bestimmen und die Höhe h mit der Hälfte der Diagonale sowie der bereits berechneten Seitenkantenlänge ermitteln:
$20^2 + 20^2 = d^2$, also $d = \sqrt{20^2 + 20^2} \approx 28{,}28$ und $h^2 + 14{,}14^2 = 18{,}03^2$, also
$h = \sqrt{18{,}03^2 - 14{,}14^2} \approx 11{,}18$. Somit erhält man hier auch eine Höhe von ca. 11,18 m.

V Satz des Pythagoras und Körper

13 Ben möchte möglichst schnell am Fähranleger in Hjortö Haven sein, denn er ist schon spät dran und möchte seine Fähre nach Svendborg noch erreichen.
Auf Asphalt kann er $3\,\frac{m}{s}$ laufen, auf Sand schafft er nur $2\,\frac{m}{s}$. Er entscheidet sich für den direkten Weg über den Strand. Beurteile, ob das eine gute Wahl war.

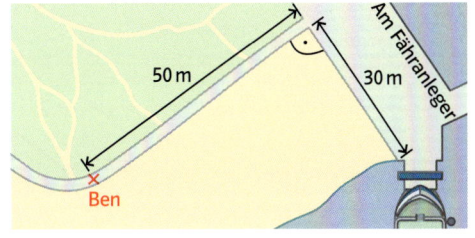

14 Der Körper rechts besteht aus einem Würfel und einer aufgesetzten Pyramide. Alle Kanten des Körpers haben die gleiche Länge $a = 4\,cm$.
a) Berechne die Gesamthöhe des Körpers.
b) Berechne die Länge $\overline{AS}$.
c) Berechne den Flächeninhalt der vier Seitenflächen der Pyramide.

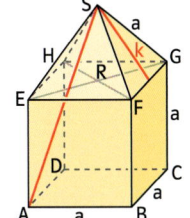

Teste dich! → Lösungen, Seite 253

15 Von einem Walmdach kennt man die Kantenlängen $a = 9\,m$, $b = 6\,m$, $c = 6\,m$ und $d = 7\,m$.
a) Zur Stabilisierung soll eine Stütze eingezogen werden, die mit zwei Stahlschnüren zusätzlich gesichert werden soll. Berechne die Länge der Stütze und der beiden Stahlschnüre.
b) Berechne den Flächeninhalt der gesamten Dachfläche.

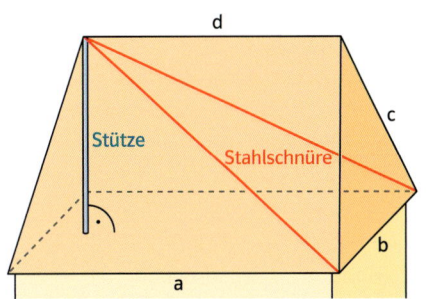

16 Ein Kleiderschrank hat die Maße 2,33 m x 0,80 m x 0,60 m (Höhe x Breite x Tiefe). Untersuche, ob der fertig zusammengebaute Schrank in einem Raum mit einer Deckenhöhe von 2,40 m aufgestellt werden kann oder ob man den Schrank direkt in die „stehende Position" zusammenbauen muss.

17 Rechts sind drei Würfel mit einer Kantenlänge von 1 cm übereinander abgebildet.
a) Berechne die Raumdiagonalen d_1, d_2 und d_3.
b) Bestimme eine allgemeine Formel für d_n und berechne damit d_{10}.
c) Bestimme eine allgemeine Formel für d_n, wenn a die Kantenlänge der Würfel ist.

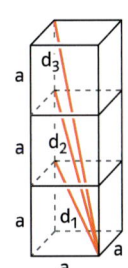

→ Üben ○
Seite 164, Aufgabe 4

Teste dein Grundwissen! Quadratwurzeln überschlagen   → Beispiel 1, Seite 12
→ Lösungen, Seite 253

G 18 Gib an, in welchem der markierten Bereiche die Wurzel liegt. Begründe.
a) $-\sqrt{2}$ b) $\sqrt{2,5}$ c) $\sqrt{50}$ d) $\sqrt{19}$ e) $\sqrt{75}$ f) $\sqrt{\frac{16}{3}}$

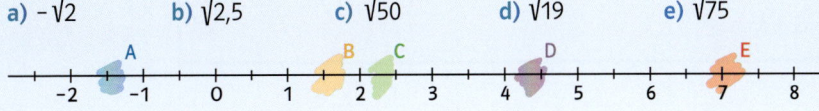

2 Pythagoras in Figuren und Körpern

3 Pyramiden

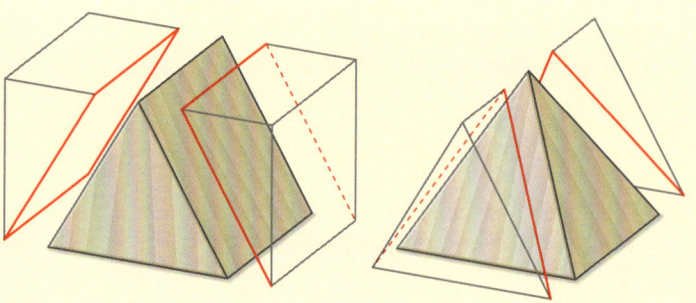

Aus einem Quader wird eine Pyramide herausgesägt.
Pauline meint, dass das Pyramidenvolumen die Hälfte des Quadervolumens beträgt. Raphael entgegnet, dass dies nicht stimmen könne. Beurteile die beiden Aussagen.

In der letzten Lerneinheit wurden mithilfe des Satzes von Pythagoras Strecken in Pyramiden berechnet und damit z. B. der Oberflächeninhalt von Pyramiden bestimmt. Jetzt wird gezeigt, wie man die Volumina von Pyramiden berechnen kann.

Zur Herleitung einer Formel für das Volumen einer Pyramide wird als Spezialfall ein Würfel in sechs gleiche Pyramiden mit einer quadratischen Grundfläche zerlegt. Diese hat den Grundflächeninhalt $G = a^2$

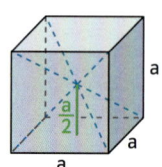

und die Höhe $h = \frac{a}{2}$. Für das Volumen der Pyramide gilt $V = \frac{1}{6} \cdot a^3$.

Wenn man das Volumen mithilfe der Grundfläche $G = a^2$ und der Höhe $h = \frac{a}{2}$ ausdrückt, erhält man

$V = \frac{1}{6} \cdot a^3 = \frac{1}{6} \cdot a^2 \cdot 2 \cdot \frac{a}{2} = \frac{1}{6} \cdot G \cdot 2 \cdot h = \frac{1}{3} \cdot G \cdot h$.

Man kann zeigen, dass diese Formel für Pyramiden mit beliebiger Grundfläche G gilt. In der Exkursion auf Seite 170 gibt es noch mehr Informationen dazu.

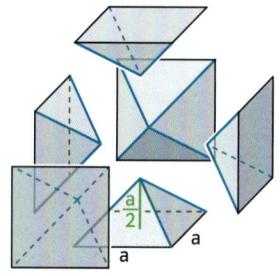

Der Oberflächeninhalt setzt sich aus den einzelnen Teilflächen zusammen:
Alle Flächeninhalte der Seitenflächen bilden den Mantelflächeninhalt M. Der Grundflächeninhalt G und der Mantelflächeninhalt M ergeben zusammen den Oberflächeninhalt: $O = G + M$.

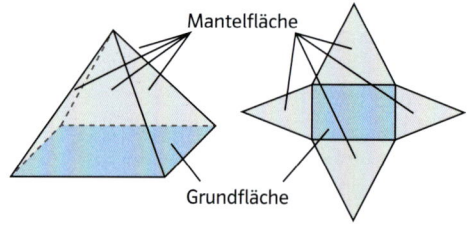 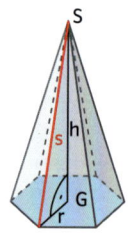

Volumen und Oberflächeninhalt von Pyramiden
Eine Pyramide mit der Grundfläche G, der Höhe h und der Mantelfläche M
hat das Volumen $V = \frac{1}{3} \cdot G \cdot h$
und den Oberflächeninhalt $O = G + M$.

V Satz des Pythagoras und Körper

Die Formel für das Volumen von Pyramiden gilt für gerade Pyramiden genauso wie für **schiefe Pyramiden**. Dies kann man mithilfe des Satzes von Cavalieri begründen: Die Flächeninhalte der Grundflächen sowie die Höhen sind gleich und die einzelnen Schnittflächen im gleichen Abstand parallel zur Grundfläche haben jeweils den gleichen Flächeninhalt.

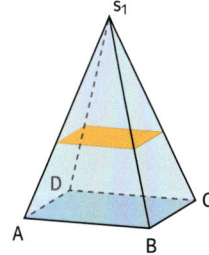
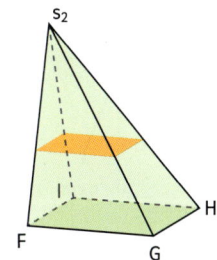

Beispiel 1 Volumen einer Pyramide berechnen

Berechne das Volumen
a) einer Pyramide mit einer Grundfläche von 12 m² und der Höhe h = 10 m,
b) der orangen Pyramide (links),
c) der grünen Pyramide (rechts).

Lösung

a) Mit dem Grundflächeninhalt G = 12 m² und der Höhe h = 10 m gilt:

$V = \frac{1}{3} \cdot G \cdot h = \frac{1}{3} \cdot 12 \cdot 10 = 40$, also $V = 40 \, m^3$.

b) Die Grundfläche ist das rechtwinklige Dreieck ABC.

$G = \frac{1}{2} \cdot a \cdot c = \frac{1}{2} \cdot 4 \cdot 3 = 6$, also $G = 6 \, cm^2$ und $V = \frac{1}{3} \cdot G \cdot h = \frac{1}{3} \cdot 6 \cdot 3,5 = 7$, also $V = 7 \, cm^3$.

c) Die Grundfläche ist ein gleichseitiges Dreieck ABC. Mithilfe des Satzes von Pythagoras kann der Grundflächeninhalt ermittelt werden.

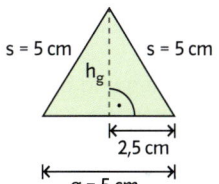

$h_g = \sqrt{s^2 - \left(\frac{g}{2}\right)^2} = \sqrt{5^2 - 2,5^2} \approx 4,33$, also $h_g \approx 4,33 \, cm$.

$G = \frac{1}{2} \cdot g \cdot h_g \approx \frac{1}{2} \cdot 5 \cdot 4,33 = 10,825$, also $G \approx 10,83 \, cm^2$.

$V = \frac{1}{3} \cdot G \cdot h \approx \frac{1}{3} \cdot 10,83 \cdot 4 = 14,4$, also $V \approx 14,4 \, cm^3$.

Man kann die **Rechnung mit oder ohne Einheiten** notieren. Es ist dann sinnvoll, die Einheiten wegzulassen, wenn die Rechnung dadurch übersichtlicher wird. Grundsätzlich muss man bei der Rechnung darauf achten, die Einheiten anzupassen.

Beispiel 2 Höhe berechnen

Gegeben ist eine quadratische Pyramide mit dem Grundflächeninhalt G = 45 dm² und dem Volumen V = 1,5 m³. Berechne die Höhe der Pyramide.

Lösung

Es gilt: $V = \frac{1}{3} \cdot G \cdot h$. Mit $V = 1,5 \, m^3 = 1500 \, dm^3$ folgt daher:

$1500 = \frac{1}{3} \cdot 45 \cdot h$ | · 3
$4500 = 45 \cdot h$ | : 45
$h = 100$ Die Höhe der Pyramide beträgt 100 dm = 10 m.

Aufgaben

1 Das Netz einer quadratischen Pyramide ist gegeben. Ordne den Begriffen (B) die Rechnungen (R) und Ergebnisse (E) zu.

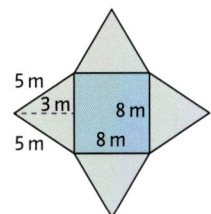

B1	Grundflächeninhalt	R1	$8 \cdot 8 + 4 \cdot \frac{1}{2} \cdot 8 \cdot 3$	E1	48 m²
B2	Höhe der Seitenfläche	R2	$4 \cdot \frac{1}{2} \cdot 8 \cdot 3$	E2	64 m²
B3	Mantelflächeninhalt	R3	$8 \cdot 8$	E3	3 m
B4	Oberflächeninhalt	R4	ist gegeben	E4	112 m²

3 Pyramiden

○ 2 Ordne die Kärtchen mit den Rechnungen A bis E den Pyramiden zu.
(1)   (2)   (3)   (4)   (5)

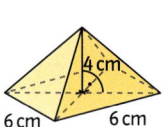 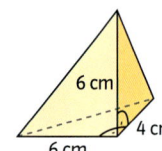 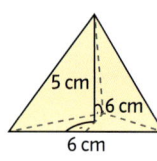 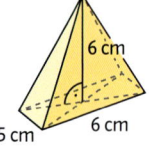 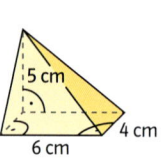

A $V = \frac{1}{3} \cdot 6\,\text{cm} \cdot 4\,\text{cm} \cdot 5\,\text{cm}$

B $V = \frac{1}{3} \cdot \frac{6\,\text{cm} \cdot 4\,\text{cm}}{2} \cdot 6\,\text{cm}$

C $V = \frac{1}{3} \cdot (6\,\text{cm})^2 \cdot 4\,\text{cm}$

D $V = \frac{1}{3} \cdot 6\,\text{cm} \cdot 5\,\text{cm} \cdot 6\,\text{cm}$

E $V = \frac{1}{3} \cdot \frac{6\,\text{cm} \cdot 6\,\text{cm}}{2} \cdot 5\,\text{cm}$

○ 3 Berechne das Volumen einer Pyramide mit der Grundfläche G und der Höhe h. Die Lösungen findest du auf den Kärtchen auf dem Rand.
a) $G = 30\,\text{cm}^2$, $h = 75\,\text{cm}$
b) $G = 81\,\text{m}^2$, $h = 10\,\text{m}$
c) $G = 10\,\text{cm}^2$, $h = 24\,\text{cm}$
d) $G = 6\,\text{cm}^2$, $h = 4\,\text{cm}$

A $V = 8\,\text{cm}^3$
B $V = 270\,\text{m}^3$
C $V = 750\,\text{cm}^3$
D $V = 80\,\text{cm}^3$

○ 4 Berechne das Volumen einer Pyramide mit rechteckiger Grundfläche mit den Seitenlängen a und b sowie der Höhe h.
a) $a = 6\,\text{cm}$, $b = 40\,\text{mm}$, $h = 0{,}5\,\text{dm}$
b) $a = 7\,\text{m}$, $b = 50\,\text{dm}$, $h = 300\,\text{cm}$
c) $a = 10\,\text{cm}$, $b = 5\,\text{dm}$, $h = 6\,\text{m}$
d) $a = 2\,\text{dm}$, $b = 1{,}5\,\text{m}$, $h = 0{,}5\,\text{m}$

○ 5 a) Zeichne ein Netz einer quadratischen Pyramide mit den Seitenlängen $a = 2{,}5\,\text{cm}$ und der Höhe der Seitendreiecke $h_a = 4\,\text{cm}$.
b) Bestimme das Volumen und den Oberflächeninhalt der Pyramide.
c) Bestimme das Volumen einer quadratischen Pyramide mit $s = 3{,}5\,\text{cm}$ und $h = 3\,\text{cm}$.

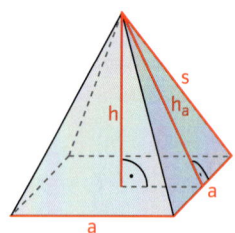

Teste dich!

○ 6 a) 🖩 Berechne das Volumen und den Oberflächeninhalt von einer Pyramide mit einer rechteckigen Grundfläche mit den Seitenlängen $a = 20\,\text{cm}$, $b = 5\,\text{dm}$ und der Höhe $h = 30\,\text{mm}$.
b) Berechne das Volumen und den Oberflächeninhalt der Pyramide rechts.

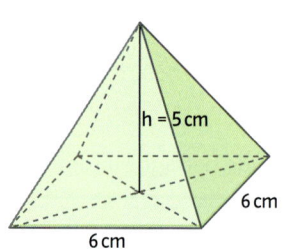

● 7 Eine Pyramide hat eine quadratische Grundfläche mit der Seitenlänge a, die Höhe h und die Höhe h_a der Seitenflächen (s. Pyramide in Aufgabe 5). Berechne das Volumen, den Flächeninhalt einer Seitenfläche und den Oberflächeninhalt der Pyramide.
a) $h = 7\,\text{cm}$, $h_a = 7{,}4\,\text{cm}$
b) $a = 43{,}2\,\text{cm}$, $h = 63\,\text{cm}$
c) $a = 5{,}5\,\text{m}$, $h = 8\,\text{m}$
d) $a = 1{,}26\,\text{m}$, $h_a = 87\,\text{cm}$
e) $a = 85\,\text{dm}$, $h = 7{,}7\,\text{m}$
f) $h = 56\,\text{dm}$, $h_a = 6{,}5\,\text{m}$

● 8 Berechne die Höhe einer quadratischen Pyramide mit dem gegebenen Grundflächeninhalt G und dem Volumen V.
a) $G = 20\,\text{cm}^2$ und $V = 150\,\text{cm}^3$
b) $G = 35\,\text{dm}^2$ und $V = 0{,}1\,\text{m}^3$

V Satz des Pythagoras und Körper

● 9 In Konstanz bei Rheinkilometer 0 steht der Rheintorturm. Das pyramidenförmige Dach hat eine quadratische Grundfläche mit der Seitenlänge 9 m und ein Volumen von 243 m³. Berechne die Höhe und das Volumen des gesamten Rheintorturms.

Vernetzen ●
Seite 167, Aufgabe 17

● 10 Berechne das Volumen des Hammerkopfes in der Figur rechts.

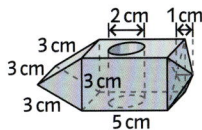

● 11 Bestimme die Höhe einer quadratischen Pyramide mit vier gleichen Seitenflächen, die den Grundflächeninhalt G = 36 m² und den Oberflächeninhalt O = 96 m² besitzt.

Teste dich!

Lösungen, Seite 254

● 12 Die Cheopspyramide in Ägypten hat eine quadratische Grundfläche. Ihre Höhe betrug ursprünglich 147 m, das umbaute Volumen 2 660 161 m³. Aufgrund der Verwitterung misst die Grundkante der jetzigen Pyramide heute nur noch 227 m, die Höhe nur noch 137 m.
a) Bestimme, wie viel Prozent des ursprünglichen Volumens verwittert sind.
b) Berechne die Länge der ursprünglichen Grundkante.

● 13 Auf einer Kuppe bei Bottrop steht eine Stahlkonstruktion in Form eines Tetraeders mit einer Seitenlänge von 60 m.
a) Berechne das Volumen des Tetraeders.
b) Berechne die Höhe der gesamten Konstruktion, wenn die vier Betonpfeiler 9 m hoch sind.
c) Die Konstruktion ähnelt einem Sierpinski-Tetraeder, bei dem im ersten Schritt aus einem Tetraeder vier kleine Tetraeder mit halber Kantenlänge entstehen. Im zweiten Schritt wird jeder der vier Tetraeder erneut in vier Tetraeder zerlegt. Bestimme das Volumen und den Oberflächeninhalt eines Sierpinski-Tetraeders der Stufe 3 mit einer anfänglichen Kantenlänge von a = 1 m.

Sierpinski-Tetraeder

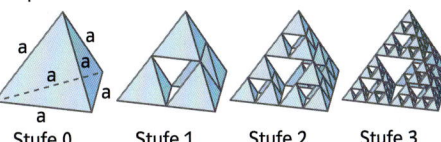

Stufe 0   Stufe 1   Stufe 2   Stufe 3

Vertiefen ○
Seite 165, Aufgabe 9

Ein Tetraeder ist eine Pyramide, deren vier Seitenflächen kongruente gleichseitige Dreiecke sind.

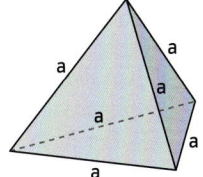

d) Stelle eine Formel für das Volumen eines Sierpinski-Tetraeders, abhängig von der Stufenzahl n und dem Volumen des Ausgangstetraeders, auf.

Teste dein Grundwissen! Quadratische Gleichungen lösen

Beispiel 2, Seite 9
Lösungen, Seite 254

G 14 Bestimme die Lösung.
a) $x^2 = 121$ b) $x^2 = 0{,}36$ c) $x^2 = \frac{25}{81}$ d) $x^2 = \frac{12}{75}$

4 Kegel

Fabian schenkt auf einer Party kelchförmige Gläser zunächst bis zum Rand mit Orangensaft ein. Mit einer Flasche kann er sieben Gläser füllen. Da der Saft so nicht für alle Gäste reicht, schenkt er mit der nächsten Flasche die Gläser nur noch halb so hoch ein.
Nimm Stellung zu den drei Aussagen. Überprüfe gegebenenfalls durch Überlegungen oder ein geeignetes Experiment.

Die Überlegungen zu der Volumenberechnung bei Pyramiden können auf den Kegel übertragen werden. Bei der Herleitung des Oberflächeninhaltes für Kegel werden Kenntnisse über Kreisflächen benötigt. Beides wird im Folgenden erläutert.

Verbindet man alle Punkte einer Kreislinie mit einem Punkt S außerhalb des Kreises, entsteht ein **Kegel** mit der **Spitze** S. Die Strecke s von der Spitze zur Kreislinie heißt **Mantellinie**. Der Abstand der Spitze S von der Ebene, in der die Grundfläche liegt, heißt **Höhe h** des Kegels.

Einen geraden Kegel kann man näherungsweise durch eine Pyramide beschreiben. Je höher dabei die Anzahl der Ecken ist, desto besser wird der Kegel durch die Pyramide angenähert, und desto stärker nähert sich die Grundfläche der Pyramide einem Kreis an. Aufgrund dieser Überlegungen kann die Volumenformel der Pyramide auf den Kegel übertragen werden $V = \frac{1}{3} \cdot G \cdot h = \frac{1}{3} \cdot \pi r^2 \cdot h$.

Die **Oberfläche O** eines geraden Kegels besteht aus der Grundfläche G und der Mantelfläche M. Die **Grundfläche** ist ein Kreis mit dem Flächeninhalt $G = \pi \cdot r^2$. Betrachtet man das Netz eines Kegels, so erhält man neben der Grundfläche G einen Kreisausschnitt, der die **Mantelfläche M** des Kegels bildet. Für ihn gilt:

1. Der Bogen b des Kreisausschnitts ist der Umfang des Grundkreises: $b = 2\pi r$.
2. Der Kreisausschnitt hat den Radius s und den Mittelpunktswinkel α: $b = 2\pi s \cdot \frac{\alpha}{360°}$
3. Durch Gleichsetzen erhält man: $2\pi s \cdot \frac{\alpha}{360°} = 2\pi r$, also $\frac{\alpha}{360°} = \frac{2\pi r}{2\pi s} = \frac{r}{s}$
4. Für den Inhalt M der Mantelfläche gilt als Kreisausschnitt: $M = \frac{\alpha}{360°} \cdot \pi s^2$
5. Durch Einsetzen von $\frac{r}{s}$ für $\frac{\alpha}{360°}$ erhält man: $M = \frac{r}{s} \cdot \pi s^2 = \pi \cdot r \cdot s$

Mit der Grundfläche $G = \pi \cdot r^2$ erhält man für den Oberflächeninhalt O eines Kegels:
$O = G + M = \pi \cdot r^2 + \pi \cdot r \cdot s = \pi \cdot r \cdot (r + s)$.

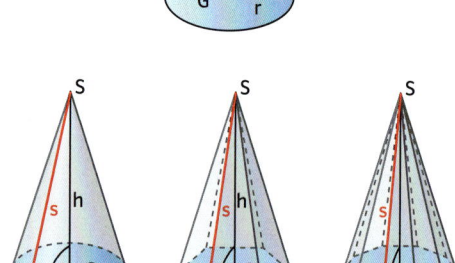

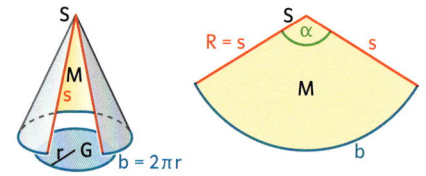

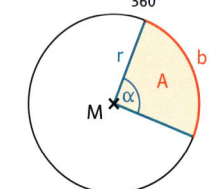

Zur Erinnerung:
Die Bogenlänge b entspricht dem Anteil $\frac{\alpha}{360°}$ am Kreisumfang $2\pi r$, also $b = 2\pi r \cdot \frac{\alpha}{360°}$.

V Satz des Pythagoras und Körper

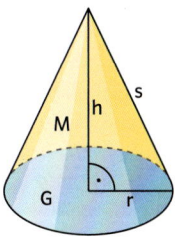

Volumen und Oberflächeninhalt eines Kegels
Für einen Kegel mit dem Radius r des Grundkreises, dem Grundflächeninhalt G, der Mantellinie s und der Höhe h gilt:
Volumen V $\qquad V = \frac{1}{3} \cdot G \cdot h = \frac{1}{3} \cdot \pi \cdot r^2 \cdot h$
Flächeninhalt der Mantelfläche M $\qquad M = \pi \cdot r \cdot s$
Oberflächeninhalt O $\qquad O = G + M = \pi \cdot r^2 + r \cdot s \cdot \pi$

Beispiel 1 Volumen und Oberflächeninhalt eines Kegels berechnen
Gegeben ist ein Kegel mit r = 3 cm und s = 8 cm.
a) Bestimme die Höhe des Kegels.
b) Berechne das Volumen und den Oberflächeninhalt des Kegels.
c) 🖩 Überprüfe deine Rechnungen aus Teilaufgabe b) mit einem Überschlag mit π ≈ 3.
Lösung

a) $s^2 = r^2 + h^2$, also $h = \sqrt{s^2 - r^2}$
$h = \sqrt{8^2 - 3^2} = \sqrt{55} \approx 7{,}4$,
also h ≈ 7,4 cm

b) $V = \frac{1}{3} \cdot \pi r^2 h \approx \frac{1}{3} \cdot \pi \cdot 3^2 \cdot 7{,}4 \approx 69{,}7$
$M = \pi r s = \pi \cdot 3 \cdot 8 \approx 75{,}4$
$O = \pi r^2 + M \approx 9\pi + 75{,}4 \approx 103{,}7$
also V ≈ 69,7 cm³, M ≈ 75,4 cm² und
O ≈ 103,7 cm².

c) Als Überschlag erhält man mit den
Näherungen π ≈ 3 und $\sqrt{55} \approx 7$:
h ≈ 7 cm
V ≈ 63 cm³, denn $\frac{1}{3} \cdot 3 \cdot 3^2 \cdot 7 = 9 \cdot 7 = 63$
M ≈ 72 cm², denn $3 \cdot 3 \cdot 8 = 72$
O ≈ 99 cm², denn $3 \cdot 3^2 + 72 = 99$
Die Ergebnisse bestätigen die Rechnungen aus b), weil sie in der Nähe liegen.

Beispiel 2 Höhe eines Kegels berechnen
Bestimme die Höhe eines Kegels mit der Grundfläche G = 16 π cm² und M = 20 π cm².
Kommentiere deine Lösung.
Lösung
1. Relevante Formeln notieren.
$G = \pi r^2$, $M = \pi r s$, $h = \sqrt{s^2 - r^2}$
2. Aus der Grundfläche erhält man den Radius r:
$\pi r^2 = 16\pi \qquad |:\pi$
$r^2 = 16 \qquad |\sqrt{}$
$r = 4$

3. Aus der Mantelfläche erhält man mit r = 4 die Seitenlänge s:
$20\pi = \pi \cdot 4 \cdot s \qquad |:(4\pi)$
$5 = s$
4. Mithilfe des Satzes von Pythagoras ermittelt man die Höhe des Kegels:
$h = \sqrt{5^2 - 4^2} = 3$.
Die Höhe des Kegels beträgt 3 cm.

Aufgaben

○ **1** Ordne die Kärtchen A bis E den Körpern zu.
(1) (2) (3) (4) (5)

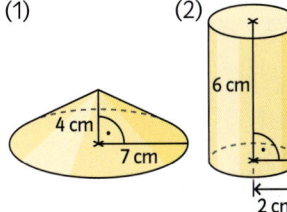
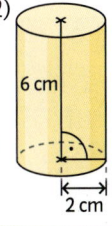
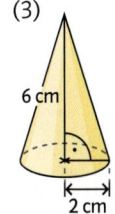
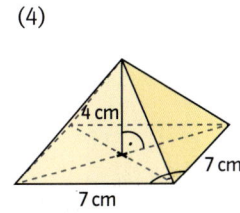
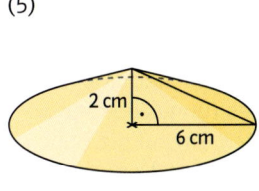

A $\quad V = \frac{1}{3} \cdot \pi \cdot (6\,\text{cm})^2 \cdot 2\,\text{cm}$

B $\quad V = \frac{1}{3} \cdot \pi \cdot (2\,\text{cm})^2 \cdot 6\,\text{cm}$

E $\quad V = \pi \cdot (2\,\text{cm})^2 \cdot 6\,\text{cm}$

C $\quad V = \frac{1}{3} \cdot \pi \cdot (7\,\text{cm})^2 \cdot 4\,\text{cm}$

D $\quad V = \frac{1}{3} \cdot (7\,\text{cm})^2 \cdot 4\,\text{cm}$

4 Kegel

2 Die Abbildungen zeigen das Schrägbild und das Netz eines Kegels. Ordne die entsprechenden Linien einander zu. Beachte dabei, dass es mehrere Möglichkeiten gibt.

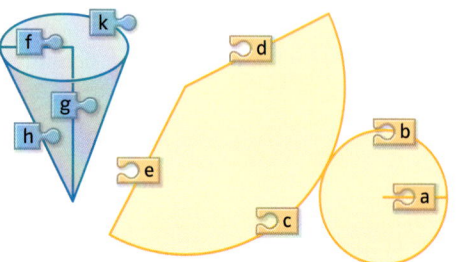

3 Berechne das Volumen und den Oberflächeninhalt des Kegels mit dem Radius des Grundkreises r = 8 cm und der Höhe h = 9 cm.

4 Von einem Kegel sind der Radius r des Grundkreises, die Höhe h bzw. die Mantellinie s bekannt. Berechne das Volumen V, den Flächeninhalt des Mantels M und den Oberflächeninhalt O. Kontrolliere deine Rechnung mit einem Überschlag.

a) r = 1,6 m, h = 45 cm
b) r = 3 cm, h = 6 cm
c) r = 4 cm, s = 9 cm
d) r = 12 cm, s = 14 cm
e) s = 16 cm, h = 10,5 cm
f) s = 80 mm, h = 7,5 cm

Lerntipp Seite 157, Beispiel 1

Teste dich!

Lösungen, Seite 254

5 Berechne das Volumen und den Oberflächeninhalt des abgebildeten Kegels.

6 Von einem Kegel sind der Radius r des Grundkreises, die Höhe h bzw. die Mantellinie s bekannt. Berechne das Volumen V, den Flächeninhalt des Mantels M und den Oberflächeninhalt O.

a) r = 4 cm, h = 5,5 cm
b) s = 20 cm, h = 19 cm

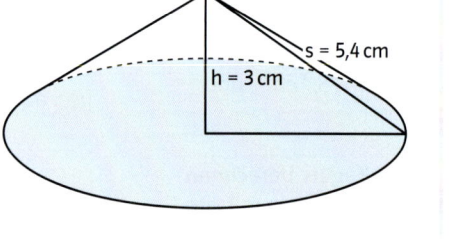

7 Bei einem Kegel mit Radius r des Grundkreises, Höhe h, Mantellinie s, Volumen V, Mantelflächeninhalt M und Oberflächeninhalt O sind zwei der sechs Größen gegeben. Berechne die fehlenden Größen. Kontrolliere deine Rechnung mit einem Überschlag.

Lerntipp Seite 157, Beispiel 2

Vertiefen Seite 166, Aufgabe 11

	r	s	h	V	M	O
a)	8 cm			19 π cm³		
b)		7,5 cm			117,8 cm²	
c)		6,4 cm			36 π cm²	
d)			20 cm	2,5 l		
e)					128 cm²	223 cm²

8 Der Buddenturm ist der älteste noch erhaltene Teil der ehemaligen Stadtbefestigung der westfälischen Stadt Münster. Die Gesamthöhe des Turmes beträgt ca. 30 m, davon entfallen 5 m auf die Höhe des kegelförmigen Daches. Der Radius des Turmes beträgt ca. 5 m.

a) Berechne mit diesen Angaben das Gesamtvolumen des Turmes.
b) Für die Dachdeckung des Kegeldaches veranschlagt eine Firma 175 € pro m². Berechne die Gesamtkosten für eine Neueindeckung des Turmdaches.
c) Kommentiere, warum man in Teilaufgabe b) nur einen Näherungswert erhält.

Anwenden Seite 166, Aufgabe 12

V Satz des Pythagoras und Körper

9 Ein Kegel hat den Grundkreisradius 4 cm und die Höhe 7 cm.
   a) Bestimme den Mittelpunktswinkel α des zur Mantelfläche gehörenden Kreisausschnitts; zeichne das Netz des Kegels und stelle den Kegel aus einem Stück Papier her.
   b) Schätze, wie groß das Volumen, der Inhalt der Mantelfläche und der Oberflächeninhalt des Kegels sind und kontrolliere deine Schätzungen jeweils durch eine Rechnung.

→ **Vertiefen**
Seite 166, Aufgabe 13

10 Gilt immer – gilt nie – es kommt darauf an
Untersuche, ob die folgenden Aussagen immer gelten, nie stimmen oder ob sie nur in bestimmten Fällen richtig sind. Gib gegebenenfalls die Bedingungen an.
   a) Wenn man bei einem Kegel die Höhe beibehält und den Radius des Grundkreises verdoppelt, so vervierfacht sich das Volumen.
   b) Wenn man bei einem Kegel den Radius des Grundkreises beibehält und die Höhe verdoppelt, so verdoppelt sich der Inhalt der Mantelfläche.
   c) Wenn man bei einem Kegel den Radius um 1 cm verlängert, so vergrößert sich das Volumen um π cm^3.

11 Bei einem kegelförmigen Glas beträgt der Durchmesser des Grundkreises 6,6 cm und die Höhe 9,7 cm. Dorothee hat es randvoll mit Tomatensaft gefüllt und trinkt vom Saft. Das Glas kann dabei auf verschiedene Weisen noch „halb voll" sein. Untersucht dazu die folgenden Aufträge. Führt zunächst eine Schätzung durch und berechnet dann.

A Bestimmt, wie viel Prozent des Rauminhalts des Glases noch gefüllt sind, wenn das Glas bis zur halben Höhe mit Saft gefüllt ist.

B Bei halbem Füllvolumen ist der Durchmesser des Flüssigkeitsspiegels ca. 5,24 cm. Bestimmt die Höhe.

Teste dich!

→ **Lösungen**, Seite 254

12 Berechne das Volumen und den Oberflächeninhalt der Körper.

13 In einem Raum wird in der Deckenmitte ein Strahler angebracht, der senkrecht nach unten leuchtet. Der Strahler hat den Öffnungswinkel β = 56°. Löse die folgenden Aufgaben mithilfe einer maßstabsgetreuen Zeichnung.
   a) Bestimme, wie viel Prozent der Bodenfläche vom Strahler erfasst wird.
   b) Bestimme, wie viel Prozent des Raumes im Lichtkegel liegen.
   c) Bestimme, wie groß β mindestens sein müsste, damit der ganze Boden ausgeleuchtet werden kann.

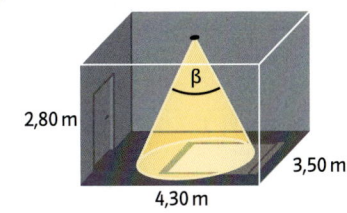

Teste dein Grundwissen! — Geschickt mit Wurzeln rechnen

→ **Beispiele**, Seite 21
Lösungen, Seite 254

$\sqrt{2} \approx 1{,}4$ $\sqrt{3} \approx 1{,}7$
$\sqrt{5} \approx 2{,}2$

G 14 Vereinfache mithilfe der Rechenregeln für Wurzeln und überschlage anschließend.
   a) $\sqrt{180}$ b) $\frac{\sqrt{3}}{\sqrt{45}}$ c) $\sqrt{72}$ d) $\sqrt{5} \cdot (\sqrt{10} + \sqrt{5})$ e) $8 \cdot \sqrt{2} + 2 \cdot \sqrt{2}$

5 Kugeln

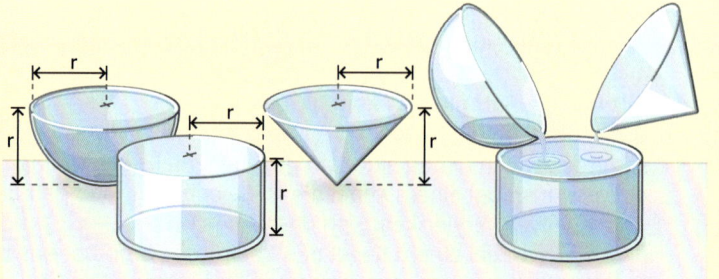

Die Wassermenge in der Halbkugel und im Kegel reicht gerade so aus, um den Zylinder zu füllen.
Was kann man hieraus für das Volumen der Halbkugel folgern?

Bisher wurden die Volumen- und Oberflächeninhaltsformeln für Pyramiden und Kegel verwendet. Mithilfe dieser bekannten Formeln kann man das Volumen und den Oberflächeninhalt einer Kugel näherungsweise einschachteln. Dies wird im Folgenden dargestellt.

Volumen einer Kugel

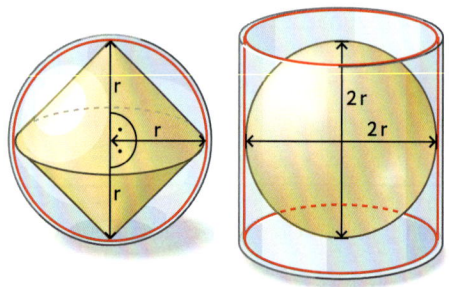

Um die Formel für das Volumen näherungsweise eingrenzen zu können, vergleicht man das Volumen einer Kugel mit dem Radius r mit den Volumina zweier Kegel bzw. eines Zylinders jeweils mit dem Radius r der Grundfläche und der Gesamthöhe 2r. An den beiden Modellen kann man erkennen, dass das Volumen der Kugel größer ist als das des Doppelkegels und kleiner ist als das Volumen des Zylinders:

$2 \cdot \frac{1}{3} \pi r^3 = \frac{2}{3} \pi r^3 < V_{Kugel} < 2 \pi r^3 = \pi r^2 \cdot 2r$. Man kann zeigen, dass das Volumen einer Kugel genau der Mittelwert der Volumina von Kegel und Zylinder ist. Es gilt also $V = \frac{4}{3} \pi r^3$. Wie die Formel allgemein hergeleitet wird, ist in der Exkursion auf Seite 170 erläutert.

Oberflächeninhalt einer Kugel

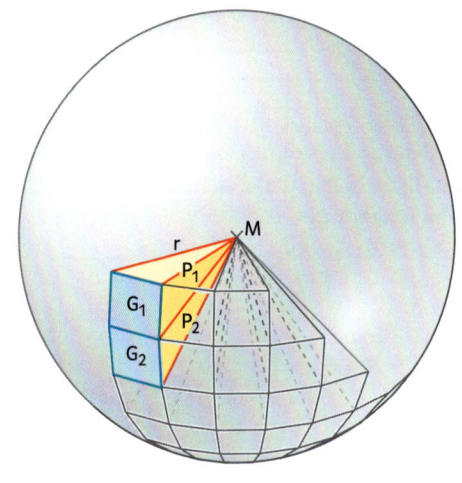

Zur Berechnung des Oberflächeninhalts O denkt man sich die Kugel mit dem Radius r in kleine Pyramiden zerlegt, deren Spitzen sich im Kugelmittelpunkt befinden. Die Grundflächen dieser Pyramiden bilden bei einer sehr feinen Unterteilung näherungsweise die Kugeloberfläche. Für das Volumen der Kugel gilt näherungsweise:

$V \approx \frac{1}{3} \cdot G_1 \cdot r + \frac{1}{3} \cdot G_2 \cdot r + \ldots + \frac{1}{3} \cdot G_n \cdot r$

$= \frac{1}{3} \cdot (G_1 + G_2 + G_3 + \ldots + G_n) \cdot r \approx \frac{1}{3} \cdot O \cdot r$.

Wird die Anzahl der Pyramiden immer größer, gilt demnach

$V = \frac{1}{3} \cdot O \cdot r$ bzw. $O = \frac{3 \cdot V}{r}$.

Mit $V = \frac{4}{3} \pi r^3$ erhält man durch Einsetzen:

$O = \frac{3 \cdot V}{r} = \frac{3 \cdot 4 \pi r^3}{r \cdot 3} = 4 \cdot \pi \cdot r^2$.

Bei der beschriebenen sehr feinen Unterteilung gleichen sich die Höhe und die Seitenkante der Pyramiden aneinander an. Sie entsprechen dann annähernd dem Radius der Kugel.

V Satz des Pythagoras und Körper

Volumen und Oberflächeninhalt einer Kugel
Bei einer Kugel mit dem Radius r gilt

für das Volumen: $V = \frac{4}{3} \cdot \pi r^3$,

für den Oberflächeninhalt: $O = 4 \cdot \pi r^2$,
für den Inhalt der Querschnittsfläche: $A = \pi r^2$
und für den Umfang: $U = 2 \cdot \pi r$.

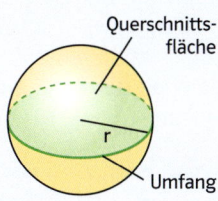

Beispiel 1 Größen einer Kugel aus dem Durchmesser bestimmen
a) Berechne für eine Kugel mit dem Durchmesser d = 3,8 m das Volumen, den Oberflächeninhalt, den Inhalt der Querschnittsfläche und den Umfang.
b) Bei einem Überschlag rechnet Tim das Volumen und den Oberflächeninhalt für d ≈ 4 m und π ≈ 3 aus. Berechne jeweils, um wie viel Prozent der Überschlag vom richtigen Ergebnis abweicht.

Lösung
a) Mit dem Durchmesser erhält man den Radius $r = \frac{d}{2} = \frac{3,8\,m}{2} = 1,9\,m$. Damit folgt:

Volumen: $V = \frac{4}{3} \cdot \pi \cdot (1,9\,m)^3 \approx 28,73\,m^3$

Oberflächeninhalt: $O = 4 \cdot \pi \cdot (1,9\,m)^2 \approx 45,36\,m^2$
Inhalt der Querschnittsfläche: $A = \pi \cdot (1,9\,m)^2 \approx 11,34\,m^2$
Umfang: $U = 2 \cdot \pi \cdot 1,9\,m \approx 11,94\,m$

b) Mit d ≈ 4 m bzw. r ≈ 2 m erhält Tim für das Volumen

$V = \frac{4}{3} \cdot \pi \cdot r^3 \approx \frac{4}{3} \cdot 3 \cdot (2\,m)^3 = 4 \cdot 8\,m^3 = 32\,m^3$.

Dieser Näherungswert weicht etwa $32\,m^3 - 28,73\,m^3 = 3,27\,m^3$ von dem in a) berechneten Wert ab. Das entspricht einer prozentualen Abweichung von $\frac{3,27\,m^3}{28,73\,m^3} \approx 0,11 = 11\,\%$.
Für den Oberflächeninhalt erhält Tim als Überschlag
$O = 4 \cdot \pi \cdot r^2 \approx 4 \cdot 3 \cdot (2\,m)^2 = 12 \cdot 4\,m^2 = 48\,m^2$.
Dieser Näherungswert weicht etwa $48\,m^2 - 45,36\,m^2 = 2,64\,m^2$ von dem in a) berechneten Wert ab. Das entspricht einer prozentualen Abweichung von $\frac{2,64\,m^2}{45,36\,m^2} \approx 0,06 = 6\,\%$.

Fehler beim Schätzen führen bei Volumenberechnungen zu größeren Abweichungen als bei Flächenberechnungen. Siehe dazu auch Seite 163, Aufgabe 15 b).

Beispiel 2 Radius einer Kugel aus der Oberflächeninhaltsangabe bestimmen
Berechne den Radius der Kuppel, wenn ihr
Oberflächeninhalt ohne Grundfläche 300 m²
beträgt.

Lösung
Bei einer Kugel gilt $O = 4\pi r^2$. Folglich gilt für die Halbkugel

$O = 2\pi r^2 = 300\,m^2$ und somit $r = \sqrt{\frac{300\,m^2}{2\pi}} = \sqrt{\frac{150}{\pi}}\,m \approx 6,91\,m$.

Aufgaben

1 Gegeben ist eine Kugel. Ordne dem Radius r = 4 cm bzw. dem Durchmesser d = 6 cm jeweils die richtige Formel für das Volumen V (F1 bis F4) und den Oberflächeninhalt O (F5 bis F8) sowie jeweils die richtigen Ergebnisse für beide Größen (E1 bis E8) zu.

F1	$V = 4 \cdot \pi \cdot 4^3\,cm^3$	F2	$V = \frac{4}{3} \cdot \pi \cdot 3^3\,cm^3$	F3	$V = \frac{4}{3} \cdot \pi \cdot 4^3\,cm^3$	F4	$V = \frac{4}{3} \cdot \pi \cdot 6^3\,cm^3$
F5	$O = 4 \cdot \pi \cdot 2^2\,cm^2$	F6	$O = 4 \cdot \pi \cdot 3^2\,cm^2$	F7	$O = 4 \cdot \pi \cdot 4^2\,cm^2$	F8	$O = \pi \cdot 4^2\,cm^2$
E1	$V \approx 32\,cm^3$	E2	$V \approx 54\,cm^3$	E3	$V \approx 113\,cm^3$	E4	$V \approx 268\,cm^3$

E5	$O \approx 48\,cm^2$
E6	$O \approx 113\,cm^2$
E7	$O \approx 201\,cm^2$
E8	$O \approx 192\,cm^2$

5 Kugeln

○ **2** Berechne das Volumen der Kugel mit dem Radius r bzw. dem Durchmesser d.
a) r = 10 cm b) d = 17 mm c) r = 0,2 m d) d = 1,1 mm

○ **3** 🖩 Bestimme den Oberflächeninhalt der Kugel näherungsweise im Kopf mit π ≈ 3.
a) r = 4 cm b) r = 7 cm c) d = 2 m d) d = 16 dm

○ **4** Berechne für eine Kugel mit dem Radius r = 8 cm den Durchmesser, das Volumen, den Oberflächeninhalt, den Inhalt der Querschnittsfläche und den Umfang.

○ **5** Das höchste Bauwerk Deutschlands ist mit 368 m Höhe der Berliner Fernsehturm. Oben befindet sich eine Kugel mit einem Durchmesser von 32 m. Bestimme das Volumen und den Oberflächeninhalt der Kugel und überprüfe dein Ergebnis anschließend mit einer Überschlagsrechnung.

→ **Üben** ○
Seite 164, Aufgabe 6

○ **6** Die Erde kann näherungsweise als Kugel mit einem Umfang von 40 000 km betrachtet werden. Berechne
a) den Erdradius, b) die Erdoberfläche, c) das Volumen der Erde.

○ **7** Ein nahezu kugelförmiger Gaskessel hat einen Außendurchmesser von 36 m und einen Innendurchmesser von 35,2 m.
a) Der Kessel erhält einen neuen Außenanstrich. Schätze, wie viele Quadratmeter zu streichen sind. Berechne anschließend.
b) Berechne das Volumen, das für das Gas zur Verfügung steht.

→ **Lerntipp**
Seite 161, Beispiel 1

→ **Anwenden** ●
Seiten 165 und 166,
Aufgaben 10 und 14

Teste dich!

→ **Lösungen**, Seite 255

○ **8** a) Berechne das Volumen einer Kugel mit dem Radius r = 8 dm.
b) Berechne den Oberflächeninhalt einer Kugel mit d = 32 m.
c) 🖩 Bestimme das Volumen und den Oberflächeninhalt einer Kugel mit r = 5 dm näherungsweise im Kopf mit π ≈ 3.

● **9** a) Berechne das Volumen einer Kugel mit
(1) dem Oberflächeninhalt O = 2 m², (2) dem Umfang U = 5 m.
b) Berechne den Oberflächeninhalt einer Kugel mit
(1) dem Volumen V = 4,2 m³, (2) dem Querschnittsflächeninhalt A = 1 m².

→ **Lerntipp**
Seite 161, Beispiel 2

● **10** Berechne das Volumen und den Oberflächeninhalt der abgebildeten Körper.
a) b) c) d) e)

→ **Anwenden** ●
Seite 166, Aufgabe 15

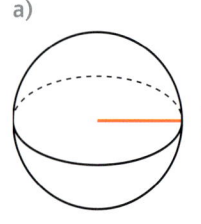
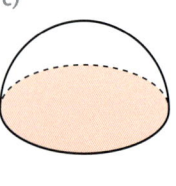
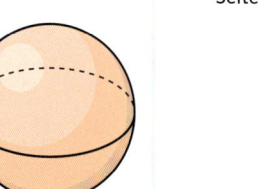

Radius 6,5 cm   Umfang 12,3 cm   Inhalt der Querschnittsfläche 270 cm²   a = 7,2 cm   Oberflächeninhalt 500 cm²

V Satz des Pythagoras und Körper

11 Aus einem Zylinder mit der Höhe $h = 4r$ werden wie angegeben Kegel bzw. Halbkugeln herausgeschnitten.
a) Gib jeweils das Volumen des Restkörpers in Abhängigkeit von r an.
b) Gegeben ist $r = 2,2$ cm. Berechne jeweils das Volumen des Restkörpers.
c) Ermittle jeweils die prozentuale Abweichung, wenn man die Rechnungen in b) mit $r \approx 2$ cm und $\pi \approx 3$ überschlägt.

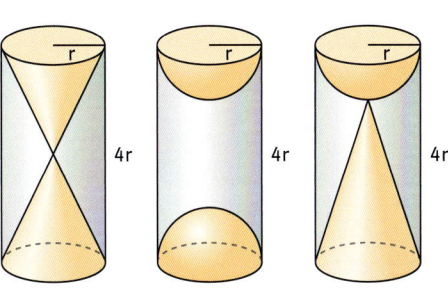

Lerntipp
Seite 161, Beispiel 1

12 Wahr oder falsch?
Gib an, ob folgende Aussage wahr oder falsch ist. Begründe deine Entscheidung.
a) Verdoppelt man bei einer Kugel den Radius, so verdoppelt sich das Volumen.
b) Verdreifacht man bei einer Kugel den Durchmesser, so verneunfacht sich der Oberflächeninhalt.
c) Vervierfacht man bei einer Kugel den Radius, so vervierfacht sich der Umfang.
d) Vervierfacht man bei einer Kugel den Oberflächeninhalt, so verachtfacht sich das Volumen.

Teste dich!

Lösungen, Seite 255

13 Gib eine allgemeine Formel zur Berechnung des Volumens und des Oberflächeninhalts des Körpers an und berechne.

a) 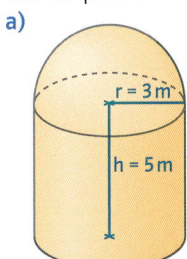   b) 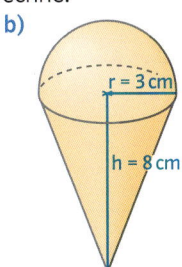   c) 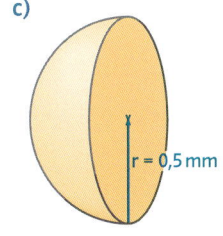   d)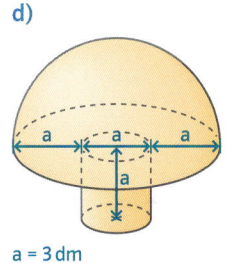

14 Eine Kugel, ein Zylinder und ein Kegel haben denselben Radius r. Bestimme die Höhe des Zylinders und des Kegels so, dass alle drei Körper
a) das gleiche Volumen,
b) den gleichen Oberflächeninhalt haben.

Erforschen
Seite 167, Aufgabe 18

15 a) 👥 Gib mithilfe des nebenstehenden Fotos einen Schätzwert für den Oberflächeninhalt und für das Volumen der Teide-Sternwarte auf der Insel Teneriffa an. Beschreibt, wie ihr vorgeht und vergleicht eure Ergebnisse.
b) Untersuche die folgende Behauptung: „Kleine Abweichungen beim Schätzen des Radius führen zu großen Abweichungen beim Volumen".

Teste dein Grundwissen! **Zahlenbereich zuordnen**

Beispiel 2, Seite 17
Lösungen, Seite 255

G **16** Gib jeweils eine Zahl mit den beschriebenen Eigenschaften an.
a) Die Zahl ist rational, aber keine ganze Zahl, und sie ist kleiner als -6.
b) Die Zahl ist reell, negativ und kleiner als -7, aber keine rationale Zahl.

Wiederholen – Vertiefen – Vernetzen

Wiederholen und Üben

→ **Lösungen**, Seite 255

1 Miss zwei Seitenlängen der rechtwinkligen Dreiecke. Berechne anschließend die dritte Seite. Kontrolliere dein Ergebnis durch Nachmessen.

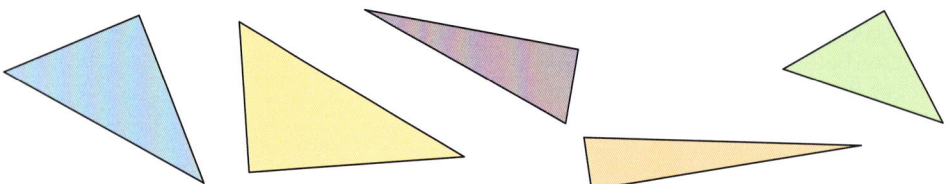

2 Berechne die Länge der rot markierten Strecke

a) 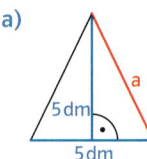 b) 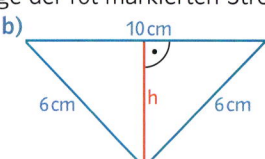 c) 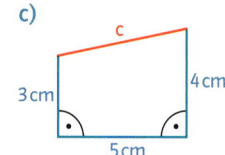 d)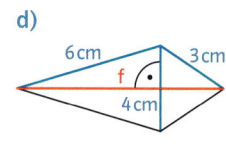

3 Prüfe, ob das Dreieck mit den Seitenlängen a, b und c recht-, stumpf- oder spitzwinklig ist.
a) a = 88 m, b = 137 m, c = 105 m
b) a = 47 mm, b = 55 mm, c = 73 mm
c) a = 4 cm, b = 5 cm, c = 3 cm
d) a = 15 dm, b = 9 dm, c = 13 dm

4 In jeder Figur gibt es rechtwinklige Dreiecke. Formuliere für jeweils ein Dreieck in jeder Figur mit dem Satz des Pythagoras einen Zusammenhang zwischen seinen Seitenlängen.

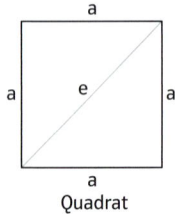 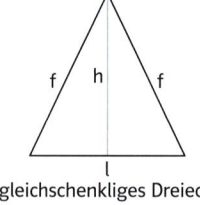 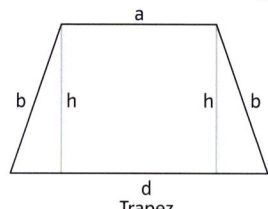

Quadrat — gleichschenkliges Dreieck — Trapez

5 Berechne die Länge der rot markierten Strecke.

a) a = 7 cm b) a = 5 m, h = 4 m c) a = 3,5 cm, 45°

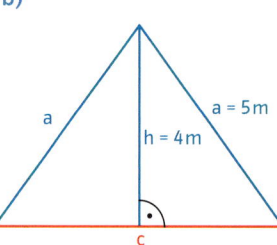 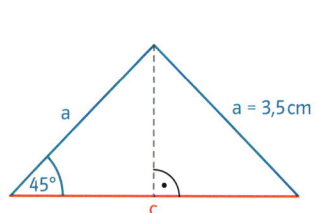

6 Auf einer Schülerdemonstration für den Klimaschutz wird eine kugelförmige aufblasbare Erdkugel mit dem Radius r = 120 cm hochgehalten.
a) Bestimme den Umfang, den Oberflächeninhalt und das Volumen der Kugel.
b) Bestimme näherungsweise die Plastikmüllmenge, wenn die Erdkugel entsorgt werden muss. Kommentiere.

Teste dich!

🌐 **Kopiervorlage**
Check-out
2n79pi

7 Im Innenhof des Louvre in Paris befindet sich eine 21,65 m hohe Glaspyramide mit einer quadratischen Grundfläche. Die Seitenlänge der Grundfläche beträgt 35 m.
a) Berechne die Länge der Kanten der Pyramide, also die Länge der Strecke von einer der Ecken der quadratischen Grundfläche zur Spitze.
b) Berechne, wie viele Quadratmeter Glas für den Bau der Pyramide benötigt wurden.

Vertiefen und Anwenden

8 In einem Dreieck ist die erste Seite 18 cm und die zweite 24 cm lang. Finde eine dritte Seite, sodass ein rechtwinkliges, spitzwinkliges bzw. stumpfwinkliges Dreieck entsteht.

9 a) Berechne das Volumen und den Oberflächeninhalt des Körpers für $a = 1$ m.
b) Stelle einen Term für das Volumen des Körpers in Abhängigkeit von a auf.
c) Bestimme den Wert von a, für den das Volumen 8 m³ beträgt.

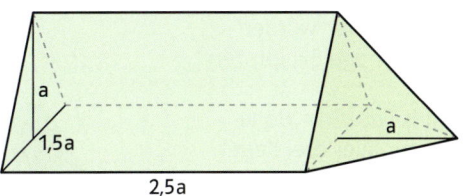

10 Es sind vier Sachsituationen gegeben.
Beantwortet die gestellten Fragen. Notiert eure Ergebnisse und erläutert euch gegenseitig eure Lösungen. Sammelt zu den dargestellten Sachsituationen wissenswerte Informationen.

1 Das Holstentor in Lübeck
Das Dach der Türme hat einen Grundkreisumfang von 37,7 m und eine Mantellinie von 21,8 m. Bestimme den Inhalt der Dachfläche.

2 Unsere Erde und der Mond
Die Erde hat am Äquator einen Umfang von 40 075 km. Der Mond hat einen Durchmesser von 3474 km. Vergleiche die Oberflächeninhalte vom Mond und der Erde.

3 Luxor Hotel in Las Vegas
Die Pyramide mit quadratischer Grundfläche hat eine Breite von etwa 180 m und eine Höhe von 107 m. Bestimme den Inhalt der Glasfläche.

4 Pantheon in Rom
Der überwölbte Rundbau besteht aus einem Zylinder mit einer aufgesetzten Halbkugel, wobei die Höhe des Zylinders genau dem Radius der Kuppel entspricht (21,65 m). Berechne das Volumen des Innenraums.

Wiederholen – Vertiefen – Vernetzen

11 a) Der abgebildete Kegel (Fig. 1) wird auf halber Höhe durchgeschnitten. Es entsteht ein Kegelstumpf. Berechne das Volumen und den Oberflächeninhalt des Kegelstumpfes.
b) Für die quadratische Pyramide in Fig. 2 gilt a = 10 cm und h = 24 cm. Sie wird auf halber Höhe so abgeschnitten, dass ein Pyramidenstumpf entsteht. Berechne den Oberflächeninhalt und das Volumen des Pyramidenstumpfes.
c) Für Pyramidenstümpfe mit quadratischer Grundfläche findet man in Formelsammlungen die Volumenformel $V = \frac{1}{3} \cdot h \cdot (a^2 + ab + b^2)$. Kontrolliere hiermit dein Ergebnis aus Teilaufgabe b).

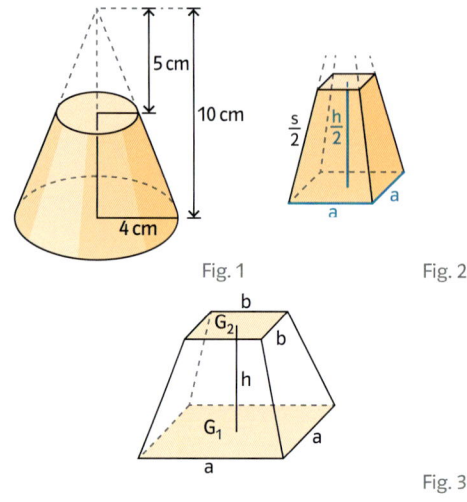

Fig. 1   Fig. 2

Fig. 3

12 Für die Expo 2000 in Hannover wurden näherungsweise kegelförmige Skulpturen mit Rasen bepflanzt.
a) Schätze mithilfe des Fotos die Höhe und den Durchmesser aller drei Kegel. Begründe, wie du auf die Schätzwerte gekommen bist.
b) Berechne mithilfe der Schätzwerte aus a), wie groß jeweils die Fläche eines Kegels ist. Berechne dann die Volumina der Kegel.

13 Ein Kreisausschnitt mit dem Mittelpunktswinkel α und dem Radius 8 cm kann zu einer kegelförmigen Eistüte zusammengefaltet werden.
a) Schätzt, für welchen Mittelpunktswinkel das Volumen maximal wird. Erstellt dazu die Eistüte, die nach eurer Schätzung das maximale Volumen hat, aus einem Stück Papier.
b) Kontrolliert eure Schätzung rechnerisch und vergleicht eure Ergebnisse.

14 Ein Boule-Spiel wird mit Kugeln gespielt, deren Durchmesser etwa 7,5 cm betragen.
a) Hochwertige Kugeln haben außen eine Stahlschicht und sind innen hohl. Die Dichte von Stahl beträgt etwa 7850 kg pro m³. Berechne, wie viel eine Kugel wiegt, bei der die Stahlschicht, die den Hohlraum umgibt, 0,75 cm dick ist.
b) Um Kosten bei der Produktion zu sparen, fertigt ein Hersteller Kugeln an, deren äußere Stahlschicht nur 0,4 cm dick ist. Der Hohlraum in den Kugeln wird vollständig mit Sand gefüllt, damit die Kugeln nicht zu leicht sind. Berechne, wie viel die Kugeln dieses Herstellers wiegen, wenn 1 m³ des verwendeten Sandes etwa 1500 kg wiegt.

MK Recherchiere im Internet nach den Regeln und dem Ursprung des Boule-Spiels sowie nach Spielvarianten aus unterschiedlichen Ländern.

15 Ein Kegel mit Radius r und Höhe r wird einer Halbkugel und diese wiederum einem Zylinder einbeschrieben (Fig. 4).
a) Archimedes von Syrakus (287 – 212 v. Chr.) entdeckte, dass die Volumina von Zylinder, Halbkugel und Kegel im Verhältnis 3 : 2 : 1 stehen. Begründe.
b) Erkunde, wie sich die Oberflächeninhalte der drei Körper zueinander verhalten.
c) Untersuche, wie sich die Volumina der drei Körper in Fig. 5 zueinander verhalten.

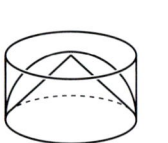 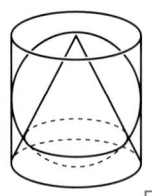

Fig. 4   Fig. 5

Vernetzen und Erforschen

16 Pythagoras-Bäume
a) Figuren wie Fig. 1 und 2 nennt man auch Pythagoras-Bäume. Beschreibe, was ein Pythagoras-Baum ist.
b) Bestimme den Flächeninhalt der gelben Quadrate in Fig. 1.
c) Fig. 3 bis 6 stellen dar, wie man einen Pythagoras-Baum konstruieren kann. Erkläre, warum durch die Konstruktion mithilfe der roten Halbkreise jeweils rechtwinklige Dreiecke entstehen und beschreibe das dargestellte Verfahren mit eigenen Worten.
d) Konstruiere selbst solche Pythagoras-Bäume.

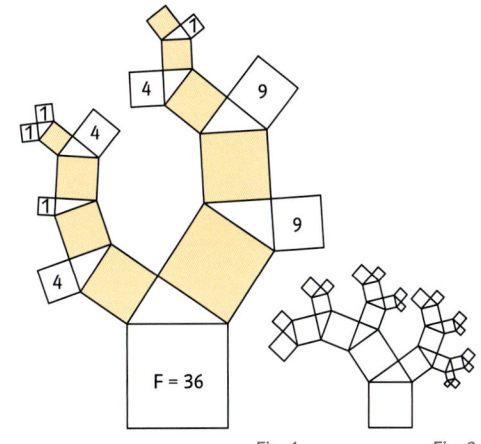

Fig. 1   Fig. 2

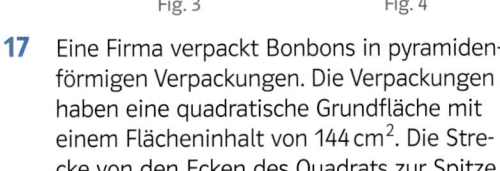  

Fig. 3   Fig. 4   Fig. 5   Fig. 6

17 Eine Firma verpackt Bonbons in pyramidenförmigen Verpackungen. Die Verpackungen haben eine quadratische Grundfläche mit einem Flächeninhalt von 144 cm². Die Strecke von den Ecken des Quadrats zur Spitze der Pyramide ist 19 cm lang.
a) Zeige, dass die Höhe h der Pyramide 17 cm beträgt, und berechne das Volumen.
b) Berechne, wie viele cm² Verpackungsmaterial (ohne Klebeflächen) notwendig sind.
c) In der Verpackung befinden sich 300 runde Bonbons mit dem Durchmesser d = 1 cm. Berechne, wie viel Prozent des Volumens in der Verpackung nicht gefüllt ist.
d) Eine Konkurrenzfirma verkauft ähnliche runde Bonbons mit dem gleichen Durchmesser. Ihre Verpackungen sind in Tetraederform (Pyramide mit dreieckiger Grundfläche, alle Kanten gleich lang). Die Mini-Packung (Kantenlänge 7 cm) enthält 20 Bonbons. Berechne, wie viel Prozent des Volumens dabei mit Luft gefüllt ist.
e) Die Konkurrenzfirma möchte auch eine Maxi-Packung in Form eines Tetraeders mit einer Kantenlänge von 14 cm verkaufen. Begründe, weshalb sich in der Maxi-Packung achtmal so viele Bonbons befinden müssen wie in der Mini-Packung, damit der Anteil des Volumens in der Packung gleich bleibt, der mit Bonbons gefüllt ist.

18 Vierzehn gleich große Kugeln mit dem Radius r = 5 cm werden aufeinandergeschichtet, sodass sich benachbarte Kugeln berühren.
a) Bestimme das Gesamtgewicht des Kugelturms, wenn die Kugeln aus Styropor mit der Dichte $0{,}05 \frac{g}{cm^3}$ bestehen.
b) Berechne, wie hoch der Stapel ist.

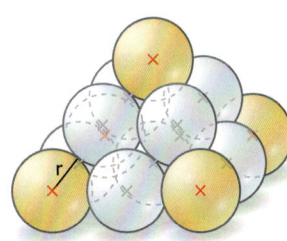

Rückblick

Satz des Pythagoras
Wenn ein Dreieck rechtwinklig ist, dann gilt für die Längen a und b der Katheten und für die Länge c der Hypotenuse $a^2 + b^2 = c^2$.
Es gilt auch die Umkehrung des Satzes von Pythagoras: Wenn in einem Dreieck für die Seitenlängen a, b und c die Gleichung $a^2 + b^2 = c^2$ erfüllt ist, dann ist das Dreieck rechtwinklig und hat gegenüber der Seite c einen rechten Winkel.
Allgemein gilt, wenn c die längste Seite ist:
spitzwinkliges Dreieck $\quad a^2 + b^2 > c^2$
rechtwinkliges Dreieck $\quad a^2 + b^2 = c^2$
stumpfwinkliges Dreieck $\quad a^2 + b^2 < c^2$

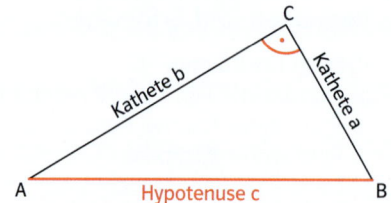

*Für ein Dreieck mit a = 8 cm, b = 5 cm und c = 6 cm gilt, da a die längste Seite ist, $6^2 + 5^2 = 61$ und $8^2 = 64$.
Da $b^2 + c^2 = 61 < 64 = a^2$ gilt, ist das Dreieck stumpfwinklig mit dem stumpfen Winkel beim Punkt A.*

Pythagoras in Figuren und Körpern
Strategie zur Berechnung von Streckenlängen:
1. Fertige eine Skizze an und beschrifte sie mit den gegebenen und gesuchten Streckenlängen.
2. Suche nach rechtwinkligen Dreiecken. Eventuell sind zusätzliche Hilfslinien nötig. Beschrifte auch diese.
3. Berechne mithilfe des Satzes von Pythagoras die gesuchten Streckenlängen.

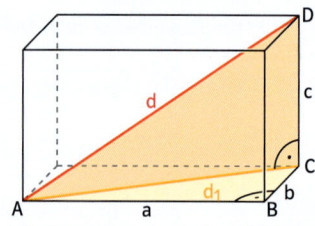

Mit a = 5, b = 2 und c = 3 erhält man
$d_1 = \sqrt{5^2 + 2^2} = \sqrt{25 + 4} = \sqrt{29}$ und damit
$d = \sqrt{\sqrt{29}^2 + 3^2} = \sqrt{29 + 9} = \sqrt{38} \approx 6{,}2$

Volumen und Oberflächeninhalt von Pyramiden
Eine Pyramide mit der Grundfläche G, der Höhe h und der Mantelfläche M besitzt das Volumen

$V = \frac{1}{3} \cdot G h$

und den Oberflächeninhalt
$O = G + M$.

Grundfläche: Quadrat mit der Seitenlänge a = 5 cm
Höhe: h = 15 cm

$V = \frac{1}{3} G \cdot h$
$= \frac{1}{3} \cdot (5\,cm)^2 \cdot 15\,cm$
$= \frac{1}{3} \cdot 25\,cm^2 \cdot 15\,cm$
$= 125\,cm^3$

Volumen und Oberflächeninhalt eines Kegels
Kegel mit dem Radius r des Grundkreises, der Grundfläche G, der Mantellinie s und der Höhe h besitzen das Volumen

$V = \frac{1}{3} \cdot G h = \frac{1}{3} \cdot \pi r^2 h$,

den Flächeninhalt der Mantelfläche $M = \pi r s$
und den Oberflächeninhalt $O = G + M = \pi r^2 + \pi r s$.

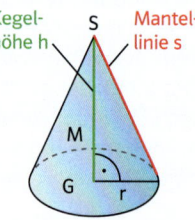

r = 4,5 cm
h = 8,2 cm
$V = \frac{1}{3} \pi r^2 h$
$\approx 174\,cm^3$
$M = \pi r s \approx 132\,cm^2$

Volumen und Oberflächeninhalt einer Kugel
Kugeln mit dem Radius r besitzen das Volumen

$V = \frac{4}{3} \cdot \pi r^3$,

den Oberflächeninhalt $O = 4 \cdot \pi r^2$,
den Inhalt der Querschnittsfläche $A = \pi r^2$,
und den Umfang $U = 2 \cdot \pi r$.

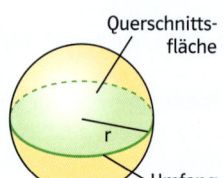

r = 6 cm
$V = \frac{4}{3} \cdot \pi r^3$
$\approx 905\,cm^3$
$O = 4 \cdot \pi r^2$
$\approx 452\,cm^2$

Test

V Satz des Pythagoras und Körper

Runde 1

→ **Lösungen**, Seite 258

1 Berechne die Länge der Strecke x.

a)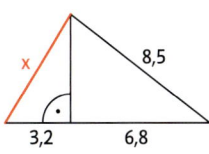
b)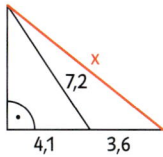

2 Die Leichtathletikgruppe durchläuft zum Aufwärmen die vorgezeichnete Strecke auf dem Sportplatz fünfmal.
Bestimme, wie viele Meter das sind, wenn der Platz 95 m lang und 65 m breit ist.

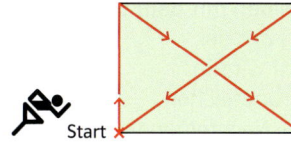

3 Das Wahrzeichen von Karlsruhe ist eine quadratische Pyramide mit einer Grundfläche von 36,6 m² und einer Höhe von 6,8 m.
a) Zeichne ein Schrägbild der Pyramide in einem geeigneten Maßstab.
b) Berechne das Volumen der Pyramide.
c) Berechne den Inhalt der Mantelfläche der Pyramide.

4 Rechts ist eine ausgehöhlte Halbkugel dargestellt. Berechne den Oberflächeninhalt (innen und außen) und das Volumen des Körpers.

Runde 2

→ **Lösungen**, Seite 259

1 Berechne die Länge der Strecke x.

a)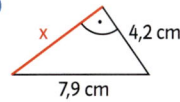
b)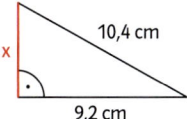
c)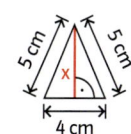

2 Die Pyramide hat die Höhe h = 3 cm. Ihre Grundfläche ist ein Quadrat mit der Seitenlänge a = 4 cm. Die Pyramide ist in einen Kegel einbeschrieben. Berechne den Oberflächeninhalt des Kegels und überprüfe mit einem Überschlag.

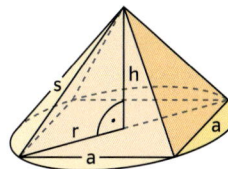

3 Ein Tischtennisball hat einen Durchmesser von rund 4 cm und besteht aus Kunststoff. Ein cm³ dieses Kunststoffes wiegt etwa 1,38 g.
a) Berechne das Gewicht eines Tischtennisballes, wenn er nicht hohl wäre.
b) Normale Tischtennisbälle sind innen hohl und wiegen 2,7 g. Berechne ihre Wandstärke.

4 Die Pyramide hat als Grundfläche ein regelmäßiges Sechseck mit a = 4 cm und s = 10 cm.
a) Berechne die Höhe und das Volumen.
b) Berechne ihren Oberflächeninhalt.

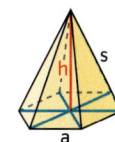

Exkursion

Formeln erforschen – der Satz von Cavalieri

Der Satz von Cavalieri wurde bisher für Pyramiden formuliert. Man kann die Aussagen verallgemeinern und für beliebige Körper anwenden: Mithilfe des Satzes von Cavalieri kann geprüft werden, ob zwei Körper das gleiche Volumen haben.

1 Erläutere, welche Bedingungen erfüllt sein müssen, um mithilfe des Satzes von Cavalieri beurteilen zu können, ob zwei Körper das gleiche Volumen haben.

2 Die Volumenformel für Pyramiden mit dem Satz von Cavalieri begründen

Eine gegebene Pyramide (rot) mit der Grundfläche G und der Höhe h wird in Pyramiden mit dreieckigen Grundflächen und der Höhe h zerlegt (blau). Nachfolgend wird gezeigt, dass für das Volumen dieser dreieckigen Pyramiden gilt:
$V_1 = \frac{1}{3} \cdot G_1 \cdot h$, $V_2 = \frac{1}{3} \cdot G_2 \cdot h$ usw.
Es ergibt sich für das Volumen V der gegebenen Pyramide die gesuchte Formel mit
$V = \frac{1}{3} \cdot G_1 \cdot h + \frac{1}{3} \cdot G_2 \cdot h + \frac{1}{3} \cdot G_3 \cdot h$
$= \frac{1}{3}(G_1 + G_2 + G_3) \cdot h = \frac{1}{3} \cdot G \cdot h$.

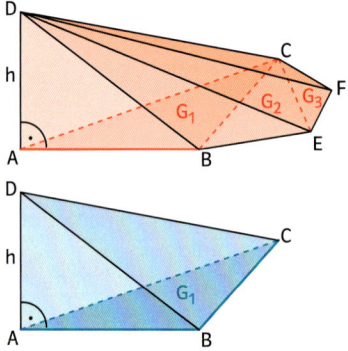

In der nachfolgenden Abbildung ist diese blaue Pyramide mit zwei weiteren Pyramiden (gelb und grün) zu einem Prisma mit der Grundfläche ABC und der Höhe h ergänzt worden. Begründe mithilfe des Satzes von Cavalieri, dass ausgehend von dem Prisma für das Volumen V_1 der blauen Pyramide gilt $V_1 = \frac{1}{3} \cdot G_1 \cdot h$.

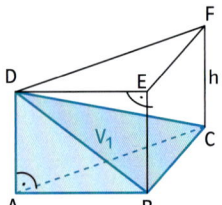 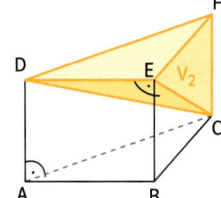 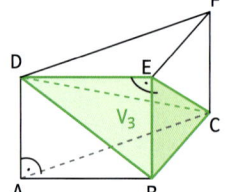 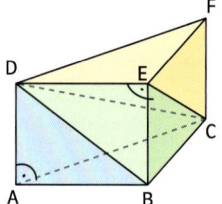

3 Die Volumenformel für Kugeln mit dem Satz von Cavalieri begründen

Zur Herleitung einer Formel für das Volumen einer Kugel vergleicht man eine Halbkugel mit dem Radius r (Fig. 1) mit dem Restkörper, der entsteht, wenn man aus einem Zylinder mit Radius r und Höhe h einen Kegel (Fig. 2) herausbohrt.

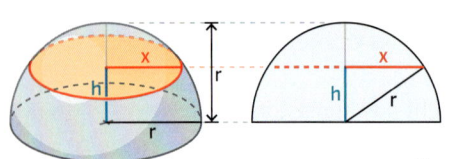 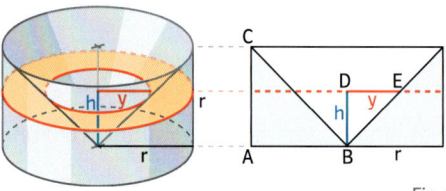

Fig. 1   Fig. 2

Flächeninhalt der Kreisfläche:
$A = \pi \cdot x^2$
Mit dem Satz des Pythagoras erhält man
$x^2 = r^2 - h^2$ und es folgt
$A = \pi \cdot (r^2 - h^2)$.

Flächeninhalt des Kreisrings:
$A = \pi \cdot r^2 - \pi \cdot y^2 = \pi \cdot (r^2 - y^2)$
Da das rechtwinklige Dreieck BDE mit $\sphericalangle DBE = 45°$ gleichschenklig ist, gilt $y = h$, und es ergibt sich $A = \pi \cdot (r^2 - h^2)$.

Leite mit dem Dargestellten und dem Satz von Cavalieri die Volumenformel für eine Halbkugel und anschließend für eine Kugel her.

Formeln erforschen – das Prinzip der Einschachtelung

Ein Kegel kann mit Zylindern gleicher Höhe ausgefüllt werden. Dies kann wie in der Figur so erfolgen, dass alle Zylinder innerhalb des Kegels liegen und mit der oberen Kante die Mantelfläche berühren (Typ 1). Alternativ könnte man die Zylinder auch so gestalten, dass jeweils die untere Kante die Mantelfläche berührt (Typ 2).

In dem nachfolgenden Tabellenkalkulationsblatt wurden für einen Kegel mit r = 4 cm und h = 8 cm die Volumina aller Zylinder nach Typ 1 (Zylinder innnen) und nach Typ 2 (Zylinder außen) berechnet und damit näherungsweise das Volumen des Kegels bestimmt, welches nach der bekannten Volumenformel 134,041 cm³ beträgt.

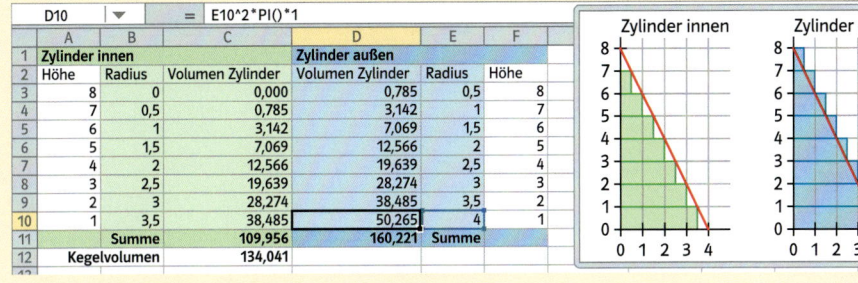

Interaktives Forschen
Volumen eines Kegels näherungsweise bestimmen
2n79pi

1 a) Erläutere, wie die Werte in der Tabelle mit den Graphen zusammenhängen und wie mithilfe dieses Vorgehens näherungsweise das Volumen des Kegels bestimmt wird.
b) Erstelle ein eigenes Tabellenkalkukationsblatt für einen Kegel mit r = 3 cm und h = 6 cm und bestimme mit obiger Methode näherungsweise das Volumen des Kegels.

2 Analysiere das nachfolgende Tabellenblatt für eine Halbkugel bzw. einen Kegel.
a) Ermittle dazu zunächst jeweils den Radius sowie die Höhe der Körper. Gib ebenso die Höhe der einbeschriebenen Zylinder an.
b) Bestimme mithilfe des dargestellten Verfahrens das Volumen der beiden Körper möglichst exakt. Das Tabellenblatt steht unter dem Code auch als Datei zur Verfügung.

Interaktives Forschen
Volumen einer Halbkugel und eines Kegels näherungsweise bestimmen
2n79pi

	A	B	C	D	E	F	G	H	I	J
B13			=	WURZEL(1−$A13^2)						
1		Halbkugel					Kegel			
2	Höhe	Radius	Schnittfläche	Zylinder innen	Zylinder außen		Radius	Schnittfläche	Zylinder innen	Zylinder außen
3										
4	1	0,000	0,000	0,000	0,060		0,000	0,000	0,000	0,003
5	0,9	0,436	0,597	0,060	0,113		0,100	0,031	0,003	0,013
6	0,8	0,600	1,131	0,113	0,160		0,200	0,126	0,013	0,028
7	0,7	0,714	1,602	0,160	0,201		0,300	0,283	0,028	0,050
8	0,6	0,800	2,011	0,201	0,236		0,400	0,503	0,050	0,079
9	0,5	0,866	2,356	0,236	0,264		0,500	0,785	0,079	0,113
10	0,4	0,917	2,639	0,264	0,286		0,600	1,131	0,113	0,154
11	0,3	0,954	2,859	0,286	0,302		0,700	1,539	0,154	0,201
12	0,2	0,980	3,016	0,302	0,311		0,800	2,011	0,201	0,254
13	0,1	0,995	3,110	0,311	0,314		0,900	2,545	0,254	0,314
14	0	1,000	3,142				1,000	3,142		
15			Summe	1,932	2,246			Summe	0,895	1,210
16			Halbkugelvolumen	2,094				Kegelvolumen	1,047	
17										

VI Daten und Wahrscheinlichkeit

Вероятность
возникает, когда опыт
становится ожиданием.

*Wahrscheinlichkeit
entsteht, wenn aus
Erfahrung Erwartung wird.*

Wolfgang Riemer, Stochastikdidaktiker

Das kannst du bald

- Manipulationen in grafischen Darstellungen erkennen
- Datenerhebungen mit zwei Merkmalen durch Vierfeldertafeln auswerten
- Mit Vierfeldertafeln Wahrscheinlichkeiten abschätzen
- Mit bedingten Wahrscheinlichkeiten rechnen und argumentieren
- Ereignisse auf stochastische Unabhängigkeit untersuchen

Check-in

Schätze dich ein:

1. Ich kann Anteile berechnen und als relative Häufigkeiten deuten.
2. Ich kann Wahrscheinlichkeiten von relativen Häufigkeiten unterscheiden.
3. Ich kann Wahrscheinlichkeiten schätzen bzw. aus Laplace-Annahmen berechnen und damit Häufigkeiten vorhersagen.
4. Ich kann mehrstufige Zufallsexperimente durch Baumdiagramme beschreiben und mithilfe der Pfadregel Wahrscheinlichkeiten berechnen.

Lerntipps

zu 1. **Grundwissen**, Seite 213
zu 2. **Grundwissen**, Seite 213
zu 3. **Grundwissen**, Seite 213
zu 4. **Grundwissen**, Seite 213

Teste dich!

Lösungen, Seite 259

1 Anteile berechnen
Die Grafik zeigt die Stimmungslage in der Klasse 9 a nach einem Test.
☺☺☺☺☺☺☺☺☺☺☺☺☺☺☺☺☺☺☺☺☺☺☺☺☺☺☺☺☺☹☹☹☹☹
a) Gib die absoluten Häufigkeiten der drei Emojis an.
b) Ermittle die relativen Häufigkeiten als Bruch, als Dezimalzahl und in Prozent.

2 Wahrscheinlichkeiten und relative Häufigkeiten unterscheiden
Beim Würfeln mit einer Aktenklammer sind die vier Ergebnisse 1, 2, 3 und 4 möglich, wobei sich die Augenzahlen auf den Gegenseiten zu 5 summieren. Hannah hat 20-mal, Ria hat 80-mal gewürfelt.
Ordne den Tabellenzeilen A bis F die Namen der beiden Mädchen zu und gib an, ob es sich in den Zeilen um Wahrscheinlichkeiten, absolute oder relative Häufigkeiten handelt. Begründe jeweils.

	1	2	3	4
A	1	7	11	1
B	8	34	28	10
C	5,0%	35,0%	55,0%	5,0%
D	10,0%	42,5%	35,0%	12,5%
E	5%	45%	45%	5%
F	11%	39%	39%	11%

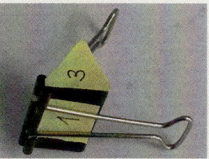
Aktenklammer in Lage 3

3 Wahrscheinlichkeiten
Die drei Buchstaben E, I und N werden „blind" aus einem Beutel gezogen und hintereinandergelegt. Bei 30 Versuchen ergab sich zweimal das Wort „EIN" und sechsmal „NIE".
a) Bestimme die relativen Häufigkeiten der beiden Worte.
b) Notiere alle möglichen Buchstabenreihenfolgen und berechne die Wahrscheinlichkeiten unter der Laplace-Annahme, dass alle Reihenfolgen gleich wahrscheinlich sind. Vergleiche mit den beobachteten relativen Häufigkeiten

4 Mehrstufige Zufallsexperimente
Das Glücksrad wird zweimal gedreht.
a) Beschreibe das Experiment durch ein Baumdiagramm.
b) Berechne die Wahrscheinlichkeiten dafür, dass die Augensumme die Werte 0 bzw. 1 bzw. 2 annimmt, als Bruch und in Prozent.

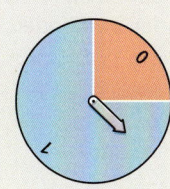

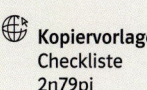
Kopiervorlage
Checkliste
2n79pi

Erkundungen

MK Mit Grafiken „Eindruck schinden"

Tabellenkalkulationsprogramme bieten viele Möglichkeiten, Zahlen grafisch zu veranschaulichen. So sollen Informationen in Form von Botschaften „auf einen Blick" ohne die Lektüre von Texten oder Tabellen transportiert werden.
Wie Grafiken wirken und wie Grafiken in Medien mitunter bewusst gestaltet werden, um einen gewünschten Eindruck zu verstärken, soll hier erforscht werden.

→ Lerneinheit 1 Seite 176

Studie zur Wahrnehmung von Diagrammen

1. Schaut euch die folgenden Grafiken oberflächlich aus einer gewissen Entfernung an, als ob ihr in der Straßenbahn einen Blick in die Zeitung des Nachbarn werfen könntet, ohne die Beschriftung der Koordinatenachsen oder einen Text zu erkennen. Nur die Schlagzeile „Rasantes Wachstum" signalisiert, worum es geht.
Jeder aus eurer Klasse sortiert bei diesem flüchtigen Blick für sich alleine, also ohne Austausch mit einem Partner, die sechs Grafiken so, dass diejenige, die den stärksten Eindruck von Wachstum erzeugt, auf Platz 1 und die mit dem schwächsten Eindruck auf Platz 6 landet.

2. Notiert eure Positionen in einer Tabelle an der Tafel. Bildet für jedes Diagramm den Mittelwert der Positionen und sortiert die Grafiken nach steigender „Eindrucksstärke".

3. Sammelt Gründe, warum die Grafiken so unterschiedlich wirken, obwohl sie die gleichen Zahlen (Umsatz in Millionen Euro in vier aufeinanderfolgenden Jahren) beschreiben.

4. Zeige, dass der Bestand in allen Diagrammen jährlich um den gleichen Faktor 1,5 wächst.

5. Erstellt mit einem geeigneten digitalen Werkzeug ähnliche Diagramme zu einem linearen Wachstum oder einem Wachstum, bei dem sich der Bestand jährlich um den gleichen Faktor 0,8 oder 2 verändert.

VI Daten und Wahrscheinlichkeit

Das Ziegenproblem

1990 sorgte das folgende Problem für große Aufmerksamkeit in den Medien: „Du bist in einer Spielshow und hast die Wahl zwischen drei Toren. Hinter einem der Tore wartet der Hauptgewinn, z. B. ein Mountainbike (MTB). Hinter den anderen beiden Toren stehen die Trostpreise." 1990 waren es zwei Ziegen.
Du wählst ein Tor, z. B. Tor Nummer 1. Der Showmaster, der weiß, was hinter den Toren ist, öffnet ein anderes Tor (z. B. Tor Nummer 3, hinter dem eine Ziege steht). Er fragt dich nun: „Möchtest du, nachdem du weißt, dass hinter Tor 3 ein Trostpreis steht, doch lieber noch zum Tor 2 wechseln?"

Lerneinheit 2
Seite 181

Spekulieren und Experimentieren

1. Beantwortet die Frage des Showmasters spontan. Haltet ein Meinungsbild der Klasse fest. Jeder muss sich entscheiden!

2. 👥 Spielt die Show in Partnerarbeit mit Spielkarten nach.

Was ist besser?
bleiben: _____ .
wechseln: _____ .
egal: _____ .

Spielanleitung:
- Person A (der Showmaster) legt ein Ass (das steht für den Hauptgewinn) zwei andere Karten (die stehen für die Ziegen) verdeckt nebeneinander. Er merkt sich, wo das Ass liegt.
- Person B (die Kandidatin bzw. der Kandidat) legt einen Gegenstand auf die Karte, hinter der sie das Ass vermutet, z. B. einen Radiergummi.
- Person A dreht eine Karte mit einer Sieben um – sie weiß ja, wo die Siebenen liegen.
- Person B bleibt bei ihrer Wahl oder wechselt (durch Umlegen des Radiergummis) zur anderen nicht aufgedeckten Karte.
- Dann wird nachgeschaut, ob hinter der Karte mit dem Radiergummi der Hauptgewinn steckt.
- Anschließend werden die Rollen so lange getauscht, bis jede Person 30-mal getippt hat.

Die Ergebnisse werden in einer Tabelle festgehalten. Wenn alle für ihre Striche unterschiedliche Farben nutzen, kann man daraus auch einen Wettkampf machen.
Alternativ kann eine Person immer wechseln, die andere immer bleiben. Fasst die Ergebnisse eurer Klasse z. B. mithilfe einer gemeinsamen Tabellenkalkulation zusammen. Vergleicht mit dem Meinungsbild aus Forschungsauftrag 1.

	MTB	Ziege	Summe
wechseln	//...	///...	
bleiben	////...	/...	
Summe			60

Nachdenken und Argumentieren

3. Bestimmt die Wahrscheinlichkeit dafür, dass man den Hauptgewinn erwischt,
(1) wenn man grundsätzlich bei seinem ersten Tipp bleibt, also nie wechselt,
(2) wenn man nach dem Öffnen des Tors durch den Showmaster stets wechselt.
Dabei können Baumdiagramme oder Tabellen helfen. Statt eines eigenen Baumdiagramms kannst du auch die nebenstehenden Skizzen vervollständigen und deine Erläuterungen dazu aufschreiben.

4. Vergleicht die Wahrscheinlichkeiten mit den Versuchsergebnissen aus Forschungsauftrag 2 und erläutert, was an dem Ziegenproblem so überraschend ist, und warum es immer wieder für „mediale Aufmerksamkeit" sorgt.

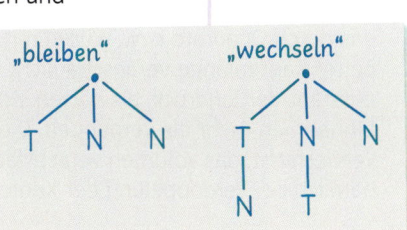

Erkundungen

1 Statistiken verstehen und beurteilen

Micha: „Grafik und Text passen nicht zusammen".
Julia: „Ich meine schon, dass das passt. Zähl mal nach, das stimmt genau!"

Erläutere, was Micha stören könnte und skizziere eine eigene Grafik, die die Aussage des Textes sachgerecht unterstützt.

„Ein Bild sagt mehr als tausend Worte." Deswegen veranschaulicht man die Ergebnisse statistischer Untersuchungen häufig grafisch. Bei interessengeleiteten Veröffentlichungen wie z.B. Werbeanzeigen werden Grafiken aber zum Teil bewusst so gestaltet, dass ein bestimmter gewünschter Eindruck entsteht. Einige Formen solcher „Manipulationen" werden im Folgenden vorgestellt.

Nicht angemessene Skalierung der Achsen
Durch die Wahl von Skalierungen, insbesondere wenn die Zahlenachse nicht bei null beginnt, kann man mit Diagrammen sehr verschiedene Eindrücke erzeugen. Fig. 1 und Fig. 2 veranschaulichen den gleichen Sachverhalt, aber während Fig. 1 einen dramatischen Mitgliederschwund in einem Verein signalisiert, macht Fig. 2 deutlich, dass der Rückgang eigentlich unbedeutend ist.

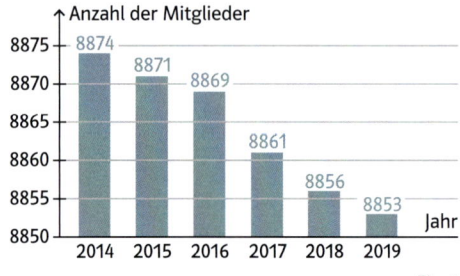
Fig. 1

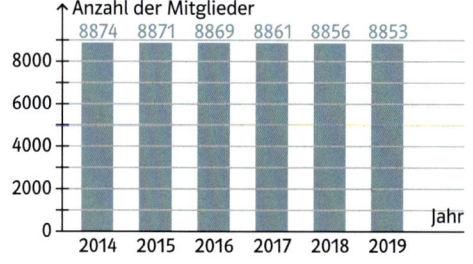
Fig. 2

Falsche räumliche Darstellungen
Wenn man ein Säulendiagramm ohne Beachtung der Perspektive räumlich darstellt (wie etwa in Fig. 3 bei jährlich gleichbleibenden Einnahmen von 10 Millionen Euro), dann erscheinen die hinteren Säulen höher als sie wirklich sind. In Fig. 3 werden wachsende Einnahmen vorgetäuscht.

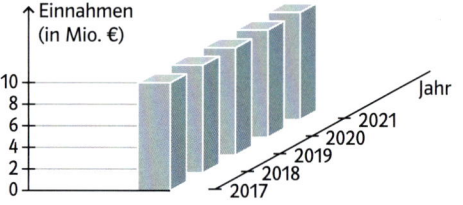
Fig. 3

Noch stärker kann man mit Quadraten bzw. Würfeln manipulieren (vgl. Fig. 4). Wenn sich die Einnahmen verdoppeln – und man das durch Quadrate bzw. Würfel mit doppelter Kantenlänge veranschaulicht – so entsteht der Eindruck, als hätten sich die Einnahmen mehr als verdoppelt. Die Fläche vervierfacht, das Volumen verachtfacht sich nämlich bei Verdoppelung der Kantenlänge.

 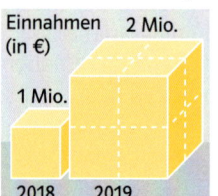
Fig. 4

176

Den Zufall ausnutzen – den Stichprobenumfang verschweigen

Die Ergebnisse von Umfragen werden häufig in Form relativer Häufigkeiten angegeben. Die befragten Personen bilden die „Stichprobe", ihre Anzahl nennt man Stichprobenumfang. Wenn man die gleiche Umfrage mit einer anderen Stichprobe durchführt, erhält man zufallsbedingt andere relative Häufigkeiten.

1 Kundenbewertungen		681 Kundenbewertungen	
★★★★★ 5 von 5		★★★★☆ 4,5 von 5	
100%	5 Sterne	67%	5 Sterne
0%	4 Sterne	19%	4 Sterne
0%	3 Sterne	6%	3 Sterne
0%	2 Sterne	4%	2 Sterne
0%	1 Stern	4%	1 Stern

Fig. 1   Fig. 2

Achtung: Manche Firmen manipulieren auch, indem sie Bewertungen „kaufen".

Da die Zufallsschwankungen relativer Häufigkeiten mit wachsendem Stichprobenumfang kleiner werden, schenken wir Umfragen mit großem Stichprobenumfang wie in Fig. 2 mehr Vertrauen als solchen mit kleinem Stichprobenumfang (Fig. 1). Wenn man in Fig. 1 den Stichprobenumfang 1 verschweigt, entsteht beim Kunden der falsche Eindruck eines absolut empfehlenswerten Produkts.

Die Beispiele zeigen, dass man Meinungen und Eindrücke über Grafiken auch manipulieren kann, indem man
- einen kleinen Stichprobenumfang verschweigt,
- Zufallsschwankungen ausnutzt und aus mehreren Grafiken diejenige auswählt, die eine erwünschte Aussage besonders gut unterstützt.

Sehr kleine Stichprobenumfänge (3, 4, 5, 10) kann man auch an „verdächtigen" Nachkommastellen der relativen Häufigkeiten wie 0,333; 0,250; 0,200; 0,100 … erkennen.
Bei seriösen Meinungsforschungsinstituten sind Stichprobengrößen von ca. 1000 üblich.

Leitfragen zur Bewertung statistischer Grafiken
- Welche Interessen könnte der Auftraggeber der Grafik verfolgen?
- Sind die Achsen gleichmäßig skaliert? Sind die Nullpunkte sichtbar?
- Sind die Zahlen proportional zu den abgebildeten Längen, Flächen oder Volumina?
- Wird die räumliche Perspektive ausgenutzt?
- Wird neben relativen Häufigkeiten auch der Stichprobenumfang angegeben?
- Aus welcher Quelle stammen die Daten?

Methode
Recherche im Internet
2n79pi

Beispiel Statistische Angaben überprüfen

Die Abbildung der Radlobby zeigt die Anzahl der Unfallverursacher bei Fahrradunfällen.

a) Prüfe, ob die Zahlen proportional zu den Höhen oder zu den Flächeninhalten der abgebildeten Rechtecke sind.
b) Untersuche mithilfe der Leitfragen, ob die Darstellung angemessen ist.

Lösung
a) Flächeninhalte der Rechtecke:
3,6 cm · 2,1 cm = 7,56 cm² und
2,0 cm · 1,3 cm = 2,6 cm².

Wegen $\frac{7,56\,cm^2}{2,6\,cm^2} \approx 2,91$ ist das größere Rechteck ca. dreimal so groß wie das kleinere. Die Autofahrer sind mit $\frac{2532}{848} \approx 2,99$ auch ca. dreimal häufiger Unfallverursacher. Damit sind die Zahlen proportional zu den Flächen.

b) - „Radlobby" ist als Interessenvertreter ausgewiesen. Daher könnte man vermuten, dass die Fläche für Autos als Unfallverursacher unverhältnismäßig groß dargestellt wurde. Es wurde aber bereits in Teilaufgabe a) gezeigt, dass dies nicht der Fall ist.
- Der Stichprobenumfang ist mit n = 2532 + 848 = 3380 Unfällen angegeben.
- Die Datenquelle (Polizeidaten) scheint seriös und macht deutlich, dass es sich hier nicht um eine ausgewählte Zufallsstichprobe handelt.

Damit ist die Grafik sachgerecht gestaltet.

Aufgaben

1 Ordne den Grafiken geeignete Quartalszahlen zu. Formuliere wie Oya: „(A) könnte z.B. zu den Quartalen 1 und 3 gehören, weil sich die Kundenzahl verachtfacht hat."

	Kunden (in Tsd.)
1. Quartal	1
2. Quartal	4
3. Quartal	8
4. Quartal	16

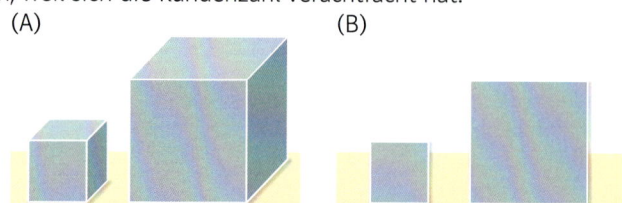

2 a) In Fig. 1 wird die Anzahl der Flüchtlinge veranschaulicht, die in drei aufeinanderfolgenden Jahren über Griechenland nach Deutschland kamen. Prüfe, ob die angegebenen Zahlen zum Durchmesser oder zum Flächeninhalt des Kreises proportional sind.
b) Erläutere, dass hier nicht manipuliert wurde.

→ **Lerntipp** Seite 177, Beispiel

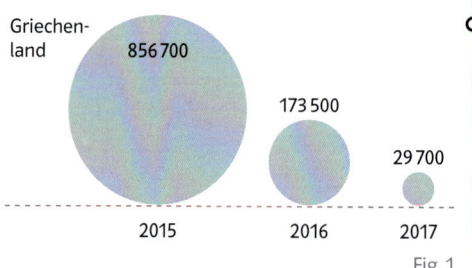

Fig. 1

3 a) In Fig. 2 gibt die Grafikerin bzw. der Grafiker durch die Fußnote „überhöhte Darstellung" zu erkennen, dass manipuliert wurde. Erläutere, welche der Manipulationsmethoden hier zum Einsatz kam.
b) Zeichne eine Grafik, die die Daten ohne Manipulationen veranschaulicht.

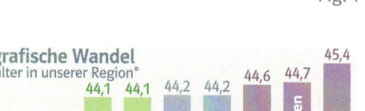

Fig. 2

Teste dich!

→ **Lösungen**, Seite 260

4 Schlagzeile: „Der Schadstoffausstoß (in mg/Tag) hat sich im letzten Jahrzehnt halbiert!"
a) Erläutere, warum die Grafiken in Fig. 3 und 4 nicht zu dieser Zeitungsmeldung passen und benenne die zugehörige Manipulationsmethode.
b) Nenne je eine Schlagzeile, die zu den Grafiken passen würde.

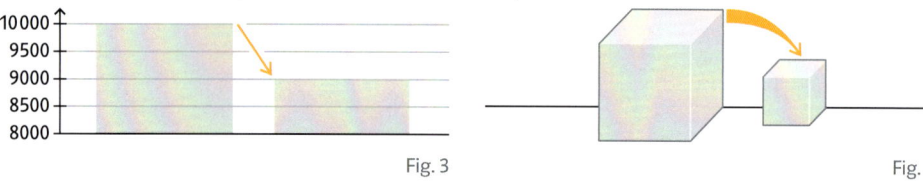

Fig. 3   Fig. 4

5 Frau Camos hat Dani in der 9 a und Tim in der 9 b gebeten, in ihren Klassen jeweils eine Umfrage zur Gestaltung des Wandertages zu machen. Die beiden präsentieren kurz danach nebenstehende Ergebnisse. „So habe ich mir das nicht vorgestellt", sagt

	Schwimmbad	Freizeitpark	Radtour
Dani	33,333 %	33,333 %	33,333 %
Tim	75,000 %	25,000 %	0,000 %

Frau Camos. „Dani, du hast nur drei Leute befragt, und Tim, du warst mit vier Leuten auch nicht fleißiger. Damit können wir wenig anfangen." Erläutere und bewerte die Position von Frau Camos. Die Begriffe auf dem Rand können helfen.

Wortliste
- vielleicht
- sicher
- unwahrscheinlich
- skeptisch
- Taschenrechner
- Nachkommastellen
- Stichprobenumfang
- vortäuschen

● 6 Nico macht ein Praktikum in einer Firma, deren Umsatz in den Jahren 2015 bis 2020 konstant bei 10 Mio. Euro lag. Er hat dies in Fig. 1 durch ein Schrägbild veranschaulicht – und anschließend in Fig. 2 sechs gleich große Bauklötze fotografiert.

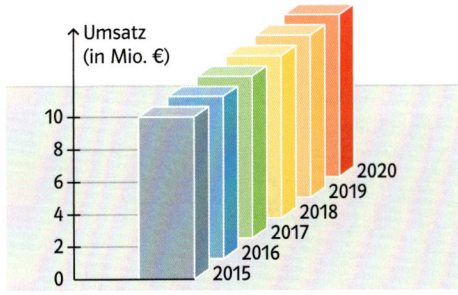
Fig. 1

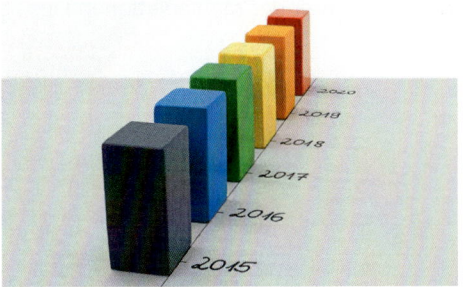
Fig. 2

a) Beschreibe die Unterschiede in den beiden Abbildungen.
b) Miss in Fig. 2 die Längen der Bauklotz-Vorderkanten und berechne, um welchen Faktor die erste Vorderkante im Foto größer ist als die zweite, dritte, …, sechste.
c) Nico verlängert in Fig. 2 mit einem Bildbearbeitungsprogramm den letzten Bauklotz so, dass er, wie in Fig. 1, genauso hoch wird wie der erste. Gib an, welchen Umsatz dieser Bauklotz dann darstellen würde.
d) Erläutere, warum das Diagramm in Fig. 1 eine Manipulation darstellt.
e) 👥👥👥 Fotografiert selbst Bauklötze wie in Fig. 2 aus verschiedenen Perspektiven. Druckt die Fotos aus. Zeichnet drei sich in einem Punkt schneidende Geraden wie in Fig. 2. Beantwortet die Frage aus Teilaufgabe c) für euer Foto.

Statt sie auszudrucken, kann man die Fotos auch in einer Geometriesoftware analysieren.

● 7 Juri: „Wenn ich im Netz dringend von einem Produkt abraten möchte, weil es nichts taugt, muss ich einen Stern vergeben. Ich finde, das ist schon Manipulation!"
Erläutere, was Juri meint und nimm Stellung.

● 8 Aus einer Tasse mit 2000 roten, 1000 gelben und 1000 grünen Perlen werden mit einem Löffel verschieden große Stichproben (s. Tabelle) entnommen.

a) Erkläre, warum man mit diesem Experiment Kundenbefragungen simulieren kann.
b) 🖥 Berechne mit einer Tabellenkalkulation die relativen Häufigkeiten wie für Zelle E2 abgebildet.
c) Erläutere, welche Stichprobe man veröffentlichen würde, um den Eindruck zu erwecken, dass (I) fast nur rote Perlen (II) gleich viele rote, gelbe und grüne Perlen enthalten sind.
d) 👥👥👥 Diskutiert, ob ihr die jeweilige Stichprobengröße mit angeben würdet, um den gewünschten Eindruck zu verstärken.

Methode
Digitale Hilfsmittel verwenden
2n79pi

● 9 👥👥 🖥 Führt das Experiment aus Aufgabe 8 mit einer eigenen Tasse und einer Tabellenkalkulation durch. Sucht dann nach Stichproben, die die in Aufgabe 8 c) genannten Eindrücke besonders deutlich verstärken. Überlegt, ob es günstiger ist, kleine oder große Löffel zu nutzen.

● 10 a) Die Grafik aus Fig. 1 wurde kurz nach der Veröffentlichung durch Fig. 2 ersetzt. Untersuche, welche Manipulationsmethoden in Fig. 1 zum Einsatz kamen, und ob Fig. 2 sachgerecht gestaltet wurde.
b) Benenne Interessen, die hinter der Manipulation in Fig. 1 gesteckt haben könnten.

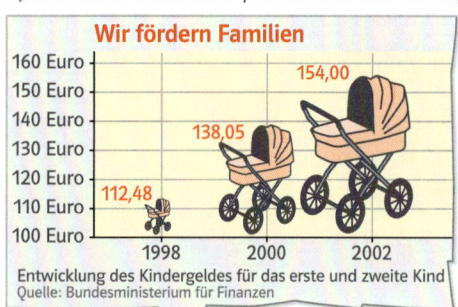

Fig. 1

Fig. 2

Teste dich! → **Lösungen**, Seite 260

● 11 a) Notiere die abgebildeten Daten in einer Tabelle und zeige mithilfe einer Dreisatzrechnung, dass der Darstellung eine proportionale Zuordnung zugrunde liegt.
b) Erläutere, durch welchen Trick es gelungen ist, den Eindruck eines „rasanten" Wachstums zu erzeugen.
c) Der Umsatz eines Unternehmens stieg von 100 000 € im Jahr 1990 jährlich um „bescheidene" 5000 €. Erstelle eine entsprechende Grafik, die ein „rasantes Wachstum" vortäuscht.

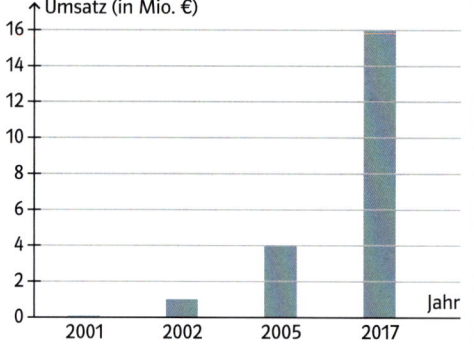

● 12 👥 **Erhebungen durch bewusste Auswahl manipulieren – Eine Simulation mit Würfeln**
a) Das Waschmittel Reinil wird in der Bevölkerung („Grundgesamtheit") gleich wahrscheinlich mit den Noten 1 bis 6 bewertet. $\frac{1}{3}$ der Kunden ist also zufrieden und bewertet es mit gut oder sehr gut. Erläutere, wie man in dieser Situation eine repräsentative Umfrage mit Spielwürfeln simulieren kann.
b) Herr Smith soll ein Mailing starten. Er erhält vom Chef, Herrn Rein, einen Bonus, wenn er eine Stichprobe mit mehr als 50 % zufriedenen Kunden vorlegen kann. Herr Smith ist ein „clever": Er verzichtet auf das Mailing und macht dafür 10 Umfragen. Er versucht dabei, eine Stichprobe zu erhalten, die er dem Chef vorlegen kann, um den Bonus zu erhalten. Ihr habt in eurer Gruppe – stellvertretend für Herrn Smith – 10 Versuche, mit Würfeln eine Stichprobe zu würfeln, die euch den Bonus sichert. Protokolliert eure Versuche mit Strichlisten und berechnet relative Häufigkeiten in Prozent mit zwei Nachkommastellen, auch die erfolglos abgebrochenen. Der Stichprobenumfang ist freigestellt. Wählt die überzeugendste Verteilung aus und begründet die Wahl. Achtet auf „verdächtige" Nachkommastellen, wie ..,333 % oder ..,50 %, die Herrn Rein vermutlich zu kritischen Nachfragen anregen könnten. Präsentiert die gewählte Verteilung samt Begründung.

Teste dein Grundwissen! **Gleichungen aufstellen** → **Grundwissen**, Seite 20
Lösungen, Seite 260

G 13 0,3 Liter eines Getränkes kosten 2,30 Euro, für 0,5 Liter verlangt der Wirt 3,50 Euro.
a) Ermittle, wie viel der Wirt für 0,8 Liter verlangen müsste, wenn zwischen Getränkevolumen und Preis ein linearer Zusammenhang bestehen würde.
b) Beurteile, ob es sinnvoll ist, hier von einem linearen Zusammenhang auszugehen.

2 Vierfeldertafel – mit Anteilen argumentieren

Herr Müller: „Die meisten blonden Kinder in der 9 c sind Jungen."
Frau Schmidt: „Das stimmt nicht, in der 9 c sind die meisten Mädchen blond."

Zeige durch ein Zahlenbeispiel, dass sich die Aussagen nicht widersprechen müssen.

Bei statistischen Erhebungen lassen sich Verteilungen einzelner Merkmale, wie z.B. die Verteilung der Körpergröße, gut in Diagrammen veranschaulichen. Erhebt man zwei Merkmale (z.B. Geschlecht und Kursbelegung) gleichzeitig, so kann man zur Veranschaulichung Tabellen nutzen, aus denen man durch Berechnen von Anteilen aufschlussreiche Informationen entnehmen kann. Auch Rückschlüsse von einem Merkmal auf das andere sind möglich. Das wird an einem Beispiel erläutert.

Das Gesundheitsamt hat in einer Tabelle festgehalten, ob die Bewohner eines Hauses in der letzten Grippesaison geimpft wurden und ob sie an Grippe erkrankten. Die Werte in der Tabelle sind so zu verstehen:

200 Personen wohnen in dem Haus,
120 wurden geimpft und erkrankten nicht,
60 Personen erkrankten,
20 waren nicht geimpft und erkrankten nicht.

Merkmal	erkrankt	nicht erkrankt	Summe
geimpft	10	120	130
nicht geimpft	50	20	70
Summe	60	140	200

Die Tabelle heißt **Vierfeldertafel**. Man kann ihr z.B. folgende Informationen entnehmen:
- Wenn man 200 (alle Bewohner) als Grundwert wählt, erhält man
  als Anteil der geimpften und nicht erkrankten Bewohner $\frac{120}{200}$ = 60%,
  als Anteil der geimpften Bewohner $\frac{130}{200}$ = 65%,
  als Anteil der nicht erkrankten Bewohner $\frac{140}{200}$ = 70%.
- Wenn man die Zeilensumme 130 (alle geimpften) als Grundwert wählt, ist der Anteil der nicht erkrankten Bewohner unter den geimpften $\frac{120}{130}$ ≈ 92,3%.
- Wenn man die Spaltensumme 140 (die nicht erkrankten) als Grundwert wählt, ist der Anteil der geimpften Bewohner an den nicht erkrankten $\frac{120}{140}$ ≈ 85,7%.
- Man erkennt: Unter den geimpften ist der Anteil der nicht erkrankten mit $\frac{120}{130}$ ≈ 92,3% deutlich größer als unter den nicht geimpften Bewohnern $\left(\frac{20}{70} ≈ 28,5\%\right)$.

> **Vierfeldertafel**
> Wenn man in einer Datenerhebung zwei Merkmale gleichzeitig untersucht, kann man die Ergebnisse in einer Vierfeldertafel festhalten. Durch Berechnen von Anteilen entnimmt man der Tafel gesuchte Informationen. Dabei stehen die Grundwerte in Randzellen.

Formale Schreibweise: Wenn I für das Ereignis „geimpft" steht, bezeichnet man das Gegenereignis „nicht geimpft" mit $\bar{I}$. Entsprechend steht K für „erkrankt" und $\bar{K}$ für „nicht erkrankt". Das Ereignis „geimpft und nicht erkrankt" bezeichnet man mit $I \cap \bar{K}$ und $\bar{I} \cap K$ bezeichnet das Ereignis „nicht geimpft und erkrankt".

Merkmal	K: erkrankt	$\bar{K}$: nicht erkrankt
I: geimpft	$I \cap K$: 10	$I \cap \bar{K}$: 120
$\bar{I}$: nicht geimpft	$\bar{I} \cap K$: 50	$\bar{I} \cap \bar{K}$: 20

Schreibweise: $I \cap \bar{K}$
Sprechweise: I geschnitten K quer

Beispiel Wahrscheinlichkeiten abschätzen

a) Werbemüll bezeichnet man als Spam. E-Mail-Programme melden dann Alarm und filtern den Spam heraus. Marco hat einen eigenen Spamfilter programmiert und an 1000 eingehenden E-Mails geprüft. Ermittle die fehlenden Werte in der Vierfeldertafel.

Merkmal	S: Spam	$\overline{S}$: kein Spam	Summe
A: Alarm		114	
$\overline{A}$: kein Alarm	5		
Summe	15		1000

b) Erläutere die Bedeutung des Ereignisses $A \cap \overline{S}$.

c) Ermittle (1) den Anteil der Spam-E-Mails, (2) den Anteil der E-Mails, bei denen der Filter Alarm schlug.

d) Beurteile durch Berechnen geeigneter Anteile, wie sich durch Anschlagen des Filters das Risiko dafür erhöht, dass es sich bei einer eingehenden E-Mail um Spam handelt.

Lösung

a) Weil die erste Spaltensumme 15 ist, muss im ersten Feld 15 – 5 = 10 stehen. Daraus erhält man anschließend als erste Zeilensumme 10 + 114 = 124, als zweite Zeilensumme 1000 – 124 = 876 und für den fehlenden Eintrag in der zweiten Zeile 876 – 5 = 871.

Merkmal	S: Spam	$\overline{S}$: kein Spam	Summe
A: Alarm	10	114	124
$\overline{A}$: kein Alarm	5	871	876
Summe	15	985	1000

b) $A \cap \overline{S}$ bezeichnet das Ereignis „Alarm und kein Spam", also Fehlalarm. Es trat bei 114 von 1000 E-Mails auf, also bei $\frac{114}{1000}$ = 11,4 % aller Fälle.

c) (1) Letzte Zeile: 15 der 1000 E-Mails waren Spam, also $\frac{15}{1000}$ = 1,5 %.
(2) Letzte Spalte: Der Filter schlug bei 124 von 1000 E-Mails an, also bei $\frac{124}{1000}$ = 12,4 %.

d) Zeile 1: Wenn der Filter Alarm schlägt, handelt es sich bei 10 der 124 E-Mails tatsächlich um Spam, also bei $\frac{10}{124}$ ≈ 8 %. Man vergleicht dies mit dem Ergebnis aus Teilaufgabe c) (1) und erkennt: Das Anschlagen des Filters erhöht das Spam-Risiko von 1,5 % auf ca. 8 %, also auf mehr als das Fünffache.

Aufgaben

○ **1** a) Sali hat zu den Fahrgästen in einem Bus die Vierfeldertafel rechts erstellt. Erläutere die Bedeutung des Ereignisses und lies aus der Tabelle die zugehörige Anzahl ab:
(1) M (2) $\overline{O}$ (3) M ∩ O (4) $\overline{M} \cap \overline{O}$

Merkmal	O: online	$\overline{O}$: nicht online	Summe
M: männlich	35	15	50
$\overline{M}$: nicht männlich	28	32	60
Summe	63	47	110

b) Ordne den Aufgaben (1) bis (6) die Grundwerte von den Kärtchen zu und berechne dann mit den Werten der Tabelle aus a), wie viel Prozent
(1) der Fahrgäste männlich sind,
(2) der Fahrgäste online sind,
(3) der Fahrgäste online und männlich sind,
(4) der männlichen Fahrgäste online sind,
(5) der online-Fahrgäste männlich sind,
(6) der offline-Fahrgäste nicht männlich sind.

A 47 B 110 C 50 D 110 E 63 F 110

c) Erläutere, warum man in Teilaufgabe b) bei (3) und (4) unterschiedliche Grundwerte nutzen muss, obwohl die Aufgaben sehr ähnlich klingen.

2 a) Beschreibe die Bedeutung der Zahlen 10, 25, 30, 65 und 100. Die Beschreibungen auf dem Rand können helfen.
b) Ordne den Textbausteinen die (gerundeten) Prozentsätze p und die Grundwerte G zu. Notiere je eine Kontrollrechnung.

Merkmal	Brille (B)	keine Brille ($\overline{B}$)	
Junge (J)	10	30	40
Mädchen (M)	25	35	60
Summe	35	65	100

Beschreibungen zur Zahl 35:
In der Gruppe gibt es
– 35 Kinder, die weiblich sind und keine Brille tragen
– 35 keine Brille tragende Mädchen
– 35 Mädchen, die keine Brille tragen
– 35 Kinder, die eine Brille tragen

Der Anteil der Brillenträger unter den Mädchen ist …

Der Anteil der Mädchen, die eine Brille tragen ist …

Der Anteil der Mädchen unter den Brillenträgern ist …

G: 100   G: 35   G: 60   p: 42%   p: 71%   p: 25%

c) Formuliere Textkärtchen wie in Teilaufgabe b), deren Lösung (gerundet) durch folgende Prozentsätze beschrieben wird (1) 30% (2) 46% (3) 75%.

3 Vervollständige die Vierfeldertafel in deinem Heft.

a)
Merkmal	B	$\overline{B}$	Summe
A	25		
$\overline{A}$		23	41
Summe		57	

b)
Merkmal	B	$\overline{B}$	Summe
A		85	207
$\overline{A}$	105		
Summe			446

4 Wähle geeignete Symbole für die auftretenden Ereignisse und erstelle je eine Vierfeldertafel.
a) Bei einer Versuchsreihe nehmen 47 Personen teil, davon sind 32 gegen Masern geimpft. Insgesamt wurden 20 Personen positiv auf diese Krankheit getestet, davon sind 14 nicht dagegen geimpft.
b) Am Sportunterricht nehmen 22 Schülerinnen teil. Davon laufen 12 die 100 m in weniger als 13 Sekunden. Von diesen haben 10 im Hochsprung mindestens die Note 2. Von den anderen Schülerinnen haben nur 3 im Hochsprung mindestens die Note 2.
c) Eine Arztpraxis hat 800 Patienten, davon sind 480 weiblich. Insgesamt sind 560 Patienten älter als 60 Jahre alt. Weiblich und über 60 Jahre alt sind 400 Patientinnen.

5 a) Übertrage die Vierfeldertafel ins Heft und vervollständige sie. In einer Schulklasse mit 32 Kindern haben 12 schwarze Haare und 9 tragen eine Brille. 5 Kinder tragen eine Brille und haben schwarze Haare.

Merkmal	B: Brille	$\overline{B}$: keine Brille	Summe
S: schwarzes Haar			
$\overline{S}$: nicht schwarz			
Summe			

b) Erläutere die Bedeutung der Symbole und notiere die zugehörigen Häufigkeiten.
(1) S ∩ B   (2) B   (3) $\overline{S} \cap \overline{B}$

Teste dich!

6 Vor einem Schulzentrum werden Fahrräder kontrolliert. Gezählt wird, ob das Licht und die Bremsen funktionieren (L bzw. B).
a) Beschreibe die Bedeutung der Anteile $\frac{14}{40}, \frac{14}{62}, \frac{14}{200}, \frac{112}{200}, \frac{112}{138}$ in Worten. Die Beschreibung auf dem Rand kann helfen.
b) Beschreibe die Ereignisse, die 14- bzw. 112-Mal auftraten und gib jeweils die formale Schreibweise an.

Merkmal	L	$\overline{L}$	Summe
B	112	26	138
$\overline{B}$	48	14	62
Summe	160	40	200

Bei 26 von 40 unbeleuchteten Rädern funktioniert die Bremse. Das sind $\frac{26}{40}$ = 65%.

Lösungen, Seite 261

7 Das nebenstehende Baumdiagramm mit den angegebenen Anteilen gehört zu einem medizinischen Test, der an 10 000 Personen durchgeführt wurde.

a) Übersetze das Baumdiagramm in eine Vierfeldertafel, bei der die Summe der vier Felder 10 000 ergibt.

b) Berechne mithilfe der Tafel, wie viel Prozent der positiv getesteten und wie viel Prozent der negativ getesteten Personen infiziert waren, und bewerte die Aussagekraft des Tests.

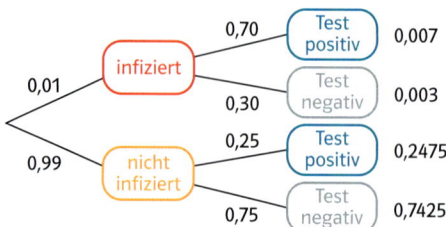

8 Versteckte Absichten

„Die Zeitungsmeldungen beschreiben die gleiche Sachlage, transportieren beim Lesen aber verschiedene Botschaften", meint Zeki. Prüfe durch Nachrechnen und erläutere, was Zeki meint.

> Letztes Jahr wurden 32 Kinder zwischen 10 und 15 Jahren im Straßenverkehr getötet. Von diesen waren gut 34 % mit dem Fahrrad unterwegs. Von den 15 855 Verletzten waren es sogar 47 %.

> Das Statistische Bundesamt berichtet: 15 887 Kinder zwischen 10 und 15 Jahren sind im vergangenen Jahr verunglückt. Etwa 47 Prozent davon waren mit dem Fahrrad unterwegs. Glücklicherweise endeten nur 0,1 % dieser Unfälle tödlich. Bei Kindern, die nicht mit dem Rad unterwegs waren, lag der Anteil an tödlichen Unfällen mehr als doppelt so hoch, nämlich bei 0,25 %.

Teste dich!

→ **Lösungen**, Seite 261

9 Beim Sportfest können die insgesamt 120 Schüler zwischen Volleyball und Basketball wählen. Von den Mädchen entscheiden sich $\frac{2}{3}$ für Volleyball, von den Jungen nur 25 %. Der Mädchenanteil an der Schule beträgt 60 %.

a) Stelle die Daten in einer Vierfeldertafel dar.

b) Berechne den jeweiligen Anteil der
(1) Schüler, die Volleyball spielen,
(2) Basketball spielenden Jungen,
(3) Basketball spielenden Mädchen,
(4) Volleyball spielenden Jungen.

10 Wirksamkeit von Impfstoffen

Ein Pharmahersteller ließ je 21 000 Personen mit seinem Vakzin und ebenso viele mit einem Scheinmedikament (Placebo), impfen. Anschließend wurde nebenstehende Tabelle veröffentlicht, aus der auf eine Wirksamkeit von ca. 95 % geschlossen wurde.

	geimpft	nicht geimpft (Placebo)
erkrankt	8	162
nicht erkrankt	20 992	20 838
Summe	21 000	21 000

a) Untersuche, was man unter der Wirksamkeit eines Impfstoffs versteht – und wie das Pharmaunternehmen auf ca. 95 % kommt.

b) Berechne, welche Wirksamkeit man erhalten würde, wenn
(1) statt 8 nur 6 oder gar 10 der 21 000 Geimpften erkrankt wären,
(2) statt der 162 nur 160 oder 164 der 21 000 scheinbar Geimpfte erkrankt wären.

Methode
Unbekannte Wörter verstehen
2n79pi

Teste dein Grundwissen!   Gleichungen aufstellen

→ **Grundwissen**, Seite 21
Lösungen, Seite 261

G 11 Der Wasserpegel in einem zylinderförmigen Eimer beträgt 4 cm. Jede Stunde kommen durch einen tropfenden Wasserhahn 3 mm hinzu.

a) Berechne den Wasserpegel (in mm) nach 5, 8 und x Stunden.
b) Ermittle, wann der Pegel voraussichtlich 10 cm beträgt.

3 Bedingte Wahrscheinlichkeiten

Kunden wurden zu „Sportlichkeit" und „Zufriedenheit" befragt. Wie groß ist die Wahrscheinlichkeit, dass man auf einen „zufriedenen" Kunden trifft? Wie ändert sich die Wahrscheinlichkeit hierfür, wenn man weiß, dass der Kunde „sportlich" ist?

	Z: zufrieden	$\overline{Z}$: unzufrieden	
S: sportlich	45 %	12 %	57 %
$\overline{S}$: unsportlich	15 %	28 %	43 %
Summe	60 %	40 %	100 %

Wenn man zwei Merkmale gleichzeitig untersucht, kann das Vorwissen über ein Merkmal die Wahrscheinlichkeit des zweiten Merkmals beeinflussen. Im Folgenden wird dies an einem Beispiel erläutert. Dabei werden die Zusammenhänge zwischen Vierfeldertafeln und Baumdiagrammen aufgezeigt.

In dem Gefäß aus Fig. 1 gibt es rote (R) und blaue ($\overline{R}$) Kugeln, die zusätzlich markiert (M) oder unmarkiert ($\overline{M}$) sind. Die Zusammensetzung wird durch Fig. 2 beschrieben. Wenn man blind eine Kugel zieht, ist die Wahrscheinlichkeit, dass man eine rote und markierte erhält, $P(R \cap M) = \frac{3}{10} = 0{,}3$. Die Wahrscheinlichkeit, dass man irgendeine markierte Kugel erwischt, ist $P(M) = \frac{5}{10} = 0{,}5$. Man erhält Fig. 3 aus Fig. 2 dadurch, dass man die dort angegebenen Anzahlen durch die Gesamtanzahl 10 teilt.

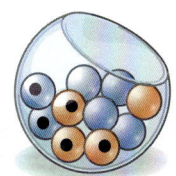

Fig. 1

Vierfeldertafel mit Anzahlen

	markiert (M)	unmarkiert ($\overline{M}$)	Summe
rot (R)	3	1	4
nicht rot ($\overline{R}$)	2	4	6
Summe	5	5	10

Fig. 2

Vierfeldertafel mit Wahrscheinlichkeiten

	markiert (M)	unmarkiert ($\overline{M}$)	Summe
R	$P(R \cap M) = 0{,}3$	$P(R \cap \overline{M}) = 0{,}1$	$P(R) = 0{,}4$
$\overline{R}$	$P(\overline{R} \cap M) = 0{,}2$	$P(\overline{R} \cap \overline{M}) = 0{,}4$	$P(\overline{R}) = 0{,}6$
Summe	$P(M) = 0{,}5$	$P(\overline{M}) = 0{,}5$	1

Fig. 3

Wenn man erfährt, dass die gezogene Kugel rot ist, z. B. weil sich rote Kugeln anders anfühlen, kommen nur noch 4 Kugeln infrage, von denen 3 markiert sind. Die Wahrscheinlichkeit für eine Markierung erhöht sich durch die Information „rot" auf $\frac{3}{4} = 0{,}75$.
Man bezeichnet die Wahrscheinlichkeit für eine Markierung (M) unter der Bedingung rot (R) als **bedingte Wahrscheinlichkeit** und schreibt $P_R(M) = \frac{3}{4} = 0{,}75$ (Fig. 2). Das gleiche Ergebnis liefert Fig. 3: $P_R(M) = \frac{P(R \cap M)}{P(R)} = \frac{0{,}3}{0{,}4} = 0{,}75$ („Zelle durch Zeilensumme").
Umgekehrt ändern sich durch das Vorwissen über eine Markierung die Wahrscheinlichkeiten für die Farben. Die Wahrscheinlichkeit für „rot" beträgt $P(R) = \frac{4}{10}$. Wenn man weiß, dass die Kugel markiert ist, wächst sie gemäß Fig. 2 auf $P_M(R) = \frac{3}{5} = 0{,}6$. Mit Fig. 3 schreibt man formal $P_M(R) = \frac{P(R \cap M)}{P(M)} = \frac{0{,}3}{0{,}5} = 0{,}6$. Je nachdem, welches Merkmal (Markierung oder Farbe) man zuerst betrachtet, lässt sich die in der Vierfeldertafel steckende Information in unterschiedlichen Baumdiagrammen darstellen.

Statt $P_R(M)$ schreibt man auch $P(M|R)$.

Erst Farbe, dann Markierung

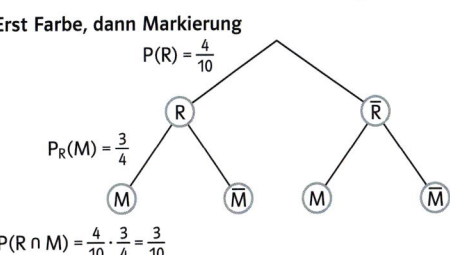

Fig. 4

Erst Markierung, dann Farbe

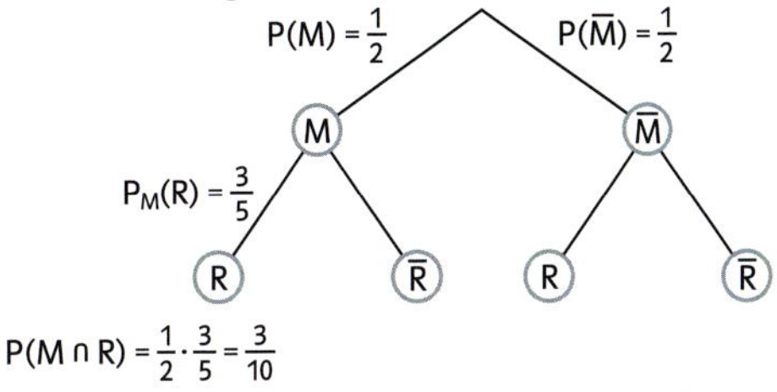

$P(M) = \frac{1}{2}$ $P(\overline{M}) = \frac{1}{2}$

$P_M(R) = \frac{3}{5}$

$P(M \cap R) = \frac{1}{2} \cdot \frac{3}{5} = \frac{3}{10}$

Fig. 5

In Vierfeldertafeln sind bedingte Wahrscheinlichkeiten Anteile von Zelleninhalten an Zeilen- bzw. Spaltensummen.

Im Baumdiagramm stehen die bedingten Wahrscheinlichkeiten an den Pfaden der zweiten Stufe.

Man findet die bedingten Wahrscheinlichkeiten an den Pfaden der zweiten Stufe der Baumdiagramme wieder. Durch Anwenden der Pfadregel kann man z.B. die Wahrscheinlichkeit für das Ereignis R ∩ M als Produkt schreiben:

P(R ∩ M) = P(R) · P_R(M), konkret: $\frac{3}{10} = \frac{4}{10} \cdot \frac{3}{4}$ (erster Pfad in Fig. 4, Seite 185) und

P(R ∩ M) = P(M) · P_M(R), konkret: $\frac{3}{10} = \frac{1}{2} \cdot \frac{3}{5}$ (erster Pfad in Fig. 5, Seite 185).

> Die Wahrscheinlichkeit für das Ereignis F unter der Bedingung, dass E eingetreten ist, nennt man **bedingte Wahrscheinlichkeit.**
> Man bezeichnet sie mit P_E(F) und berechnet sie mit der Formel $P_E(F) = \frac{P(E \cap F)}{P(E)}$.
> Bedingte Wahrscheinlichkeiten erhält man aus Vierfeldertafeln, indem man die Inhalte der Zellen je nach Bedingung durch die zugehörige Zeilen- oder Spaltensummen teilt.
> Im Baumdiagramm findet man sie an den Pfaden der zweiten Stufe.

Beispiel (Bedingte) Wahrscheinlichkeiten bestimmen

a) Lies aus der Vierfeldertafel P(E), P($\overline{E}$), P(F), P(E ∩ F) ab.
b) Berechne P_E(F), P_F(E) und $P_{\overline{E}}$(F).
c) Zeichne die beiden Baumdiagramme, die zu der Vierfeldertafel gehören.

Merkmal	E	$\overline{E}$	Summe
F	10%	5%	15%
$\overline{F}$	50%	35%	85%
Summe	60%	40%	100%

Lösung

a) P(E) = 60% *(erste Spaltensumme)*, P($\overline{E}$) = 40% *(zweite Spaltensumme)*,
P(F) = 15% *(erste Zeilensumme)*, P(E ∩ F) = 10% *(Zelle oben links)*.

b) $P_E(F) = \frac{0{,}1}{0{,}6} = \frac{1}{6}$ *(erste Spalte)*, $P_F(E) = \frac{0{,}1}{0{,}15} = \frac{2}{3}$ *(erste Zeile)*,
$P_{\overline{E}}(F) = \frac{0{,}05}{0{,}4} = \frac{1}{8}$ *(zweite Spalte)*.

c) Man betrachtet zuerst die Spalten: Man betrachtet zuerst die Zeilen:

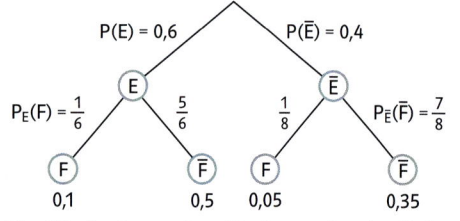
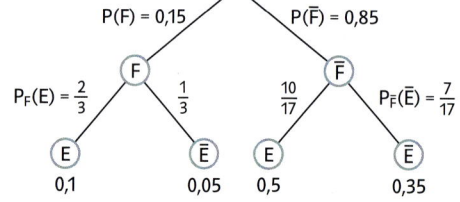

Die Pfade der ersten Stufe werden im linken Diagramm mit den Spaltensummen beschriftet, im rechten Diagramm mit den Zeilensummen. Die Pfade der zweiten Stufe werden mit den bedingten Wahrscheinlichkeiten beschriftet. In beiden Baumdiagrammen sind die Wahrscheinlichkeiten der gesamten Pfade die Inhalte der Zellen in der Vierfeldertafel.

Aufgaben

1 Miriam stellt sich ein Restaurant vor, in dem Männer (M) und Frauen (F) zum Frühstück entweder Kaffee (K) oder Tee (T) trinken. Die Wahrscheinlichkeiten beschreibt Miriam durch nebenstehende Vierfeldertafel. Ordne die Karten einander zu.

	K	T
F	0,3	0,1
M	0,2	0,4

A Auf dem Tisch steht Kaffee. Ich berechne die Wahrscheinlichkeit, dass dort eine Frau sitzt.

B Am Tisch sitzt eine Frau. Ich berechne die Wahrscheinlichkeit, dass in ihrer Tasse Kaffee ist.

C Ich berechne die Wahrscheinlichkeit, dass die Person auf einem Platz männlich ist und Tee trinkt.

1 P_K(F)   **2** 0,40   **3** 0,75   **4** P_F(K)   **5** 0,60   **6** P(T ∩ M)

2
a) Übertrage die Vierfeldertafel und die zugehörigen Baumdiagramme ins Heft und ergänze jeweils die fehlenden Angaben.

	A	B
C	0,3	0,1
D	0,2	0,4

b) Ordne den Zahlen in der Vierfeldertafel und in den Baumdiagrammen die Symbole $P(A)$, $P(A \cap C)$, $P_A(C)$ und $P_C(A)$ zu.

c) Einserkontrolle: Suche in den Baumdiagrammen und in der Vierfeldertafel nach Wahrscheinlichkeiten, die sich zu 1 ergänzen.

3
Es gibt dunkle (d) und helle (h) Glückskekse. Sie können Gewinne (G) oder Nieten (N) enthalten.
Nebenstehende Tabelle zeigt die Wahrscheinlichkeiten der vier Merkmalskombinationen. Ermittle die Wahrscheinlichkeiten, die in dem blauen Feld genannt sind. Beschreibe wie im Beispiel unten, was jeweils berechnet wird. Zur Kontrolle findest du die Ergebnisse auf dem Rand.

	Gewinn	Niete
dunkel	0,02	0,18
hell	0,12	0,68

$P_d(G)$ $P(h \cap N)$
$P_G(d)$ $P(h)$
$P_N(h)$ $P(d)$

Die Wahrscheinlichkeit, dass man gewinnt, wenn man einen dunklen Keks gezogen hat, ist:

$$P_d(G) = \frac{P(G \cap d)}{P(d)} = \frac{0{,}02}{0{,}02 + 0{,}18} = \frac{1}{10} = 10\,\%.$$

4
Berechne die Wahrscheinlichkeiten $P_A(B)$, $P_B(A)$, $P_B(\overline{A})$ und $P_{\overline{A}}(\overline{B})$.

a)

	B	$\overline{B}$	Summe
A	30	20	50
$\overline{A}$	90	60	150
Summe	120	80	200

b)

	B	$\overline{B}$	Summe
A	40	20	60
$\overline{A}$	0	20	20
Summe	40	40	80

c)

	B	$\overline{B}$	Summe
A	0,2	0,4	0,6
$\overline{A}$	0,1	0,3	0,4
Summe	0,3	0,7	1

d)

	B	$\overline{B}$	Summe
A	10 %	30 %	40 %
$\overline{A}$	40 %	20 %	60 %
Summe	50 %	50 %	100 %

Teste dich!

5
In einem Forschungsinstitut arbeiten 20 Professorinnen und 25 Studenten. 70 % der Professorinnen und 72 % der Studenten trinken bei den Meetings Kaffee, die übrigen trinken Tee. Erstelle eine Vierfeldertafel und bestimme die Wahrscheinlichkeit, dass eine zufällig ausgewählte Person beim morgendlichen Meeting
a) ein Student ist,
b) Student ist, wenn sie Kaffee trinkt,
c) Kaffee trinkt, wenn sie Student ist.

6 Qualität medizinischer Tests

Medizinische Tests arbeiten nie ganz fehlerfrei. Die bedingte Wahrscheinlichkeit $P_I(+)$, dass der Test anschlägt, wenn die Person infiziert ist, nennen Mediziner **Sensitivität**, die Wahrscheinlichkeit $P_{\bar{I}}(-)$, dass der Test nicht anschlägt, wenn die Person nicht infiziert ist, heißt **Spezifität**. Je näher beide Werte bei 1 liegen, desto zuverlässiger ist der Test. Das Paul-Ehrlich-Institut verlangt von Schnelltests eine Sensitivität von mindestens 80 % und eine Spezifität von mindestens 97 %.

Berechne mit den Daten des abgebildeten Beipackzettels zu einem Schnelltest aus einer Drogerie Schätzwerte für Sensitivität und Spezifität und bestätige, dass er die Kriterien des Paul-Ehrlich-Instituts erfüllt.

Ergebnis des neuartigen Antigentests

	Infiziert	Nicht infiziert	Gesamt
Positiv	103	1	104
Negativ	5	114	119
Gesamt	108	115	223

7 Eine Internetseite begründet anhand der folgenden zwei Beispielrechnungen, dass bei niedrigen Inzidenzen die meisten positiven Schnelltest-Befunde falsch sind:

Hohe Inzidenz: Angenommen, es wären 3000 von 100 000 Menschen infiziert. Mit Blick auf die vom Paul-Ehrlich-Institut festgelegten Mindestkriterien (s. Aufgabe 6) für Schnelltests, würden bei einer Testreihe von 100 000 zufällig ausgewählten Menschen 5310 Menschen positiv getestet, darunter 2400 tatsächlich Infizierte und 2910 falsch-positiv Getestete. Das heißt, etwa 55 Prozent der positiven Tests sind falsch-positiv.

Niedrige Inzidenz: Wenn nur 15 von 100 000 Menschen infiziert wären, ergäben sich aber 99,6 % falsch-positiv getestete Personen.

a) Kontrolliere die Aussagen durch Anfertigen von je einer Vierfeldertafel.
b) Erläutere, welche Konsequenz sich ergeben würde, wenn es gar keine Infizierten gäbe.

8 Bei einem Automodell gibt es als Sonderzubehör einen Spurassistenten und eine Verkehrszeichenerkennung. Den Spurassistenten bestellen 30 %, und 20 % der Personen, die das Modell kaufen, nehmen beide Assistenzsysteme. Die Hälfte der Käuferinnen und Käufer bestellt keines davon. Erstelle eine Vierfeldertafel und bestimme die Wahrscheinlichkeit dafür, dass eine zufällig ausgewählte Person, die das Modell gekauft hat
a) die Verkehrszeichenerkennung bestellt,
b) die Verkehrszeichenerkennung bestellt, wenn sie den Spurassistenten bestellt,
c) den Spurassistenten bestellt, wenn sie die Verkehrszeichenerkennung nicht bestellt.

9 Eine Münze wird dreimal geworfen. Berechne $P_E(F)$ und $P_F(E)$. Beschreibe die gesuchten Wahrscheinlichkeiten in Worten.
a) E: „Beim zweiten Wurf lag ‚Zahl' oben."   F: „Es lag dreimal ‚Zahl' oben."
b) E: „Beim ersten Wurf lag ‚Zahl' oben."   F: „Es lag genau einmal ‚Zahl' oben."

10 a) Erstelle eine Vierfeldertafel zu dem rechts dargestellten Zusammenhang.
b) Konstruiere ein zweites Baumdiagramm, das zur Vierfeldertafel passt.
c) Denke dir einen Kontext aus, zu dem die Baumdiagramme passen könnten.

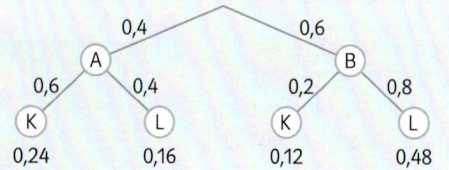

> **Teste dich!**

11 Bei einem medizinischen Test werden die Ergebnisse I: „Die Person ist infiziert." und p: „der Test ist positiv." betrachtet. Beschreibe die Bedeutung der folgenden Wahrscheinlichkeiten. Beurteile, welche eher groß bzw. klein sein sollten.
a) $P_I(p)$ b) $P_{\bar{I}}(p)$ c) $P_I(\bar{p})$ d) $P_{\bar{I}}(\bar{p})$

Vertiefen
Seite 195, Aufgabe 7

Methode
Unbekannte Wörter verstehen
2n79pi

Vernetzen
Seite 189, Aufgabe 12

Wenn viele Personen in der Gesamtbevölkerung infiziert sind, spricht man von einer hohen Inzidenz.

Lösungen, Seite 261

12 Ceyla fragt nach einem positiven medizinischen Testergebnis ihre Hausärztin: „Wie wahrscheinlich bin ich jetzt denn tatsächlich infiziert?" Die Ärztin notiert die ihr bekannten Gütekriterien (Sensitivität und Spezifität) des Tests, die aktuelle Inzidenz und die Einwohnerzahl des Landkreises in die gelb unterlegten Felder ihrer Tabellenkalkulation. Diese berechnet hieraus die weiß unterlegte Vierfeldertafel und die Ärztin antwortet: „Die Wahrscheinlichkeit, dass Sie tatsächlich infiziert sind, beträgt nur 45,2 %. Hätten Sie ein negatives Testergebnis gehabt, wären Sie immerhin noch zu 0,63 % infiziert."

a) Erläutere die inhaltliche Bedeutung der orange unterlegten Zellen, wie man daraus die Vierfeldertafel erhält und wie die Ärztin zu ihren Wahrscheinlichkeitsaussagen kommt.

b) 🖥 Ordne die nebenstehenden Formeln einzelnen Zellen des Kalkulationsblattes zu. Kontrolliere deine Zuordnung durch Öffnen des Tabellenkalkulationsblattes (siehe Code) oder programmiere die Tabelle selbst.

c) Gib an, was die Ärztin auf Ceylas Frage antworten würde, wenn
   (1) die Spezifität des Tests (statt 97 %) den Wert 99 % hätte,
   (2) die Sensitivität des Tests (statt 80 %) den Wert 99 % hätte,
   (3) die Inzidenz (statt 3 %) nur den Wert 0,1 % oder 0 % hätte.

Methode
Digitale Hilfsmittel verwenden
2n79pi

=D12*B3   =B12*B1
=D12-B12 =C12*-C11
=B2*C12

Vorlage
Tabellenkalkulationsblatt
2n79pi

	A	B	C	D	E
1	Sensitivität	80 %	<-- mit dieser Wahrscheinlichkeit ist der Test bei einer infizierten Person positiv		
2	Spezifität	97 %	<-- mit dieser Wahrscheinlichkeit ist der Test bei einer nicht infizierten Person negativ		
3	Inszidenz	3.0 %	<-- Anteil infizierter Personen in der Bevölkerung		
4		45.20 %	<-- Infektionswahrscheinlichkeit nach positivem Test		
5		0.63 %	<-- Infektionswahrscheinlichkeit nach negativem Test		
6					
7		infiziert	nicht infiziert		
8	Test +	2400	2910	5310	
9	Test –	600	94090	94690	
10		3000	97000	100000	<-- Populationsgröße

13 Werbepsychologie und bedingte Wahrscheinlichkeiten

Werbung suggeriert: Ereignisse wie A: „attraktiv sein" und B: „Besitzen eines Produktes" gehören zusammen. In Wahrscheinlichkeiten übersetzt signalisieren Werbeplakate $P_A(B) > P(B)$, d. h. unter attraktiven Menschen ist der Besitz wahrscheinlicher als unter allen Menschen. Aus $P_A(B) > P(B)$, folgt rechnerisch: $P_B(A) > P(A)$, also die Wahrscheinlichkeit, attraktiv zu sein wächst durch den Besitz

des Produktes. Mit dieser Botschaft werden wir zum Kauf verführt und die Werbung hat aus Sicht des Produzenten ihren Zweck erfüllt.

a) 👥 Konstruiert mehrere Vierfeldertafeln, bei denen $P_A(B) > P(B)$ gilt. Rechnet nach, dass bei all diesen Tafeln dann auch $P_B(A) > P(A)$ gilt.

b) Begründe mit nebenstehender Tabelle: $P_A(B) > P(B)$ bedeutet $\frac{x}{x+u} > \frac{x+y}{1}$
und $P_B(A) > P(A)$ bedeutet $\frac{x}{x+y} > \frac{x+u}{1}$.

c) Erläutere, wie sich rechnerisch aus der ersten Ungleichung die zweite Ungleichung ergibt.

	A	$\overline{A}$
B	x	y
$\overline{B}$	u	v

$x + y + u + v = 1$

Teste dein Grundwissen! **Schnittpunkte bestimmen**

Grundwissen, Seite 211
Lösungen, Seite 261

14 Skizziere die Geraden zu $f(x) = m(x - 2) + 1$ für $m = 1$ und $m = -2$ und bestimme jeweils die Schnittpunkte mit den Koordinatenachsen.

4 Stochastische Unabhängigkeit

Beschrifte die Seiten eines Sechskant-Bleistifts mit den Augenzahlen 1 bis 6. Rolle ihn 30-mal rechts herum und 30-mal links herum. Untersuche, ob die Wahrscheinlichkeiten, mit denen die einzelnen Seiten deines Stiftes „gewürfelt" werden, von der Rollrichtung abhängen. Wenn du nach 30 Versuchen noch nicht klar siehst, erhöhe den Versuchsumfang auf 60 oder 120.

	1	2	3	4	5	6
rechts						
links						

Intuitiv haben wir eine Vorstellung davon, wann Ereignisse voneinander unabhängig sind. Mithilfe bedingter Wahrscheinlichkeiten gelingt es, diese Vorstellungen mathematisch zu präzisieren. Das wird an einem Beispiel erläutert.

Aus einem Gefäß mit 6 roten und 4 blauen Kugeln werden nacheinander zwei Kugeln zufällig gezogen. Dabei kann man mit oder ohne Zurücklegen ziehen. Es gibt vier mögliche Ergebnisse: rr, rb, br und bb. Wir betrachten die Ereignisse E: „Im ersten Zug rot" mit E = {rr, rb} und F: „Im zweiten Zug rot" mit F = {rr, br}.

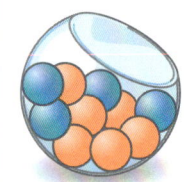

Ziehen mit Zurücklegen

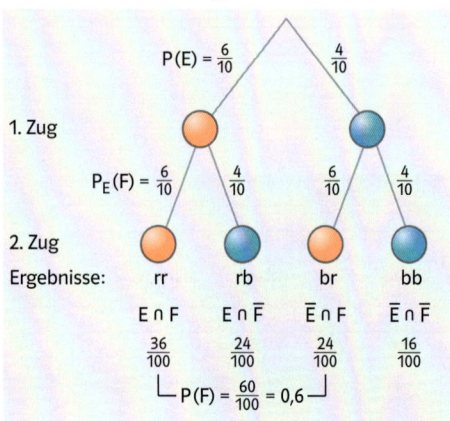

Der erste Zug beeinflusst den zweiten nicht.

Ziehen ohne Zurücklegen

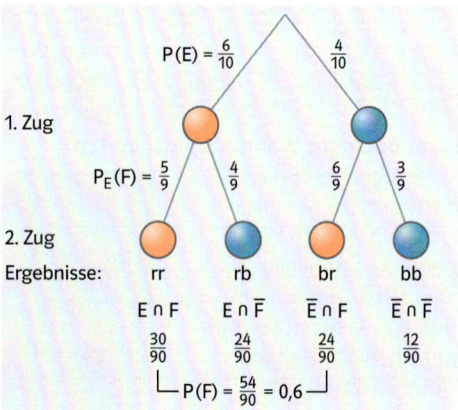

Der erste Zug beeinflusst den zweiten.

Den Baumdiagrammen entnimmt man, dass $P(E) = P(F) = 0{,}6$ gilt, egal, ob mit oder ohne Zurücklegen gezogen wird.
Beim Ziehen mit Zurücklegen ergeben sich in der zweiten Stufe des Baumdiagramms die gleichen bedingten Wahrscheinlichkeiten. So gilt z.B. $P_E(F) = 0{,}6 = P(F)$.
Wenn man dagegen ohne Zurücklegen zieht, erhält man $P_E(F) = \frac{5}{9} \neq P(F)$.
Das führt zu folgender Definition:

> Zwei Ereignisse E und F heißen **stochastisch unabhängig**, wenn $P_E(F) = P(F)$. Das ist genau dann der Fall, wenn gilt: $P(E \cap F) = P(E) \cdot P(F)$

Ereignisse heißen **stochastisch abhängig**, wenn sie nicht stochastisch unabhängig sind.

Begründung: $P_E(F) = \frac{P(E \cap F)}{P(E)} = P(F)$ ist äquivalent zu $P(E \cap F) = P(E) \cdot P(F)$.

Die Unabhängigkeit von E und F bedeutet: Die Wahrscheinlichkeit im Feld oben links (E ∩ F) ist das Produkt der Randwahrscheinlichkeiten. So gilt für das Ziehen mit Zurücklegen (s. links) $P(E \cap F) = \frac{9}{25} = \frac{3}{5} \cdot \frac{3}{5}$. Für das Ziehen ohne Zurücklegen (s. rechts) ergibt sich dagegen $P(E \cap F) = \frac{1}{3} \neq \frac{3}{5} \cdot \frac{3}{5}$.

mit Zurücklegen

	E	Ē	
F	$\frac{9}{25}$	$\frac{6}{25}$	$\frac{3}{5}$
F̄	$\frac{6}{25}$	$\frac{4}{25}$	$\frac{2}{5}$
	$\frac{3}{5}$	$\frac{2}{5}$	1

ohne Zurücklegen

	E	Ē	
F	$\frac{1}{3}$	$\frac{4}{15}$	$\frac{3}{5}$
F̄	$\frac{4}{15}$	$\frac{2}{15}$	$\frac{2}{5}$
	$\frac{3}{5}$	$\frac{2}{5}$	1

Oft setzt man die stochastische Unabhängigkeit als Modellannahme voraus.

Beispiel 1 Stochastische Unabhängigkeit als Modellannahme voraussetzen
a) Ein Streichholz zündet mit einer Wahrscheinlichkeit von 95 %. Jonas probiert zwei Hölzer. Berechne die Wahrscheinlichkeit, dass beide Hölzer zünden, wenn die Zündvorgänge stochastisch unabhängig sind.
b) Nenne Argumente, die gegen die Unabhängigkeit sprechen könnten.
Lösung
a) Es sei E: „Erstes Holz zündet" mit P(E) = 95 % Wahrscheinlichkeit und F: „Zweites Holz zündet" mit P(F) = 95 %. Man erhält aufgrund der Unabhängigkeit von E und F P(E ∩ F) = 0,95 · 0,95 = 0,9025. Mit einer Wahrscheinlichkeit von 90,25 % zünden beide Hölzer.
b) Die Reibefläche könnte durch das erste Holz beschädigt werden. Dann würde beim zweiten Versuch die Zündwahrscheinlichkeit kleiner. Andererseits könnte man durch das „Üben am ersten Holz" beim zweiten Holz erfolgreicher werden.

Beispiel 2 Stochastische Unabhängigkeit prüfen
Man würfelt zweimal. Zeige: Die Ereignisse A: „Der erste Würfel zeigt eine 6" und B: „Die Augensumme liegt über 10" sind stochastisch abhängig.
Lösung
Von den 36 Augenzahl-Kombinationen gehören sechs zum Ereignis A, drei zum Ereignis B und zwei zu A ∩ B. Es gilt also
$P(A) = \frac{6}{36}$, $P(B) = \frac{3}{36}$, $P(A \cap B) = \frac{2}{36}$ und
$P(A \cap B) \neq P(A) \cdot P(B)$.

Merkmal	A	Ā	Summe
B	$\frac{2}{36}$	$\frac{1}{36}$	$\frac{3}{36}$
B̄	$\frac{4}{36}$	$\frac{29}{36}$	$\frac{33}{36}$
Summe	$\frac{6}{36}$	$\frac{30}{36}$	$\frac{36}{36}$

erster Wurf

	1	2	3	4	5	6—A
1	2	3	4	5	6	7
2	3	4	5	6	7	8
3	4	5	6	7	8	9
4	5	6	7	8	9	10
5	6	7	8	9	10	11
6	7	8	9	10	11	12—B

zweiter Wurf

In der Vierfeldertafel ist der Zelleninhalt also nicht das Produkt der zugehörigen Randwahrscheinlichkeiten. Damit sind A und B stochastisch abhängig.
Die Wahrscheinlichkeiten der zweiten Stufe hängen von der ersten Stufe ab.

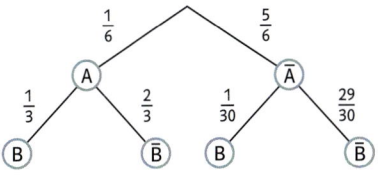
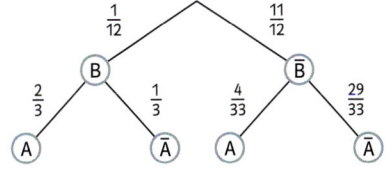

Aufgaben

1 Untersuche die Ereignisse A und B auf stochastische Unabhängigkeit.

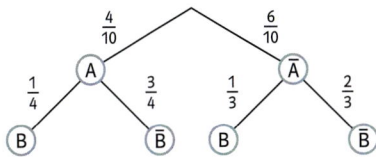

Merkmal	B	B̄	Summe
A	0,1	0,3	0,4
Ā	0,2	0,4	0,6
Summe	0,3	0,7	1

Lerntipp
Seite 191, Beispiel 2

2 a) Das Baumdiagramm und die Vierfeldertafel beschreiben denselben Sachverhalt. Vervollständige beides im Heft.
b) Prüfe, ob die Ereignisse A und B stochastisch unabhängig sind.

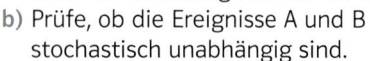
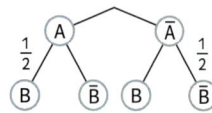

	B	$\bar{B}$
A	$\frac{1}{6}$	$\frac{1}{6}$
$\bar{A}$		$\frac{1}{3}$

Die bedingte Wahrscheinlichkeit $P_A(B)$ ist …

Die Wahrscheinlichkeit $P(A \cap B)$ ist …

3 Zwei Würfel werden geworfen. Wir betrachten folgende Ereignisse:
E: „Der erste Würfel zeigt 6", F: „Die Augensumme ist 7", G: „Die Augensumme ist 8".
a) Notiere jeweils systematisch alle Augenpaare, die zu E, F, G, E ∩ F und E ∩ G gehören und bestimme die Wahrscheinlichkeiten dieser Ereignisse durch Abzählen in einem 6 × 6-Quadrat wie auf dem Rand von Seite 191.
b) Untersuche, ob E und F stochastisch unabhängig sind.
c) Untersuche, ob E und G stochastisch unabhängig sind.

Lerntipp Seite 191, Beispiel 2

4 Nimm an, dass 5 % aller Fahrgäste ohne Fahrschein fahren. Zwei nebeneinandersitzende Personen werden kontrolliert.
a) Bestimme die Wahrscheinlichkeit, dass beide einen Fahrschein haben, wenn beide Fahrgäste unabhängig voneinander handeln.
b) Nenne Argumente, die gegen die Annahme der stochastischen Unabhängigkeit sprechen.

Lerntipp Seite 191, Beispiel 1

Teste dich!

Lösungen, Seite 262

5 Eine ideale Münze wird zweimal geworfen. Untersuche die Ereignisse A: „Im ersten Wurf Zahl" und B auf stochastische Unabhängigkeit.
a) B: „Mindestens einmal Kopf"   b) B: „Zweimal dieselbe Seite"

6 Ein Medikament wirkt mit einer Wahrscheinlichkeit von 70 %. Eine Ärztin behandelt damit zwei Patienten und behauptet: „Mit einer Wahrscheinlichkeit von 9 % wirkt es bei keinem der Patienten." Erläutere, wie sie zu diesem Ergebnis kommt und was das mit stochastischer Unabhängigkeit zu tun hat.

7 Ergänze die Wahrscheinlichkeiten in der Vierfeldertafel in deinem Heft so, dass die Ereignisse A und B
a) stochastisch unabhängig sind,
b) stochastisch abhängig sind.

Merkmal	B	$\bar{B}$	Summe
A			
$\bar{A}$			0,3
Summe	0,8		1

8 In einem Gefäß befinden sich drei schwarze und drei weiße Kugeln. Es werden zwei Kugeln ohne Zurücklegen gezogen. Die Ereignisse E: „Die erste Kugel ist schwarz" und F: „Die zweite Kugel ist weiß", sollen auf stochastische Unabhängigkeit untersucht werden.
a) Stelle die Situation in einem Baumdiagramm dar.
b) Übersetze die Situation in eine Vierfeldertafel.
c) Berechne $P_E(F)$ und $P_F(E)$.
d) Begründe die stochastische Abhängigkeit der Ereignisse E und F auf möglichst vielen Wegen.

9 Eine Münze wird zweimal hintereinander geworfen. Untersuche die folgenden Ereignisse auf stochastische Unabhängigkeit, indem du eine Vierfeldertafel erstellst.
A: „Die erste Münze zeigt Wappen."   B: „Die zweite Münze zeigt Wappen."
C: „Beide Münzen zeigen Wappen."   D: „Beide Münzen zeigen die gleiche Seite."
a) A und B   b) A und C   c) C und D   d) A und D

10 Sandra hat bemerkt, dass sie bei Prüfungen gut abschneidet (+), wenn sie am Morgen Tee (T) trinkt. Die Ereignisse + und T scheinen stochastisch abhängig zu sein.

Merkmal	+	–	Summe
T			
$\overline{T}$			
Summe	60 %	40 %	100 %

a) Skizziere eine Vierfeldertafel, die zu dieser Situation passt.
Berechne vier bedingte Wahrscheinlichkeiten und erläutere deren Bedeutung.
b) Ergänze die Vierfeldertafel aus Teilaufgabe a) so, dass + und T stochastisch unabhängig sind. Prüfe dann mit diesen Werten, ob auch – und $\overline{T}$ stochastisch unabhängig sind.

11 Man kann beim Treppensteigen den rechten oder den linken Fuß zuerst aufsetzen. Es soll erforscht werden, wie dies mit der Rechts- oder Linkshändigkeit zusammenhängt.
a) Plant und beschreibt, wie ihr bei einer Datenerhebung vorgeht.
b) Sammelt die Daten in einer Vierfeldertafel und formuliert ein Forschungsergebnis, das die Worte „stochastisch unabhängig" und „bedingte Wahrscheinlichkeit" enthält.

12 Ein Versuchsleiter bietet in zwei Gefäßen A und B zerkleinerte Schokolade zur Verkostung an, eine teure und eine preiswertere. Nur er weiß, welche Sorte in welchem Gefäß ist. Jeder Verkoster notiert, ob ihm die Schokolade in Gefäß A besser oder schlechter schmeckt – und ob er in dem Gefäß A die teure oder die preiswertere Sorte vermutet. Untersucht mithilfe von Vierfeldertafeln,

Dieses Experiment bietet sich auch auf einem Schulfest an.

a) ob Geschmack und vermutetes Preisniveau stochastisch unabhängig sind und
b) ob (nach Bekanntgeben der Füllung) Preisniveau und Wohlgeschmack stochastisch unabhängig sind.

	Gefäß A	Geschmack	
		besser	schlechter
vermutet	teuer	I	II
	preiswert	II	III

Teste dich! → Lösungen, Seite 262

13 In einem Gefäß befinden sich 24 Kugeln, davon sind 6 aus Holz. Ein Drittel der Kugeln ist rot. Ermittle, wie viele der Holzkugeln rot sein müssen, damit beim zufälligen Ziehen einer Kugel die Ereignisse „Kugel ist aus Holz" und „Kugel ist rot" stochastisch unabhängig sind.

14 Gegeben sind die stochastisch unabhängigen Ereignisse A mit P(A) = a und B mit P(B) = b.

Merkmal	B	$\overline{B}$	Summe
A	a·b		a
$\overline{A}$			1 – a
Summe	b	1 – b	1

a) Begründe, dass die Einträge in der Vierfeldertafel stimmen.
b) Zeige mithilfe einer Termumformung, dass im Feld für $P(A \cap \overline{B})$ der Term a·(1 – b) stehen muss. Ermittle analog die Terme für die restlichen beiden Felder.

15 a) Vervollständige die Vierfeldertafel so, dass die Ereignisse A und B stochastisch unabhängig sind.
b) Prüfe, ob die Quotienten $\frac{u}{30}$, $\frac{v}{70}$ und $\frac{40}{100}$ gleich sind.

Merkmal	B	$\overline{B}$	Summe
A	u	v	40
$\overline{A}$	w	z	60
Summe	30	70	100

Teste dein Grundwissen! Gleichungen aufstellen und lösen → Grundwissen, Seite 211
→ Lösungen, Seite 262

G 16 Lina fährt mit 12 km/h von A nach B, Aylin mit 20 km/h von B nach A.
Wann und wo begegnen sie sich, wenn A und B 8 km voneinander entfernt sind?

Wiederholen – Vertiefen – Vernetzen

Wiederholen und Üben

→ **Lösungen**, Seite 262

1 Untersuche mithilfe der Leitfragen von Seite 177, ob bei der Grafik manipuliert wurde. Wenn ja, benenne die Manipulationsmethode und suche „versteckte Interessen".

a)
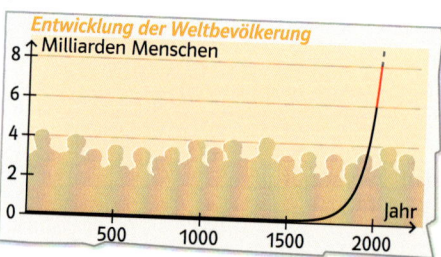

b)
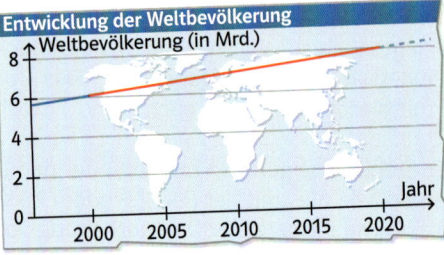

c)
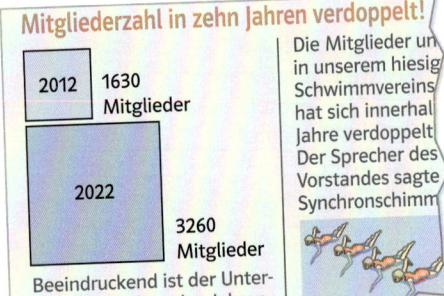

d)
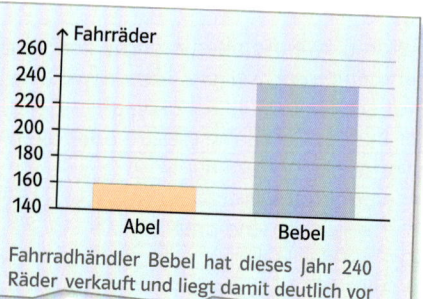

2 Erstelle aus den folgenden Angaben eine vollständig ausgefüllte Vierfeldertafel.
  a) Am Sportunterricht nehmen insgesamt 25 Schülerinnen und Schüler teil, von denen 15 weiblich sind. Genau 15 aller Schülerinnen und Schüler sind gut im Weitsprung. 10 Mädchen sind nicht gut im Weitsprung.
  b) Bei einer Versuchsreihe nehmen 47 Personen teil. 20 von diesen Personen wurden auf Masern positiv getestet. 32 von den Testpersonen sind gegen diese Krankheit geimpft, wobei 15 Personen positiv getestet wurden und nicht dagegen geimpft sind.

3
  a) Stelle die Angaben aus dem Zeitungstext übersichtlich in einer Vierfeldertafel dar.
  b) Wie viele Ehepaare ohne Kinder gab es letztes Jahr in dem Bundesland ungefähr?
  c) Letztes Jahr lebten in diesem Bundesland außerdem 187 000 Alleinerziehende mit Kindern. Ermittle, wie viele Haushalte mit Kindern es also zu dieser Zeit dort gab.

> Im letzten Jahr lebten in einem Bundesland rund 200 000 Paare ohne Trauschein gemeinsam in einem Haushalt. Dies sind fast 13 % aller Paare. In etwa 27 % dieser Haushalte lebten auch Kinder. Bei den verheirateten Paaren waren das gut 47 %.

4 Eine Schreinerei fertigt täglich 200 Stühle. Die Tabelle zeigt die Mängelstatistik.
  a) Schätze die Wahrscheinlichkeit, dass
     (1) ein Montagsstuhl,
     (2) ein an den übrigen Wochentagen produzierter Stuhl
     mängelfrei ist.
  b) Ein Kunde erhielt einen Stuhl mit Mängeln. Berechne einen Schätzwert für die Wahrscheinlichkeit, dass der Stuhl montags produziert wurde.

Merkmal	Mo	Di–Fr	Summe
ohne Mängel	180	768	948
mit Mängel	20	32	52
Summe	200	800	1000

Teste dich!

⊕ **Kopiervorlage**
Check-out
2n79pi

○ **5** Erläutere an der Vierfeldertafel aus Fig. 1 den Unterschied zwischen $P(A \cap B)$, $P(B \cap A)$, $P_A(B)$ und $P_B(A)$. A könnte z. B. für „Angst" und B für „Bauchweh" stehen.

	A	$\overline{A}$	
B	45%	12%	57%
$\overline{B}$	15%	28%	43%
	60%	40%	100%

Fig. 1

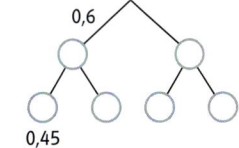
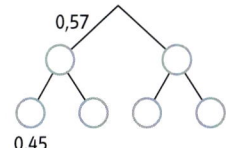

Fig. 2

○ **6** Lina hat zur Vierfeldertafel (Fig. 1 in Aufgabe 5) zwei Baumdiagramme (Fig. 2) skizziert.
  a) Übertrage sie ins Heft und ergänze die fehlenden Einträge.
  b) Gib an, wo man $P(A \cap B)$, $P(B \cap A)$, $P_A(B)$ und $P_B(A)$ findet und erläutere deine Angabe.

Vertiefen und Anwenden

● **7 Medizinische Tests grafisch deuten**
Manchmal nutzt man Grafiken, um die Bedeutung medizinischer Testergebnisse zu veranschaulichen. Die Darstellung zeigt für einen Test mit Sensitivität 80% und Spezifität 98%:
„Wenn unter den Getesteten nur wenige (5 von 10000) Personen tatsächlich infiziert sind, dann sind positive Testresultate unzuverlässig, weil sie nur in 2% aller Fälle richtig liegen. Wenn sehr viele (1000 von 10000) Personen infiziert sind, sind positive Testergebnisse zuverlässig, weil sie in 81,6% aller Fälle richtig liegen."
  a) Kontrolliere die Aussagen durch eine Vierfeldertafel und ein beschriftetes Baumdiagramm.
  b) Erläutere, wie man die Aussagen auch ohne Rechnung durch Abzählen von Punkten erhält.

Sensitivität:
$P_{\text{infiziert}}(+) = 0{,}8$

Spezifität:
$P_{\text{nicht infiziert}}(-) = 0{,}98$

 Methode
Unbekannte Wörter verstehen
2n79pi

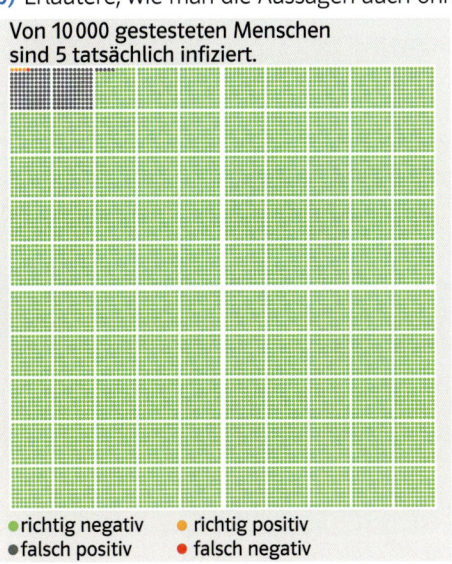
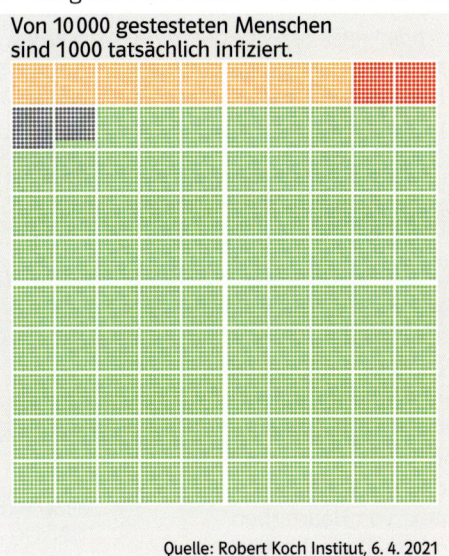

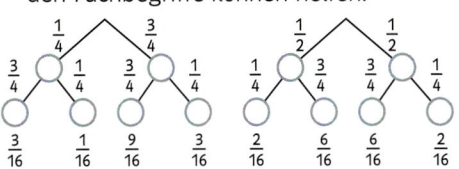
● richtig negativ ● richtig positiv
● falsch positiv ● falsch negativ

Quelle: Robert Koch Institut, 6. 4. 2021

● **8** a) Ordne die Baumdiagramme den Vierfeldertafeln zu.
  b) Ergänze im Heft die Randzellen der Tafeln durch die passenden Zahlen und die Knoten der Baumdiagramme durch die passenden Ereignisse.
  c) Formuliere begründete Aussagen zur stochastischen Unabhängigkeit. Die nebenstehenden Fachbegriffe können helfen.

	B	$\overline{B}$	
A	$\frac{3}{16}$	$\frac{1}{16}$	
$\overline{A}$	$\frac{9}{16}$	$\frac{3}{16}$	

	B	$\overline{B}$	
A	$\frac{2}{16}$	$\frac{6}{16}$	
$\overline{A}$	$\frac{6}{16}$	$\frac{2}{16}$	

Wortliste
• Anteile
• Ereignisse
• Dividieren
• Pfadwahrscheinlichkeiten
• gleich
• verschieden
• abhängig
• unabhängig

Wiederholen – Vertiefen – Vernetzen

9 Die Vierfeldertafel gehört zu einem medizinischen Test. Lies die Wahrscheinlichkeit dafür ab, dass
   a) eine Patientin oder ein Patient mit positivem Testergebnis tatsächlich krank ist.
   b) der Test bei einem Kranken tatsächlich anschlägt (positiv ist).
   c) Prüfe die Gültigkeit der Ungleichungen $P_+(K) > P(K)$ bzw. $P_-(K) < P(K)$ und erläutere die Bedeutung dieser Ungleichung im Sachzusammenhang.

Merkmal	K: krank	G: gesund	Summe
Test +	0,15	0,1	0,25
Test –	0,05	0,7	0,75
Summe	0,2	0,8	1

\+ bedeutet: der Test schlägt an
– bedeutet: negatives Testergebnis

10 Nina wirft eine Münze. Bei Kopf würfelt sie mit einem Quader, bei Zahl mit einem Würfel. Sie verrät das Ergebnis des Münzwurfs nicht, nennt aber als Ergebnis des Würfelns die Zahl 3, die beim Quader wegen der großen Fläche doppelt so wahrscheinlich auftritt wie beim Würfel.

Merkmal	Würfel	Quader	Summe
Drei	$\frac{1}{12}$	$\frac{1}{6}$	$\frac{1}{4}$
keine Drei	$\frac{5}{12}$	$\frac{1}{3}$	$\frac{3}{4}$
Summe	$\frac{1}{2}$	$\frac{1}{2}$	1

   a) Begründe, dass die Situation durch die Vierfeldertafel beschrieben wird.
   b) Bestimme die Wahrscheinlichkeit dafür, dass Nina mit einem Quader gewürfelt hat.

11 Johanna ist der Meinung, dass die Grafiken nicht zu den Zahlen passen und dass hier manipuliert wurde. Nimm Stellung. Die Leitfragen von Seite 177 können helfen.

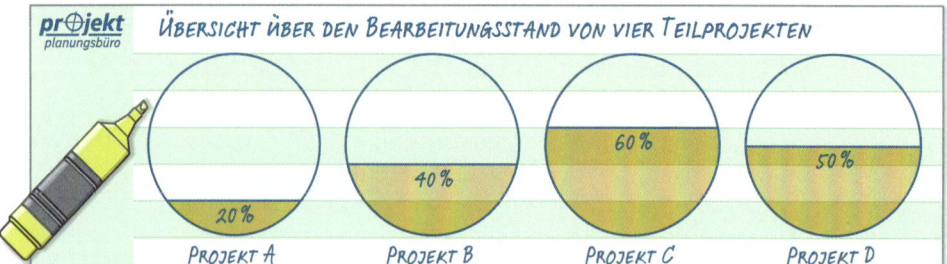

12 a) Erstelle eine Vierfeldertafel zu der im Baumdiagramm dargestellten Situation.
   b) Erstelle ein Baumdiagramm, in dem C und D auf der ersten Stufe stehen.
   c) Bestimme die bedingten Wahrscheinlichkeiten $P_A(C)$ und $P_C(A)$. Formuliere eine Aussage im Kontext von Haarfarben.
   d) Untersuche A und D auf stochastische Unabhängigkeit.

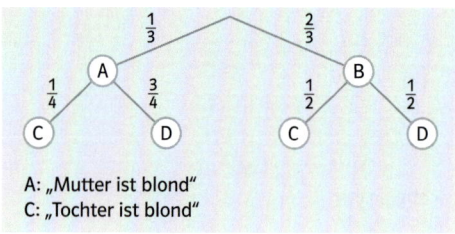

A: „Mutter ist blond"
C: „Tochter ist blond"

13 Ein Kontrolleur nimmt an, dass von allen Fahrgästen der städtischen Verkehrsbetriebe etwa 2 % der Personen ohne Fahrschein unterwegs sind, davon sind 75 % männlich. Insgesamt sind 55 % der Fahrgäste männlich. Ein Fahrgast wird überprüft.
   a) Stelle den Zusammenhang durch eine Vierfeldertafel dar.
   b) Bestimme die Wahrscheinlichkeit dafür, dass bei einer Überprüfung eine weibliche Person mit Fahrschein angetroffen wird.
   c) Bestimme die Wahrscheinlichkeit dafür, dass man auf eine männliche Person mit Fahrschein trifft.

14 Ein roter und ein blauer Würfel werden geworfen.
Das Ereignis A tritt auf, wenn die Augensumme 7 ist, B tritt auf, wenn die Augenzahlen sich um 3 unterscheiden.
a) Notiere jeweils alle Augenzahlenpaare, die zu den Ereignissen gehören.
b) Überprüfe, ob die Ereignisse A und B stochastisch unabhängig sind.

15 Ein idealer Würfel wird geworfen. Prüfe, ob die Ereignisse A und B stochastisch unabhängig sind.
a) A: „Die Augenzahl ist gerade", B: „Die Augenzahl ist höchstens 4"
b) A: „Die Augenzahl ist gerade", B: „Die Augenzahl ist kleiner als 4"
c) A: „Die Augenzahl ist eine Primzahl", B: „Die Augenzahl ist mindestens 3"

16 a) Stelle die Information aus dem rechten Artikel in einer Vierfeldertafel dar.
b) Zeige, dass man dieser Vierfeldertafel auch die linksstehenden Informationen entnehmen kann.
c) Untersuche, ob durch die Artikel versteckte Botschaften übermittelt werden.

> 37 % der jungen Erwachsenen, die ihre Schulzeit beendet haben, erreichen die allgemeine Hochschulreife. Bei 53 % dieser Jugendlichen hatte auch mindestens ein Elternteil Abitur. Unter den übrigen Jugendlichen hatten 9 % mindestens ein Elternteil mit Abitur.

> 77 % der Kinder, bei denen mindestens ein Elternteil die allgemeine Hochschulreife erreicht hat, schaffen selbst das Abitur. 77 % der Kinder, bei denen keines der Elternteile die allgemeine Hochschulreife besitzt, erwarben das Abitur ebenfalls nicht. Die Abiturientenquote der Elterngeneration betrug 25 %.

Vertiefen und Anwenden

17 Versicherungsvertreter: „Von 2018 auf 2019 haben sich die Einbruchszahlen in Ihrem Wohnviertel verdoppelt. Ich würde Ihnen daher empfehlen, eine Hausratversicherung abzuschließen." Herr Klein erkundigt sich sicherheitshalber: „Ja, 2018 wurden zwei, 2019 vier Einbrüche gemeldet". Erläutere den Grund für Herrn Kleins Überraschung und prüfe, ob hier manipuliert wurde.

18 Die beiden Tabellen entstammen zwei verschiedenen Untersuchungen zur Wirksamkeit des gleichen Impfstoffs.

Merkmal	erkrankt	nicht erkrankt
geimpft	10 %	60 %
nicht geimpft	20 %	10 %

Merkmal	erkrankt	nicht erkrankt
geimpft	995	6021
nicht geimpft	2040	989

a) Schätze mit jeder der beiden Vierfeldertafeln, wie sich das Risiko einer Erkrankung durch Impfen verändert und begründe, warum man ähnliche Ergebnisse erhält.
b) Franziska hält die zweite Tabelle für aussagekräftiger als die erste, obwohl die erste Tabelle viel übersichtlicher ist als die zweite. Erläutere, warum Franziska recht hat.
Tipp: Erfinde mehrere Vierfeldertafeln mit absoluten Häufigkeiten, die zur ersten Tabelle passen.

19 a) Bei einem Zufallsexperiment gibt es nur die Ausgänge Treffer (T) und Niete (N). Im Speicher eines Rechners ist die Trefferwahrscheinlichkeit p abgespeichert. Es kommen nur p = 0,3 oder p = 0,7 infrage. Der Rechner liefert bei vier Wiederholungen des Experiments TNTT. Bestimme die Wahrscheinlichkeit, dass im Speicher 0,7 (und nicht 0,3) steht.
b) Erläutere, welche Annahme du bei deiner Rechnung gemacht hast.

Rückblick

Manipulationen in statistischen Grafiken
Bei der Untersuchung statistischer Grafiken auf mögliche Manipulationen helfen folgende Leitfragen:
- Welche Interessen könnte der Auftraggeber der Grafik verfolgen?
- Sind die Achsen gleichmäßig skaliert?
- Sind die Nullpunkte sichtbar?
- Entsprechen die Daten den abgebildeten Längen, den Flächeninhalten oder den Volumina?
- Wird die räumliche Perspektive ausgenutzt?
- Wird neben relativen Häufigkeiten auch der Stichprobenumfang angegeben?
- Aus welcher Quelle stammen die Daten?

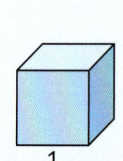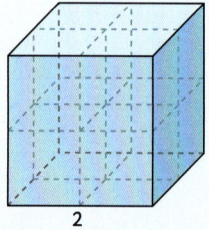

Durch Verdoppelung der Kantenlänge eines Würfels wird eine Verachtfachung des Volumens dargestellt.

Ereignisse
Wenn A ein Ereignis bezeichnet, bezeichnet $\overline{A}$ das zugehörige Gegenereignis. Es gilt $P(A) + P(\overline{A}) = 1$.
$A \cap B$ bezeichnet das Ereignis „sowohl A als auch B".

1. Merkmal: Haarfarbe
A: „rot", $P(A) = 60\,\%$
$\overline{A}$: „nicht rot", $P(\overline{A}) = 40\,\%$

2. Merkmal: Brillenträger
B: „Brille", $P(B) = 15\,\%$
$\overline{B}$: „keine Brille, $P(\overline{B}) = 85\,\%$

Vierfeldertafel
Wenn man bei einer Datenerhebung zwei Merkmale gleichzeitig untersucht, kann man die absoluten und die relativen **Häufigkeiten** und auch die **Wahrscheinlichkeiten** der Ereignisse $(A \cap B), \ldots, (\overline{A} \cap \overline{B})$ in einer Vierfeldertafel darstellen.
Die Summen in den Randzellen gehören zu den Ereignissen $A, \overline{A}, B, \overline{B}$.

Merkmal	A	$\overline{A}$	Summe
B	10%	5%	15%
$\overline{B}$	50%	35%	85%
Summe	60%	40%	100%

$$P_A(B) = \frac{P(A \cap B)}{P(A)} = \frac{10\,\%}{60\,\%} = \frac{0{,}1}{0{,}6} = \frac{1}{6}$$

Bedingte Wahrscheinlichkeiten
Die Wahrscheinlichkeit für B unter der Bedingung, dass A aufgetreten ist, heißt bedingte Wahrscheinlichkeit.
Es gilt $P_A(B) = \frac{P(A \cap B)}{P(A)}$.

Baumdiagramme
- Zu jeder Vierfeldertafel gehören zwei Baumdiagramme. Entweder stehen A und $\overline{A}$ auf der ersten Stufe oder B und $\overline{B}$.
- An den Pfaden der zweiten Stufe stehen die zugehörigen bedingten Wahrscheinlichkeiten.
- Die Wahrscheinlichkeiten der Pfade sind die Einträge der Felder in der Vierfeldertafel. Es gilt z. B.
  im ersten Baumdiagramm $P(A \cap B) = P(A) \cdot P_A(B)$,
  im zweiten Baumdiagramm $P(A \cap B) = P(B) \cdot P_B(A)$.

zugehörige Baumdiagramme

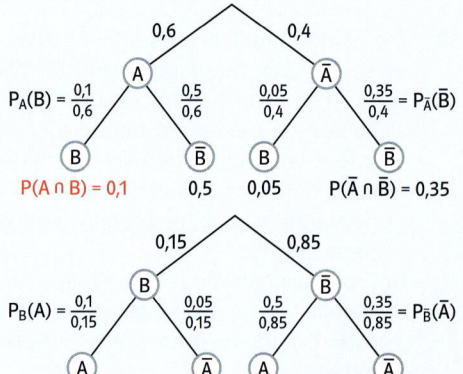

Stochastische Unabhängigkeit
Die Ereignisse A und B heißen stochastisch unabhängig, wenn $P_A(B) = P(B)$ oder $P_B(A) = P(A)$ gilt.
Das ist genau dann der Fall, wenn $P(A \cap B) = P(A) \cdot P(B)$ gilt.

A und B sind nicht stochastisch unabhängig (also stochastisch abhängig), denn

$$P_A(B) = \frac{P(A \cap B)}{P(A)} = \frac{0{,}1}{0{,}6} = \frac{1}{6} \neq P(B) = 0{,}15$$
oder
$P(A \cap B) = 0{,}1 \neq P(A) \cdot P(B) = 0{,}09$.

Test

VI Daten und Wahrscheinlichkeit

Runde 1

→ **Lösungen**, Seite 266

1 a) Miss die Grafiken aus und entscheide, ob die Höhe, die Fläche oder das Volumen des Tropfens zur Veranschaulichung der relativen Häufigkeit der Blutgruppe genutzt wurde.
b) Begründe, dass es sich nicht um eine sachgerechte Darstellung handelt.

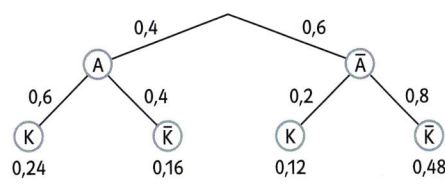
Blutgruppen nach ihrer Häufigkeit
AB 5% B 11% 0 41% A 43%

2 Ein Campingplatz beherbergt 120 weibliche und 222 männliche Gäste. 240 Gäste essen im Restaurant, die anderen sind Selbstversorger. Von den weiblichen Gästen sind 30 Selbstversorger. Erstelle eine Vierfeldertafel zum dargestellten Sachzusammenhang.

3 a) Übersetze das nebenstehende Baumdiagramm in eine Vierfeldertafel.
b) Konstruiere ein zweites Baumdiagramm, das zur Vierfeldertafel passt.
c) Denke dir einen Kontext aus, zu dem die Baumdiagramme passen könnten.

Baumdiagramm: A (0,4) – K (0,6) 0,24 / $\overline{K}$ (0,4) 0,16; $\overline{A}$ (0,6) – K (0,2) 0,12 / $\overline{K}$ (0,8) 0,48

4 Die Ereignisse A und B sind unabhängig voneinander. Begründe, dass dann für die in der Vierfeldertafel eingetragenen Wahrscheinlichkeiten gilt: $a \cdot d = b \cdot c$.

Merkmal	B	$\overline{B}$	Summe
A	a	c	
$\overline{A}$	b	d	
Summe			1

Runde 2

→ **Lösungen**, Seite 266

1 Stelle die Entwicklung des Energieverbrauchs (siehe Tabelle) in einem Diagramm dar.
a) sachgerecht
b) So, dass der Eindruck eines dramatischen Rückgangs erzeugt wird

Jahr	Verbrauch
2010	40 000 kWh
2011	39 900 kWh
2019	39 000 kWh

2 Zwei Behälter, die sich von außen nicht unterscheiden, enthalten jeweils 10 Kugeln. In Behälter A sind 4 blaue und 6 grüne Kugeln, in Behälter B sind 7 blaue und 3 grüne Kugeln. Einer der Behälter wird zufällig ausgewählt und eine Kugel wird gezogen. Sie ist blau. Bestimme die Wahrscheinlichkeit, dass die Kugel aus Behälter B genommen wurde.

3 Ein idealer Würfel wird zweimal geworfen. Untersuche, welche zwei der folgenden Ereignisse voneinander stochastisch unabhängig sind.
A: „Im 2. Wurf eine 4" B: „Zwei gleiche Zahlen" C: „Summe kleiner als 5"

4 Bei einer Kunstausstellung kann man einen Audioguide leihen und einen Katalog der Ausstellung erwerben. Die Vierfeldertafel zeigt die entsprechenden Wahrscheinlichkeiten für einen zufällig ausgewählten Besucher. Die Ereignisse A und K sind stochastisch unabhängig.
A: „Besucher leiht einen Audioguide."
K: „Besucher kauft einen Katalog."
a) Vervollständige die Vierfeldertafel.
b) Erstelle ein zur Vierfeldertafel passendes Baumdiagramm.

Merkmal	K	$\overline{K}$	Summe
A	0,45		
$\overline{A}$			
Summe	0,6	0,4	1

Exkursion

Bedingte Wahrscheinlichkeiten – Lernen aus Erfahrung

Lernen aus Erfahrung

Menschen lernen dadurch, dass sie verschiedene Annahmen („Hypothesen") über einen Sachverhalt mit Beobachtungen und Erfahrungen („Indizien") abgleichen. Diejenigen Hypothesen, die am besten zu den beobachteten Indizien passen, werden immer wahrscheinlicher, bis wir sie schließlich für sicher halten. Bedingte Wahrscheinlichkeiten helfen, diesen Erkenntnisprozess zu verstehen. Die Idee, die dahinter steckt, wird hier mit einem Experiment erforscht.

Ein Experiment

Ein Versuchsleiter füllt drei äußerlich gleich aussehende Beutel mit je vier Kugeln wie in Fig. 1. Max wählt einen der Beutel aus. Welchen Beutel hat Max erwischt, Beutel A mit einer roten Kugel, B mit zwei oder C mit drei roten Kugeln? Da er zufällig gewählt hat, sind alle drei Beutel für Max gleich wahrscheinlich. Man schreibt $P(A) = \frac{1}{3}$, $P(B) = \frac{1}{3}$, $P(C) = \frac{1}{3}$ und spricht von der a-priori-Wahrscheinlichkeitsverteilung (in den Tabellen gelb). Natürlich würde Max am liebsten nachschauen. Er darf in diesem Experiment aus dem gewählten Beutel aber nur eine Kugel ziehen, die Farbe (als Indiz I) notieren und muss anschließend die Kugel zurücklegen.

Aus demselben Beutel zieht er nun so lange immer nur eine Kugel, bis hinreichend sicher ist, wie der gewählte Beutel gefüllt ist. Nach jedem Zug hat Max in Fig. 2 notiert, mit welcher Wahrscheinlichkeit er intuitiv davon ausgeht, dass aus Beutel A, B oder C gezogen wird.

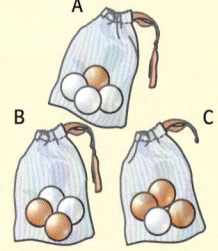

Fig. 1

a-priori
= vor dem Experiment
a-posteriori
= nach dem Experiment

Diese Wahrscheinlichkeiten nennt man a-posteriori- („im Nachhinein") Wahrscheinlichkeiten, weil sie nach Vorliegen von Informationen (Indizien) bestimmt wurden. In Fig. 2 sind sie blau unterlegt.

Welchen Beutel hat Max erwischt? Schätzung der Wahrscheinlichkeiten

Nr.	Indiz	A	B	C
0		33,3%	33,3%	33,3%
1	r	10%	40%	50%
2	w	20%	60%	20%
3	w	10%	40%	30%
4	r	20%	60%	20%
5	r	15%	50%	35%
6	r	10%	40%	50%
7	r	5%	35%	60%
8	w	3%	27%	70%
9	r	1%	19%	80%
10	r	1%	9%	90%

Fig. 2

Durch dreibeutel.xlsx berechnete Wahrscheinlichkeiten der Beutel

Nr.	Indiz	A	B	C
0		33,3%	33,3%	33,3%
1	r	17%	33%	50%
2	w	30%	40%	30%
3	w	45%	40%	15%
4	r	26%	47%	26%
5	r	13%	47%	40%
6	r	6%	42%	53%
7	r	2%	34%	64%
8	w	5%	49%	46%
9	r	2%	40%	57%
10	r	1%	32%	68%

Fig. 3

1 a) Erläutere, was sich Max bei seiner Schätzung (Fig. 2) vermutlich gedacht hat.
b) In Fig. 3 wurden die von Max geschätzten Wahrscheinlichkeiten berechnet. Vergleiche die Schätzung mit der Berechnung. Fasse Ähnlichkeiten und Unterschiede in Worte.
c) Kontrolliere mithilfe bedingter Wahrscheinlichkeiten, dass Zeile 1 von Fig. 3 richtig berechnet wurde.
d) Beschreibe, wie sich Zeile 2 von Fig. 3 mit bedingten Wahrscheinlichkeiten berechnen lässt.
e) Erkunde die Funktionsweise des Kalkulationsblattes dreibeutel.xlsx und reproduziere durch entsprechende Eingabe die Tabelle aus Fig. 3.
f) Gib an, nach wie vielen Ziehungen man sich zu 99% sicher wäre, dass Max aus Beutel A zieht, wenn stets „weiß" gezogen würde.

Berechnung und Visualisierung der Wahrscheinlichkeiten von Fig. 3 befinden sich im Kalkulationsblatt.

 **Interaktives Forschen**
dreibeutel.xlsx
2n79pi

VI Daten und Wahrscheinlichkeit

2 Das Experiment modifizieren
a) Bestimmt in eurer Lerngruppe eine Versuchsleitung und jemanden, der die Rolle von Max übernimmt *Es soll statt einem nun aber zwei Beutel mit der Füllung A geben*. Max wählt einen der vier äußerlich gleich aussehenden Beutel und gibt Schritt für Schritt die von ihm gezogene Farbe bekannt. Jeder schätzt in seinem Heft (einige auf Plakat) nach jedem Schritt die a-posteriori-Wahrscheinlichkeiten, mit denen er die drei möglichen Füllungen A, B, C vermutet. Die Versuchsleitung gibt währenddessen die gezogenen Farben – versteckt – in das Kalkulationsblatt vierbeutel.xlsx ein.
b) Vergleicht unter Nutzung der Plakate eure intuitiven Schätzungen.
c) Die Versuchsleitung gibt die Ergebnisse der Kalkulationstabelle bekannt. Vergleicht sie mit euren intuitiven Schätzungen.

Natürlich ist es möglich, statt – wie hier vorgeschlagen – mit vier auch mit den drei Beuteln aus Fig. 1, S. 200, zu experimentieren.

Interaktives Forschen
vierbeutel.xlsx
2n79pi

Zum Weiterforschen

Info

Die Regel von Bayes
(1) Im Alltag schenkt man verschiedenen Hypothesen A, B, C gleiches, manchmal auch unterschiedlich großes Vertrauen.
Man ordnet ihnen subjektive **a-priori**-Wahrscheinlichkeiten $P(A)$, $P(B)$, $P(C)$ zu.
(2) Wenn ein Indiz I unter diesen Hypothesen mit unterschiedlichen Wahrscheinlichkeiten $P_A(I)$, $P_B(I)$, $P_C(I)$ auftreten würde, erwartet man das Indiz (a-priori) insgesamt mit der **totalen** Wahrscheinlichkeit $P(I) = P(A) \cdot P_A(I) + P(B) \cdot P_B(I) + P(C) \cdot P_C(I)$.
(3) Wenn man dann I tatsächlich beobachtet, vergleicht man die Wahrscheinlichkeiten, mit denen das Indiz von den fraglichen Alternativen stammen könnte. Die a-priori-Wahrscheinlichkeiten ändern sich dadurch zu den **a-posteriori**-Wahrscheinlichkeiten.

$$P_I(A) = \frac{P(A) \cdot P_A(I)}{P(I)}, \quad P_I(B) = \frac{P(B) \cdot P_B(I)}{P(I)}, \quad P_I(C) = \frac{P(C) \cdot P_C(I)}{P(I)} \quad \text{(Regel von Bayes)}$$

Diese Formel, die die Veränderung von a-priori- zu a-posterior-Wahrscheinlichkeiten beschreibt, wurde nach ihrem Entdecker Thomas Bayes (1701–1761) benannt.

3 Begründung am Beispiel
In Zeile 5 von Fig. 3 (Seite 200) ordnet Max den drei Hypothesen A, B, C über den Inhalt des von ihm verwendeten Beutels die Wahrscheinlichkeiten 13 % bzw. 47 % bzw. 40 % zu. Das Indiz „r" tritt mit Wahrscheinlichkeit $P_A(r) = \frac{1}{4}$ bzw. $P_B(r) = \frac{1}{2}$ bzw. $P_C(r) = \frac{3}{4}$ auf.
a) Gib an, mit welcher Wahrscheinlichkeit Max das Indiz „r" erwartet.
b) Berechne $P_r(A)$, $P_r(B)$ und $P_r(C)$.
c) Vergleiche deine Berechnungen mit Zeile 6 in Fig. 3 und den Werten, die die Regel von Bayes liefert.
d) Berechne aus den Wahrscheinlichkeiten der 6. Zeile diejenigen der 7. Zeile (Fig. 3).

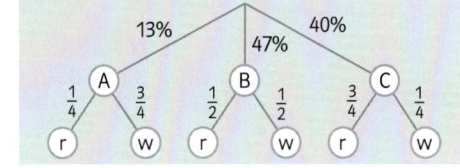

4 Begründung allgemein
Zeige durch geeignete Rechnungen anhand der Einträge in der Sechsfeldertafel, dass die Regel von Bayes (Infokasten) stimmen muss.

	A	B	C	
I	$P(A) \cdot P_A(I)$	$P(B) \cdot P_B(I)$	$P(C) \cdot P_C(I)$	$P(I)$
$\bar{I}$	$P(A) \cdot P_A(\bar{I})$	$P(B) \cdot P_B(\bar{I})$	$P(C) \cdot P_C(\bar{I})$	$P(\bar{I})$
	$P(A)$	$P(B)$	$P(C)$	1

Interaktives Forschen
lego.xlsx
2n79pi

5 👥 Eine Person würfelt versteckt mit einem Würfel, einem Lego-Achter oder -Vierer und nennt die Augenzahlen.
a) Findet mithilfe von lego.xlsx heraus, welcher Würfeltyp benutzt wird.
b) Erläutert anhand eines Kontroll-Rechenschrittes, wie das Programm arbeitet.

	1	2	3	4	5	6
Würfel	$\frac{1}{6}$	$\frac{1}{6}$	$\frac{1}{6}$	$\frac{1}{6}$	$\frac{1}{6}$	$\frac{1}{6}$
„Vierer"	7,5 %	7,5 %	43 %	27 %	7,5 %	7,5 %
„Achter"	11 %	1,5 %	45 %	30 %	1,5 %	11 %

Exkursion EXTRA

Nachgehakt und neu durchdacht

Auf den folgenden Kärtchen findest du Denkanstöße zu zentralen Themen der zurückliegenden Jahrgangsstufe. Hiermit kannst du auf Gelerntes zurückschauen sowie übergreifende Zusammenhänge entdecken und sichern. Du kannst über die Anstöße beispielsweise zuerst alleine nachdenken und anschließend diskutiert ihr dazu in kleinen Gruppen miteinander. Eure Erklärungen könnt ihr auch im Plenum über Vorträge und Diskussionen oder schön gestaltete Plakate miteinander vergleichen und gegebenenfalls ergänzen. Auch ein Erklärwettbewerb mit einer Jury kann spannend sein.
Natürlich darfst du beim Argumentieren und Erklären alle Regeln und Beispiele aus diesem Buch nutzen. Durch Nachschlagen im Inhaltsverzeichnis oder im Register kann man herausfinden, wo sich passende Regeln finden könnten.

Wahrscheinlichkeit

① Niclas & Tina

Niclas: Längen kann man mit dem Zollstock messen, Gewichte mit der Waage, Zeiten mit der Uhr. Nur Wahrscheinlichkeiten kann man nicht messen. Die muss man berechnen. Daher kommt der Name Wahrscheinlichkeitsrechnung.
Tina: Wahrscheinlichkeiten kann man oft gar nicht berechnen. Man kann nur Schätzwerte für Wahrscheinlichkeiten bestimmen.

Nimm Stellung zu dem Dialog. Finde Beispiele, die Niclas Position begründen und andere für Tinas Position.

Funktionen – Geraden – Parabeln

② Maike

In der unten stehenden Abbildung wurde eine Fahrt im Thalys zwischen Lüttich und Aachen protokolliert.

Das ist keine Funktion! Es gibt weder eine Wertetabelle noch einen Term und zu viele Zacken.

Erläutert, wie ihr die Achsen beschriften würdet, und nehmt Stellung zu Maikes Aussage.

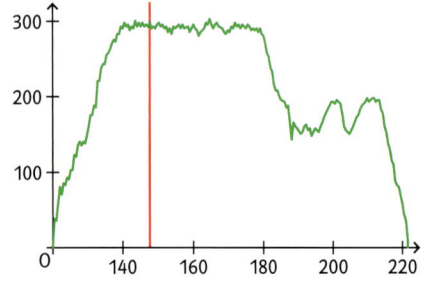

③ Nico & Sina

Nico: Parabeln kann man gut strecken und verschieben, denk mal an $f(x) = x^2$, $g(x) = 2 \cdot f(x) = 2x^2$, $h(x) = f(x) + 3 = x^2 + 3$ und $i(x) = f(x + 4) = (x + 4)^2$.
Sina: Das geht nur für Parabeln. Bei Geraden haben wir das nie gemacht.

Erläutere, was Nico meint und untersuche Sinas Aussage.

④ Thorsten & Thomas, Heike & Sandro

Thorsten: $f(x) = \frac{1}{2}(x - 1) + 2$ ist die Gleichung einer Geraden durch $P(1|2)$ mit Steigung $\frac{1}{2}$.
Thomas: Dann müsste $g(x) = \frac{1}{2}(x - 1)^2 + 2$ die Gleichung einer Parabel durch $P(1|2)$ mit Steigung $\frac{1}{2}$ sein.
Heike: Das ist leider falsch. Parabeln haben keine Steigung.
Sandro: Heike hat recht, Thomas aber auch. Nur bei Parabeln heißt die Steigung Streckfaktor.

Erläutere an anderen Beispielen, was die Vier meinen könnten, und nimm Stellung.

⑤ Nikita

Wenn ich den Graphen von $f(x) = \frac{1}{4}x^2 - x + 1$ plotte, erhalte ich eine Parabel durch $P(0|1)$. Aber wenn ich den Graphen ganz nah an $P(0|1)$ heranzoome, sieht er aus wie die Gerade g mit $g(x) = -x + 1$. Wenn ich ganz weit herauszoome, ähnelt er einer Ursprungsparabel mit $h(x) = \frac{1}{4}x^2$.

Überprüfe Nikitas Aussage und suche nach einer Begründung. Untersuche auch andere Parabeln.

Wurzeln – irrationale Zahlen

6 Simon, Hyssein, Heiko & Tina

Simon: $\sqrt{5}$ liegt zwischen 2 und 3, $\sqrt{11}$ zwischen 3 und 4, also liegt $\sqrt{55}$ zwischen 6 und 12.
Hyssein: Du hast recht, $\sqrt{55}$ liegt sogar zwischen 7 und 8. Aber ich weiß nicht mehr, wie man nachrechnet, dass $\sqrt{55}$ ganz genau das Gleiche ist wie $\sqrt{5} \cdot \sqrt{11}$.
Heiko: Nimm doch den Taschenrechner!
$\sqrt{5} = 2{,}23606797749979$, $\sqrt{11} = 3{,}31662479035540$
Wenn du das multiplizierst, kommt $7{,}41619848709566$ heraus – und das ist $\sqrt{55}$.
Tina: Mit dem Taschenrechner geht das nicht! Aber quadriere doch einfach $\sqrt{5} \cdot \sqrt{11}$ im Kopf!

Erläutere die Gedanken der drei Jungen – und wie Tina argumentieren könnte.

Gleichungen und Funktionen

7 Gina

Es gibt quadratische Gleichungen, die man nicht mit der pq-Formel lösen kann: Bei $x^2 - 2 = 0$ fehlt das p, bei $x^2 - 2x = 0$ fehlt das q.

Nimm Stellung zu Ginas Aussage und versuche, eine Erklärung zu finden, die Gina versteht.

8 Lisha

Suche durch Nachdenken eine Formel für die Länge von Lakritzschnecken. Überprüfe die Formel anschließend experimentell und verbessere sie, falls nötig.

Tipp: ihr könnt beim Experimentieren die einzelnen Lagen der Schnecke durch einen radialen Schnitt abtrennen und eure Schnecke auch durch Einsatz aufgerollter Hilfsschnecken verlängern.

9 Sahim, Max und Sina

Max: Wenn man mit konstanter Geschwindigkeit 10 m/s fährt, lässt sich das durch die Funktion v mit $v(t) = 10$ (in m/s) beschreiben. Der bis zum Zeitpunkt $t = 10$ s zurückgelegte Weg $s = 10t$ (in m) ist dann die Fläche unter der Geschwindigkeit bis zum Zeitpunkt t.

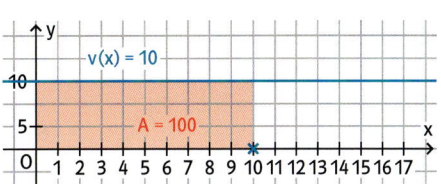

Übertrage die Grafik in dein Heft, beschrifte die Achsen geeignet. Erkläre einer anderen Person (anhand von Zahlenbeispielen), was Max meint.

Sina: Wenn man bei 20 m/s so bremst, dass die Geschwindigkeit je Sekunde um 2 m/s linear abnimmt, gilt $v(t) = 20 - 2t$.

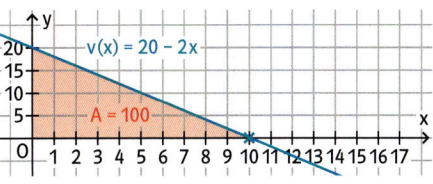

Man steht dann nach 10 s und der Bremsweg wäre nach der Idee von Max 100 m. Erläutere, wie Sina argumentieren könnte.

Sahim: Wenn man den Schnittpunkt mit der y-Achse verschiebt, sieht man: Der Bremsweg ist bei doppelter Geschwindigkeit viermal so groß und wir haben eine quadratische Abhängigkeit.

Erläutere die Idee von Sahim.

Grundwissen

Brüche und Dezimalzahlen

Bruch, Dezimalzahl, Prozent (Aufgabe 1)

Ein Anteil kann durch einen Bruch, eine Dezimalzahl oder in Prozent angegeben werden.
Der gefärbte Anteil in dem Bild beträgt daher $\frac{4}{10}$ oder 0,4 oder 40 %.

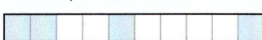

Brüche in der Prozentschreibweise angeben
(Aufgaben 2 bis 5)

Um einen Bruch in der Prozentschreibweise anzugeben, erweitert oder kürzt man ihn so, dass im Nenner 100 steht.

$\frac{24}{200} = \frac{24:2}{200:2} = \frac{12}{100} = 12\%$ ($\frac{24}{200}$ wird mit 2 gekürzt.)

$\frac{5}{8} = \frac{5 \cdot 12,5}{8 \cdot 12,5} = \frac{62,5}{100} = 62,5\%$

($\frac{5}{8}$ wird mit 12,5 erweitert.)

$\frac{9}{15} = \frac{9:3}{15:3} = \frac{3}{5} = \frac{3 \cdot 20}{5 \cdot 20} = \frac{60}{100} = 60\%$

($\frac{9}{15}$ wird mit 3 gekürzt und mit 20 erweitert.)

Brüche als Dezimalzahlen schreiben
(Aufgabe 6)

Um einen Bruch in der Dezimalschreibweise anzugeben, erweitert oder kürzt man ihn so, dass im Nenner 10, 100, 1000, … steht, oder man teilt den Zähler durch den Nenner und notiert das Ergebnis als Dezimalzahl. Man erhält dann eine abbrechende oder eine periodische Dezimalzahl.

$\frac{13}{8} = \frac{13 \cdot 125}{8 \cdot 125} = \frac{1625}{1000} = 1{,}625$; $\frac{7}{11} = 7 : 11 = 0{,}\overline{63}$

Dezimalzahlen als Brüche schreiben
(Aufgaben 7 und 8)

Um eine Dezimalzahl als Bruch zu schreiben, kann man eine Stellenwerttafel verwenden. Die erste Stelle nach dem Komma gibt die Zehntel, die zweite Stelle die Hundertstel, die dritte Stelle die Tausendstel usw. an.

	Zehner Z	Einer E	,	Zehntel z	Hundertstel h	
0,64		0	,	6	4	$\frac{64}{100}$
25,08	2	5	,	0	8	$25\frac{8}{100}$

$0{,}64 = \frac{64}{100} = \frac{16}{25}$; $25{,}08 = \frac{2508}{100} = 25\frac{8}{100} = 25\frac{2}{25}$

Teste dein Grundwissen!  **Lösungen**, Seite 267

1 Zeichne ein Bild zu dem angegebenen Bruch.
  a) $\frac{3}{5}$ b) $\frac{5}{12}$ c) $\frac{3}{8}$ d) $\frac{7}{11}$

2 Erweitere den Bruch so, dass im Nenner 100 steht, und gib ihn in Prozent an.
  a) $\frac{9}{20}$ b) $\frac{1}{4}$ c) $\frac{3}{8}$ d) $\frac{4}{5}$

3 Gib den Anteil durch Kürzen in der Prozentschreibweise an.
  a) $\frac{36}{200}$ b) $\frac{33}{110}$ c) $\frac{270}{450}$ d) $\frac{164}{820}$

4 Gib den Anteil durch Kürzen und Erweitern in Prozentschreibweise an.
  a) $\frac{12}{15}$ b) $\frac{21}{35}$ c) $\frac{36}{90}$ d) $\frac{56}{64}$

5 Levin möchte den Bruch $\frac{7}{15}$ durch Kürzen und Erweitern in Prozent schreiben: „Auf den genauen Wert komme ich nicht. Vergleiche ich Zähler und Nenner, müssten aber etwas weniger als 50 % rauskommen."
  a) Erläutere Levins Schwierigkeit und begründe seinen Schätzwert.
  b) Gib mit Levins Strategie für die Brüche $\frac{10}{18}$, $\frac{3}{16}$ und $\frac{3}{11}$ einen Näherungswert in Prozent an.

6 Schreibe als Dezimalzahl.
  a) $\frac{1}{4}$ b) $\frac{4}{5}$ c) $\frac{5}{8}$ d) $\frac{7}{12}$
  e) $\frac{3}{8}$ f) $\frac{3}{15}$ g) $\frac{15}{125}$ h) $\frac{5}{9}$

7 Erstelle eine Stellenwerttafel und trage folgende Zahlen entsprechend ein.
  a) 14,1   b) 213,02
  c) 1032,15   d) 304,0050

8 Schreibe als Bruch und kürze, wenn möglich.
  a) 0,9   b) 0,11   c) 0,375   d) 0,0025

Rechnen mit rationalen Zahlen

Zahlenbereiche (Aufgabe 1)

Natürliche Zahlen $\mathbb{N}$ $\{0; 1; 2; 3; \ldots\}$
Ganze Zahlen $\mathbb{Z}$ $\{\ldots -3; -2; -1; 0; 1; 2; 3; \ldots\}$
Die Zahlen, die man als Bruch oder abbrechende oder periodische Dezimalzahl darstellen kann, heißen rationale Zahlen ($\mathbb{Q}$).

Brüche addieren und subtrahieren (Aufgabe 2)

Man macht die Brüche gleichnamig, addiert bzw. subtrahiert die Zähler und behält den Nenner bei.

$$\frac{1}{6} + \frac{2}{9} = \frac{3}{18} + \frac{2}{18} = \frac{5}{18}$$

$$\frac{5}{8} - \frac{3}{12} = \frac{15}{24} - \frac{6}{24} = \frac{9}{24}$$

Brüche miteinander multiplizieren (Aufgaben 3 bis 5)

Man multipliziert Zähler und Nenner jeweils miteinander. Um mit möglichst kleinen Zahlen zu rechnen, kürzt man ggf. vorher.

$$\frac{2}{5} \cdot \frac{4}{3} = \frac{2 \cdot 4}{5 \cdot 3} = \frac{8}{15}$$

$$\frac{2}{9} \cdot \frac{5}{8} = \frac{\cancel{2} \cdot 5}{9 \cdot \cancel{8}_4} = \frac{1 \cdot 5}{9 \cdot 4} = \frac{5}{36}$$

Durch Brüche dividieren (Aufgaben 3 und 5)

Man dividiert durch einen Bruch, indem man mit seinem Kehrwert multipliziert.

$$\frac{5}{8} : \frac{7}{3} = \frac{5}{8} \cdot \frac{3}{7} = \frac{5 \cdot 3}{8 \cdot 7} = \frac{15}{56}$$

Dezimalzahlen miteinander multiplizieren (Aufgabe 6)

Man multipliziert die beiden Dezimalzahlen ohne Berücksichtigung des Kommas und setzt das Komma beim Ergebnis so, dass es genauso viele Nachkommastellen hat wie beide Faktoren zusammen. Für die Berechnung von $0{,}2 \cdot 0{,}5$ rechnet man z.B. $2 \cdot 5 = 10$. Da beide Faktoren zusammen zwei Nachkommastellen haben, gilt $0{,}2 \cdot 0{,}5 = 0{,}10 = 0{,}1$. Auch wenn die Null der 10 beim Endergebnis weggelassen werden kann, muss sie zur Bestimmung der Nachkommastellen berücksichtigt werden.

Durch Dezimalzahlen dividieren (Aufgabe 6)

Beim Dividieren kann man die Kommas der beiden Zahlen um gleich viele Stellen so verschieben, dass man durch eine natürliche Zahl dividieren kann. $8{,}76 : 0{,}4 = 87{,}6 : 4 = 21{,}9$.

Teste dein Grundwissen! → Lösungen, Seite 267

1 Gib zu jeder Zahl an, zu welchen Zahlenbereichen sie gehören (Mehrfachnennung möglich).
a) 4   b) −2   c) −3,3   d) $\frac{3}{4}$
e) $-\frac{8}{4}$ f) 0,012   g) 0,01212…   h) 37,5 %

2 Berechne und kürze das Ergebnis vollständig.
a) $\frac{2}{4} + \frac{1}{2}$ b) $\frac{5}{9} + \frac{2}{3}$ c) $\frac{3}{27} + \frac{5}{36}$
d) $\frac{5}{4} - \frac{2}{8}$ e) $\frac{15}{21} - \frac{3}{14}$ f) $\frac{5}{9} - \frac{7}{12}$

3 Berechne und kürze vor dem Multiplizieren, wenn möglich.
a) $\frac{4}{7} \cdot 3$ b) $\frac{3}{14} \cdot 2$ c) $\frac{2}{9} \cdot 6$
d) $\frac{6}{8} : 3$ e) $\frac{3}{4} : 2$ f) $\frac{9}{40} : 8$

4 Eine Packung Studentenfutter wiegt 225 g. Winston isst $\frac{2}{15}$ davon. Berechne, wie viel Gramm noch in der Tüte sind.

5 Berechne und kürze vor dem Multiplizieren, falls es möglich ist.
a) $\frac{6}{7} \cdot \frac{2}{5}$ b) $\frac{8}{15} \cdot \frac{5}{2}$ c) $\frac{14}{39} \cdot \frac{9}{21}$
d) $\frac{3}{2} : \frac{2}{5}$ e) $\frac{15}{21} : \frac{25}{14}$ f) $\frac{8}{27} : \frac{22}{9}$

6 Berechne.
a) $3{,}5 \cdot 2{,}1$ b) $0{,}4 \cdot 5{,}5$ c) $40{,}6 \cdot 0{,}25$
d) $5{,}6 : 0{,}7$ e) $40{,}35 : 1{,}2$ f) $0{,}505 : 0{,}25$

Methode
Digitale Hilfsmittel verwenden
2n79pi

Grundwissen

Rechnen mit rationalen Zahlen

Addieren und Subtrahieren (Aufgaben 1 bis 3)

1. Überlegen, welches Vorzeichen das Ergebnis hat

   $-0,7 + 0,4$

   Das Ergebnis muss negativ sein.

2. Nebenrechnung durchführen

   $0,7 - 0,4 = 0,3$

3. Ergebnis notieren

   $-0,7 + 0,4 = -0,3$

Beachte: Wenn man eine negative Zahl subtrahiert, addiert man ihre Gegenzahl.
$-0,9 - (-0,7) = -0,9 + 0,7 = -0,2$

Multiplizieren und Dividieren (Aufgaben 4 bis 6)

Wenn man zwei Zahlen mit gleichem Vorzeichen multipliziert bzw. dividiert, ist das Ergebnis positiv.

$-5,2 \cdot (-2) = 10,4$
$-8 : (-2) = 4$

Wenn man zwei Zahlen mit unterschiedlichem Vorzeichen multipliziert bzw. dividiert, ist das Ergebnis negativ.

$1,8 \cdot (-2) = -3,6$
$-4,6 : 2 = -2,3$

Potenzen (Aufgaben 7 und 8)

Ein Produkt aus gleichen Faktoren kann als Potenz geschrieben werden:

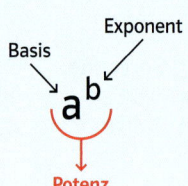

$\underbrace{4 \cdot 4 \cdot 4}_{3\text{-mal}} = 4^3 = 64$

Primzahlen (Aufgabe 9)

Eine natürliche Zahl größer als 1, die nur durch 1 und sich selbst teilbar ist, heißt Primzahl.
2, 3, 5, 7, 11, 13, 17, ... sind Primzahlen.

Primfaktorzerlegung (Aufgabe 10)

Jede natürliche Zahl kann man als Produkt von Primzahlen schreiben:
$504 = 2 \cdot 2 \cdot 2 \cdot 3 \cdot 3 \cdot 7 = 2^3 \cdot 3^2 \cdot 7$

Teste dein Grundwissen! → Lösungen, Seite 268

1 Berechne.
a) $-24 + 17$ b) $2,4 - 17$ c) $23,1 - 17$
d) $-17,2 + 9,4$ e) $-38,4 - 18$ f) $27 - 57,58$

2 Übertrage ins Heft und setze für ☐ die fehlende Zahl ein.
a) $13 + ☐ = 47$ b) $14 - ☐ = 45$
c) $34 + ☐ = 7$ d) $-19 - ☐ = 32$

3 Beschreibe eine Situation, die zu dem Term passt und berechne ihn.
a) $150 - 225 + 75$ b) $-65 - (-15)$

4 Berechne.
a) $-7 \cdot 13$ b) $6 \cdot (-12)$
c) $-5 \cdot (-12)$ d) $-7 \cdot 12,5$
e) $5 : (-5)$ f) $63 : 9$
g) $-36 : (-4)$ h) $-56 : (-7)$

5 Übertrage ins Heft, ergänze für ☐ die fehlende Zahl und führe eine Probe durch.
a) $9 \cdot ☐ = -63$ b) $☐ : 7 = -6$
c) $☐ \cdot (-8) = 24$ d) $-35 : ☐ = -7$

6 Gib an, welche Zahl für ☐ eingesetzt werden muss.
a) $0,123 \cdot ☐ = 12,3$ b) $☐ \cdot 2,5 = 0,25$
c) $500 : ☐ = 0,5$ d) $1,44 : ☐ = -1,2$

7 Notiere den Term mithilfe von Potenzen.
$3 \cdot 4 \cdot 2 \cdot 5 \cdot 3 \cdot 2 \cdot 2$

8 Vereinfache den Term zu einem Produkt aus Potenzen der Grundzahlen 2 und 3.
a) $2 \cdot 3 \cdot 4 \cdot 9$ b) $8 \cdot 243 \cdot 27 \cdot 16$

9 Ist die Zahl eine Primzahl?
a) 13   b) 51   c) 11   d) 21   e) 31   f) 41

10 Schreibe als Produkt von Primzahlen, z.B.
$12 = 2 \cdot 2 \cdot 3 = 2^2 \cdot 3$.
a) 10   b) 8   c) 24   d) 48   e) 28   f) 40

Prozentrechnung

Prozentangaben (Aufgaben 1 und 2)

Anteile schreibt man oft in Prozentschreibweise.

$\frac{1}{100} = 1\%$; $\frac{4}{25} = \frac{16}{100} = 16\%$; $0{,}45 = \frac{45}{100} = 45\%$

Grundwert, Prozentwert und Prozentsatz

In der Prozentrechnung verwendet man die Begriffe Grundwert (G), Prozentwert (W) und Prozentsatz (p).
Der Grundwert ist die Bezugsgröße und entspricht immer 100 %. Der Prozentsatz gibt an, wie viel Prozent der Prozentwert von dem Grundwert ausmacht. Die einzelnen Werte kann man mithilfe eines **Dreisatzes** oder mithilfe entsprechender Formeln berechnen.

Prozentsatz berechnen (Aufgaben 3, 4 und 8)

	100 %	125 Bonbons	
: 25	4 %	5 Bonbons	: 25
· 3	12 %	15 Bonbons	· 3

Prozentwert berechnen (Aufgaben 5 und 8)

	100 %	320 Autos	
: 20	5 %	16 Autos	: 20
· 3	15 %	48 Autos	· 3

Grundwert berechnen (Aufgaben 6 bis 8)

	8 %	26 Kinder	
: 2	4 %	13 Kinder	: 2
· 25	100 %	325 Kinder	· 25

Zinsen – Zinssatz – Guthaben (Aufgabe 9)

In der Zinsrechnung wird wie in der Prozentrechnung gerechnet. Man verwendet allerdings andere Begriffe.

Prozentrechnung	Zinsrechnung
Prozentwert	Zinsen
Prozentsatz	Zinssatz
Grundwert	Startguthaben bzw. Startkapital

Beispiel: Ein Startguthaben von 200 € wird zu einem Zinssatz von 2 % angelegt.
Jahreszinsen: 200 € · 0,02 = 4 €
Guthaben nach einem Jahr: 200 € · 1,02 = 204 €

Teste dein Grundwissen!  Lösungen, Seite 268

1 Gib in Prozentschreibweise an.
  a) 0,45   b) $\frac{3}{20}$ c) 1,05   d) $\frac{9}{15}$

2 Schreibe in Prozent und ordne vom kleinsten zum größten Anteil.
  a) ein Achtel   b) 0,43
  c) $\frac{3}{12}$ d) jeder Sechste

3 Berechne den Prozentsatz.
  a) 4 m² von 20 m²   b) 7 cm von 20 cm
  c) 50 € von 75 €   d) 12 min von 1 h

4 8 von 32 Gerichten auf der Speisekarte waren vegetarisch. Bestimme den Prozentsatz.

5 Der Eisvogel tauchte 25-mal ins Wasser. Bei 16 % der Versuche fing er einen Fisch. Bestimme den Prozentwert der erfolgreichen Versuche.

6 45 % entsprechen 180 €. Berechne den Grundwert.

7 Ein T-Shirt wird um 25 % reduziert. Es kostet dann nur noch 15 €. Bestimme den ursprünglichen Preis.

8 Berechne die fehlenden Werte in der Tabelle.

	Grundwert	Prozentwert	Prozentsatz
a)	240		9 %
b)		36	4 %
c)	80	72	

9 a) Für 1500 € erhält man nach einem Jahr 7,50 € Zinsen. Berechne den Zinssatz.
  b) Nico legt 520 € zu einem Zinssatz von 2 % für ein Jahr fest an. Berechne die Zinsen, die er erhält.
  c) Marikas Geldanlage wird mit 0,5 % verzinst. Nach einem Jahr erhält sie 11,50 € Zinsen. Berechne den Betrag, den sie angelegt hat.

Grundwissen

Grundwissen

Terme und Gleichungen

Terme mit Variablen (Aufgabe 1)

Setzt man in einem Term für die Variable x eine Zahl ein, so erhält man den zu dieser Zahl gehörenden **Wert des Terms**.

x	2 + 5x
−1	2 + 5 · (−1) = −3
0	2 + 5 · 0 = 2
2	2 + 5 · 2 = 12

Vereinfachen von Termen (Aufgabe 2)

Beim Vereinfachen eines Terms sucht man einen gleichwertigen Term, mit dem man Werte einfacher berechnen kann. Dabei geht man häufig in folgenden Schritten vor:
1. Klammern auflösen. $3 \cdot (2x + 5) − 4 + 2x$
2. Summanden mit und $= \underline{3 \cdot 2x} + 3 \cdot 5 − 4 + \underline{2x}$
   ohne Variable ordnen.
3. Zusammenfassen von $= 6x + 2x + 15 − 4$
   Zahlen bzw. von Viel- $= 8x + 11$
   fachen der Variable.

Gleichungen und ihre Lösungen
(Aufgaben 3 bis 7)

Eine Zahl heißt **Lösung einer Gleichung**, wenn die Terme auf beiden Seiten der Gleichung beim Einsetzen dieser Zahl denselben Wert ergeben.
Falls eine Gleichung nicht lösbar ist (wie z.B. x + 2 = x), ist die Lösungsmenge leer und man schreibt L = {}.
Eine Umformung einer Gleichung, bei der alle Lösungen gleich bleiben, heißt **Äquivalenzumformung**.
Wichtige Äquivalenzumformungen sind:
- Auf beiden Seiten dieselbe Zahl oder denselben Term addieren oder subtrahieren.
- Beide Seiten mit derselben Zahl ≠ 0 multiplizieren oder durch diese dividieren.

$2 \cdot (x + 2) = 4x − 2$
3 ist die Lösung dieser Gleichung, da
$2 \cdot (3 + 2) = 4 \cdot 3 − 2$.

$2x + 6 = 8x + 3 \quad | −3$
$2x + 3 = 8x \quad | −2x$

$3 = 6x \quad | : 6$
$\tfrac{1}{2} = x$

Lösungsmenge notieren
$L = \left\{\tfrac{1}{2}\right\}$

Teste dein Grundwissen!  **Lösungen**, Seite 269

1 Setze in den Term für die Variable x nacheinander die Zahlen −2, 0, 1, 3 ein.
a) $5x − 3$ b) $5 − 3x$
c) $6 \cdot (−x − 2)$ d) $−(5x + 2)$

2 Vereinfache die Terme so weit wie möglich.
a) $4x + 9 − 2x + 5$ b) $3 \cdot (2{,}5x + 5) − 7$
c) $19 − (3x + 12)$ d) $\tfrac{2}{5}x \cdot (18 − 3) + \tfrac{1}{15}x$
e) $4 \cdot (x + 1) − 1 \cdot (−5)x$ f) $\tfrac{1}{6} \cdot (x + 12) − (2x − 1)$

3 Überprüfe, ob die angegebene Zahl eine Lösung der Gleichung ist.
a) $6x − 4 = −20$ ⬛ −2
a) $6x − 6 = 6$ ⬛ 0
b) $3x + 23 = −4(2x − 3)$ ⬛ 1
c) $6x − \tfrac{3}{2} = −4 + 3$ ⬛ $\tfrac{1}{12}$

4 Löse die Gleichung. Führe die Probe durch.
a) $\tfrac{2}{5}x = 22$ b) $\tfrac{1}{3}x = −18$
c) $0{,}4x = 1{,}6$ d) $1{,}6x = 1{,}4$

5 Löse die Gleichung. Führe die Probe durch.
a) $2x + 1 = −x − 2$
b) $4 \cdot (3x + 1) = 4x − 12$
c) $−(2x + 3) = 4 \cdot (2x − 3)$
d) $6 \cdot (3 − 8x) = 2 \cdot (x − 1)$

6 Löse die Gleichung. Führe die Probe durch.
a) $−\tfrac{3}{4}x + \tfrac{3}{4} = \tfrac{7}{8}$ b) $\tfrac{1}{5}x + 2 = \tfrac{1}{15}$
c) $\tfrac{2}{3}x + \tfrac{10}{5} = −2x$ d) $0{,}4x + 1{,}5 = 0{,}8x − 0{,}9$
e) $0{,}4x + 0{,}48 = 1{,}28 + 0{,}5x$

7 Gib an, welche Zahl für ⬛ eingesetzt werden muss, sodass x = 4 die Lösung der Gleichung ist.
a) $3x = ⬛$ b) $6x − ⬛ = 8{,}5$
c) $−x − 1 = −x + ⬛$ d) $−\tfrac{1}{4}x − ⬛ = −3x + 8$

Terme und Rechengesetze

Regeln für das Berechnen von Termen
(Aufgabe 1)

Bei der Berechnung von Termen gelten folgende Regeln:
- **Klammern zuerst**
  $4 - (6 - 14) = 4 - (-8) = 4 + 8 = 12$
- **Punkt- vor Strichrechnung**
  $-6 + 8 \cdot (-5) = -6 - 40 = -46$
- **Potenz- vor Punkt- und vor Strichrechnung**
  $-7 + \frac{1}{2} \cdot 6^2 = -7 + \frac{1}{2} \cdot 36 = -7 + 18 = 11$

Rechengesetze (Aufgaben 2 bis 4)

Kommutativgesetz
$a + b = b + a \qquad a \cdot b = b \cdot a$

Assoziativgesetz
$(a + b) + c = a + (b + c) \qquad (a \cdot b) \cdot c = a \cdot (b \cdot c)$

Distributivgesetz
$a \cdot (b + c) = ab + ac \qquad a \cdot (b - c) = ab - ac$

Die Rechengesetze können angewendet werden, um Terme zu vereinfachen oder um vorteilhaft zu rechnen.

Ausklammern (Aufgabe 5)

Man kann das Distributivgesetz verwenden, um eine Zahl oder einen Term auszuklammern.
$\frac{x}{4} - \frac{2}{4} = \frac{1}{4} \cdot x - \frac{1}{4} \cdot 2 = \frac{1}{4} \cdot (x - 2)$

Ausmultiplizieren von Summen (Aufgabe 6)

$(a + b) \cdot (c + d) = a \cdot c + a \cdot d + b \cdot c + b \cdot d$

Beispiel mit negativen Zahlen:
$(x - 2) \cdot (x - 4) = x^2 - 4x - 2x + 8 = x^2 - 6x + 8$

Binomische Formeln (Aufgabe 7)

$(a + b)^2 = a^2 + 2ab + b^2$ (1. binomische Formel)
$(a - b)^2 = a^2 - 2ab + b^2$ (2. binomische Formel)
$(a + b) \cdot (a - b) = a^2 - b^2$ (3. binomische Formel)

Teste dein Grundwissen!  **Lösungen**, Seite 270

1 Berechne.
   a) $\frac{3}{4} - \frac{1}{2} - \frac{3}{8}$
   b) $1{,}5 \cdot 4 + 1{,}2 \cdot (-5)$
   c) $7 \cdot 4^2 + 6 \cdot (-2)^2$
   d) $1{,}25 \cdot 4 : 5 : 2$
   e) $(-3{,}7 + (-4{,}3)) : 2 \cdot 1{,}5$

2 Berechne geschickt. Nutze das Kommutativ- und Assoziativgesetz.
   a) $-\frac{7}{4} + \frac{1}{3} - 4\frac{1}{4}$
   b) $x + 2 + 2 \cdot x$
   c) $\frac{2}{5} \cdot \frac{x}{6} \cdot \frac{5}{4}$
   d) $\frac{1}{3} \cdot \frac{9}{15} \cdot \left(-\frac{5}{6}\right)$

3 Berechne möglichst geschickt.
   a) $1{,}75 + 8{,}3 + 0{,}25$
   b) $-1{,}7 + 4{,}5 - 0{,}3$
   c) $0{,}125 + 8 - \frac{1}{8}$
   d) $2{,}25 \cdot 1{,}3 \cdot (-4)$
   e) $-3{,}5 \cdot 4 \cdot (-2{,}5)$
   f) $\left(\frac{8}{3}\right) \cdot 0{,}14 \cdot \left(-\frac{9}{7}\right)$
   g) $-9 \cdot \left(\frac{1}{3} - \frac{1}{9}\right)$
   h) $\left(\frac{1}{4} - \frac{1}{8}\right) \cdot 8$

4 Multipliziere aus und fasse so weit wie möglich zusammen.
   a) $2 \cdot \left(\frac{1}{4} \cdot x + \frac{1}{2}\right)$
   b) $4 \cdot (2{,}5 \cdot x - 0{,}125 \cdot x)$
   c) $x \cdot (5 + 3)$
   d) $-2(x + 5)$

5 Klammere aus.
   a) $x \cdot 5 + 3 \cdot 5$
   b) $-3x + 9 \cdot (-3)$
   c) $x \cdot \frac{4}{3} + \frac{4}{3} \cdot 2$
   d) $\frac{x}{8} - \frac{3}{8}$

6 Multipliziere aus und fasse so weit wie möglich zusammen.
   a) $(x + 4) \cdot (y + 2)$
   b) $(x + 5) \cdot (y - 3)$
   c) $(x - 8) \cdot (y - 3)$
   d) $(2x + 1) \cdot (y + 4)$

7 Schreibe den Term mithilfe der binomischen Formeln als Summe.
   a) $(x - 2)^2$
   b) $(2x + 3)^2$
   c) $(a - 4)(a + 4)$
   d) $(3x + 2y)^2$
   e) $(a - 3b)^2$
   f) $(a - 3)(a + 3)$

Grundwissen

Grundwissen

Funktionen

Funktionen und ihre Darstellungsformen
(Aufgaben 1 bis 5)

Eine eindeutige Zuordnung heißt Funktion.
Wenn eine Funktion f an der **Stelle** 2 den **Wert** 3 annnimmt, schreibt man f(2) = 3.
Der **Punkt** P(2|3) liegt dann auf dem Graphen der Funktion f.
Funktionen kann man
- mithilfe einer Wertetabelle darstellen,
- mithilfe einer Funktionsgleichung beschreiben,
- mithilfe eines Graphen darstellen,
- mit Worten beschreiben.

Proportionale Funktionen (Aufgaben 4 und 5)

Eine Funktion f heißt proportional, wenn sich bei der Verdopplung (Verdreifachung, Halbierung, ...) des x-Wertes auch der y-Wert verdoppelt (verdreifacht, halbiert, ...). Der Graph einer proportionalen Funktion f ist eine Ursprungsgerade. Der Quotient des y-Wertes und des zugehörigen x-Wertes ist für x ≠ 0 immer gleich. Er wird als **Proportionalitätsfaktor q** bezeichnet. Die zugehörige **Funktionsgleichung** lautet:
f(x) = q · x.

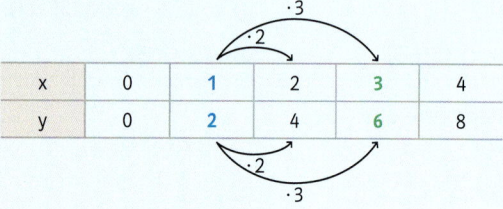

x	0	1	2	3	4
y	0	2	4	6	8

Aus der Wertetabelle ergibt sich
$q = \frac{2}{1} = \frac{4}{2} = \frac{6}{3} = \frac{8}{4} = 2$.
Es gilt also f(x) = 2 · x.

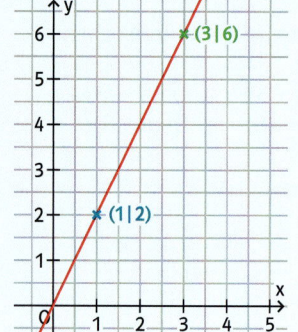

Funktionsgleichung
f(x) = 2x

f(0) = 2 · 0 = 0
f(1) = 2 · 1 = 2
f(2) = 2 · 2 = 4
f(3) = 2 · 3 = 6
f(4) = 2 · 4 = 8

Teste dein Grundwissen!  **Lösungen**, Seite 271

1. Erstelle für die Funktion f mit f(x) = −0,5x eine Wertetabelle für die x-Werte −2, −1, 0, 1 und 2.

2. Zeichne den Graphen der Funktion f mit f(x) = 1,5x und den Graphen der Funktion g mit g(x) = −2x in ein Koordinatensystem.

3. Überprüfe, ob die Wertetabelle zu einer proportionalen Funktion passt.

x	−2	−1	0	1	2
y	3	1,75	0,5	−1,75	−3

4. Gegeben ist der Graph der Funktion f.

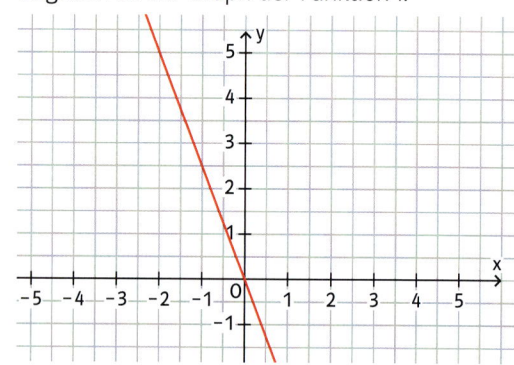

a) Erstelle eine Wertetabelle für die x-Werte −2, −1, 0, 1 und 2.
b) Gib die Funktionsgleichung der Funktion f an.
c) Gib den Funktionswert der Funktion f für x = 144 an

5. Bestimme mithilfe der Wertetabelle die Funktionsgleichung der ihr zugrunde liegenden proportionalen Funktion.

x	−4	−2	1	3	9
y	−32	−16	8	24	72

6. Die Wertetabelle soll zu einer proportionalen Funktion gehören. Ein Wert wurde falsch berechnet. Gib an, welcher es ist und korrigiere ihn.

x	−3	0	2	6	14
y	12	0	−8	−22	−56

Lineare Funktionen

Lineare Funktionen (Aufgaben 1 bis 6)

Eine Funktion f mit der Gleichung $f(x) = m \cdot x + b$ heißt lineare Funktion. Ihr Graph ist eine Gerade mit der Steigung m, d.h., wenn man 1 nach rechts geht, geht man m nach oben. Die Gerade schneidet die y-Achse im Punkt $(0|b)$, wobei man b den y-Achsenabschnitt nennt.

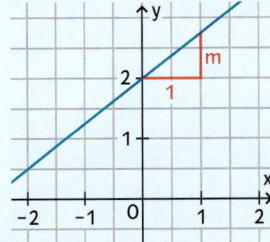

$f(x) = \frac{3}{4}x + 2$

Steigung: $m = \frac{3}{4}$

y-Achsenabschnitt: $b = 2$

Wertetabelle der Funktion f:

x	−2	−1	0	1	2
y	0,5	1,25	2	2,75	3,5

Nullstellen und Schnittpunkte (Aufgabe 7)

Die Funktion f mit $f(x) = \frac{3}{4}x + 2$ hat die **Nullstelle** $x = -\frac{8}{3}$.

$\frac{3}{4}x + 2 = 0 \quad |-2$
$\frac{3}{4}x = -2 \quad |\cdot \frac{4}{3}$
$x = -\frac{8}{3}$

Das heißt, an dieser Stelle schneidet der Graph von f die x-Achse.

Die Geraden g und h mit $g(x) = 4x + 6$ und $h(x) = 2x + 4$ **schneiden sich** im Punkt $S(-1|2)$.

$4x + 6 = 2x + 4 \quad |-2x$
$2x + 6 = 4 \quad |-6$
$2x = -2 \quad |:2$
$x = -1$
$g(-1) = 4 \cdot (-1) + 6 = 2$

Geradengleichung aus zwei gegebenen Punkten aufstellen (Aufgabe 8)

Gerade durch $P(5|5)$ und $Q(7|9)$

– Steigung berechnen: $m = \frac{y_Q - y_P}{x_Q - x_P} = \frac{9-5}{7-5} = \frac{4}{2} = 2$

– y-Achsenschnitt berechnen: $m = 2$ und Koordinaten von P (oder Q) in $y = mx + b$ einsetzen: $2 \cdot 5 + b = 5$
$\quad\quad\quad 10 + b = 5 \quad |-10$
$\quad\quad\quad\quad\quad b = -5$

Man erhält $f(x) = 2x - 5$.

Teste dein Grundwissen!  **Lösungen**, Seite 271

1 Erstelle für die Funktion f mit der Gleichung $f(x) = -0,5x + 3$ eine Wertetabelle für die x-Werte −2, −1, 0, 1 und 3.

2 Gib an, ob die Geraden g und h mit $g(x) = \frac{2}{5}x + \frac{1}{4}$ und mit $h(x) = 0,4x + 1$ parallel sind.

3 Überprüfe, ob der Punkt $P(-2|5)$ auf dem Graphen der Funktion f liegt.
a) $f(x) = 4x + 13$ b) $f(x) = -\frac{3}{2}x + 2$
c) $f(x) = 0,7x + 6,5$ d) $f(x) = -2x + 5$

4 Bestimme die Funktionsgleichung der linearen Funktion g mithilfe der Wertetabelle.

x	−2	−1	0	1	2
y	14	11	8	5	2

5 Ordne die Geradengleichungen den Geraden zu.

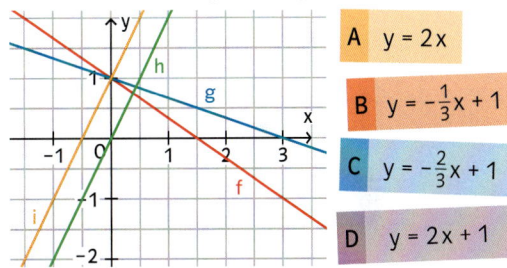

A $y = 2x$
B $y = -\frac{1}{3}x + 1$
C $y = -\frac{2}{3}x + 1$
D $y = 2x + 1$

6 Gib die Gleichung der Geraden an.

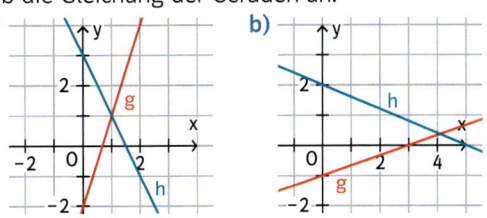

7 🖩 Gegeben sind die beiden Funktionen g mit $g(x) = 42x - 132$ und h mit $h(x) = -12x + 36$. Bestimme rechnerisch die Nullstellen der Funktionen g und h und ihren Schnittpunkt.

8 Bestimme die Gleichung der Geraden g, die durch die Punkte $A(-1|7)$ und $B(2|-5)$ verläuft.

Grundwissen

Lineare Gleichungssysteme

Lineare Gleichungen (Aufgaben 1 und 2)

Eine Gleichung der Form $x + 2y = 2$ heißt linear. Die Lösungsmenge L besteht aus allen Zahlenpaaren $P(x|y)$, die die Gleichung erfüllen. $A(0|1)$, $B(2|0)$ und $C(4|-1)$ gehören dazu. Wenn man die Gleichung nach y auflöst, erhält man $y = -\frac{1}{2}x + 1$. Man erkennt, dass sich die Lösungsmenge darstellen lässt als Graph der linearen Funktion f mit $f(x) = -\frac{1}{2}x + 1$.
$L = \{(x|y) | y = -\frac{1}{2}x + 1\}$ (unten: blauer Graph)

Lineare Gleichungssysteme

Wenn mehrere lineare Gleichungen wie
I: $x + 2y = 2$ und II: $-x + y = -0{,}5$
gleichzeitig erfüllt werden sollen, spricht man von einem linearen Gleichungssystem. Es gibt vier Lösungsverfahren:

Grafisches Lösungsverfahren (Aufgaben 1 bis 3)
I: $x + 2y = 2$ entspricht Ia: $y = -0{,}5x + 1$
II: $-x + y = -0{,}5$ entspricht IIa: $y = x - 0{,}5$

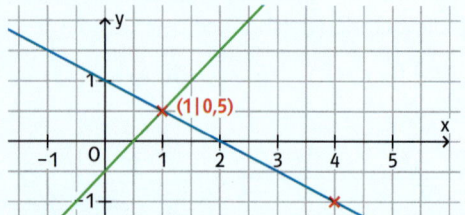

Die Geraden schneiden sich im Punkt $(1|0{,}5)$. Also ist die Lösungsmenge $L = \{(1|0{,}5)\}$.

Gleichsetzungsverfahren (Aufgabe 4)
Gleichsetzen: $-0{,}5x + 1 = x - 0{,}5$, also $x = 1$
Einsetzen von $x = 1$ in Ia oder IIa:
$y = -0{,}5 + 1 = 0{,}5$.

Einsetzungsverfahren (Aufgabe 5)
Einsetzen von $y = x - 0{,}5$ in I:
$x + 2(x - 0{,}5) = 2$, also $x = 1$
Einsetzen von $x = 1$ in IIa: $y = 1 - 0{,}5 = 0{,}5$.

Additionsverfahren (Aufgaben 6 und 7)
Addieren: I: $x + 2y = 2$
           II: $-x + y = -0{,}5$
           I + II: $3y = 1{,}5$
Gleichung lösen: $y = 0{,}5$
Einsetzen von $y = 0{,}5$ in I: $x + 2 \cdot 0{,}5 = 2$, also $x = 1$
Probe: $(1|0{,}5)$ in I: $1 + 2 \cdot 0{,}5 = 2$ (wahr)
$(1|0{,}5)$ in II: $-1 + 0{,}5 = -0{,}5$ (wahr)

Teste dein Grundwissen! → **Lösungen**, Seite 272

1 Veranschauliche die Lösungen der Gleichung in einem Koordinatensystem. Lies näherungsweise zwei Punkte der Geraden ab und überprüfe die zugehörigen Lösungen rechnerisch.
 a) $-2x + y = -2$ b) $-x + 2y = 2$

2 Jede Gerade in der Figur veranschaulicht die Lösungen einer linearen Gleichung. Gib sie in der Form $y = mx + c$ und in der Form $ax + by = c$ an, wobei a, b und c ganze Zahlen sind.

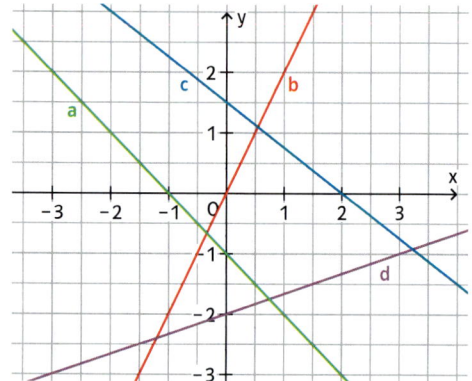

3 Löse grafisch und mache die Probe.
 (I) $-x + 2y = 2$ (II) $4x + 2y = -3$

4 Löse mit dem Gleichsetzungsverfahren und mache die Probe.
 (I) $3x + y = -6$ (II) $5y = 15$

5 Löse mit dem Einsetzungsverfahren und mache die Probe.
 (I) $-2x + 2y = 4$ (II) $3x - 5y = -8$

6 Löse mit dem Additionsverfahren und mache die Probe.
 (I) $17{,}2x - 4y = 8$ (II) $11{,}5x + 5y = -10$

7 3 kg Äpfel und 700 g Erdbeeren kosten zusammen 6 €. 5 kg Äpfel und 400 g Erdbeeren kosten zusammen 7,70 €. Stelle ein lineares Gleichungssystem auf und löse es mit einem Verfahren deiner Wahl. Gib an, wie viel 1 kg Äpfel und wie viel 1 kg Erdbeeren kosten.

Daten, Zufall und Wahrscheinlichkeiten

Absolute und relative Häufigkeiten (Aufgabe 1)

Note	1	2	3	4	5	6	Summe
absolute Häufigkeit	3	7	7	6	4	2	29
relative Häufigkeit	$\frac{3}{29} \approx$ 10%	$\frac{7}{29} \approx$ 24%	$\frac{7}{29} \approx$ 24%	$\frac{6}{29} \approx$ 21%	$\frac{4}{29} \approx$ 14%	$\frac{2}{29} \approx$ 7%	$\frac{29}{29} = 1$ = 100%

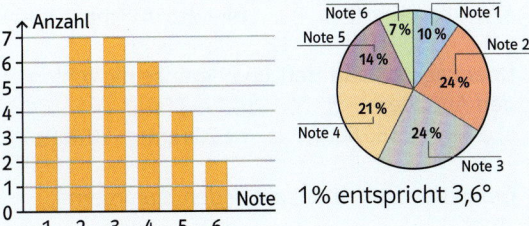

1% entspricht 3,6°

Wahrscheinlichkeiten (Aufgabe 2)

Bei einem Zufallsexperiment kann man die einzelnen **Ergebnisse** nicht vorhersagen. Man kann ihnen aber **Wahrscheinlichkeiten** zuordnen, die zusammen 1 (100%) ergeben. Mit Wahrscheinlichkeiten drückt man aus, welche **relativen Häufigkeiten** man bei mehreren langen Versuchsreihen in etwa erwartet.

Beim **Schätzen** von Wahrscheinlichkeiten orientiert man sich an **relativen Häufigkeiten** aus vergangenen Versuchsreihen – und man beachtet Symmetrien. Je mehr Versuche man gemacht hat, desto vertrauenswürdiger sind die Schätzwerte.

Baumdiagramm – Pfadregel (Aufgabe 3)

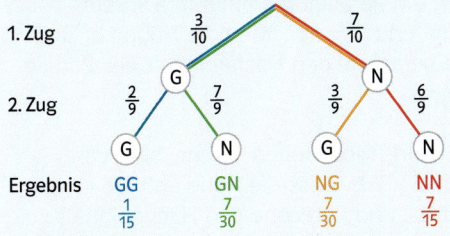

Die Wahrscheinlichkeit für ein Ergebnis des mehrstufigen Experiments erhält man, indem man die Wahrscheinlichkeiten entlang des zugehörigen Pfades multipliziert: Hier gilt
$P(G, G) = \frac{3}{10} \cdot \frac{2}{9} = \frac{1}{15}$.

Teste dein Grundwissen! → Lösungen, Seite 273

1 Auf einer Landstraße wurden 400 vorbeifahrende Kraftfahrzeuge klassifiziert. Insgesamt fuhren 160 Kleinwagen vorbei. SUV und Krafträder waren gleich häufig vertreten. Die restliche Anzahl machten LKW aus. Die Ergebnisse wurden in einem Kreisdiagramm dargestellt.

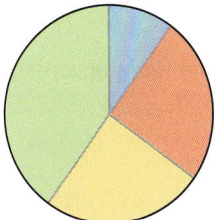

Bestimme die relativen Häufigkeiten der vier verschiedenen Kraftfahrzeuge und stelle sie in einem Säulendiagramm dar.

2 Heiko und Simon haben jeder für sich mit einer einseitig geschwärzten Flügelmutter gewürfelt. Die Ergebnisse wurden in der folgenden Tabelle zusammengefasst:

	schwarz	weiß	Boden
Heiko	20	24	6
Simon	88	95	17

a) Notiere sinnvolle Wahrscheinlichkeiten, die jeder nach seinem Versuch hätte angeben können.
b) Fasse beide Ergebnisse zusammen und notiere einen zugehörigen Schätzwert für die Wahrscheinlichkeiten.

3 Zwei Würfel werden direkt hintereinander geworfen. Bestimme die Wahrscheinlichkeit dafür, dass
a) die Würfel die gleiche Augenzahl zeigen,
b) die Augensumme 3 beträgt,
c) sich die Augenzahlen um 3 unterscheiden,
d) die Augensumme höchstens 6 beträgt.

Grundwissen

Figuren und Körper

Umrechnen von Einheiten (Aufgaben 1 bis 4)

Flächeneinheiten		Volumeneinheiten	
1 km²	= 100 ha	1 m³	= 1000 dm³
1 ha	= 100 a	1 dm³	= 1000 cm³
1 a	= 100 m²	1 cm³	= 1000 mm³
1 m²	= 100 dm²		
1 dm²	= 100 cm²	1 l	= 1 dm³
1 cm²	= 100 mm²	1 ml	= 1 cm³

Flächeninhalt und Umfang von Figuren
(Aufgaben 6 bis 9)

Rechteck

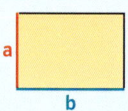

$A = a \cdot b$
$U = 2a + 2b$

Dreieck

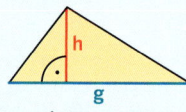

$A = \frac{1}{2} \cdot g \cdot h$
$U = a + b + c$

Parallelogramm

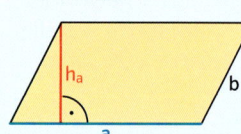

$A = a \cdot h_a = b \cdot h_b$
$U = 2a + 2b$

Trapez

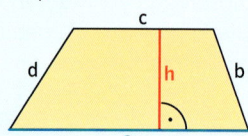

$A = \frac{a+c}{2} \cdot h$
$U = a + b + c + d$

Volumen und Oberfläche eines Quaders
(Aufgabe 5)

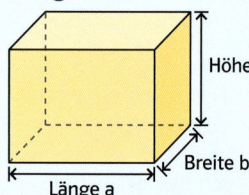

Volumen
= Länge · Breite · Höhe
$V = a \cdot b \cdot c$

Oberflächeninhalt
$O = 2 \cdot a \cdot b + 2 \cdot b \cdot c + 2 \cdot a \cdot c$

Kantenlänge $4a + 4b + 4c$

Teste dein Grundwissen! → Lösungen, Seite 273

1 Gib in der nächstkleineren und nächstgrößeren Einheit an.
a) 6,3 m² b) 0,06 dm²

2 Gib in den Einheiten an, die in den Klammern stehen.
a) 3,5 ha (a; m²) b) 125,5 m² (mm²; km²)

3 Übertrage in dein Heft und ergänze die fehlenden Angaben.
a) 35 m² = 350 000 ▢ b) 704 km² = 70 400 ▢

4 Gib in der Einheit an, die in den Klammern steht.
a) 25 m³ (dm³) b) 2,03 dm³ (cm³)
c) 50 000 000 cm³ (mm³) d) 131 l (m³)

5 Ein Quader ist 5 dm lang, 5 cm breit und 4 cm hoch. Berechne sein Volumen und seinen Oberflächeninhalt.

6 Bestimme für ein Rechteck mit dem Flächeninhalt A = 54 m² die Länge der Seite a, wenn b doppelt so lang ist wie a.

7 Berechne den Flächeninhalt.

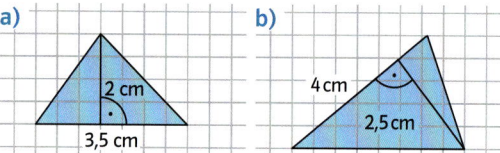

8 Zeichne ein Parallelogramm mit a = 5 cm, b = 4 cm und α = 40°. Miss die Höhen h_a und h_b und berechne den Flächeninhalt des Parallelogramms.

9 Zeichne ein Trapez mit a = 8 cm, b = 3 cm, α = 40°, β = 70°. Miss die Höhe und die Länge der Seite c und berechne den Flächeninhalt des Trapezes.

Geometrische Sätze

Winkel und Parallele (Aufgaben 1 und 2)

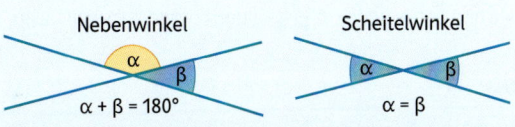

Stufenwinkel   Wechselwinkel
(1) Wenn g ∥ h, dann α = β.   (1) Wenn g ∥ h, dann α = γ.

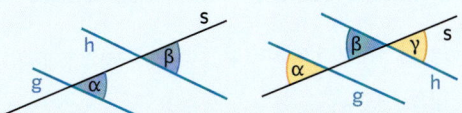

(2) Wenn α = β, dann g ∥ h.   (2) Wenn α = γ, dann g ∥ h.

Winkelsumme im Dreieck (Aufgaben 3, 4 und 6)

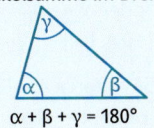

Satz vom gleichschenkligen Dreieck (Aufgaben 3 und 4)

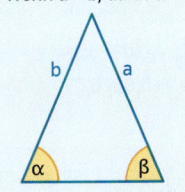

Satz des Thales (Aufgaben 5 und 6)

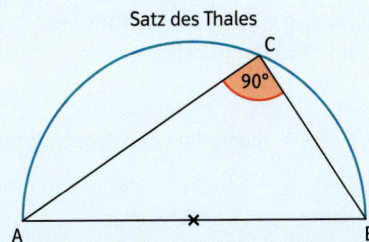

Der Satz des Thales folgt aus dem Satz vom gleichschenkligen Dreieck und dem Satz über die Winkelsumme im Dreieck (vgl. Aufgabe 6).

Teste dein Grundwissen! → **Lösungen**, Seite 274

1 Berechne die fehlenden Winkelgrößen.

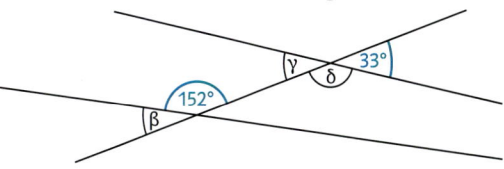

2 Die Geraden g und h sind parallel zueinander. Berechne die fehlenden Winkelgrößen.

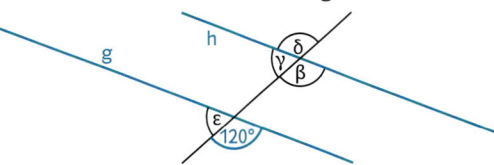

3 Berechne die fehlenden Winkelgrößen. Gib an, welchen Satz du verwendet hast.

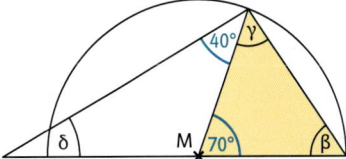

4 Begründe, dass im abgebildeten Dreieck ABC die Seiten a und b gleich lang sind.

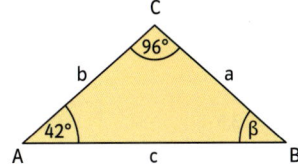

5 Konstruiere ein rechtwinkliges Dreieck ABC ($\gamma = 90°$) mit $\overline{AB} = 8\,\text{cm}$ und $b = 4\,\text{cm}$. Miss die Länge der Seite a.

6 Gib die im Dreieck ABC fehlenden Winkelgrößen an. Gib den jeweils verwendeten Satz an.

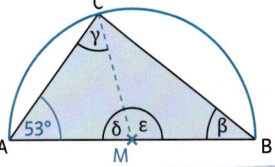

Grundwissen

I Reelle Zahlen

Seite 5

Check-in

1
a) $1{,}25 = 125\% = \frac{5}{4}$
b) $25{,}4\% = 0{,}254 = \frac{254}{1000} = \frac{127}{500}$
c) $2{,}8\% = 0{,}028 = \frac{28}{1000} = \frac{7}{250}$
d) $3{,}625 = 362{,}5\% = 3\frac{5}{8} = \frac{29}{8}$
e) $\frac{4}{5} = 0{,}8 = 80\%$
f) $\frac{12}{8} = 1\frac{4}{8} = 1{,}5 = 150\%$
g) $\frac{2}{9} = 0{,}\overline{2} = 22{,}\overline{2}\%$
h) $\frac{1}{6} = 0{,}1\overline{6} = 16{,}\overline{6}\%$

2
a) $2\,\text{cm} \cdot 2\,\text{cm} = 4\,\text{cm}^2$
b) $5\,\text{cm} \cdot 5\,\text{cm} = 25\,\text{cm}^2$
c) $1{,}5\,\text{cm} \cdot 1{,}5\,\text{cm} = 2{,}25\,\text{cm}^2$
d) $20\,\text{cm} \cdot 20\,\text{cm} = 400\,\text{cm}^2$

3
Start: $-\frac{3}{2} - 2{,}97 + 4{,}5 = -1{,}5 + 4{,}5 - 2{,}97 = 3 - 2{,}97 = 0{,}03 = \frac{3}{100}$
→ E

E: $\frac{3}{100} \cdot \left(-10^2 + \frac{50}{3}\right) = -\frac{3}{100} \cdot 100 + \frac{3}{100} \cdot \frac{50}{3} = -3 + \frac{1}{2} = -2{,}5$
→ A

A: $-2{,}5 - 1{,}\overline{3} - \frac{5}{3} = -2{,}5 - \left(\frac{4}{3} + \frac{5}{3}\right) = -2{,}5 - 3 = -5{,}5 = -\frac{11}{2}$ → C

C: $-\frac{11}{2} \cdot 2{,}2 + \frac{11}{2} \cdot 4{,}2 = \frac{11}{2} \cdot (-2{,}2 + 4{,}2) = \frac{11}{2} \cdot 2 = 11$ → B

B: $\left(11 - 7\frac{2}{5}\right) - 0{,}6 = 11 - (7{,}4 + 0{,}6) = 11 - 8 = 3$ → D

D: $3 \cdot (1 - 0{,}94) \cdot \left(-\frac{10}{9}\right) = -3 \cdot 0{,}06 \cdot \frac{10}{9} = -0{,}18 \cdot \frac{10}{9}$
$= -0{,}02 \cdot 10 = -0{,}2$ → Ziel

4
$A \approx -1$; $B \approx 1$; $C \approx 0\ (<0)$; $D \approx 0{,}33$; $E \approx -2$
$\Rightarrow E < A < C < D < B$

5

Die Zahl … ist	3,5	−5,0	$\frac{12}{4}$	$\frac{4}{12}$	$-\frac{18}{3}$
natürlich			X		
ganz		X	X		X
rational	X	X	X	X	X

Seite 10

6
A – 1; B – 2; C – 5; D – 4

7
a) $\sqrt{256} = 16$; Probe: $16^2 = 256$
b) $\sqrt{4900} = 70$; Probe: $70^2 = 70 \cdot 70 = 4900$
c) $\sqrt{32\,400} = 180$; Probe: $180^2 = 180 \cdot 180 = 32\,400$
d) $\sqrt{4\,000\,000} = 2000$; Probe: $2000^2 = 2000 \cdot 2000 = 4\,000\,000$

Seite 11

17
a) $\sqrt{1{,}69} = 1{,}3$; Probe: $1{,}3^2 = 1{,}3 \cdot 1{,}3 = 1{,}69$
b) $\sqrt{0{,}0004} = 0{,}02$; Probe: $0{,}02^2 = 0{,}02 \cdot 0{,}02 = 0{,}0004$
c) $\sqrt{\frac{121}{10\,000}} = \frac{11}{100} = 0{,}11$; Probe: $\left(\frac{11}{100}\right)^2 = \frac{11}{100} \cdot \frac{11}{100} = \frac{121}{10\,000}$
d) $\sqrt{\frac{50}{128}} = \sqrt{\frac{25}{64}} = \frac{5}{8} = 0{,}625$;
Probe: $\left(\frac{5}{8}\right)^2 = \frac{5}{8} \cdot \frac{5}{8} = \frac{25}{64} = \frac{50}{128}$

18
a) $x^2 = 0{,}16$; $x = \sqrt{0{,}16}$ oder $x = -\sqrt{0{,}16}$;
$x = 0{,}4$ oder $x = -0{,}4$
$\Rightarrow L = \{-0{,}4;\ 0{,}4\}$

b) $x^2 = 2{,}56$; $x = \sqrt{2{,}56}$ oder $x = -\sqrt{2{,}56}$;
$x = 1{,}6$ oder $x = -1{,}6$
$\Rightarrow L = \{-1{,}6;\ 1{,}6\}$

c) $x^2 = \frac{1}{64}$; $x = \sqrt{\frac{1}{64}}$ oder $x = -\sqrt{\frac{1}{64}}$;
$x = \frac{1}{8}$ oder $x = -\frac{1}{8}$
$\Rightarrow L = \{-\frac{1}{8};\ \frac{1}{8}\}$

d) $x^2 = \frac{9}{10\,000}$; $x = \sqrt{\frac{9}{10\,000}}$ oder $x = -\sqrt{\frac{9}{10\,000}}$;
$x = \frac{3}{100} = 0{,}03$ oder $x = -\frac{3}{100} = -0{,}03$
$\Rightarrow L = \{-0{,}03;\ 0{,}03\}$

G 21
a) $\frac{126}{120} = \frac{21}{20} = \frac{105}{100} = 105\%$; der Preis ist um 5 % gestiegen.
b) $\frac{102}{85} = \frac{6}{5} = \frac{12}{10} = 120\%$; der Preis ist um 20 % gestiegen.
c) $\frac{997{,}50}{1050} = \frac{1995}{2100} = \frac{399}{420} = \frac{133}{140} = \frac{19}{20} = \frac{95}{100} = 95\%$;
der Preis ist um 5 % gesunken.
d) $\frac{25{,}20}{56{,}00} = \frac{2520}{5600} = \frac{252}{560} = \frac{63}{140} = \frac{9}{20} = \frac{45}{100} = 45\%$;
der Preis ist um 55 % gesunken.

G 22
a) $\frac{125}{100} \cdot \frac{80}{100} = \frac{5}{4} \cdot \frac{4}{5} = 1$; man erhält den Ausgangsbetrag.
b) $\frac{80}{100} \cdot \frac{120}{100} = \frac{4}{5} \cdot \frac{6}{5} = \frac{24}{25} = \frac{96}{100} = 96\%$; man erhält nicht den Ausgangsbetrag, sondern 4 % weniger.

Seite 13

4
a) $5 < \sqrt{32} < 6$
b) $17 < \sqrt{320} < 18$
c) $1 < \sqrt{3{,}2} < 2$
d) $0 < \sqrt{0{,}32} < 1$
e) $2 < \sqrt{\frac{9}{2}} = \sqrt{4{,}5} < 3$
f) $0 < \sqrt{\frac{2}{9}} < 1$
g) $2 < \sqrt{\frac{99}{22}} = \sqrt{\frac{9}{2}} < 3$
h) $0 < \sqrt{\frac{2}{999}} < 1$
i) $\sqrt{32} \approx 5{,}657$; $\sqrt{320} \approx 17{,}889$; $\sqrt{3{,}2} \approx 1{,}789$; $\sqrt{0{,}32} \approx 0{,}566$; $\sqrt{\frac{9}{2}} \approx 2{,}121$; $\sqrt{\frac{2}{9}} \approx 0{,}471$; $\sqrt{\frac{99}{22}} \approx 2{,}121$; $\sqrt{\frac{2}{999}} \approx 0{,}045$

Seite 15

12
a) $\sqrt{80\,\text{mm}^2} \approx 8{,}9\,\text{mm}$ (auf Zehntel Millimeter genau)
Probe: $8{,}9^2 = 79{,}21 \approx 80$
b) $\sqrt{600\,\text{m}^2} \approx 24{,}49\,\text{m}$ (auf Zentimeter genau)
Probe: $24{,}49^2 = 599{,}7601 \approx 600$
c) $\sqrt{1{,}2\,\text{km}^2} \approx 1{,}095\,\text{km}$ (auf Meter genau)
Probe: $1{,}095^2 = 1{,}199\,025 \approx 1{,}2$
d) $\sqrt{170\,\text{dm}^2} \approx 13{,}04\,\text{dm}$ (auf Millimeter genau)
Probe: $13{,}04^2 = 170{,}0416 \approx 170$

13
a) Die Ziffern 6 und 7.
b) Die Ziffern 6, 7 und 8.
c) Die Ziffern 5, 6, 7, 8 und 9.

G 16
a) $G = \frac{P}{p} = \frac{80{,}40\,€}{67\,\%} = 120\,€$
Der ursprüngliche Preis beträgt 120 €.
b) $G = \frac{P}{p} = \frac{69{,}93\,€}{111\,\%} = 63\,€$
Der ursprüngliche Preis beträgt 63 €.
c) $G = \frac{P}{p} = \frac{65{,}45\,€}{23\,\%} \approx 284{,}57\,€$
Der ursprüngliche Preis beträgt 284,57 €.

Seite 18

4
a) $2{,}\overline{52}$ ist rational, weil sie periodisch und damit als Bruch darstellbar ist.
b) $\sqrt{\frac{4}{25}}$ ist rational, da $\sqrt{\frac{4}{25}} = \frac{2}{5}$ als Bruch darstellbar ist.
c) $\sqrt{250}$ ist irrational, da unter der Wurzel keine Quadratzahl steht.
d) $2{,}122\,232$ ist rational, da die Dezimalzahl abbricht.

5

Die Zahl ... ist	a) $\frac{18}{3}$	b) $-4{,}5$	c) $\frac{2}{7}$	d) $\sqrt{8}$
natürlich	ja	nein	nein	nein
ganz	ja	nein	nein	nein
rational	ja	ja	ja	nein
reell	ja	ja	ja	ja

Seite 19

11
a) Wahr, eine Zahl mit unendlich vielen Nachkommastellen kann rational oder irrational sein, sie ist aber in jedem Fall reell.
b) Falsch; Gegenbeispiel: $0{,}\overline{3}$
Eine periodische Zahl bricht nicht ab, lässt sich aber als Bruch darstellen und ist also rational.
c) Falsch; Gegenbeispiel: $\sqrt{2} \cdot \sqrt{2} = (\sqrt{2})^2 = 2$
Die Zahl 2 ist rational.

G 15
Ü: 3 % von 1000 € sind 30 €. Wegen der Zinseszinsen wächst das Guthaben um mehr als 90 € an, also auf 1092,73 €.
Rechnung: $1000\,€ \cdot 1{,}03^3 \approx 1092{,}73\,€$

Seite 22

6
a) $\sqrt{16 \cdot 81} = \sqrt{16} \cdot \sqrt{81} = 4 \cdot 9 = 36$
b) $\sqrt{0{,}01 \cdot 9} = \sqrt{0{,}01} \cdot \sqrt{9} = 0{,}1 \cdot 3 = 0{,}3$
c) $\sqrt{144 : 100} = \sqrt{\frac{144}{100}} = \frac{\sqrt{144}}{\sqrt{100}} = \frac{12}{10} = 1{,}2$
d) $\sqrt{25 : 225} = \sqrt{\frac{25}{225}} = \frac{\sqrt{25}}{\sqrt{225}} = \frac{5}{15} = \frac{1}{3}$
e) $\sqrt{125} \cdot \sqrt{0{,}8} = \sqrt{125 \cdot 0{,}8} = \sqrt{100} = 10$
f) $\sqrt{28{,}9} \cdot \sqrt{10} = \sqrt{28{,}9 \cdot 10} = \sqrt{289} = 17$
g) $\sqrt{3630} : \sqrt{30} = \sqrt{\frac{3630}{30}} = \sqrt{\frac{363}{3}} = \sqrt{121} = 11$
h) $\sqrt{7} : \sqrt{28} = \frac{\sqrt{7}}{\sqrt{28}} = \sqrt{\frac{7}{28}} = \sqrt{\frac{1}{4}} = \frac{1}{2}$

7
$\sqrt{48} = \sqrt{16 \cdot 3} = 4 \cdot \sqrt{3} \approx 6{,}8$
$\sqrt{175} = \sqrt{25 \cdot 7} = 5 \cdot \sqrt{7} \approx 13$
$\sqrt{360} = \sqrt{36 \cdot 10} = 6 \cdot \sqrt{10} \approx 19{,}2$

Seite 24

22
a) $\sqrt{12{,}1} \cdot \sqrt{0{,}1} = \sqrt{12{,}1 \cdot 0{,}1} = \sqrt{1{,}21} = 1{,}1$

b) $(\sqrt{2} \cdot \sqrt{18})^2 = (\sqrt{2 \cdot 18})^2 = (\sqrt{36})^2 = 36$

c) $\sqrt{\frac{3}{2}} \cdot \sqrt{\frac{75}{8}} = \sqrt{\frac{3 \cdot 75}{2 \cdot 8}} = \sqrt{\frac{225}{16}} = \frac{15}{4} = 3{,}75$

d) $\sqrt{\frac{5}{27}} : \sqrt{\frac{12}{45}} = \sqrt{\frac{5}{27}} \cdot \sqrt{\frac{45}{12}} = \sqrt{\frac{5 \cdot 45}{27 \cdot 12}} = \sqrt{\frac{5 \cdot 5}{3 \cdot 12}} = \sqrt{\frac{25}{36}} = \frac{5}{6}$

23
a) $(\sqrt{45} - \sqrt{80}) \cdot \sqrt{5} = \sqrt{45} \cdot \sqrt{5} - \sqrt{80} \cdot \sqrt{5} = \sqrt{225} - \sqrt{400}$
 $= 15 - 20 = -5$

b) $4 \cdot \sqrt{13} - 5 \cdot \sqrt{13} = \sqrt{13} \cdot (4-5) = \sqrt{13} \cdot (-1) \approx -3{,}6$

c) $\sqrt{2} \cdot (\sqrt{18} - \sqrt{8}) = \sqrt{2} \cdot \sqrt{18} - \sqrt{2} \cdot \sqrt{8} = \sqrt{36} - \sqrt{16}$
 $= 6 - 4 = 2$

d) $7 \cdot \sqrt{11} - 4 \cdot \sqrt{11} = \sqrt{11} \cdot (7-4) = 3 \cdot \sqrt{11} \approx 9{,}9$

24
a) $\sqrt{363} = \sqrt{121 \cdot 3} = 11 \cdot \sqrt{3} \approx 18{,}7$

b) $\sqrt{250} = \sqrt{25 \cdot 10} = 5 \cdot \sqrt{10} \approx 16$

c) $\sqrt{63} = \sqrt{9 \cdot 7} = 3 \cdot \sqrt{7} \approx 7{,}8$

d) $\sqrt{\frac{7}{4}} = \sqrt{\frac{1}{4} \cdot 7} = \frac{1}{2} \cdot \sqrt{7} \approx 1{,}3$

e) $\sqrt{\frac{7}{100}} = \sqrt{\frac{1}{100} \cdot 7} = \frac{1}{10} \cdot \sqrt{7} \approx 0{,}26$

f) $\sqrt{\frac{10}{9}} = \sqrt{\frac{1}{9} \cdot 10} = \frac{1}{3} \cdot \sqrt{10} \approx 1{,}1$

G 28
a) A: 300 € · 0,88 = 264 €
 B: 300 € − 39 € = 261 €   B ist günstiger.
b) A: 333 € · 0,88 = 293,04 €
 B: 333 € − 39 € = 294,00 €   A ist günstiger.
c) A: 155 € · 0,95 = 147,25 €
 B: 155 € − 10 € = 145,00 €   B ist günstiger.
d) A: 1550 € · 0,95 = 1472,50 €
 B: 1550 € − 10 € = 1540 €   A ist günstiger.

Seite 25

1
a) $\sqrt{64} = 8$ Probe: $8^2 = 8 \cdot 8 = 64$

b) $\sqrt{121} = 11$ Probe: $11^2 = 11 \cdot 11 = 121$

c) $\sqrt{144} = 12$ Probe: $12^2 = 12 \cdot 12 = 144$

d) $\sqrt{625} = 25$ Probe: $25^2 = 25 \cdot 25 = 625$

e) $\sqrt{8100} = 90$ Probe: $90^2 = 90 \cdot 90 = 8100$

f) $\sqrt{810\,000} = 900$ Probe: $900^2 = 900 \cdot 900 = 810\,000$

g) $\sqrt{27^2} = 27$
 Probe: Wurzel und Quadrieren kehren sich um.

h) $\sqrt{10^6} = \sqrt{1\,000\,000} = 1000$
 Probe: $1000^2 = 1000 \cdot 1000 = 1\,000\,000$

2
a) $\sqrt{\frac{64}{9}} = \frac{8}{3}$ b) $\sqrt{\frac{9}{100}} = \frac{3}{10}$

c) $\sqrt{\frac{49}{2500}} = \frac{7}{50}$ d) $\sqrt{\frac{169}{196}} = \frac{13}{14}$

e) $\sqrt{0{,}04} = 0{,}2$ f) $\sqrt{0{,}16} = 0{,}4$

g) $\sqrt{2{,}25} = 1{,}5$ h) $\sqrt{0{,}000\,036} = 0{,}006$

3
„KOPFBALL"

4
a) $6 < \sqrt{48} < 7$ b) $12 < \sqrt{148} < 13$
c) $20 < \sqrt{405} < 21$ d) $0 < \sqrt{0{,}9} < 1$

5
a) $\sqrt{2500\,m^2} = 50\,m$
 Probe: $50\,m \cdot 50\,m = 2500\,m^2$

b) $\sqrt{16\,900\,dm^2} = 130\,dm = 13\,m$
 Probe: $130\,dm \cdot 130\,dm = 16\,900\,dm^2$

c) $\sqrt{3{,}24\,cm^2} = 1{,}8\,cm$
 Probe: $1{,}8\,cm \cdot 1{,}8\,cm = 3{,}24\,cm^2$

d) $\sqrt{2{,}89\,mm^2} = 1{,}7\,mm$
 Probe: $1{,}7\,mm \cdot 1{,}7\,mm = 2{,}89\,mm^2$

6
a) $\sqrt{160\,cm^2} \approx 13\,cm$
b) $\sqrt{250\,dm^2} \approx 15{,}8\,dm = 158\,cm$
c) $\sqrt{1000\,m^2} \approx 31{,}62\,m = 3162\,cm$
d) $\sqrt{0{,}9\,km^2} \approx 0{,}94868\,km = 94\,868\,cm$

7
a) $\sqrt{3} \cdot \sqrt{12} = \sqrt{3 \cdot 12} = \sqrt{36} = 6$
b) $\sqrt{128} : \sqrt{2} = \sqrt{128 : 2} = \sqrt{64} = 8$
c) $(\sqrt{30})^2 = 30$
d) $\sqrt{2} \cdot \sqrt{5} \cdot \sqrt{10} = \sqrt{2 \cdot 5 \cdot 10} = \sqrt{100} = 10$

8
a) 0; 1; 2; 3
b) 7; 8; 9
c) 0; 1; 2; 3; 4; 5; 6; 7; 8
d) 8; 9
e) 0; 1; 2; 3; 4; 5; 6; 7; 8; 9
f) 2; 3; 4; 5

9
$\sqrt{2{,}25} = 1{,}5$; $\sqrt{3{,}24} = 1{,}8$; $\sqrt{0{,}0004} = 0{,}02$; $\sqrt{10\,000} = 100$;
$\sqrt{1600} = 40$; $\sqrt{1{,}21} = 1{,}1$

10
a) $\sqrt{\tfrac{18}{72}} = \sqrt{\tfrac{9}{36}} = \sqrt{\tfrac{1}{4}} = \tfrac{1}{2}$
b) $\sqrt{\tfrac{75}{300}} = \sqrt{\tfrac{25}{100}} = \sqrt{\tfrac{1}{4}} = \tfrac{1}{2}$
c) $\sqrt{\tfrac{605}{45}} = \sqrt{\tfrac{121}{9}} = \tfrac{11}{3}$
d) $\sqrt{\tfrac{500}{720}} = \sqrt{\tfrac{50}{72}} = \sqrt{\tfrac{25}{36}} = \tfrac{5}{6}$
e) $\sqrt{1\tfrac{21}{100}} = \sqrt{\tfrac{121}{100}} = \tfrac{11}{10} = 1{,}1$
f) $\sqrt{2\tfrac{1}{4}} = \sqrt{\tfrac{9}{4}} = \tfrac{3}{2} = 1{,}5$
g) $\sqrt{1\tfrac{22}{50}} = \sqrt{1\tfrac{44}{100}} = \sqrt{\tfrac{144}{100}} = \tfrac{12}{10} = 1{,}2$
h) $\sqrt{3\tfrac{610}{1000}} = \sqrt{3\tfrac{61}{100}} = \sqrt{\tfrac{361}{100}} = \tfrac{19}{10} = 1{,}9$

11
a) $\sqrt{7} \approx 2{,}645\,751$ b) $\sqrt{20} \approx 4{,}472\,136$ c) $\sqrt{68} \approx 8{,}246\,211$

Seite 26

12
a) $x^2 = 0{,}09$
   $x = \sqrt{0{,}09}$ oder $x = -\sqrt{0{,}09}$
   $x = 0{,}3$ oder $x = -0{,}3$ $\Rightarrow L = \{-0{,}3; 0{,}3\}$
b) $x^2 = 1089$
   $x = \sqrt{1089}$ oder $x = -\sqrt{1089}$
   $x = 33$ oder $x = -33$ $\Rightarrow L = \{-33; 33\}$
c) $x^2 = 8{,}41$
   $x = \sqrt{8{,}41}$ oder $x = -\sqrt{8{,}41}$
   $x = 2{,}9$ oder $x = -2{,}9$ $\Rightarrow L = \{-2{,}9; 2{,}9\}$
d) $x^2 = 0$
   $x = 0$ $\Rightarrow L = \{0\}$
e) $x^2 = 400$
   $x = \sqrt{400}$ oder $x = -\sqrt{400}$
   $x \approx 20$ oder $x \approx -20$ $\Rightarrow L = \{-20; 20\}$
f) $x^2 = 250\,000$
   $x = \sqrt{250\,000}$ oder $x = -\sqrt{250\,000}$
   $x \approx 500$ oder $x \approx -500$ $\Rightarrow L = \{-500; 500\}$
g) $x^2 = 0{,}0009$
   $x = \sqrt{0{,}0009}$ oder $x = -\sqrt{0{,}0009}$
   $x \approx 0{,}03$ oder $x \approx -0{,}03$ $\Rightarrow L = \{-0{,}03; 0{,}03\}$
h) $x^2 = 0{,}0121$
   $x = \sqrt{0{,}0121}$ oder $x = -\sqrt{0{,}0121}$
   $x \approx 0{,}11$ oder $x \approx -0{,}11$ $\Rightarrow L = \{-0{,}11; 0{,}11\}$

13
A: $x = \sqrt{810}$ oder $x = -\sqrt{810}$
   $x \approx 28{,}460$ oder $x \approx -28{,}460$ $\Rightarrow L = \{-28{,}460; 28{,}460\}$
B: $x = \sqrt{90}$ oder $x = -\sqrt{90}$
   $x \approx 9{,}487$ oder $x \approx -9{,}487$ $\Rightarrow L = \{-9{,}487; 9{,}487\}$
C: $x = \sqrt{10}$ oder $x = -\sqrt{10}$
   $x \approx 3{,}162$ oder $x \approx -3{,}162$ $\Rightarrow L = \{-3{,}162; 3{,}162\}$
D: $x = \sqrt{1{,}\overline{1}}$ oder $x = -\sqrt{1{,}\overline{1}}$
   $x \approx 1{,}054$ oder $x \approx -1{,}054$ $\Rightarrow L = \{-1{,}054; 1{,}054\}$
E: $x = \sqrt{\tfrac{10}{81}}$ oder $x = -\sqrt{\tfrac{10}{81}}$
   $x \approx 0{,}351$ oder $x \approx -0{,}351$ $\Rightarrow L = \{-0{,}351; 0{,}351\}$
F: $x = \sqrt{\tfrac{10}{729}}$ oder $x = -\sqrt{\tfrac{10}{729}}$
   $x \approx 0{,}117$ oder $x \approx -0{,}117$ $\Rightarrow L = \{-0{,}117; 0{,}117\}$

Beobachtung: Das Ergebnis drittelt sich jeweils.

Begründung: Die rechte Seite der quadratischen Gleichung teilt sich durch 9, durch das Ziehen der Wurzel teilt sich das Ergebnis durch 3 $\left(\sqrt{\tfrac{1}{9}} = \tfrac{1}{3}\right)$.

14
a) $\sqrt{2} \cdot (\sqrt{8} + \sqrt{2}) = \sqrt{2} \cdot \sqrt{8} + \sqrt{2} \cdot \sqrt{2} = \sqrt{16} + \sqrt{4} = 4 + 2 = 6$
b) $\sqrt{3} \cdot (2 \cdot \sqrt{3} - \sqrt{2}) = \sqrt{3} \cdot 2 \cdot \sqrt{3} - \sqrt{3} \cdot \sqrt{2} = 2 \cdot 3 - \sqrt{6}$
   $= 6 - \sqrt{6}$
c) $\sqrt{3} \cdot \left(\sqrt{133} + \tfrac{2}{\sqrt{3}}\right) = \sqrt{3} \cdot \sqrt{133} + \tfrac{2 \cdot \sqrt{3}}{\sqrt{3}} = \sqrt{399} + 2$
d) $\sqrt{5} \cdot \left(\sqrt{20} - \tfrac{1}{5}\right) = \sqrt{5} \cdot \sqrt{20} - \tfrac{\sqrt{5}}{5} = \sqrt{100} - \tfrac{\sqrt{5}}{\sqrt{5} \cdot \sqrt{5}} = 10 - \tfrac{1}{\sqrt{5}}$
e) $\tfrac{1}{\sqrt{5}} \cdot (5 - \sqrt{10}) = \tfrac{5}{\sqrt{5}} - \tfrac{\sqrt{10}}{\sqrt{5}} = \tfrac{\sqrt{5} \cdot \sqrt{5}}{\sqrt{5}} - \tfrac{\sqrt{2} \cdot \sqrt{5}}{\sqrt{5}} = \sqrt{5} - \sqrt{2}$
f) $(18 + 6 \cdot \sqrt{18}) \cdot \tfrac{1}{\sqrt{6}} = \tfrac{18}{\sqrt{6}} + \tfrac{6 \cdot \sqrt{18}}{\sqrt{6}} = \tfrac{3 \cdot \sqrt{6} \cdot \sqrt{6}}{\sqrt{6}} + 6 \cdot \sqrt{\tfrac{18}{6}}$
   $= 3 \cdot \sqrt{6} + 6 \cdot \sqrt{3}$
g) $\sqrt{10} \cdot (2 \cdot \sqrt{1{,}6} - \sqrt{4{,}9}) = \sqrt{10} \cdot 2 \cdot \sqrt{1{,}6} - \sqrt{10} \cdot \sqrt{4{,}9}$
   $= 2 \cdot \sqrt{16} - \sqrt{49} = 2 \cdot 4 - 7 = 8 - 7 = 1$

h) $\sqrt{0,5} \cdot (\sqrt{0,72} - \sqrt{0,08}) = \sqrt{0,5 \cdot 0,72} - \sqrt{0,5 \cdot 0,08}$
   $= \sqrt{0,36} - \sqrt{0,04} = 0,6 - 0,2 = 0,4$

i) $(\sqrt{0,18} - \sqrt{0,08}) \cdot \sqrt{2} = \sqrt{0,18 \cdot 2} - \sqrt{0,08 \cdot 2}$
   $= \sqrt{0,36} - \sqrt{0,16} = 0,6 - 0,4 = 0,2$

15

a) Es wurde $\sqrt{5} \cdot \sqrt{5}$ mit $\sqrt{5} + \sqrt{5} = 2 \cdot \sqrt{5}$ verwechselt.
   $\sqrt{5} \cdot (\sqrt{5} + 1) = \sqrt{5} \cdot \sqrt{5} + \sqrt{5} \cdot 1 = 5 + \sqrt{5}$

b) Die Wurzel aus einer Summe entspricht nicht der Summe der einzelnen Wurzeln (im Gegensatz zum Produkt/Quotienten).
   $\sqrt{13} \approx 3,6$

c) Es wurde das Distributivgesetz angewendet; hierbei wurde $\sqrt{7} - \sqrt{3}$ berechnet als $\sqrt{4}$, jedoch ist die Differenz zweier Wurzeln nicht gleich der Wurzel aus der Differenz.
   $\sqrt{7} \cdot 2 - \sqrt{3} \cdot 2 = 2 \cdot (\sqrt{7} - \sqrt{3})$

d) Es wurde angenommen, dass $\frac{10}{10} = 10 : 10$ null ist, es wurde falsch gekürzt.
   $\sqrt{\frac{10}{10}} = \sqrt{1} = 1$

16

a) (1) – e; (2) – h; (3) – c; (4) – i; (5) – e
b) (1) – d; (2) – b; (3) – g; (4) – f; (5) – a

17

a) $(3 - \sqrt{2})^2 = 9 - 6 \cdot \sqrt{2} + 4 = 13 - 6 \cdot \sqrt{2}$ ist reell.

b) $\left(\frac{1}{2} + \sqrt{5}\right) \cdot \left(\sqrt{5} - \frac{1}{2}\right) = \left(\sqrt{5} + \frac{1}{2}\right) \cdot \left(\sqrt{5} - \frac{1}{2}\right) = 5 - \frac{1}{4} = 4,75$
   ist rational.

c) $(5 \cdot \sqrt{3} + 2 \cdot \sqrt{27})^2 = 25 \cdot 3 + 2 \cdot 5 \cdot \sqrt{3} \cdot 2 \cdot \sqrt{27} + 4 \cdot 27$
   $= 75 + 20 \cdot \sqrt{81} + 108 = 183 + 180 = 363$ ist natürlich.

d) $(\sqrt{6} - \sqrt{24}) \cdot \sqrt{6} = 6 - \sqrt{144} = 6 - 12 = -6$ ist ganz.

18

a) 1. $\sqrt{27} \cdot \sqrt{3} = 9$
   Mit diesem Term berechnet man den Flächeninhalt dreier zusammenhängender blauer Quadrate, die je 3 FE groß sind: Länge des roten Quadrats · Länge des blauen Quadrats = $\sqrt{3} \cdot \sqrt{27}$
   2. $\sqrt{27} : \sqrt{3} = 3$
   Der Term berechnet, wie oft die Länge eines roten Quadrats (= $\sqrt{3}$) in die Länge des blauen Quadrats (= $\sqrt{27}$) hineinpasst: $\sqrt{27} : \sqrt{3}$.
   An der Zeichnung erkennt man, dass $\sqrt{3}$ dreimal in die $\sqrt{27}$ hineinpasst.
   3. Diagonale $\sqrt{2 \cdot 3}$
   Das grüne Quadrat ist aus zwei roten Quadraten der Fläche 3 FE zusammengesetzt, hat also einen Flächeninhalt von 6 FE.
   Die grüne Strecke ist die Seitenlänge des grünen Quadrats, also $\sqrt{6}$ LE lang und zugleich die Diagonale des blauen Quadrats mit dem Inhalt 3 FE.

b)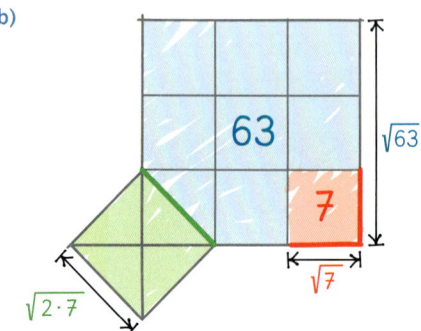

analoge Aussagen sind:
1. $\sqrt{63} \cdot \sqrt{7} = 21$
2. $\sqrt{63} : \sqrt{7} = 3$
3. Diagonale eines Quadrats mit dem Flächeninhalt 7 ist $\sqrt{2 \cdot 7}$ LE lang.

c) $\sqrt{5} \cdot \sqrt{80} = 20$
   $\sqrt{80} \cdot \sqrt{5} = 4 \cdot 5 = 20$

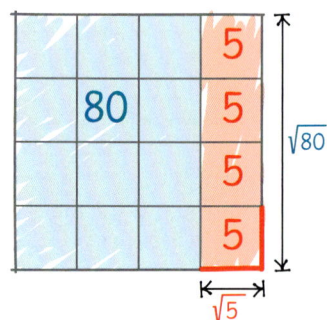

Seite 27

19

a) Wahr; die Menge der ganzen Zahlen ist in der Menge der reellen Zahlen enthalten.

b) Falsch; Gegenbeispiel: $0,\overline{3}$; eine periodische Zahl lässt sich als Bruch darstellen, ist also rational.

c) Falsch; jeder Quotient zweier natürlicher Zahlen ist ein Bruch, also rational.

d) Wahr; da sich eine rationale Zahl als Bruch darstellen lässt, ist der Quotient zweier rationaler Zahlen eine Division zweier Brüche bzw. eine Multiplikation eines Bruches mit dem Kehrwert des zweiten Bruches; das Ergebnis ist wieder ein Bruch, also rational.

e) Falsch; eine irrationale Zahl hat unendlich viele nicht periodische Nachkommastellen, dies bleibt auch erhalten, wenn man durch die Multiplikation mit 1000 das Komma um 3 Stellen nach rechts verschiebt.

f) Wahr; zwischen zwei beliebigen rationalen Zahlen liegen unendlich viele weitere Zahlen, man muss nur fortlaufend immer die Mitten nehmen.

20
a) E – K – C – I – B – G – A – H – J – F – D
b) Annahme: $\sqrt{8} = \frac{a}{b}$
$8 = \frac{a^2}{b^2}$
$8 \cdot b^2 = a^2$
$\underbrace{2 \cdot 2 \cdot 2 \cdot b^2}_{\text{ungerade Anzahl an Faktoren 2}} = \underbrace{a^2}_{\text{gerade Anzahl an Faktoren 2}}$

Also Widerspruch zur Annahme
Annahme: $\sqrt{45} = \frac{a}{b}$
$45 = \frac{a^2}{b^2}$
$45 \cdot b^2 = a^2$
$\underbrace{5 \cdot 3 \cdot 3 \cdot b^2}_{\text{ungerade Anzahl an Faktoren 5}} = \underbrace{a^2}_{\text{gerade Anzahl an Faktoren 5}}$

Also Widerspruch zur Annahme

21
a) (1) Die rote Strecke ist $\sqrt{5}$ LE lang. Das gelbe Quadrat lässt sich aus 5 Einheitsquadraten zusammensetzen:
$1 + 2 \cdot (1 \cdot 2) = 5$.
(2) Die rote Strecke ist $\sqrt{10}$ LE lang. Das gelbe Quadrat lässt sich aus 10 Einheitsquadraten zusammensetzen:
$4 + 2 \cdot (1 \cdot 3) = 10$.
(3) Die rote Strecke ist $\sqrt{17}$ LE lang. Das gelbe Quadrat lässt sich aus 17 Einheitsquadraten zusammensetzen:
$9 + 2 \cdot (1 \cdot 4) = 17$.
b) Die rote Strecke des fortgesetzten Musters ist $\sqrt{26}$ LE lang. Das gelbe Quadrat lässt sich nun aus 26 Einheitsquadraten zusammensetzen:
$16 + 2 \cdot (1 \cdot 5) = 26$.
c) Durch Fortsetzung des Musters erhält man:
(5) $5^2 + 2 \cdot (1 \cdot 6) = 37$; Seitenlänge: $\sqrt{1 + 6^2}$ FE
(6) $6^2 + 2 \cdot (1 \cdot 7) = 50$; Seitenlänge: $\sqrt{1 + 7^2}$ FE
(7) $7^2 + 2 \cdot (1 \cdot 8) = 65$; Seitenlänge: $\sqrt{1 + 8^2}$ FE
(8) $8^2 + 2 \cdot (1 \cdot 9) = 82$; Seitenlänge: $\sqrt{1 + 9^2}$ FE
(9) $9^2 + 2 \cdot (1 \cdot 10) = 101$; Seitenlänge: $\sqrt{1 + 10^2}$ FE
(10) $10^2 + 2 \cdot (1 \cdot 11) = 122$; Seitenlänge: $\sqrt{1 + 11^2}$ FE
d) Man erhält:
(1) $\sqrt{8} = \sqrt{2^2 + 2^2}$
(2) $\sqrt{13} = \sqrt{2^2 + 3^2}$
(3) $\sqrt{20} = \sqrt{2^2 + 4^2}$
usw.
(10) $\sqrt{125} = \sqrt{2^2 + 11^2}$

22
$25 + 36 = 61$
Da 61 keine Quadratzahl ist, lässt sich kein Quadrat legen.
Beispiele für pythagoreische Tripel:
$3^2 + 4^2 = 5^2$
$5^2 + 12^2 = 13^2$
$8^2 + 15^2 = 17^2$
$9^2 + 40^2 = 41^2$

Seite 29

Runde 1

1
a) $\sqrt{144} = 12$ b) $\sqrt{19\,600} = 140$
c) $\sqrt{0{,}0004} = 0{,}02$ d) $\sqrt{3{,}24} = 1{,}8$
e) $\sqrt{\frac{9}{25}} = \frac{3}{5} = 0{,}6$ f) $\sqrt{\frac{100}{81}} = \frac{10}{9} = 1{,}\overline{1}$

2
a) z. B. $-4{,}1$ b) z. B. $\sqrt{17}$ c) z. B. $-\frac{7}{3}$ d) z. B. 256

3
a) $\sqrt{0{,}5} \cdot \sqrt{20} = \sqrt{0{,}5 \cdot 20} = \sqrt{10}$; $3 < \sqrt{10} < 4$ (F)
b) $\sqrt{\left(-\frac{2}{3}\right)^2} = \frac{2}{3} > 0{,}5$ (B)
c) $\frac{\sqrt{98}}{\sqrt{32}} = \sqrt{\frac{98}{32}} = \sqrt{\frac{49}{16}} = \frac{7}{4} = 1\frac{3}{4}$ (D)
d) $\sqrt{\frac{1}{2}} + \sqrt{\frac{1}{2}} = 2 \cdot \sqrt{\frac{1}{2}} = \frac{2}{\sqrt{2}} = \frac{\sqrt{2} \cdot \sqrt{2}}{\sqrt{2}} = \sqrt{2} \approx 1{,}4$ (C)

4
a) (A) = $\sqrt{\frac{82{,}8}{16}} = \frac{\sqrt{82{,}8}}{\sqrt{16}} = \frac{\sqrt{82{,}8}}{4} = \frac{1}{4} \cdot \sqrt{82{,}8} = \sqrt{82{,}8} : 4 = $ (B)

Antwort: Die Seitenlänge eines kleinen Schokoladenstücks beträgt ca. 2,3 cm.

b) (A) $\frac{82{,}8}{16}$ Man berechnet den Flächeninhalt eines der 16 Scholoadenstücke.
$\sqrt{\frac{82{,}8}{16}}$ Man berechnet die Seitenlänge eines Schokoladenstücks.
(B) $\sqrt{82{,}8}$ Man berechnet zuerst die Seitenlänge der gesamten Tafel.
$\frac{\sqrt{82{,}8}}{4}$ Man teilt die Seitenlänge auf die 4 Stücke auf, um die Länge eines Stücks zu berechnen.

Lösungen

5

a) $x^2 = 0{,}1$
   $x = \sqrt{0{,}1}$ oder $x = -\sqrt{0{,}1}$
   $x \approx 0{,}316$ oder $x \approx -0{,}316$ $\Rightarrow L = \{-0{,}316; 0{,}316\}$

b) $x^2 = \frac{81}{121}$
   $x = \sqrt{\frac{81}{121}} = \frac{9}{11}$ oder $x = -\sqrt{\frac{81}{121}} = -\frac{9}{11}$
   $x \approx 0{,}818$ oder $x \approx -0{,}818$ $\Rightarrow L = \{-0{,}818; 0{,}818\}$

c) $x^2 = \frac{999}{1001}$
   $x = \sqrt{\frac{999}{1001}}$ oder $x = -\sqrt{\frac{999}{1001}}$
   $x \approx 0{,}999$ oder $x \approx -0{,}999$ $\Rightarrow L = \{-0{,}999; 0{,}999\}$

d) $x^2 = 2^2$
   $x = \sqrt{2^2}$ oder $x = -\sqrt{2^2}$
   $x = 2$ oder $x = -2$ $\Rightarrow L = \{-2; 2\}$

Runde 2

1

a) $\sqrt{361} = 19$
b) $\sqrt{28\,900} = 170$
c) $\sqrt{0{,}0025} = 0{,}05$
d) $\sqrt{0{,}0361} = 0{,}19$
e) $\sqrt{\frac{121}{225}} = \frac{11}{15}$
f) $\sqrt{\frac{196}{169}} = \frac{14}{13} = 1\frac{1}{13}$

2

a) $\sqrt{\frac{1}{900}} = \frac{1}{30}$
   Die Zahl ist rational, da als Bruch darstellbar.

b) $\sqrt{40} = \sqrt{4 \cdot 10} = 2 \cdot \sqrt{10}$
   Die Zahl ist irrational, da 10 keine Quadratzahl ist.

c) $3{,}303\,303\,33$
   Die Zahl ist rational, da abbrechend.

d) $\sqrt{\frac{16}{50}} = \frac{\sqrt{16}}{\sqrt{50}} = \frac{4}{\sqrt{50}}$
   Die Zahl ist irrational, da 50 keine Quadratzahl ist.

3

a) $\sqrt{72} = \sqrt{2 \cdot 36} = \sqrt{2} \cdot 6 \approx 1{,}4 \cdot 6 = 8{,}4$
b) $\sqrt{5000} = \sqrt{2 \cdot 2500} = \sqrt{2} \cdot 50 \approx 1{,}4 \cdot 50 = 70$
c) $\sqrt{0{,}18} = \sqrt{2 \cdot 0{,}09} = \sqrt{2} \cdot 0{,}3 \approx 1{,}4 \cdot 0{,}3 = 0{,}42$
d) $\sqrt{\frac{1}{8}} = \frac{1}{\sqrt{2 \cdot 4}} = \frac{1}{\sqrt{2}} \cdot \frac{1}{2}$
   Kehrwert von $\sqrt{2} \cdot 2 \approx 1{,}4 \cdot 2 = 2{,}8$
   $1 : 2{,}8 \approx 0{,}36$

4

Die Oberfläche des großen Würfels ist
$O = 120\,\text{dm}^2 = 6 \cdot 20\,\text{dm}^2$.
Daraus folgt: Eine Seitenfläche des großen Würfels ist $20\,\text{dm}^2$ groß, eine Seitenkante $\sqrt{20}\,\text{dm}$ lang; eine Seitenfläche des mittleren Würfels ist $10\,\text{dm}^2$ groß, eine Seitenkante $\sqrt{10}\,\text{dm}$ lang; eine Seitenfläche des kleinen Würfels ist $5\,\text{dm}^2$ groß, eine Seitenkante $\sqrt{5}\,\text{dm}$ lang, denn die Größe der Seitenflächen halbiert sich zum nächstkleineren Würfel.
Das heißt für die Kriechspur:
$\sqrt{20}\,\text{dm} + (\sqrt{20}\,\text{dm} - \sqrt{10}\,\text{dm}) + \sqrt{10}\,\text{dm} + (\sqrt{10}\,\text{dm} - \sqrt{5}\,\text{dm}) + 2 \cdot \sqrt{5}\,\text{dm} = 2 \cdot \sqrt{20}\,\text{dm} + \sqrt{10}\,\text{dm} + \sqrt{5}\,\text{dm} \approx 14{,}3\,\text{dm}$.
Die eingezeichnete Kriechspur der Schnecke ist ca. $14{,}3\,\text{dm} = 143\,\text{cm}$ lang.

5

a) kleinstes Quadrat: $A = 1\,\text{cm}^2$
   $a = 1\,\text{cm}$

   blaues Quadrat: $A = 2 \cdot 1\,\text{cm}^2 = 2\,\text{cm}^2$
   $a = \sqrt{2}\,\text{cm} \approx 1{,}4\,\text{cm}$

   rotes Quadrat: $A = 2 \cdot 2\,\text{cm}^2 = 4\,\text{cm}^2$
   $a = \sqrt{4\,\text{cm}^2} = 2\,\text{cm}$

   grünes Quadrat: $A = 2 \cdot 4\,\text{cm}^2 = 8\,\text{cm}^2$
   $a = \sqrt{8\,\text{cm}^2} = 2 \cdot \sqrt{2}\,\text{cm}$
   $\approx 2{,}8\,\text{cm}$

   oranges Quadrat: $A = 2 \cdot 8\,\text{cm}^2 = 16\,\text{cm}^2$
   $a = \sqrt{16\,\text{cm}^2} = 4\,\text{cm}$

b) Der Flächeninhalt verdoppelt sich, da man das nächstgrößere Quadrat aus zwei kleineren Quadraten zusammensetzen kann.
   Die Seitenlänge vergrößert sich um den Faktor $\sqrt{2}$.

II Quadratische Funktionen

Seite 33

Check-in

1

a) Wertetabelle:

x	-4	-3	-2	-1	0	1	2	3	4
y	-1	-0,75	-0,5	-0,25	0	0,25	0,5	0,75	1

b) Wertetabelle:

x	-4	-3	-2	-1	0	1	2	3	4
y	10,5	8,5	6,5	4,5	2,5	0,5	-1,5	-3,5	-5,5

c) Wertetabelle:

x	0,5	1	1,5	2	2,5	3
y	3	1,5	1	0,75	0,6	0,5

Funktionsgraphen: siehe Abbildung

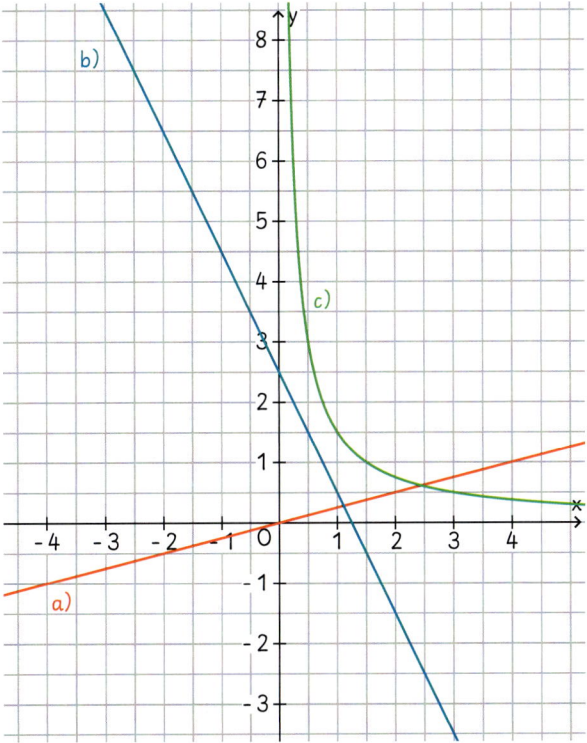

2

a) Drucker der Firma A: K(x) = 0,016 x + 120
Drucker der Firma B: K(x) = 0,025 x + 80
Begründung: Der Preis pro ausgedruckter Seite beträgt beim Drucker der Firma A $\frac{80\,€}{5000}$ = 0,016 € und beim Drucker der Firma B $\frac{50\,€}{2000}$ = 0,025 €. Dieser Preis (in €) muss mit der Anzahl x der ausgedruckten Seiten multipliziert werden. Die Anschaffungskosten (in €) werden jeweils addiert.

b) Für den Drucker der Firma A erhält man:
K(10 000) = 0,016 · 10 000 + 120 = 160 + 120 = 280
Für den Drucker der Firma B erhält man:
K(10 000) = 0,025 · 10 000 + 80 = 250 + 80 = 330
Daher ist der Drucker der Firma A bei 10 000 ausgedruckten Seiten günstiger als der Drucker der Firma B.

3

a) (1) $(3x - y)^2 = 9x^2 - 6xy + y^2$
(2) $x^2 + 8x + 16 = (x + 4)^2$
(3) $(2x - 3y) \cdot (2x + 3y) = 4x^2 - 9y^2$
(4) $x^2 - x + \frac{1}{4} = \left(x - \frac{1}{2}\right)^2$

b) (1) $(x - 2)^2 = x^2 - 4x + 4$
(2) $(3x + 1,5)^2 = 9x^2 + 9x + 2,25$
(3) $3 \cdot (x - 4)^2 = 3 \cdot (x^2 - 8x + 16) = 3x^2 - 24x + 48$

4

a) I: x + 2y = 11 | − 2y
II: −2x + 5y = −40
Ia: x = 11 − 2y in II einsetzen:
−2 · (11 − 2y) + 5y = −40
   −22 + 4y + 5y = −40 | + 22
         9y = −18 | : 9
          y = −2
Einsetzen in Ia: x = 11 − 2 · (−2) = 15
Probe: (15 | −2) in I: 15 + 2 · (−2) = 11
                          15 − 4 = 11 (wahr)
       (15 | −2) in II: −2 · 15 + 5 · (−2) = −40
                          −30 − 10 = −40 (wahr)
Lösung: x = 15, y = −2

b) I: 3x + 4y = 1
II: 4x + 2y = −12 | · (−2)
I: 3x + 4y = 1
IIa: −8x − 4y = 24
I + IIa: −5x = 25 | : (−5)
              x = −5
Einsetzen, z. B. in I: 3 · (−5) + 4y = 1 | + 15
                       4y = 16 | : 4
                        y = 4
Probe: (−5 | 4) in I: 3 · (−5) + 4 · 4 = 1
                        −15 + 16 = 1 (wahr)
       (−5 | 4) in II: 4 · (−5) + 2 · 4 = −12
                        −20 + 8 = −12 (wahr)
Lösung: x = −5, y = 4

Seite 38

6

a)

x	−2	−1	0	1	2
f(x)	−2	−1,5	−1	−0,5	0

Lösungen

b)

x	−2	−1	0	1	2
f(x)	5,5	3,5	1,5	−0,5	−2,5

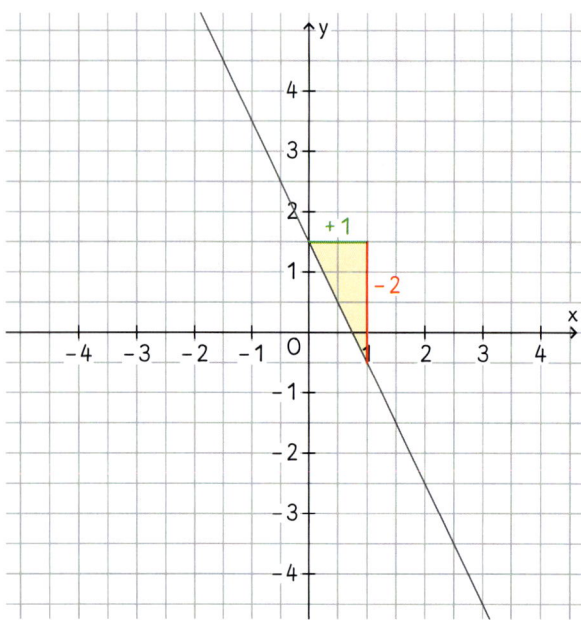

7

Funktion	Steigung	y-Achsenabschnitt	Funktionsgleichung
f	m = −2	b = 1,5	f(x) = −2x + 1,5
g	m = 1,5	b = 2	g(x) = 1,5x + 2
h	m = 2,5	b = −1	h(x) = 2,5x − 1
k	m = 0,5	b = 1	k(x) = 0,5x + 1

Seite 39

13
a) $h(x) = -1{,}2x + 8{,}5$
b) $h(2) = -1{,}2 \cdot 2 + 8{,}5 = 6{,}1$
   Nach zweistündiger Brenndauer ist die Kerze noch 6,1 cm hoch.

G **16**
a) $a^2 + \mathbf{2}ab + b^2$ b) $x^2 - 6ax + \mathbf{9}a^2$ c) $16y^2 + \mathbf{16}xy + 4x^2$
d) $\mathbf{9}e^2 + 12ef + 4f^2$ e) $\tfrac{1}{4}x^2 + \mathbf{1}xy + y^2$ f) $4a^2 + \tfrac{4}{3}ab + \tfrac{1}{9}b^2$

Seite 42

6
a)
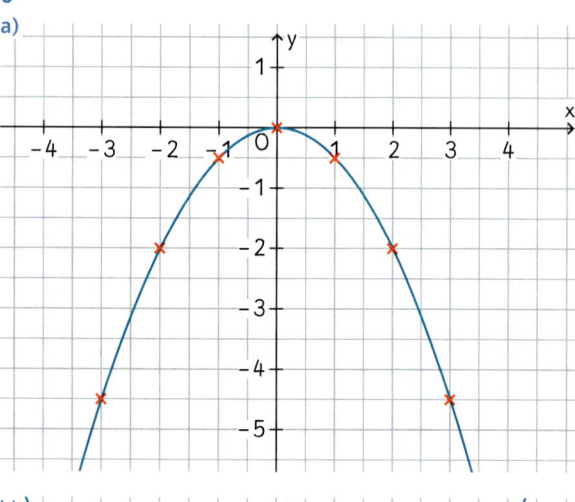

b)
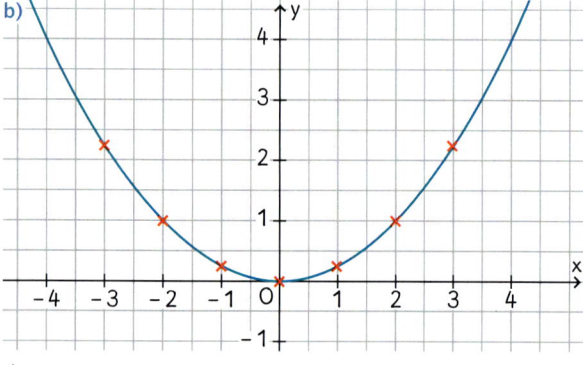

c)
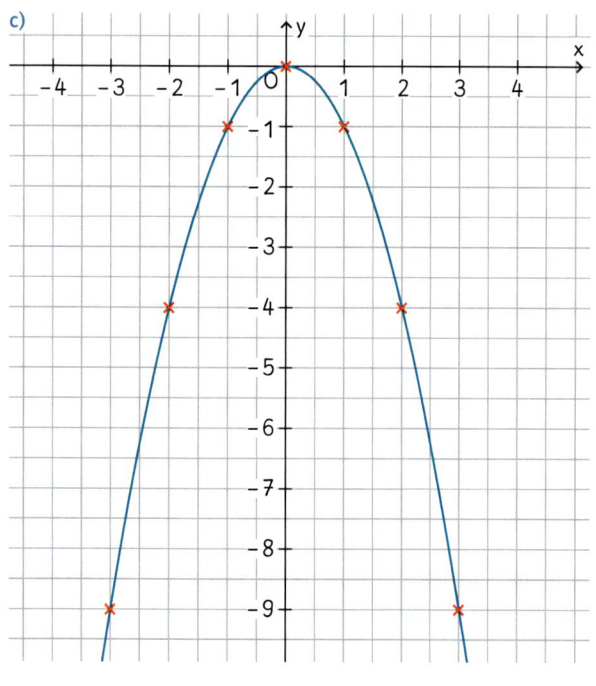

d)

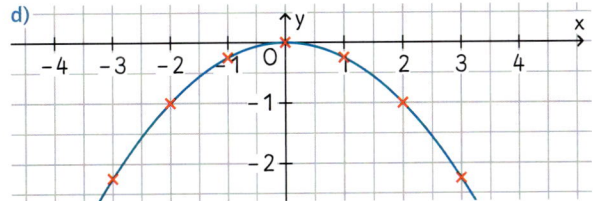

7
a) $f(0,1) = -5 \cdot 0,1^2 = -0,05$
   $P(0,1|-0,05)$ liegt auf der Parabel von f.
b) $f(2) = 3 \cdot 2^2 = 12 \neq 36$
   $P(2|36)$ liegt nicht auf der Parabel von f.
c) $f(0,5) = -0,5^2 = -0,25 \neq -0,5$
   $P(0,5|-0,5)$ liegt nicht auf der Parabel von f.
d) $f(2) = -0,25 \cdot 2^2 = -1$
   $P(2|-1)$ liegt auf der Parabel von f.

Seite 44

15
$9 = a \cdot (-1,5)^2 = 2,25\,a \qquad |:2,25$
$4 = a$
Funktionsgleichung: $f(x) = 4x^2$

16
a) Es gilt $f(x) = ax^2$ und $f(20) = -10$. Daraus folgt:
   $-10 = a \cdot 20^2 = 400\,a \qquad |:400$
   $-0,025 = a$
   Also ist die Funktionsgleichung $f(x) = -0,025x^2$.
b) Es gilt $f(x) = ax^2$ und $f(10) = -10$. Daraus folgt:
   $-10 = a \cdot 10^2 = 100\,a \qquad |:100$
   $-0,1 = a$
   Also ist die Funktionsgleichung $f(x) = -0,1x^2$.

G **19**
a) $a^2 - 2ab + b^2 = (a-b)^2$
b) $x^2 + 4x + 4 = (x+2)^2$
c) $9x^2 - 6x + 1 = (3x-1)^2$
d) $0,25a^2 + ab + b^2 = (0,5a+b)^2$

Seite 47

6
a) $f(1) = (1+2)^2 - 3 = 9 - 3 = 6 \neq 3$
   Der Punkt $P(1|3)$ liegt nicht auf der Parabel.
b) $f(-3) = (-3+2)^2 - 3 = 1 - 3 = -2$
   Der Punkt $P(-3|-2)$ liegt auf der Parabel.
c) $f(2) = (2+2)^2 - 3 = 16 - 3 = 13$
   Der Punkt $P(2|13)$ liegt auf der Parabel.
d) $f(-5) = (-5+2)^2 - 3 = 9 - 3 = 6 \neq 4$
   Der Punkt $P(-5|4)$ liegt nicht auf der Parabel.

7
a) Scheitelpunkt: $S(-2|-2)$
   Wertetabelle:

x	-4	-3	-2	-1	0
f(x)	2	-1	-2	-1	2

Graph:

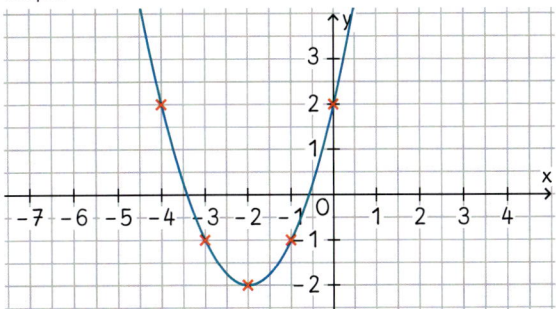

b) Scheitelpunkt: $S(-2|0)$
   Wertetabelle:

x	-4	-3	-2	-1	0
f(x)	4	1	0	1	4

Graph:

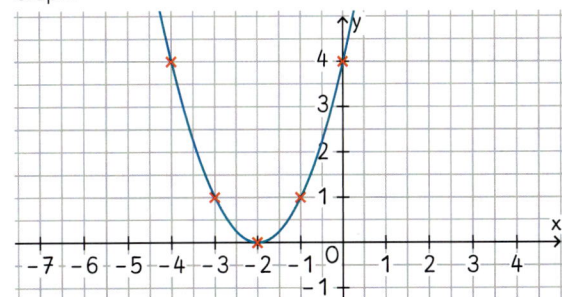

c) Scheitelpunkt: $S(3|-3)$
   Wertetabelle:

x	1	2	3	4	5
f(x)	1	-2	-3	-2	1

Graph:

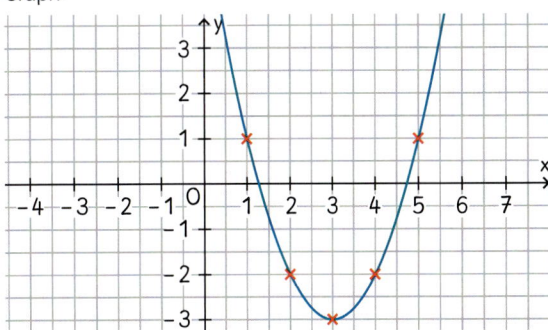

Seite 49

17

a) Funktionsgleichung: $f(x) = -(x+3)^2$
$f(-1) = -(-1+3)^2 = -2^2 = -4$
$P(-1|-4)$

b) Funktionsgleichung: $f(x) = 3(x-1)^2 - 4$
$f(-2) = 3(-2-1)^2 - 4 = 3 \cdot (-3)^2 - 4 = 23$
$P(-2|23)$

c) Funktionsgleichung: $f(x) = 0{,}25(x+2)^2 + 1$
$f(2) = 0{,}25(2+2)^2 + 1 = 0{,}25 \cdot 4^2 + 1 = 5$
$P(2|5)$

d) Funktionsgleichung: $f(x) = -0{,}1(x+2)^2$
$f(-7) = -0{,}1(-7+2)^2 = -0{,}1 \cdot (-5)^2 = -0{,}1 \cdot 25 = -2{,}5$
$P(-7|-2{,}5)$

18

a) Es kommt darauf an:
Der Scheitelpunkt von f ist immer $S(2|1)$. Er liegt oberhalb der x-Achse.
Ist $a > 0$, so ist die Parabel nach oben geöffnet. Es gibt dann keinen Schnittpunkt mit der x-Achse.
Ist $a < 0$, so ist die Parabel nach unten geöffnet und es gibt immer zwei Schnittpunkte mit der x-Achse.

b) Gilt immer:
Die Parabel ist nach oben geöffnet und der Scheitelpunkt liegt unabhängig von d unterhalb der x-Achse.
Daher hat die Parabel immer zwei Schnittpunkte mit der x-Achse.

G **22**

a) $3(x-3) - 2$
$= 3x - 9 - 2$
$= 3x - 11$

b) $(a-3) \cdot (a-2)$
$= a^2 - 2a - 3a + 6$
$= a^2 - 5a + 6$

c) $1 - 2(4-2b)$
$= 1 - 8 + 4b$
$= 4b - 7$

d) $-(y-2) - 3 \cdot y$
$= -y + 2 - 3y$
$= -4y + 2$

Seite 52

6

a) $f(x) = x^2 + 8x + 16$
$= x^2 + 2 \cdot 4 \cdot x + 4^2 - 4^2 + 16$
$= (x+4)^2$
$\Rightarrow S(-4|0)$

b) $f(x) = x^2 - 4x$
$= x^2 - 2 \cdot 2 \cdot x + 2^2 - 2^2$
$= (x-2)^2 - 4$
$\Rightarrow S(2|-4)$

c) $f(x) = x^2 + 6x + 1$
$= x^2 + 2 \cdot 3 \cdot x + 3^2 - 3^2 + 1$
$= (x+3)^2 - 8$
$\Rightarrow S(-3|-8)$

7

a) $f(x) = (x-5)^2 - 14$
$= (x^2 - 10x + 25) - 14$
$= x^2 - 10x + 11$
y-Achsenabschnitt c: 11

b) $f(x) = 5 \cdot (x+1)^2$
$= 5 \cdot (x^2 + 2x + 1)$
$= 5x^2 + 10x + 5$
y-Achsenabschnitt c: 5

c) $f(x) = -2(x-3)^2 + 14$
$= -2(x^2 - 6x + 9) + 14$
$= -2x^2 + 12x - 18 + 14 = -2x^2 + 12x - 4$
y-Achsenabschnitt c: -4

Seite 54

15

a) $f(x) = x^2 - 2{,}2x$
$= x^2 - 2 \cdot 1{,}1x + 1{,}1^2 - 1{,}1^2$
$= (x-1{,}1)^2 - 1{,}21$
$\Rightarrow S(1{,}1|-1{,}21)$

b) $f(x) = 2x^2 - 2{,}8x + 0{,}6$
$= 2 \cdot (x^2 - 1{,}4x) + 0{,}6$
$= 2 \cdot (x - 2 \cdot 0{,}7x + 0{,}7^2 - 0{,}7^2) + 0{,}6$
$= 2 \cdot [(x-0{,}7)^2 - 0{,}49] + 0{,}6$
$= 2 \cdot (x-0{,}7)^2 - 0{,}98 + 0{,}6$
$= 2 \cdot (x-0{,}7)^2 - 0{,}38$
$\Rightarrow S(0{,}7|-0{,}38)$

c) $f(x) = 3x^2 - 12x + 2{,}5$
$= 3 \cdot (x^2 - 4x) + 2{,}5$
$= 3 \cdot (x - 2 \cdot 2x + 2^2 - 2^2) + 2{,}5$
$= 3 \cdot [(x-2)^2 - 4] + 2{,}5$
$= 3 \cdot (x-2)^2 - 12 + 2{,}5$
$= 3 \cdot (x-2)^2 - 9{,}5$
$\Rightarrow S(2|-9{,}5)$

16

Nach der Erstellung des Funktionsgraphen mit einer DGS vergrößert man den angezeigten Bereich in den Einstellungen der Grafik-Ansicht. Beispielsweise kann man auf der x-Achse den Bereich zwischen -40 und 300 darstellen und auf der y-Achse den Bereich zwischen -5000 und 30000.

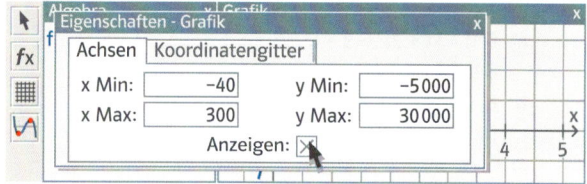

Anschließend ermittelt man das Extremum:

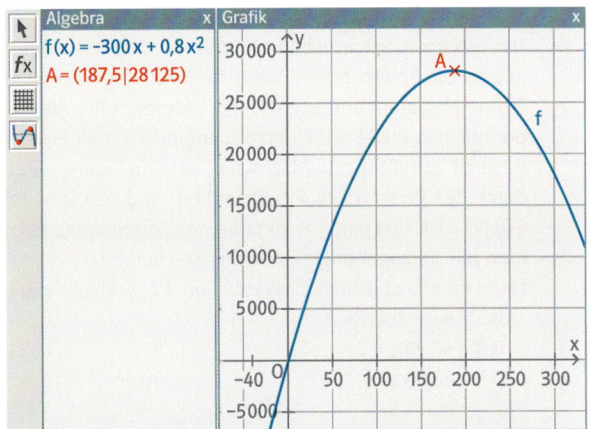

Der höchste Punkt der Parabel ist der Punkt (187,5 | 28 125).

Dem Modell zufolge sollte die Turbine also bei einer Drehzahl von 187,5 betrieben werden, damit die maximale Leistung erzielt werden kann. Diese beträgt laut Modell 28 125 Watt.

G **21**

a) $(3x - 1) \cdot (4x - 3) = 12x^2 - 9x - 4x + 3 = 12x^2 - 13x + 3$

b) $(x - 3) \cdot (1 - x) = x - x^2 - 3 + 3x = -x^2 + 4x - 3$

c) $2 - 4 \cdot (-x + 8) = 4x - 30$

d) $\left(a - \frac{1}{3}\right) \cdot \left(\frac{1}{6} - a\right) = \frac{1}{6}a - a^2 - \frac{1}{18} + \frac{1}{3}a = -a^2 + \frac{1}{2}a - \frac{1}{18}$

e) $4{,}5 - 0{,}1 \cdot (b - 4) = 4{,}5 - 0{,}1 \cdot b + 0{,}4 = -0{,}1 \cdot b + 4{,}9$

f) $\left(y - \frac{1}{5}\right) \cdot 3 - \frac{1}{3} \cdot y = 3y - \frac{3}{5} - \frac{1}{3} \cdot y = 2\frac{2}{3} \cdot y - \frac{3}{5}$

Seite 57

5

a) $f(x) = a \cdot (x - 1)^2 + 2$
Durch Einsetzen von P(4|-7) erhält man:
$-7 = a \cdot (4 - 1)^2 + 2$
$-7 = 9 \cdot a + 2 \Rightarrow -9 = 9 \cdot a \Rightarrow a = -1$
Funktionsgleichung: $f(x) = -(x - 1)^2 + 2$
Probe für P:
$f(4) = -(4 - 1)^2 + 2 = -9 + 2 = -7$ ✓

b) $f(x) = a \cdot (x + 3)^2 - 5$
Durch Einsetzen von P(-1|3) erhält man:
$3 = a \cdot (-1 + 3)^2 - 5$
$3 = 4 \cdot a - 5 \Rightarrow 8 = 4 \cdot a \Rightarrow a = 2$
Funktionsgleichung: $f(x) = 2 \cdot (x + 3)^2 - 5$
Probe für P:
$f(-1) = 2 \cdot (-1 + 3)^2 - 5 = 2 \cdot 4 - 5 = 8 - 5 = 3$ ✓

c) $f(x) = a \cdot (x + 2)^2 - 3$
Durch Einsetzen von P(-6|5) erhält man:
$5 = a \cdot (-6 + 2)^2 - 3$
$5 = 16 \cdot a - 3 \Rightarrow 8 = 16 \cdot a \Rightarrow a = \frac{1}{2}$
Funktionsgleichung: $f(x) = \frac{1}{2} \cdot (x + 2)^2 - 3$
Probe für P:
$f(-6) = \frac{1}{2} \cdot (-6 + 2)^2 - 3 = \frac{1}{2} \cdot 16 - 3 = 8 - 3 = 5$ ✓

6

a) $f(x) = a \cdot x^2 + b \cdot x + 5$
Durch Einsetzen von P(1|3) und Q(2|-5) erhält man:
I: $a \cdot 1^2 + b \cdot 1 + 5 = 3 \quad |-b-5$
II: $a \cdot 2^2 + b \cdot 2 + 5 = -5 \quad |-5$

Ia: $a = -2 - b$
IIa: $4a + 2b = -10$

Ia in IIa:
$4 \cdot (-2 - b) + 2 \cdot b = -10$
$-8 - 4b + 2b = -10 \quad |+8$
$-2b = -2 \quad |:(-2)$
$b = 1$

Einsetzen in Ia: $a = -2 - 1 = -3$
Funktionsgleichung: $f(x) = -3x^2 + x + 5$

Probe für P: $f(1) = -3 \cdot 1^2 + 1 + 5 = -3 + 6 = 3$ ✓
Probe für Q: $f(2) = -3 \cdot 2^2 + 2 + 5 = -12 + 7 = -5$ ✓

b) $f(x) = a \cdot x^2 + b \cdot x + 1$
Durch Einsetzen von P(1|5) und Q(3|1) erhält man:
I: $a \cdot 1^2 + b \cdot 1 + 1 = 5 \quad |-b-1$
II: $a \cdot 3^2 + b \cdot 3 + 1 = 1 \quad |-1$

Ia: $a = 4 - b$
IIa: $9 \cdot a + 3 \cdot b = 0$

Ia in IIa:
$9 \cdot (4 - b) + 3 \cdot b = 0$
$36 - 9 \cdot b + 3 \cdot b = 0 \quad |-36$
$-6 \cdot b = -36 \quad |:(-6)$
$b = 6$

Einsetzen in Ia: $a = 4 - 6 = -2$
Funktionsgleichung: $f(x) = -2 \cdot x^2 + 6 \cdot x + 1$

Probe für P: $f(1) = -2 \cdot 1^2 + 6 \cdot 1 + 1 = -2 + 7 = 5$ ✓
Probe für Q: $f(3) = -2 \cdot 3^2 + 6 \cdot 3 + 1 = -18 + 18 + 1 = 1$ ✓

c) $f(x) = a \cdot x^2 + b \cdot x + 8$
Durch Einsetzen von $P(-2|10)$ und $Q(3|-10)$ erhält man:
I: $\quad a \cdot (-2)^2 + b \cdot (-2) + 8 = 10 \quad |-8$
II: $\quad a \cdot 3^2 + b \cdot 3 + 8 = -10 \quad |-8$

Ia: $\quad 4 \cdot a - 2 \cdot b = 2$
IIa: $\quad 9 \cdot a + 3 \cdot b = -18 \quad |:3$

IIb: $\quad 3 \cdot a + b = -6$
IIc: $\quad b = -6 - 3 \cdot a$ in Ia einsetzen:
$\quad 4 \cdot a - 2 \cdot (-6 - 3 \cdot a) = 2$
$\quad\quad 4 \cdot a + 12 + 6 \cdot a = 2 \quad |-12$
$\quad\quad\quad\quad\quad\quad 10 \cdot a = -10 \quad |:10$
$\quad\quad\quad\quad\quad\quad\quad\quad a = -1$

Einsetzen in IIc: $\quad b = -6 - 3 \cdot (-1) = -6 + 3 = -3$
Funktionsgleichung: $f(x) = -x^2 - 3 \cdot x + 8$

Probe für P: $f(-2) = -(-2)^2 - 3 \cdot (-2) + 8 = -4 + 6 + 8 = 10$ ✓
Probe für Q: $f(3) = -3^2 - 3 \cdot 3 + 8 = -9 - 9 + 8 = -10$ ✓

Seite 59

13

a) Aus den Koordinaten des Scheitelpunkts folgt:
$f(x) = a(x - 1)^2 + 1$
Da der y-Achsenabschnitt 3 ist, gilt:
$3 = f(0) = a(0 - 1)^2 + 1 = a + 1 \quad |-1$
$2 = a$
Insgesamt erhält man die Funktionsgleichung:
$f(x) = 2 \cdot (x - 1)^2 + 1$

b) Wegen des Streckfaktors gilt: $f(x) = 0{,}5 \cdot x^2 + b \cdot x + c$.
Aus der Schnittstelle des Graphen mit der y-Achse erhält man $f(x) = 0{,}5 \cdot x^2 + b \cdot x + 1{,}5$.
Durch Einsetzen des Punktes $(3|0)$ ergibt sich:
$0 = f(3) = 0{,}5 \cdot 3^2 + b \cdot 3 + 1{,}5$
$\quad 0 = 4{,}5 + 3 \cdot b + 1{,}5$
$\quad 0 = 3 \cdot b + 6 \quad |-6$
$\quad -6 = 3 \cdot b \quad |:3$
$\quad -2 = b$
Insgesamt erhält man die Funktionsgleichung:
$f(x) = 0{,}5 x^2 - 2x + 1{,}5$

c) Da die Symmetrieachse durch den Punkt $(4|0)$ verläuft, hat der Scheitelpunkt die x-Koordinate 4. Da der Graph eine verschobene Normalparabel ist, ist der Streckfaktor 1. Damit erhält man $f(x) = (x - 4)^2 + e$.
Da der y-Achsenabschnitt 4 ist, gilt:
$\quad 4 = f(0) = (-4)^2 + e = 16 + e \quad |-16$
$-12 = e$
Insgesamt erhält man die Funktionsgleichung:
$f(x) = (x - 4)^2 - 12$

14

Die Flugbahn des Tennisballs kann modellhaft durch eine Parabel beschrieben werden.

Zur Darstellung dieser Parabel kann ein Koordinatensystem gewählt werden, dessen Ursprung dem Mittelpunkt des Tennisplatzes entsprechen soll und $P(-6{,}4|0{,}5)$ dem Punkt, in dem die Spielerin den Ball trifft. Eine Längeneinheit im Koordinatensystem entspricht dann 1 Meter in der Realität und der höchste Punkt der Flugbahn entspricht dem Punkt $(0|2)$. Gesucht ist nun die quadratische Funktion f, deren Graph durch den Punkt $P(-6{,}4|0{,}5)$ verläuft und den Scheitelpunkt $S(0|2)$ hat. Aus den Koordinaten des Scheitelpunkts erhält man für die zugehörige Funktionsgleichung f:
$f(x) = a \cdot x^2 + 2$. Durch Einsetzen von $P(-6{,}4|0{,}5)$ ergibt sich:
$\quad 0{,}5 = a \cdot (-6{,}4)^2 + 2$
$\quad 0{,}5 = 40{,}96 a + 2 \quad |-2$
$\quad -1{,}5 = 40{,}96 a \quad |:40{,}96$
$\quad -\frac{75}{2048} = a$

Die Funktionsgleichung lautet also $f(x) = -\frac{75}{2048} x^2 + 2$.

Die Grundlinie ist $23{,}77\,m : 2 = 11{,}885\,m$ vom Netz entfernt. Wenn der Funktionswert $f(11{,}885)$ positiv ist, ist der Ball dem Modell zufolge bis zur Grundlinie noch nicht auf dem Boden aufgetroffen und der Ball landet im Aus. Es gilt:

$f(11{,}885) = -\frac{75}{2048} \cdot 11{,}885^2 + 2 \approx -3{,}17 < 0$.

Somit trifft der Ball laut Modell bereits vor der Grundlinie auf.

G 17

a) $a^2 - 36 = (a + 6) \cdot (a - 6)$
b) $4x^2 - 25y^2 = (2x + 5y) \cdot (2x - 5y)$
c) $0{,}25 - 0{,}01 x^2 = (0{,}5 + 0{,}1 x) \cdot (0{,}5 - 0{,}1 x)$

Seite 60

1

Funktionswerte jeweils auf eine Nachkommastelle gerundet
a) Scheitelpunkt: $S(0|0)$

x	-4	-3	-2	-1	0	1	2	3	4
y	-4,8	-2,7	-1,2	-0,3	0	-0,3	-1,2	-2,7	-4,8

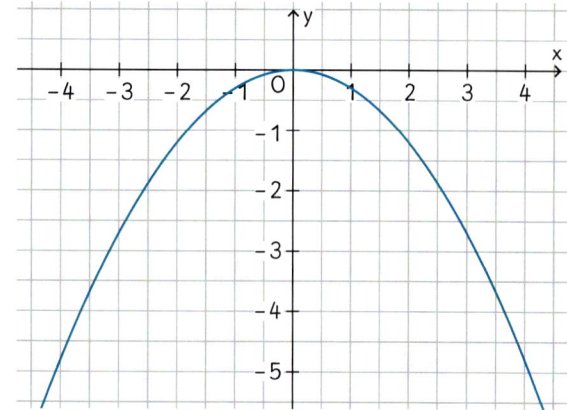

b) Scheitelpunkt: S(1|4)

x	-1,5	-1	-0,5	0	0,5	1	1,5	2	2,5	3	3,5
y	-2,3	0,0	1,8	3,0	3,8	4,0	3,8	3,0	1,8	0,0	-2,3

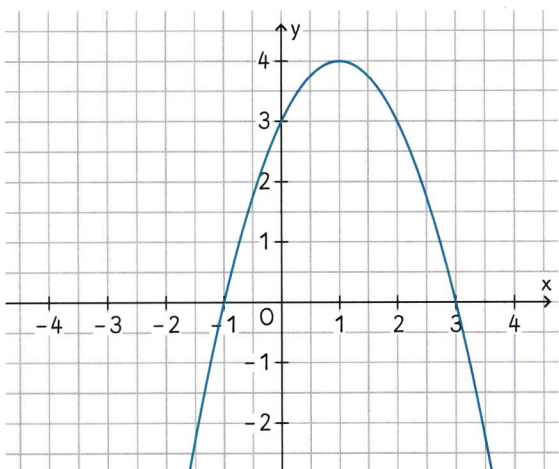

c) Scheitelpunkt: S(0|-8,5)

x	-2,5	-2	-1,5	-1	-0,5	0	0,5	1	1,5	2	2,5
y	4,0	-0,5	-4,0	-6,5	-8,0	-8,5	-8,0	-6,5	-4,0	-0,5	4,0

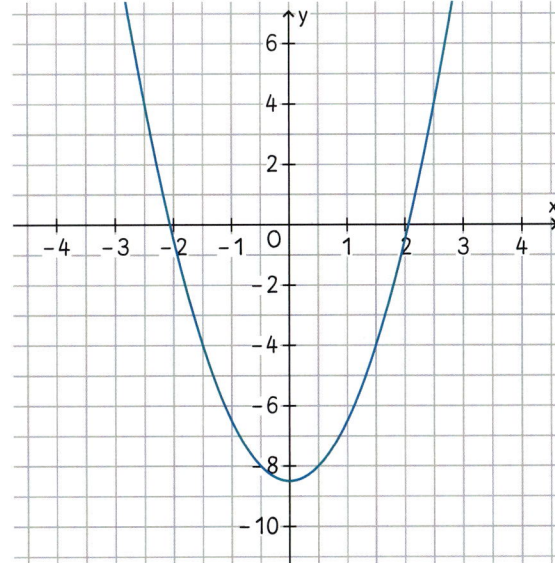

d) Scheitelpunkt: S(-2|0)

x	-7	-6	-5	-4	-3	-2	-1	0	1	2	3
y	10,0	6,4	3,6	1,6	0,4	0,0	0,4	1,6	3,6	6,4	10,0

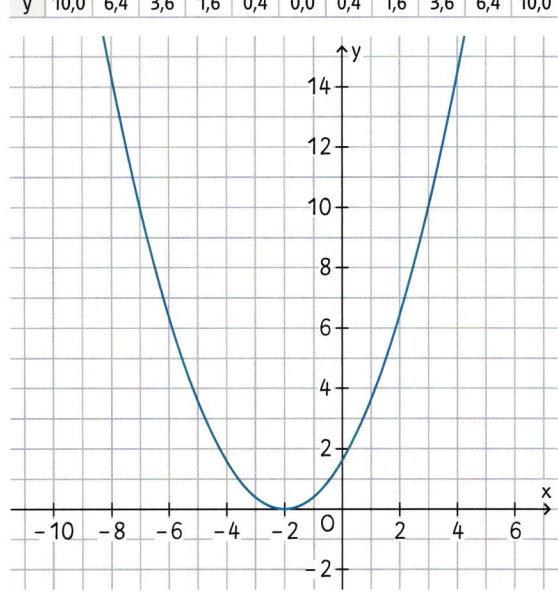

2

(A) → (1): Der Graph ist eine um 2 Einheiten nach unten verschobene Normalparabel.

(B) → (8): Der Graph ist eine an der x-Achse gespiegelte und anschließend um 2 Einheiten nach unten verschobene Normalparabel

(C) → (5): Der Graph ist eine an der x-Achse gespiegelte und anschließend um eine Einheit nach rechts und 2 Einheiten nach oben verschobene Normalparabel.

(D) → (7): Der Graph ist eine an der x-Achse gespiegelte und anschließend um eine Einheit nach links und 2 Einheiten nach oben verschobene Normalparabel.

(E) → (4): Der Graph ist eine Gerade mit der Steigung 2 und dem y-Achsenabschnitt -2.

(F) → (3): Der Graph ist eine an der x-Achse gespiegelte und anschließend um 2 Einheiten nach oben verschobene Normalparabel.

(G) → (6): Der Graph ist eine Gerade mit der Steigung -2 und dem y-Achsenabschnitt -2.

(H) → (2): Der Graph ist eine Parabel mit dem Streckungsfaktor 2 und dem Scheitelpunkt S(0|2).

3

$g(x) = -f(x) = -5 \cdot (x-3)^2 + 1$; Scheitelpunkt S(3|1)

$h(x) = f(x-3) + 4 = 5 \cdot (x-3-3)^2 + 4 - 1 = 5 \cdot (x-6)^2 + 3$; Scheitelpunkt S(6|3)

$k(x) = f(-x) = 5 \cdot (-x-3)^2 - 1 = 5 \cdot (x+3)^2 - 1$; Scheitelpunkt S(-3|-1)

Lösungen

4

a) $f(x) = x^2 - 12x = x^2 - 2 \cdot 6x + 6^2 - 6^2$;
also $f(x) = (x - 6)^2 - 36$; $S(6|-36)$
Probe: $f(6) = 6^2 - 12 \cdot 6 = 36 - 72 = -36$ ✓

b) $g(x) = x^2 + x + 0{,}25 = x^2 + 2 \cdot 0{,}5x + 0{,}5^2 - 0{,}5^2 + 0{,}25$
$= (x + 0{,}5)^2 - 0{,}25 + 0{,}25$; also $g(x) = (x + 0{,}5)^2$; $S(-0{,}5|0)$
Probe: $g(-0{,}5) = (-0{,}5)^2 - 0{,}5 + 0{,}25 = 0{,}25 - 0{,}25 = 0$ ✓

c) $h(x) = x^2 - 20x + 95 = x^2 - 2 \cdot 10x + 10^2 - 10^2 + 95$
$= (x - 10)^2 - 100 + 95$; also $h(x) = (x - 10)^2 - 5$; $S(10|-5)$
Probe: $h(10) = 10^2 - 20 \cdot 10 + 95 = 100 - 200 + 95 = -5$ ✓

d) $i(x) = 3x^2 - 12x + 1 = 3 \cdot (x^2 - 4x) + 1$
$= 3 \cdot (x^2 - 2 \cdot 2x + 2^2 - 2^2) + 1 = 3 \cdot [(x - 2)^2 - 4] + 1$
$= 3 \cdot (x - 2)^2 - 12 + 1$; also $i(x) = 3 \cdot (x - 2)^2 - 11$; $S(2|-11)$
Probe: $i(2) = 3 \cdot 2^2 - 12 \cdot 2 + 1 = 12 - 24 + 1 = -11$ ✓

e) $j(x) = -2x^2 + x - 4 = -2 \cdot \left(x^2 - \frac{1}{2}x\right) - 4$
$= -2 \cdot \left(x^2 - 2 \cdot \frac{1}{4}x + \left(\frac{1}{4}\right)^2 - \left(\frac{1}{4}\right)^2\right) - 4$
$= -2 \cdot \left[\left(x - \frac{1}{4}\right)^2 - \frac{1}{16}\right] - 4 = -2 \cdot \left(x - \frac{1}{4}\right)^2 + \frac{1}{8} - 4$;
also $j(x) = -2 \cdot \left(x - \frac{1}{4}\right)^2 - 3\frac{7}{8}$; $S\left(\frac{1}{4}\Big|-3\frac{7}{8}\right)$
Probe: $j\left(\frac{1}{4}\right) = -2 \cdot \left(\frac{1}{4}\right)^2 + \frac{1}{4} - 4 = -\frac{1}{8} + \frac{1}{4} - 4 = -3\frac{7}{8}$ ✓

f) $k(x) = 4x^2 + 10x + 21 = 4 \cdot \left(x^2 + \frac{5}{2}x\right) + 21$
$= 4 \cdot \left(x^2 + 2 \cdot \frac{5}{4}x + \left(\frac{5}{4}\right)^2 - \left(\frac{5}{4}\right)^2\right) + 21$
$= 4 \cdot \left[\left(x + \frac{5}{4}\right)^2 - \frac{25}{16}\right] + 21 = 4 \cdot \left(x + \frac{5}{4}\right)^2 - \frac{25}{4} + \frac{84}{4}$
$= 4 \cdot \left(x + \frac{5}{4}\right)^2 + \frac{59}{4}$;
also $k(x) = 4 \cdot \left(x + \frac{5}{4}\right)^2 + 14\frac{3}{4}$; $S\left(-\frac{5}{4}\Big|14\frac{3}{4}\right)$
Probe: $k\left(-\frac{5}{4}\right) = 4 \cdot \left(-\frac{5}{4}\right)^2 + 10 \cdot \left(-\frac{5}{4}\right) + 21 = \frac{25}{4} - \frac{50}{4} + \frac{84}{4}$
$= \frac{59}{4} = 14\frac{3}{4}$ ✓

5

Die beiden Funktionsgleichungen sind äquivalent:
$f(x) = -0{,}011 \cdot (x - 80)^2 + 69{,}3$
$= -0{,}011 \cdot (x^2 - 160x + 6400) + 69{,}3$
$= -0{,}011 \cdot x^2 + 1{,}76x - 70{,}4 + 69{,}3$
$= -0{,}011 \cdot x^2 + 1{,}76x - 1{,}1$
Somit ist dem Verlag kein Fehler unterlaufen.

Seite 61

6

Das Vorgehen ist jeweils identisch:
Man verwendet die allgemeine Scheitelpunktform
$f(x) = a \cdot (x - d)^2 + e$. Man liest den Scheitelpunkt $S(d|e)$ ab und verwendet einen zweiten gut ablesbaren Punkt, um den Streckfaktor a zu bestimmen. Den Streckfaktor a erhält man, indem man prüft, wie viele Einheiten man nach oben bzw. unten gehen muss, wenn man vom Scheitelpunkt eine Einheit nach links oder rechts geht und den Graphen wieder erreichen will. Anschließend stellt man die Scheitelpunktform der Funktionsgleichung auf.

(1) $S(-1|-2)$, $a = 1$, $f(x) = (x + 1)^2 - 2$
(2) $S(1|1{,}5)$, $a = 1$, $f(x) = (x - 1)^2 + 1{,}5$
(3) $S(2{,}5|1)$, $a = -1$, $f(x) = -(x - 2{,}5)^2 + 1$
(4) $S(-5|-4)$, $a = 2$, $f(x) = 2 \cdot (x + 5)^2 - 4$
(5) $S(2|3)$, $a = -0{,}5$, $f(x) = -0{,}5 \cdot (x - 2)^2 + 3$

7

a) Aus den Wertetabellen lässt sich die Symmetrie der Parabel und damit der Scheitelpunkt $(d|e)$ ablesen.
Den Streckfaktor kann man ermitteln, indem man den Funktionswert für die x-Werte $d - 1$ und $d + 1$ abliest und mit e vergleicht.
W_1: $S(-2|1)$, $a = 1$, $f(x) = (x + 2)^2 + 1$
W_2: $S(3|-5)$, $a = 1$, $f(x) = (x - 3)^2 - 5$

b) individuelle Lösung

8

a) $f(x) = a \cdot (x + 1)^2 + 4$;
Einsetzen der Koordinaten von $P(3|12)$:
$a \cdot (3 + 1)^2 + 4 = 12$
$16 \cdot a + 4 = 12$ $\quad | -4$
$16 \cdot a = 8$ $\quad | :16$
$a = \frac{1}{2}$
$f(x) = \frac{1}{2} \cdot (x + 1)^2 + 4$

b) $f(x) = a \cdot (x - 4)^2 + 26$;
Einsetzen der Koordinaten von $P(-2|10)$:
$a \cdot (-2 - 4)^2 + 26 = 10$
$36 \cdot a + 26 = 10$ $\quad | -26$
$36 \cdot a = -16$ $\quad | :36$
$a = \frac{-16}{36}$
$a = \frac{-4}{9}$
$f(x) = \frac{-4}{9} \cdot (x - 4)^2 + 26$

c) $f(x) = a \cdot (x + 3)^2 + 1{,}5$;
Einsetzen der Koordinaten von $P(2|-1)$:
$a \cdot (2 + 3)^2 + 1{,}5 = -1$ $\quad | -1{,}5$
$25 \cdot a = -2{,}5$ $\quad | :25$
$a = \frac{-2{,}5}{25}$
$a = -0{,}1$
$f(x) = -0{,}1 \cdot (x + 3)^2 + 1{,}5$

d) $f(x) = a \cdot (x - 4)^2 - 3$;
Einsetzen der Koordinaten von $P(1|15)$:
$a \cdot (1 - 4)^2 - 3 = 15$ $\quad | +3$
$9 \cdot a = 18$ $\quad | :9$
$a = 2$
$f(x) = 2 \cdot (x - 4)^2 - 3$

9

a) $f(x) = a \cdot x^2 + b \cdot x + 9$
P(−1|14) eingesetzt ergibt:
$a \cdot (-1)^2 + b \cdot (-1) + 9 = 14$ | −9
$a - b = 5$ (I)
Q(1|−2) eingesetzt ergibt:
$a \cdot 1^2 + b \cdot 1 + 9 = -2$ | −9
$a + b = -11$ (II)
Lineares Gleichungssystem:
I: $a - b = 5$
II: $a + b = -11$
I + II: $2a = -6$ | : 2
$a = -3$
In (I) eingesetzt erhält man:
$-3 - b = 5$ | + 3
$-b = 8$ | : (−1)
$b = -8$
Funktionsgleichung: $f(x) = -3x^2 - 8x + 9$

b) $f(x) = a \cdot x^2 + b \cdot x + 1$
P(1|1,5) eingesetzt ergibt:
$a \cdot 1^2 + b \cdot 1 + 1 = 1{,}5$ | −1
$a + b = 0{,}5$ (I)
Q(2|−2) eingesetzt ergibt:
$a \cdot 2^2 + b \cdot 2 + 1 = -2$ | −1
$4a + 2b = -3$ (II)
Lineares Gleichungssystem:
I: $a + b = 0{,}5$
II: $4a + 2b = -3$
Ia: $b = -a + 0{,}5$, in II einsetzen:
$4a + 2 \cdot (-a + 0{,}5) = -3$
$4a - 2a + 1 = -3$ | −1
$2a = -4$ | : 2
$a = -2$
eingesetzt in (I):
$-2 + b = 0{,}5$ | + 2
$b = 2{,}5$
Funktionsgleichung: $f(x) = -2x^2 + 2{,}5x + 1$

c) $f(x) = a \cdot x^2 + b \cdot x - 6$
P(−2|8) eingesetzt ergibt:
$a \cdot (-2)^2 + b \cdot (-2) - 6 = 8$ | + 6
$4a - 2b = 14$ | : 2
$2a - b = 7$ (I)
Q(4|10) eingesetzt ergibt:
$a \cdot 4^2 + b \cdot 4 - 6 = 10$ | + 6
$16a + 4b = 16$ | : 4
$4a + b = 4$ (II)
Lineares Gleichungssystem:
I: $2a - b = 7$
II: $4a + b = 4$
I + II: $6a = 11$ | : 6
$a = \frac{11}{6}$
In (I) eingesetzt erhält man:
$2 \cdot \frac{11}{6} - b = 7$ | $-\frac{11}{3}$
$-b = \frac{21 - 11}{3}$ | : (−1)
$b = -\frac{10}{3}$
Funktionsgleichung: $f(x) = \frac{11}{6}x^2 - \frac{10}{3}x - 6$

10

a) $f(x) = 2 \cdot (x - 3)^2 - 5$
$\Rightarrow f(x) = 2 \cdot (x^2 - 6x + 9) - 5 = 2 \cdot x^2 - 12x + 18 - 5$
$= 2 \cdot x^2 - 12x + 13$

b) Da Q(0|4) ist c = 4; also $f(x) = a \cdot x^2 - x + 4$
P(1|6) eingesetzt ergibt: $f(1) = a - 1 + 4 = 6 \Rightarrow a = 3$
Damit: $f(x) = 3 \cdot x^2 - x + 4$

c) $f(x) = a \cdot x^2 + b \cdot x + 5$
P(−1|4) eingesetzt ergibt:
$a - b + 5 = 4$ | −5
$a - b = -1$ (I)
Q(2|−5) eingesetzt ergibt:
$4a + 2b + 5 = -5$ | −5
$4a + 2b = -10$ (II)
Lineares Gleichungssystem:
I: $a - b = -1$
II: $4a + 2b = -10$
Ia: $a = b - 1$ einsetzen in II:
$4(b - 1) + 2b = -10$
$6b - 4 = -10$ | + 4
$6b = -6$ | : 6
$b = -1$
In (Ia) eingesetzt erhält man: $a = -1 - 1 = -2$
Funktionsgleichung: $f(x) = -2x^2 - x + 5$

d) Da P(0|6) auf dem Graphen liegt, ist c = 6.
$f(x) = a \cdot x^2 + b \cdot x + 6$
Q(−1|−2) eingesetzt ergibt: $f(-1) = a - b + 6 = -2$
$\Rightarrow a - b = -8$ (I)
R(2|10) eingesetzt ergibt: $f(2) = 4a + 2b + 6 = 10$
$\Rightarrow 4a + 2b = 4$ (II)
Aus $2 \cdot$ (I) + (II) erhält man: $6a = -16 + 4 = -12 \Rightarrow a = -2$
In (I) eingesetzt erhält man: $-2 - b = -8 \Rightarrow b = 6$
Funktionsgleichung: $f(x) = -2x^2 + 6x + 6$

e) Da Q(0|4) auf dem Graphen liegt, ist c = 4.
$f(x) = a \cdot x^2 + b \cdot x + 4$
P(−2|8) eingesetzt ergibt: $f(-2) = 4a - 2b + 4 = 8$
$\Rightarrow 4a - 2b = 4$ (I)
R(1|0,5) eingesetzt ergibt: $f(1) = a + b + 4 = 0{,}5$
$\Rightarrow a + b = -3{,}5$ (II)
Aus (I) + $2 \cdot$ (II) erhält man: $6a = 4 - 7 = -3 \Rightarrow a = -0{,}5$
In (II) eingesetzt erhält man: $-0{,}5 + b = -3{,}5 \Rightarrow b = -3$
Funktionsgleichung: $f(x) = -0{,}5 \cdot x^2 - 3 \cdot x + 4$

11

a) Es wurde die Rotation des Balls vernachlässigt. Deshalb fliegt er nur in „2" Richtungen und nicht in 3. Und die Flugbahn des Balls ist parabelförmig.

b) Nach der Erstellung des Funktionsgraphen mit einer DGS passt man den angezeigten Bereich in den Einstellungen der Grafik-Ansicht an. Beispielsweise kann man auf der x-Achse den Bereich zwischen –20 und 40 darstellen und auf der y-Achse den Bereich zwischen –1 und 5.

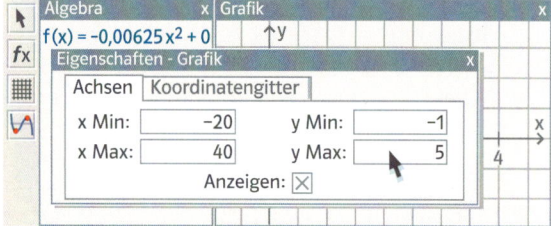

Anschließend ermittelt man das Extremum:

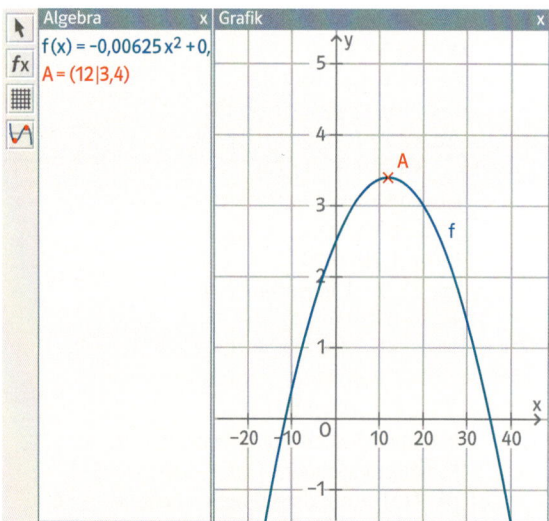

Der höchste Punkt der Parabel ist der Punkt (12|3,4). Dem Modell zufolge beträgt die maximale Höhe des Balls demnach 3,40 Meter.

c) Der Fußball müsste einen Bogen machen, um das Tor zu treffen. Die Rotation wurde aber vernachlässigt.

Seite 62

12

a) – Ursprung des Koordinatensystems im Punkt A:
$f(x) = (x - 4)^2$.
– Ursprung des Koordinatensystems im Punkt B:
$f(x) = x^2 - 7$.
– Ursprung des Koordinatensystems im Punkt C:
$f(x) = (x + 6)^2 - 5$. (Eine Kästchenlänge wurde als Längeneinheit gewählt.)

b) Der Ursprung würde 2 Längeneinheiten oberhalb vom Punkt A liegen.

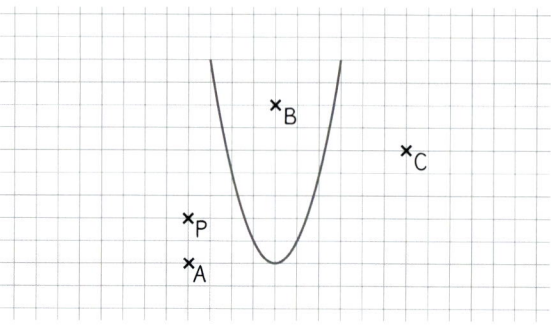

13

Die Funktionsterme können bestimmt werden, indem der Scheitelpunkt und ein weiterer Punkt aus den Zeichnungen abgelesen und die Werte in die Scheitelpunktform
$f(x) = a(x - u)^2 + v$ eingesetzt werden.

Sandra: $S(80|55)$, $P(0|0)$
$f(x) = a(x - 80)^2 + 55$
$f(0) = a(0 - 80)^2 + 55 = 0$, also $a = -\frac{11}{1280} \approx -0,009$
Der Funktionsterm lautet also:
$f(x) = -0,009(x - 80)^2 + 55$.

Kira: $S(0|75)$, $P(-80|20)$
$f(x) = a(x - 0)^2 + 75 = ax^2 + 75$
$f(-80) = a(-80)^2 + 75 = 20$, also $a = -\frac{11}{1280} \approx -0,009$
Der Funktionsterm lautet also: $f(x) = -0,009x^2 + 75$.

Johannes: $S(50|45)$, $P(10|30)$
$f(x) = a(x - 50)^2 + 45$
$f(10) = a(10 - 50)^2 + 45 = 30$, also $a = -\frac{3}{320} \approx -0,009$
Der Funktionsterm lautet also:
$f(x) = -0,009(x - 50)^2 + 45$.

Paul: $S(0|0)$, $P(60|-30)$
$f(x) = a(x - 0)^2 + 0 = ax^2$
$f(60) = a \cdot 60^2 = -30$, also $a = -\frac{1}{120} \approx -0,008$
Der Funktionsterm lautet also: $f(x) = -0,008x^2$.

Die Graphen der verschiedenen Funktionen gehen durch Verschiebung auseinander hervor. Kleine Ungenauigkeiten ergeben sich dadurch, dass nicht genau abgelesen werden kann.

14

a) Die größte Höhe hat der Bogen an den beiden Pfeilern, was im Modell den Stellen x = 0 bzw. x = 1991 entspricht. Die kleinste Höhe hat der Bogen genau zwischen den beiden Pfeilern. Dies entspricht im Modell der Stelle x = 995,5
f(0) = f(1991) ≈ 216; f(995,5) = 15.
Die größte Höhe beträgt laut Modell 216 m, die kleinste Höhe 15 m gegenüber der Straße.

b) f(x) = 0,000 203 · x^2

Seite 63

15

a) individuelle Lösung
Bei einem kleineren Zoom-Faktor ist der Graph von f deutlich von der Geraden mit der Gleichung y = 2x zu unterscheiden.

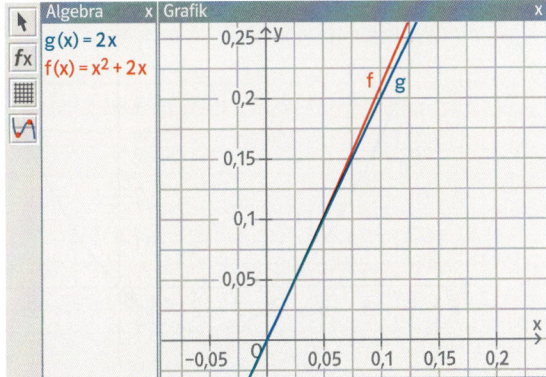

b) individuelle Lösung
Beispiele geeigneter Funktionen:

Funktionsgleichung der quadratischen Funktion	Scheitelpunkt der Parabel	Gleichung der Geraden, der der Graph nach dem Zoomen ähnelt
f(x) = (x + 1)² – 1	S(–1|–1)	y = 2x
f(x) = (x + 2)² – 4	S(–2|–4)	y = 4x
f(x) = (x + 3)² – 9	S(–3|–9)	y = 6x
f(x) = (x + 4)² – 16	S(–4|–16)	y = 8x
f(x) = (x – 1)² – 1	S(1|–1)	y = –2x
f(x) = (x – 2)² – 4	S(2|–4)	y = –4x
f(x) = (x – 3)² – 9	S(3|–9)	y = –6x
f(x) = (x – 4)² – 16	S(4|–16)	y = –8x

Mögliche Zusammenfassung:
Alle verschobenen Normalparabeln, die durch den Ursprung verlaufen, lassen sich durch eine Funktionsgleichung der Form f(x) = (x + a)² – a² beschreiben. Der zugehörige Scheitelpunkt ist S(–a\|–a²).
Nach entsprechendem Zoomen gleicht der Graph der Funktion f mit f(x) = (x + a)² – a² einer Geraden mit der Gleichung y = 2a · x.

16

a) individuelle Lösung
Geeignete Funktionsgleichungen findet man beispielsweise durch Probieren oder durch das Aufstellen der allgemeinen Funktionsgleichung.
Zur Ermittlung der allgemeinen Funktionsgleichung geht man zunächst von der Scheitelpunktform sämtlicher verschobener Normalparabeln aus:
f(x) = (x – d)² + e
Durch Einsetzen des Punktes (0|2) erhält man:
2 = d² + e | – d²
e = 2 – d²
Also:
f(x) = (x – d)² + 2 – d²
Damit lassen sich Beispiele geeigneter Funktionsgleichungen angeben:

d	Funktionsgleichung der quadratischen Funktion
–2	f(x) = (x + 2)² – 2
–1	f(x) = (x + 1)² + 1
0	f(x) = x² + 2
1	f(x) = (x – 1)² + 1
2	f(x) = (x – 2)² – 2

b) Die ermittelten Scheitelpunkte liegen alle auf der Parabel mit der Gleichung g(x) = –x² + 2.
Diese Gleichung lässt sich anhand der beispielhaft angegebenen Scheitelpunkte grafisch oder rechnerisch mithilfe eines Gleichungssystems bestimmen.

Funktionsgleichung der quadratischen Funktion	Scheitelpunkt der Parabel
f(x) = (x + 2)² – 2	S(–2|–2)
f(x) = (x + 1)² + 1	S(–1|1)
f(x) = x² + 2	S(0|2)
f(x) = (x – 1)² + 1	S(1|1)
f(x) = (x – 2)² – 2	S(2|–2)

Alternativ kann man eine DGS nutzen, um mithilfe der allgemeinen Funktionsgleichung f(x) = (x – d)² + 2 – d² und eines Schiebereglers die Spur der Scheitelpunkte zu zeichnen:

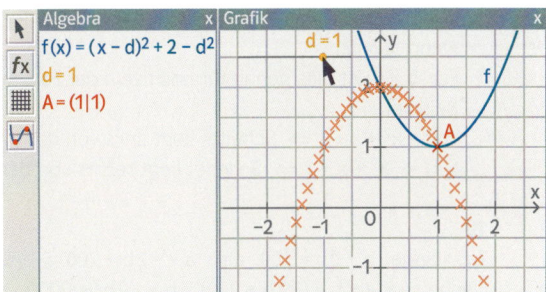

Hinweis: Dass tatsächlich alle Scheitelpunkte auf der Parabel mit der gefundenen Funktionsgleichung g(x) = –x² + 2 liegen, kann man rechnerisch zeigen:

Lösungen

Die allgemeine Funktionsgleichung ist
$f(x) = (x - d)^2 + 2 - d^2$ (siehe oben), also sind alle Scheitelpunkte von der Form $S(d | 2 - d^2)$. Eine Punktprobe liefert den Nachweis: $g(d) = -d^2 + 2 = 2 - d^2$.

c) individuelle Lösung

Unabhängig von der speziellen Wahl des Punktes $P(p_1 | p_2)$ und des Streckfaktors a existiert eine Parabel, die durch sämtliche Scheitelpunkte verläuft. Sie hat den Scheitelpunkt $P(p_1 | p_2)$ und den Streckfaktor $-a$, ihre Funktionsgleichung ist also $g(x) = -a(x - p_1)^2 + p_2$.
Die in Teilaufgabe b) genannten Verfahren und Werkzeuge sind auch hier geeignet, um diese Vermutung zu entwickeln und die Funktionsgleichung einer Parabel für ein konkretes Beispiel aufzustellen.

Hinweis: Auch ein rechnerischer Nachweis der Vermutung ist hier analog zu Teilaufgabe b) möglich. Als allgemeine Funktionsgleichung aller geeigneter Parabeln erhält man dabei $f(x) = a(x - d)^2 + p_2 - a(p_1 - d)^2$.

17

a) Die Aussage ist äquivalent zu der Gleichung $f(2x) = 4 \cdot f(x)$.
Durch Einsetzen und Umformen erhält man:
$a \cdot (2x)^2 + b \cdot (2x) + c = 4(ax^2 + bx + c)$
$4ax^2 + 2bx + c = 4ax^2 + 4bx + 4c \quad | - 4ax^2$
$\qquad\qquad 2bx + c = 4bx + 4c$

Daraus kann man schließen:
Wenn $b = c = 0$ gilt die Aussage für alle x.
Wenn $b = 0$ und $c \neq 0$, ist die Aussage für alle x falsch.
Wenn $b \neq 0$, kann man die Gleichung nach x auflösen:
$\qquad 2bx + c = 4bx + 4c \quad | - c - 4bx$
$\qquad -2bx = 3c \qquad\qquad | : (-2b)$
$\qquad\qquad x = -\frac{3c}{2b}$

In diesem Fall ist die Aussage also nur für $x = -\frac{3c}{2b}$ richtig.

b) Da f eine quadratische Funktion ist, muss $a \neq 0$ sein. Umformung der Normalform in die Scheitelpunktform:
$ax^2 + bx + c = a\left(x^2 + \frac{b}{a}x + \left(\frac{b}{2a}\right)^2 - \left(\frac{b}{2a}\right)^2\right) + c$
$\quad = a \cdot \left(x + \frac{b}{2a}\right)^2 - a \cdot \left(\frac{b}{2a}\right)^2 + c$

Der Scheitelpunkt liegt genau dann links von der y-Achse, wenn $\frac{b}{2a} > 0$.
Für $b > 0$ ist dies genau für positive a der Fall.
Beispiel:
$f(x) = x^2 + x + 1 \Rightarrow$ Scheitel liegt links von der y-Achse.
$f(x) = -x^2 + x + 1 \Rightarrow$ Scheitel liegt rechts von der y-Achse.

18

Zaunlänge: $a + 2b = 200$, also $a = -2b + 200$
Fläche: $A = a \cdot b = (-2b + 200) \cdot b = -2b^2 + 200b$
Diese Fläche A wird maximal für $a = 100\,m$ und $b = 50\,m$.

19

Zaunlänge: $2a + b + (b - 6) = 40$, also $a = -b + 23$
Fläche: $A = a \cdot b = (-b + 23) \cdot b = -b^2 + 23b$
Diese Fläche A wird maximal für $a = 11{,}5\,m$ und $b = 11{,}5\,m$.

Seite 65

Runde 1

1

x	-7	-6	-5	-4	-3	-2	-1	0	1	2	3
f(x)	5,25	3	1,25	0	-0,75	-1	-0,75	0	1,25	3	5,25

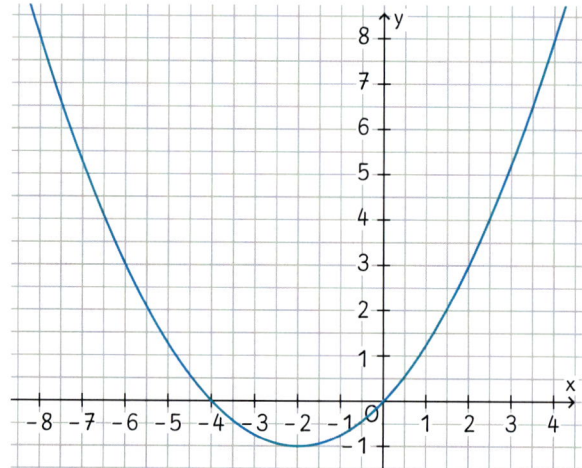

2

$f(x) = 2x^2 - 8x + 19 = 2 \cdot (x^2 - 2 \cdot 2x + 2^2 - 2^2) + 19$
$\qquad = 2 \cdot [(x - 2)^2 - 4] + 19 = 2 \cdot (x - 2)^2 - 8 + 19$
$\qquad = 2 \cdot (x - 2)^2 + 11$

Scheitelpunkt: $S(2 | 11)$

3

$f(x) = a \cdot (x - 2)^2 + 3$
Mit $f(0) = 1$ erhält man: $a \cdot (0 - 2)^2 + 3 = 4a + 3 = 1$
$\Rightarrow 4a = -2 \Rightarrow a = -\frac{1}{2}$

Damit erhält man die Scheitelpunktform
$f(x) = -\frac{1}{2} \cdot (x - 2)^2 + 3$

Umformung in die Normalform:
$f(x) = -0{,}5(x^2 - 4x + 4) + 3 = -0{,}5x^2 + 2x - 2 + 3$
$\qquad = -0{,}5x^2 + 2x + 1$

$g(x) = a \cdot (x + 1)^2 - 1$
Mit $g(0) = 1$ erhält man: $a \cdot (0 + 1)^2 - 1 = a - 1 = 1 \Rightarrow a = 2$
Damit erhält man die Scheitelpunktform $g(x) = 2 \cdot (x + 1)^2 - 1$
Umformung in die Normalform:

$g(x) = 2(x^2 + 2x + 1) - 1$
$ = 2x^2 + 4x + 2 - 1$
$ = 2x^2 + 4x + 1$

$k(x) = a \cdot (x - 3)^2 + 1$
Mit $k(2) = 2$ erhält man: $a \cdot (2 - 3)^2 + 1 = a + 1 = 2 \Rightarrow a = 1$
Damit erhält man die Scheitelpunktform $k(x) = (x - 3)^2 + 1$
Umformung in die Normalform:
$k(x) = x^2 - 6x + 9 + 1$
$ = x^2 - 6x + 10$

4
$f(x) = a \cdot x^2$
Mit $f(60) = 43$ erhält man:
$a \cdot 3600 = 43 \quad | : 3600$

$a = \frac{43}{3600} \approx 0{,}01194$

$f(x) = 0{,}01194 \cdot x^2$
Die Gleichung gilt für $-60 \leq x \leq 60$.

5
Umformung der Normalform in die Scheitelpunktform:
$f(x) = ax^2 + bx + c$
$ = a\left(x^2 + \frac{b}{a}x\right) + c$
$ = a\left(x^2 + \frac{b}{a}x + \frac{b^2}{4a^2} - \frac{b^2}{4a^2}\right) + c$
$ = a\left(x + \frac{b}{2a}\right)^2 + c - \frac{b^2}{4a}$

Wenn $a > 0$ und $c < 0$, dann ist die Parabel nach oben geöffnet und die y-Koordinate $c - \frac{b^2}{a}$ des Scheitelpunkts ist negativ, denn von der negativen Zahl c wird die Zahl $\frac{b^2}{a} \geq 0$ subtrahiert.
Eine nach oben geöffnete Parabel, deren Scheitelpunkt unterhalb der x-Achse liegt, hat zwei Schnittpunkte mit der x-Achse. Daher ist die Aussage in diesem Fall richtig.
Wenn $a < 0$ und $c > 0$, dann ist die Parabel nach unten geöffnet und die y-Koordinate $c - \frac{b^2}{a}$ des Scheitelpunkts ist positiv, denn von der positiven Zahl c wird die Zahl $\frac{b^2}{a} \leq 0$ subtrahiert.
Eine nach unten geöffnete Parabel, deren Scheitelpunkt oberhalb der x-Achse liegt, hat zwei Schnittpunkte mit der x-Achse. Daher ist die Aussage auch in diesem Fall richtig.
Mehr Fälle gibt es nicht.

Runde 2

1
$f(1) = -(1 + 2)^2 + 6 = -9 + 6 = -3$
$f(-3) = -(-3 + 2)^2 + 6 = -1 + 6 = 5$
$f(8) = -(8 + 2)^2 + 6 = -100 + 6 = -94$
Damit: $P(1|-3)$; $Q(-3|5)$ und $R(8|-94)$

2
Zuordnung: $G_1(A)$, $G_2(C)$, $G_3(D)$, $G_4(B)$
Begründung:
Zu G_1 gehört die Funktionsgleichung (A). (B) und (C) sind falsch, weil deren Graphen nach oben geöffnet sind. (D) scheidet aus, da deren Scheitel nach links verschoben ist.
Zu G_2 gehört die Funktionsgleichung (C). Wegen der Öffnung des Graphen nach oben käme auch die Funktionsgleichung (B) infrage. Da es sich aber nicht um die Normalparabel handelt, passt diese Funktionsgleichung nicht zu G_2.
Zu G_3 gehört die Funktionsgleichung (D). Wegen der Öffnung des Graphen nach unten, käme nur die Funktionsgleichung (A) infrage. Da der Scheitel von G_3 nach links und der von (A) nach rechts verschoben ist, passt die Funktionsgleichung (A) nicht.
Zu G_4 gehört die Funktionsgleichung (B), da deren Graph der Normalparabel entspricht.

3
$f(x) = ax^2 + bx - 2$
Einsetzen von $(-1|10)$:
$a \cdot (-1)^2 + b \cdot (-1) - 2 = 10 \quad | + 2$
$ a - b = 12$
Einsetzen von $(2|-11)$:
$a \cdot 2^2 + b \cdot 2 - 2 = -11 \quad | + 2$
$ 4a + 2b = -9$
Lineares Gleichungssystem:
I: $\quad a - b = 12 \quad\quad\quad\quad | + b$
II: $4a + 2b = -9$
Ia: $a = 12 + b$ einsetzen in II:
$ 4(12 + b) + 2b = -9$
$ 48 + 4b + 2b = -9 \quad |-48$
$ 6b = -57 \quad |:6$
$ b = -\frac{19}{2}$

Einsetzen in Ia:
$a = 12 + \left(-\frac{19}{2}\right) = \frac{24}{2} - \frac{19}{2} = \frac{5}{2}$

Funktionsgleichung:
$f(x) = \frac{5}{2}x^2 - \frac{19}{2}x - 2$

4
a) Der Wert 1,5 gibt an, dass Rico den Stein laut Modell in einer Höhe von 1,5 Metern abwirft.
b) Der Scheitelpunkt der Parabel entspricht dem höchsten Punkt der Flugbahn.
Umformung der Normalform in die Scheitelpunktform:
$h(t) = -0{,}4 \cdot t^2 + 2 \cdot t + 1{,}5 = -0{,}4 \cdot (t^2 - 5 \cdot t) + 1{,}5$
$ = -0{,}4 \cdot (t^2 - 2 \cdot 2{,}5 \cdot t + 2{,}5^2 - 2{,}5^2) + 1{,}5$
$ = -0{,}4 \cdot [(t^2 - 2{,}5)^2 - 6{,}25] + 1{,}5$
$ = -0{,}4 \cdot (t - 2{,}5)^2 + 2{,}5 + 1{,}5$

Lösungen

Scheitelpunktform: $h(t) = -0{,}4 \cdot (t - 2{,}5)^2 + 4$; $S(2{,}5 \mid 4)$.
Nach 2,5 Sekunden hat der Stein seine maximale Höhe von 4 m erreicht.
Daraus folgt: Laut Modell erreicht der Stein nach 2,5 Sekunden seine maximale Höhe von 4 Metern.

III Kreise, Prismen und Zylinder

Seite 69

Check-in

1
a) 1235 mm = 1,235 m
b) 24005 m² = 2,4005 ha
c) 15 m³ = 15 000 l
d) 25,38 l = 25,38 dm³

2

a)
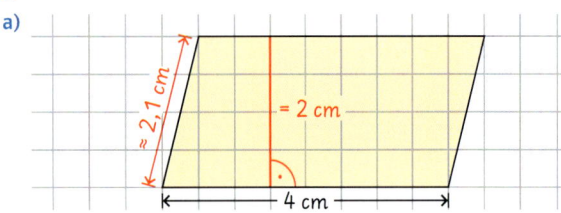
$A = 4 \cdot 2 = 8$; also $A = 8\,\text{cm}^2$
$U \approx 2 \cdot 4 + 2 \cdot 2{,}1 = 12{,}2$; also $U \approx 12{,}2\,\text{cm}$

b)
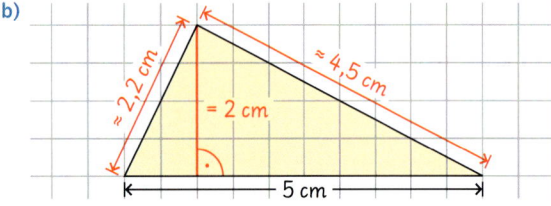
$A = 0{,}5 \cdot 5 \cdot 2 = 5$; also $A = 5\,\text{cm}^2$
$U \approx 5 + 4{,}5 + 2{,}2 = 11{,}7$; also $U \approx 11{,}7\,\text{cm}$

c)
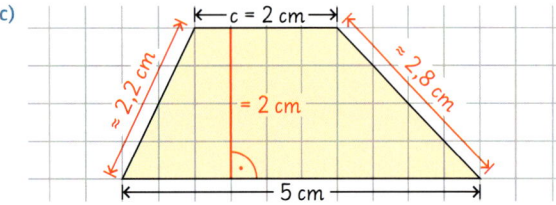
$A = 0{,}5 \cdot (5 + 2) \cdot 2 = 7$; also $A = 7\,\text{cm}^2$
$U \approx 5 + 2{,}8 + 2 + 2{,}2 = 12$; also $U \approx 12\,\text{cm}$

3
a) $V = 2 \cdot 2 \cdot 4{,}5 = 18$; also $V = 18\,\text{cm}^3$.
$O = 2 \cdot (2 \cdot 2 + 4{,}5 \cdot 2 + 4{,}5 \cdot 2) = 44$; also $O = 44\,\text{cm}^2$.
b) $V = 4 \cdot 1 \cdot 1 + 1 \cdot 1 \cdot 1 = 5$; also $V = 5\,\text{cm}^3$.
$O = 3 \cdot 4 \cdot 1 + 8 \cdot 1 \cdot 1 + 2 \cdot 1 = 22$; also $O = 22\,\text{cm}^2$.

4
a) (1) $2x + 5 - 3x - 12 = -1x - 7$
   (2) $-3{,}4x - 2{,}45 + x - (0{,}6x + 0{,}45) = -3x - 2{,}9$
b) (1) $4{,}5x - 12 = 4 + 0{,}5x$ | $-0{,}5x + 12$
          $4x = 16$ | $:4$
           $x = 4$
   Probe: $4{,}5 \cdot 4 - 12 = 6$
          $4 + 0{,}5 \cdot 4 = 6$
   (2) $4 \cdot (x^2 - 1) = 8x^2 - 5$ | T
       $4x^2 - 4 = 8x^2 - 5$ | $-4x^2$
       $-4 = 4x^2 - 5$ | $+5$
       $1 = 4x^2$ | $:4$
       $\frac{1}{4} = x^2$ | $\sqrt{(\ldots)}$
       $x_1 = \frac{1}{2}$; $x_2 = -\frac{1}{2}$

   Probe x_1: $4 \cdot \left(\left(\frac{1}{2}\right)^2 - 1\right) = 4 \cdot \left(\frac{1}{4} - 1\right) = -3$
   $8 \cdot \left(\frac{1}{2}\right)^2 - 5 = 8 \cdot \frac{1}{4} - 5 = -3$
   Probe x_2: $4 \cdot \left(\left(-\frac{1}{2}\right)^2 - 1\right) = 4 \cdot \left(\frac{1}{4} - 1\right) = -3$
   $8 \cdot \left(-\frac{1}{2}\right)^2 - 5 = 8 \cdot \frac{1}{4} - 5 = -3$

Seite 74

6

	a)	b)	c)
Radius	2 m	4 cm	1,1 dm
Durchmesser	4 m	8 cm	2,2 dm
Umfang	≈ 12 m	≈ 24 cm	≈ 6,6 dm
Kreisfläche	≈ 12 m²	≈ 48 cm²	≈ 3,63 dm²

7
Annahme: Der Topfdeckel hat die Form eines Kreises.
r = 10 cm
$A \approx 314{,}2\,\text{cm}^2$
Der Topfdeckel hat einen Flächeninhalt von ca. 314,2 cm².

Seite 77

18
a) $U = 3 \cdot (2 \cdot \pi \cdot 0{,}5) + 3 \cdot (2 \cdot \pi \cdot 1) + 2 \cdot 0{,}5 = 9 \cdot \pi + 1$
   $\approx 29{,}3$
   Die Länge des Randes beträgt ca. 29,3 cm.
b) $A = 3 \cdot \pi \cdot (1)^2 - 3 \cdot \pi \cdot (0{,}5^2) = 2{,}25 \cdot \pi \approx 7{,}1$
   Der Flächeninhalt der gelben Figur beträgt ca. 7,1 cm².

19
a) l = 2 · a + 2 · π · r
b) l ≈ 399,8 m
   Die Länge der inneren Laufbahn beträgt ca. 399,8 m.
c)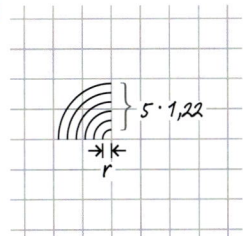

Neuer Radius bis zur Innenseite der 6. Bahn:
r + 6,1
l = 2 · a + 2 · π · (r + 6,1) = 2 · 84 + 2 · π · (36,9 + 6,1)
  ≈ 438,2
Die Länge der Innenseite der sechsten Bahn beträgt ca. 438,2 m.
400-m-Läufer starten im Wettkampf versetzt, weil die äußere Bahn aufgrund des größeren Radius etwa 38 m länger ist als die innere. In diesem Beispiel beträgt die Länge der ersten, inneren Bahn 399,8 m (vgl. Teilaufgabe b)) und die Länge der zweiten Bahn:
l = 2 · a + 2 · π · (r + 1,22) ≈ 407,52
Der nötige Vorsprung beträgt also
(407,52 − 399,8) m = 7,72 m.

G 23
a) x = −1
   Probe: $\frac{3}{2}$ · (−1) + $\frac{1}{2}$ = −1 und −$\frac{5}{2}$ · (−1) − 3,5 = −1
b) x = 3
   Probe: 7,6 − $\frac{7}{3}$ · 3 = 0,6
c) x = 64
   Probe: 0,6 − $\frac{3}{8}$ · 64 = −23,4

Seite 79

4
Anteil am Kreis: $\frac{100°}{360°}$.

Flächeninhalt A = π · (1,2 m)² · $\frac{100°}{360°}$ ≈ 1,26 m²

Bogenlänge b = 2 π · 1,2 m · $\frac{100°}{360°}$ ≈ 2,09 m

5
Flächeninhalt des ganzen Kreises A ≈ 3 · 10² = 300;
also A ≈ 300 cm².
Lila Kreisausschnitt: Anteil am ganzen Kreis $\frac{80°}{360°}$ = $\frac{2}{9}$.
   Flächeninhalt A_{lila} ≈ 3 · 10² · $\frac{2}{9}$ = 66$\frac{2}{3}$; also A ≈ 66$\frac{2}{3}$ cm².
Der blaue Kreisausschnitt hat den halben Mittelpunktswinkel des lila Kreisausschnitts, also
A_{blau} = $\frac{1}{2}$ · A_{lila} = $\frac{1}{2}$ · 66$\frac{2}{3}$ = 33$\frac{1}{3}$; also A ≈ 33$\frac{1}{3}$ cm².

Der grüne Kreisausschnitt beträgt ein Viertel des Mittelpunktswinkels des lila Kreisausschnitts, also
$A_{grün}$ = $\frac{1}{4}$ · A_{lila} = $\frac{1}{4}$ · 66$\frac{2}{3}$ = 16$\frac{2}{3}$; also A ≈ 16$\frac{2}{3}$ cm².

Seite 80

9
a) Anteil am Kreis: $\frac{b}{U}$ = $\frac{6m}{2\pi \cdot 4m}$ = $\frac{3}{4\pi}$ ≈ 0,24
   Mit $\frac{\alpha}{360°}$ = $\frac{3}{4\pi}$ ≈ 0,24 folgt α = $\frac{3}{4\pi}$ · 360° ≈ 85,9°.
b) Anteil am Kreis: $\frac{20 m²}{\pi \cdot (4m)²}$ = $\frac{5}{4\pi}$ ≈ 0,4
   Mit $\frac{\alpha}{360°}$ = $\frac{5}{4\pi}$ ≈ 0,4 folgt α = $\frac{5}{4\pi}$ · 360° ≈ 143,2°.

10
A = (340 mm)² − $\frac{1}{4}$π · (300 mm)² ≈ 44 914 mm² ≈ 449 cm²

G 13
a) 2,5 · (2 − x) + 0,5 = −3,5x + 3 | T
   5 − 2,5x + 0,5 = −3,5x + 3 | + 3,5x
   x + 5,5 = 3 | − 5,5
   x = −2,5
   Probe: 2,5 · (2 − (−2,5)) + 0,5 = −3,5 · (−2,5) + 3
          11,75 = 11,75
b) (x − 3) · 4 − 24 = −8 · (3 − x) | T
   4x − 12 − 24 = −24 + 8x | − 4x
   −36 = −24 + 4x | + 24
   −12 = 4x | : 4
   x = −3
   Probe: (−3 − 3) · 4 − 24 = −8 · (3 − (−3))
          −48 = −48
c) −(−2x + 7) = −91 − 3 · (x + 2) | T
   2x − 7 = −91 − 3x − 6 | + 3x
   5x − 7 = −97 | + 7
   5x = −90 | : 5
   x = −18
   Probe: −(−2 · (−18) + 7) = −91 − 3 · (−18 + 2)
          −43 = −43

Seite 83

7
M = 10 · (7 + 3,3 + 3 + 3,3) = 166
O = M + 2 · $\frac{1}{2}$ · 2,5 · (7 + 3) = 191
Der Inhalt der Mantelfläche beträgt 166 cm² und der Oberflächeninhalt beträgt 191 cm².

8
r = 8 cm
M = 2 · π · 8 · 8 ≈ 402,1 cm²
O = M + 2 · π · 8² ≈ 804,2 cm²
Der Inhalt der Mantelfläche beträgt ca. 402,1 cm² und der Oberflächeninhalt beträgt ca. 804,2 cm².

Lösungen

Seite 84

13
$A = 2 \cdot \frac{1}{2} \cdot 1{,}3 \cdot 1 + 2 \cdot 2 \cdot 1{,}2 = 6{,}1$; also $A = 6{,}1\,m^2$
zuzüglich 15 % = 0,15 Verschnitt
$6{,}1\,m^2 \cdot 1{,}15 = 7{,}015\,m^2$
$7{,}015 \cdot 20\,€ = 140{,}3\,€$
Der notwendige Stoff kostet 140,30 €.

G **16**
a) Die Variable a beschreibt die Anzahl der Alpenstolztafeln.
b) a · 109   beschreibt den Preis für a Tafeln Alpenstolz in Cent
    12 – a   beschreibt die Anzahl der Sportglücktafeln
    (12 – a) · 99 beschreibt den Preis für 12 – a Tafeln Sportglück in Cent
    = 1228   beide Preise zusammen entsprechen 1228 Cent
c) 1. Schritt: Ausmultiplizieren
    2. Schritt: Zusammenfassen
    3. Schritt: Gleichung nach a auflösen
d) 12 – 4 = 8   Timo hat 4 Tafeln Alpenstolz und 8 Tafeln Sportglück gekauft.

Seite 87

5
2,5 cm = 25 mm und 6 cm = 60 mm
$V = 60 \cdot 25 \cdot 4 = 6000$; also $V = 6000\,mm^3 = 6\,cm^3$

6
a) r = 11 m
$V = \pi \cdot 11^2 \cdot 3 \approx 1140{,}4$; also $V \approx 1140{,}4\,m^3$
b) $V = \frac{1}{2} \cdot 5 \cdot 2 \cdot 3 = 15$; also $V = 15\,dm^3$

Seite 89

15
a) $V = \frac{1}{2} \cdot 3 \cdot 2{,}6 \cdot 17 = 66{,}3$
abzüglich 25 % für Luft: $66{,}3 \cdot 0{,}75 = 49{,}725$
Man kann 49,725 cm³ Schokolade verpacken.
b) $O = 2 \cdot \frac{1}{2} \cdot 3 \cdot 2{,}6 + 3 \cdot 3 \cdot 17 = 160{,}8$
zuzüglich 10 % für die Klebefalze: $160{,}8 \cdot 1{,}10 = 176{,}88$
Man benötigt 176,88 cm² Karton.
c) $V = 66{,}3\,cm^3$
$G = \frac{1}{2} \cdot 2{,}6 \cdot (2 + 3) = 6{,}5$; also $G = 6{,}5\,cm^2$
$66{,}3 : 6{,}5 = 10{,}2$
Die Länge des Kartons würde 10,2 cm betragen.

16
$V = \pi \cdot r^2 \cdot h$
$360\,cm^3 = \pi \cdot r^2 \cdot 12\,cm \quad |:12\,cm$
$30\,cm^2 = \pi \cdot r^2$
$r = \sqrt{\frac{30}{\pi}}\,cm$
$r \approx 3{,}1\,cm$

G **19**
Sei x das Alter von Carla heute und y das Alter von Carlas Mutter heute.
Dann gilt: $6x = y$ (I)
Außerdem gilt: $x + 4 + 30 = y + 4$ (II)
Gleichung (I) in Gleichung (II) → $x + 34 = 6x + 4 \quad |-x$
$ 34 = 5x + 4 \quad |-4$
$ 30 = 5x \quad\quad\quad |:5$
$ x = 6$
Antwort: Heute ist Carla 6 Jahre und ihre Mutter 36 Jahre alt.

Seite 91

3
a) $V = 0{,}5 \cdot 3 \cdot 2 \cdot 6 = 18$; also $V = 18\,cm^3$
b) mögliche Lösung, zum Beispiel:

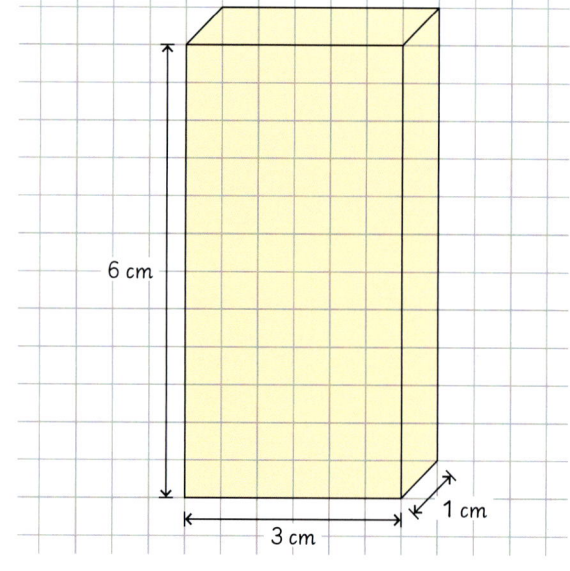

Seite 92

7
a) Wahr, denn wenn der Inhalt der Grundfläche und die Höhe der beiden Prismen gleich sind, dann sind dadurch, dass es sich um Prismen handelt, auch die Inhalte aller Schnittflächen gleich, und damit sind alle Voraussetzungen des Satzes von Cavalieri erfüllt und die Volumina der Prismen sind gleich.
b) Falsch, denn das Volumen eines Kegels beträgt nur $\frac{1}{3}$ des Volumens eines Zylinders mit gleicher Grundfläche und gleicher Höhe.

G 9
a) $-\frac{1}{2} \cdot \left(-\frac{2}{3}x - 5\right) = 2{,}5 + \frac{1}{3}x$ | T
$\frac{1}{3}x + 2{,}5 = 2{,}5 + \frac{1}{3}x$ | $-\frac{1}{3}x$
$2{,}5 = 2{,}5$ | : 5
$L = \{x \mid x \in \mathbb{R}\}$

b) $-(0{,}5 - 0{,}25x) = 1{,}5x - 2$
$-0{,}5 + 0{,}25x = 1{,}5x - 2$ | $-0{,}25x$
$-0{,}5 = 1{,}25x - 2$ | $+ 2$
$1{,}5 = 1{,}25x$ | $\cdot \frac{4}{5}$
$x = 1{,}2$
$L = \{x \mid x = 1{,}2\}$

c) $-\frac{3}{5}x + 4 + x = 0{,}4x$ | T
$0{,}4x + 4 = 0{,}4x$ | $-0{,}4x$
$4 \neq 0$
falsche Aussage $\Rightarrow L = \{\ \}$

Seite 93

1
a) $r = 2\,\text{cm};\ d = 4\,\text{cm};\ A = \pi \cdot (2\,\text{cm})^2 \approx 12\,\text{cm}^2;$
$U = 2 \cdot \pi \cdot 2\,\text{cm} \approx 12\,\text{cm}$
b) $r = 15\,\text{dm};\ d = 30\,\text{dm};\ A = \pi \cdot (15\,\text{dm})^2 \approx 675\,\text{dm}^2;$
$U = 2 \cdot \pi \cdot 15\,\text{dm} \approx 90\,\text{dm}$
c) $r = 2{,}5\,\text{m};\ d = 5\,\text{m};\ A = \pi \cdot (2{,}5\,\text{m})^2 \approx 18{,}75\,\text{m}^2;$
$U = 2 \cdot \pi \cdot 2{,}5\,\text{m} \approx 15\,\text{m}$

2
Blau: $r = 1{,}5\,\text{cm};$ also $U = 2 \cdot \pi \cdot r \approx 2 \cdot 3 \cdot 1{,}5 = 9;$ also $U \approx 9\,\text{cm}$
Die längere blaue Strecke entspricht also dem Umfang des blauen Kreises.
Grün: $r = 1\,\text{cm};$ also $U = 2 \cdot \pi \cdot r \approx 2 \cdot 3 \cdot 1 = 6;$ also $U \approx 6\,\text{cm}$
Die längere grüne Strecke entspricht also dem Umfang des grünen Kreises.

3
a) Großer Kreis: $A_1 = \pi \cdot 9^2 = 81\pi$ (in cm²)
Kleiner Kreis: $A_2 = \pi \cdot 7^2 = 49\pi$ (in cm²)
Kreisring: $A = 81\pi - 49\pi = 32\pi$ (in cm²);
$A \approx 100{,}53\,\text{cm}^2$

b) Großer Kreis: $A_1 = \pi \cdot 10^2 = 100\pi$ (in m²)
Kleiner Kreis: $A_2 = \pi \cdot 5^2 = 25\pi$ (in m²)
Kreisring: $A = 100\pi - 25\pi = 75\pi$ (in m²);
$A \approx 235{,}62\,\text{m}^2$

c) Großer Kreis: $A_1 = \pi \cdot 3^2 = 9\pi$ (in m²)
Kleiner Kreis: $A_2 = \pi \cdot 2^2 = 4\pi$ (in m²)
Kreisring: $A = 9\pi - 4\pi = 5\pi$ (in m²); $A \approx 15{,}71\,\text{m}^2$

4
a) $U = 2\pi r$ nach r aufgelöst: $r = \frac{U}{2\pi} = \frac{68\,\text{m}}{2\pi} \approx 10{,}82\,\text{m}$
b) $A = \pi r^2$ nach r aufgelöst: $r = \sqrt{\frac{A}{\pi}} = \sqrt{\frac{160\,\text{cm}^2}{\pi}} \approx 7{,}14\,\text{cm}$
c) $U = 2\pi r$ nach r aufgelöst: $r = \frac{U}{2\pi} = \frac{4{,}8\,\text{cm}}{2\pi} \approx 0{,}76\,\text{cm}$
d) $A = \pi r^2$ nach r aufgelöst: $r = \sqrt{\frac{A}{\pi}} = \sqrt{\frac{29\,\text{mm}^2}{\pi}} \approx 3{,}04\,\text{mm}$

5
Flächeninhalt des Tisches: $A = \pi \cdot (0{,}55\,\text{m})^2 \approx 0{,}95\,\text{m}^2$
Kantenlänge d des quadratischen Tisches: $A = d^2 = 0{,}95\,\text{m}^2$, $d = 0{,}97\,\text{m}$

6
a) $A = \pi \cdot (7\,\text{cm})^2 \cdot \frac{45°}{360°} \approx 19{,}24\,\text{cm}^2;$
$b = 2\pi \cdot 7\,\text{cm} \cdot \frac{45°}{360°} \approx 5{,}50\,\text{cm}$
b) $A = \pi \cdot (1\,\text{m})^2 \cdot \frac{240°}{360°} \approx 2{,}09\,\text{m}^2;$
$b = 2\pi \cdot 1\,\text{m} \cdot \frac{240°}{360°} \approx 4{,}19\,\text{m}$
c) $A = \pi \cdot (25\,\text{m})^2 \cdot \frac{9°}{360°} \approx 49{,}09\,\text{m}^2;$
$b = 2\pi \cdot 25\,\text{m} \cdot \frac{9°}{360°} \approx 3{,}93\,\text{m}$

7
Die Körper I, II, III, IV, VI und VIII sind Prismen mit folgenden Grundflächen:
I Quadrat   II Dreieck   III Trapez
IV Trapez   VI Rechteck   VIII Trapez

Seite 94

8
a) $V = \frac{1}{2} \cdot 4 \cdot 2{,}5 \cdot 2 = 10;$ also $V = 10\,\text{cm}^3$
$O \approx 2 \cdot \frac{1}{2} \cdot 4 \cdot 2{,}5 + 2{,}5 \cdot 2 + 4 \cdot 2 + 4{,}7 \cdot 2 = 32{,}4;$
also $O \approx 32{,}4\,\text{cm}^2$

b) $V = \frac{1}{2} \cdot 2 \cdot (8 + 4) \cdot 5 = 60;$ also $V = 60\,\text{m}^3$
$O \approx 2 \cdot \frac{1}{2} \cdot 2 \cdot (8 + 4) + 2{,}2 \cdot 5 + 3{,}6 \cdot 5 + 4 \cdot 5 + 8 \cdot 5 = 113;$
also $O \approx 113\,\text{m}^2$

Lösungen

c) $r = 1,5\,dm$
$V = \pi \cdot 1,5^2 \cdot 5 \approx 33,75$; also $V \approx 33,75\,dm^3$
$O = 2 \cdot \pi \cdot 1,5^2 + 2 \cdot \pi \cdot 1,5 \cdot 5 \approx 58,5$; also $O \approx 58,5\,dm^2$

9
a) $V = G \cdot h = \frac{1}{2} \cdot 5 \cdot 12 \cdot 7 = 210$; $V = 210\,cm^3$
b) $V = G \cdot h = \frac{1}{2} \cdot 10 \cdot 6 \cdot 7 = 210$; $V = 210\,cm^3$
c) $V = G \cdot h = \frac{4+8}{2} \cdot 3 \cdot 7 = 126$; $V = 126\,cm^3$

10
$V = G \cdot h = 134 \cdot 25 \cdot 21 = 70\,350$
Das Volumen des Gebäudes beträgt $70\,350\,m^3$.

11
Die Grundfläche des Turms besteht aus einem Kreisring mit dem Außendurchmesser 10,5 m und dem Innendurchmesser 10,5 m − 0,31 m = 10,19 m.
Volumen der Innenschale:
$V = \pi \cdot 10,5^2 \cdot 246 - \pi \cdot 10,19^2 \cdot 246 \approx 4956,9$
Es wurden für die Innenschale knapp $5000\,m^3$ Beton verbaut.

12
Es sind 9 Halbkreise mit dem Radius r, also 4,5 Kreise.
Man muss den Umfang dieser 4,5 Kreise bestimmen.
$d = 90\,cm : 9 = 10\,cm$; also $r = 5\,cm$.
$U = (2 \cdot \pi \cdot 5) \cdot 4,5 \approx 141,37$; also $U \approx 141,37\,cm$.
Die Breite des Bleches muss ca. 141,37 cm betragen.

13
a) $A_{Weg} = \pi \cdot r_2^2 - \pi \cdot r_1^2$ mit $r_1 = 7\,m$ und $r_2 = 9\,m$
$A_{Weg} = \pi \cdot 9^2 - \pi \cdot 7^2 = 32 \cdot \pi \approx 100,53$;
also $A_{Weg} \approx 100,53\,m^2$

b) $A_{Weg} = \pi \cdot r_2^2 - \pi \cdot r_1^2$ mit $r_1 = 7\,m$
$130 = \pi \cdot r_2^2 - \pi \cdot 7^2$
$r_2 \approx \pm 9,51$; also $b = 9,51 - 7 = 2,51$
Der Weg wäre dann ca. 2,51 m breit.

Seite 95

14
a) Flächeninhalt A_A der Abwurfzone:
$A_A = \pi \cdot \left(\frac{1}{2} \cdot 2,135\,m\right)^2 \approx 3,58\,m^2$
Flächeninhalt A_W des Wurffelds:
$A_W = \pi \cdot (24\,m)^2 \cdot \frac{40°}{360°} - \pi \cdot \left(\frac{1}{2} \cdot 2,135\,m\right)^2 \cdot \frac{40°}{360°} \approx 200,66\,m^2$
Die Überschneidungsfläche des Abwurfkreises und des Kreisausschnitts der Wurffläche muss abgezogen werden, da diese in A_A bereits enthalten ist.
Flächeninhalt A der Anlage: $A = A_W + A_A = 204,24\,m^2$

b) $b = 2\pi \cdot \left(\frac{1}{2} \cdot 2,135\,m\right) \cdot \frac{320°}{360°} \approx 5,96\,m$

15
a) $V = 11 \cdot 5,5 \cdot 2,5 = 151,25$; also $V = 151,25\,cm^3$
$O = 2 \cdot 11 \cdot 5,5 + 2 \cdot 2,5 \cdot 7 + 2 \cdot 2,5 \cdot 11 = 211$;
also $O = 211\,cm^2$

b) $m = 151,25 \cdot 2,6 = 393,25$
Das abgebildete Prisma aus Kalzit besitzt eine Masse von 393,25 g.

16
a) individuelle Schätzung, zum Beispiel:
Seitliche Treibstoffbehälter: $r = 1,5\,m$
$V = 2 \cdot (\pi \cdot 1,5^2 \cdot 31,6) = 142,2 \cdot \pi \approx 446,73$;
also ca. $446,73\,m^3$
Treibstoffbehälter im Mittelteil: $r = 2,7\,m$
$V = \pi \cdot 2,7^2 \cdot 30,7 + \pi \cdot 2,7^2 \cdot 4,5 = 256,6 \cdot \pi \approx 806,16$;
also $806,16\,m^3$
Damit ist in den Treibstoffbehältern im Mittelteil mehr Treibstoff.

b) $446,73 : 55 \approx 8,122$
Pro Kilometer wurden ca. $8,122\,m^3$ (= 8122 l) Treibstoff verbraucht.

c) Ein Kleinwagen verbraucht knapp 5 l Benzin auf 100 km.
Also könnte ein Kleinwagen $8122 \cdot 100 : 5\,km = 162\,440\,km$ mit der gleichen Menge an Treibstoff fahren.

d) individuelle Lösung

17
a) $U \approx d \cdot 3 + 0,05 \cdot d \cdot 3 = 10 \cdot 3 + 0,05 \cdot 10 \cdot 3 = 30 + 1,5 = 31,5$; also $U \approx 31,5\,cm$

b) $\pi \approx 3 + 0,05 \cdot 3 = 3,15$

18
a) $U = 29,7\,cm - 7\,mm = 29\,cm$
Der Umfang beträgt 29 cm.

b) $U = 2 \cdot \pi \cdot r$
$29\,cm = 2 \cdot \pi \cdot r$
$r \approx 4,615\,cm \approx 4,62\,cm$

c) $V \approx \pi \cdot 4,62^2 \cdot 21 \approx 448,23 \cdot \pi \approx 1408,16$;
also $V \approx 1408\,cm^3$

d) $U = 21\,cm - 7\,mm = 20,3\,cm$
$20,3 = 2 \cdot \pi \cdot r$
$r \approx 3,23\,cm$
$V \approx \pi \cdot 3,23^2 \cdot 29,7 \approx 309,86 \cdot \pi \approx 973,44$;
also $V \approx 973,44\,cm^3$
$1408,16 : 973,44 \approx 1,447 = 144,7\%$
Die an den kurzen Seiten zusammengeklebte Rolle hat ein um 44,7% größeres Volumen als die an den längeren Seiten zusammengeklebte Rolle.
(alternativ: $973,44 : 1408,16 \approx 0,691 \approx 69,1\%$
Das Volumen der zweiten Rolle entspricht 69,1% des Volumens der ersten Rolle.)

Seite 96

19

a) individuelle Schätzung

b) Annahme: Die Dosen entsprechen gleichmäßigen Zylindern.
Standardversion: r = 33,5 mm
O = 2 · π · 33,5² + 2 · π · 33,5 · 115 = 9949,5 · π
≈ 31 257,3
Sleek-Can-Version: r = 29 mm
O = 2 · π · 29² + 2 · π · 29 · 146 = 10 150 · π ≈ 31 887,2
Bei der Sleek-Can-Version ist der Materialverbrauch höher.

c) O_{neu} ≈ 31 257,3 · 1,18 ≈ 36 883,6
O_{neu} ≈ 31 887,2 · 1,18 ≈ 37 626,9
Für die Standardversion würde man pro Dose mindestens ca. 36 883,6 mm² und für die Sleek-Can-Version ca. 37 626,9 mm² Material verbrauchen.

20

a) Volumen des Aluminiumblocks: 20,6 : 2,7 ≈ 7,63
Der Zylinderblock hat ein Volumen von V = 7,63 m³. Aus
V = π r² · h
folgt $r = \sqrt{\frac{V}{\pi \cdot h}} = \sqrt{\frac{7,63}{\pi \cdot 4}} \approx 0,78$.
Der Radius des 4 m langen Zylinderblocks beträgt ca. 0,78 m.

b) Die Folie entspricht einem Quader mit einem Volumen von 7,63 m³. Dieser hat die Höhe h = 0,2 mm und die Breite b = 4 m. Gesucht ist die Länge l des Quaders.
$l = \frac{V}{h \cdot b} = \frac{7,63}{0,0002 \cdot 4} = 9537,5$
Die Folie ist ca. 9538 m ≈ 9,5 km lang.

21

Der Stapel enthält 6 Raummeter Holz.

22

Beim ersten Lösungsweg wurde das Häuschen in zwei Körper geteilt – einen Quader und ein Prisma mit dreieckiger Grundfläche (Dach). Die Volumina beider Körper wurden getrennt berechnet und anschließend addiert.
Beim zweiten Lösungsweg wurde das Häuschen als ein Prisma mit fünfeckiger Grundfläche betrachtet (Vorderfront). In den Klammern wird die Fläche des Fünfecks berechnet, die Grundfläche des Prismas. Diese Fläche wird in ein Rechteck und ein Dreieck unterteilt.
Anschließend wird die Fläche des Fünfecks mit der Höhe des Prismas (3 cm) multipliziert, um das Volumen des Häuschens zu erhalten.

23

Rachel sieht in dem Körper einen schiefen Quader mit der Grundfläche G = a · c und der Höhe h. Da alle Voraussetzungen des Satzes von Cavalieri erfüllt sind (Grundflächen sind parallele Rechtecke, wie bei einem entsprechenden Quader, die Schnittflächen sind flächengleich zu denen eines entsprechenden Quaders und die Höhen sind ebenfalls gleich), lässt sich das Volumen des Körpers nach Cavalieri mit
V = G · h = a · c · h berechnen.
Jero sieht in dem Körper ein Prisma mit einem Parallelogramm als Grundfläche und Höhe c.
Der Flächeninhalt des Parallelogramms lässt sich berechnen mit A_p = a · h und damit das Volumen des Prismas mit V = G · c = a · h · c, also genauso wie das Volumen des schiefen Quaders.

Seite 97

24

Wenn s die Länge der Seite des Quadrats ist, beschreibt $r = \frac{s}{n} : 2$ den Radius eines Kreises bei n² Kreisen.
Es folgt: $A_{alle\ Kreise}$ = n² · π · r², weil alle Kreise gleich groß sind.
$A_{alle\ Kreise} = n^2 \cdot \pi \cdot \left(\frac{s}{n} : 2\right)^2 = n^2 \cdot \pi \cdot \frac{s^2}{4n^2} = \frac{s^2}{4} \cdot \pi$
Da diese Formel unabhängig von n und damit auch unabhängig von der Anzahl der Kreise n² ist, stimmt Jans Behauptung.

25

Länge der Schlangenlinie nach
- einem Halbkreisbogen: L_1 = π · 1 cm
- nach zwei Halbkreisbogen:
  $L_2 = \pi \cdot 1\,cm + \pi \cdot \frac{1}{2}\,cm = \pi \cdot 1,5\,cm$
- nach drei Halbkreisbogen:
  $L_3 = \pi \cdot 1\,cm + \pi \cdot \frac{1}{2}\,cm + \pi \cdot \frac{1}{4}\,cm = \pi \cdot 1,75\,cm$
- nach vier Halbkreisbogen:
  $L_4 = \pi \cdot 1\,cm + \pi \cdot \frac{1}{2}\,cm + \pi \cdot \frac{1}{4}\,cm + \pi \cdot \frac{1}{8}\,cm$
  = π · 1,875 cm
- nach fünf Halbkreisbogen:
  $L_5 = \pi \cdot 1\,cm + \pi \cdot \frac{1}{2}\,cm + \pi \cdot \frac{1}{4}\,cm + \pi \cdot \frac{1}{8}\,cm + \pi \cdot \frac{1}{16}\,cm$
  = π · 1,9375 cm.

Ein Kreis mit Radius 1 cm hat den Umfang U = 2π cm. Die Länge der Schlangenlinie ist kleiner als der Umfang eines Kreises mit einem Radius von 1 cm.

26

a) individuelle Lösung

b) Fig. 1: $A = a^2 - \frac{\pi}{4 \cdot a^2}$
Fig. 2: Eine weiße Fläche: $A_{weiß} = a^2 - \frac{\pi}{4 \cdot a^2}$
Gefärbte Fläche:
$A_{gefärbt} = a^2 - 2\left(a^2 - \frac{\pi}{4}a^2\right) = \frac{\pi}{2}a^2 - a^2$
Fig. 3: Die weißen Flächen lassen sich zu einem Rechteck mit den Seitenlängen a und $\frac{a}{2}$ ergänzen.
Daher gilt: $A_{gefärbt} = \frac{1}{2}a^2$
Fig. 4: Für jeden der vier Teile der gefärbten Fläche gilt:
$A = \frac{\pi}{8 \cdot a^2} - \frac{a^2}{4}$.
Für die gesamte gefärbte Fläche gilt daher:
$A_{gesamt} = \frac{\pi}{2}a^2 - a^2$.

Lösungen

c) Fig. 1: $a = \sqrt{\frac{20\,cm^2}{1-\frac{\pi}{4}}} \approx 9{,}65\,cm$

Fig. 2: $a = \sqrt{\frac{20\,cm^2}{\frac{1}{2}\pi - 1}} \approx 5{,}92\,cm$

Fig. 3: $a = \sqrt{2 \cdot 20\,cm^2} = \sqrt{40}\,cm = 2\sqrt{10}\,cm$
$\approx 6{,}32\,cm$

Fig. 4: $a = \sqrt{\frac{20\,cm^2}{\frac{1}{2}\pi - 1}} \approx 5{,}92\,cm$

27
Stellt man sich die Torte in immer kleinere Kuchenstücke geschnitten vor, so nähert sich deren quaderförmige Anordnung immer mehr einem perfekten Quader an. Dessen Grundfläche hat die Länge des halben Umfangs der Torte $(\pi \cdot r)$ und die Breite r. Die Höhe ändert sich durch die Umordnung nicht. Damit ergibt sich für das Volumen des Quaders – und damit auch für das Volumen der zylinderförmigen Torte
$V = (\pi \cdot r) \cdot r \cdot h = \pi r^2 \cdot h$.

28
Das Volumen des Körpers in Figur I entspricht dem Volumen eines halben Quaders, da die drei Bedingungen des Satzes des Cavalieri erfüllt sind. Das Volumen der Figur I beträgt somit $V_1 = \frac{1}{2} \cdot a \cdot b \cdot h$.

Der Körper in Figur II ist ein Prisma mit der Höhe h und einer rechteckigen Grundfläche mit den Seiten $\frac{a}{2}$ und $\frac{b}{2}$. Für sein Volumen gilt $V_2 = \frac{a}{2} \cdot \frac{b}{2} \cdot h = \frac{1}{4} \cdot a \cdot b \cdot h$.

Der Körper in Figur III ist ein sogenanntes Antiprisma mit der Höhe h und einer rechtwinklig dreieckigen Grundfläche mit den Katheten $\frac{a}{2}$ und b. Auch bei diesem gilt der Satz des Cavalieri. Für das Volumen gilt
$V_3 = \frac{1}{2} \cdot \frac{a}{2} \cdot b \cdot h = \frac{1}{4} \cdot a \cdot b \cdot h$.

Das Volumen des Körpers in Figur I ist also doppelt so groß wie das Volumen des Körpers in Figur II bzw. III.

29
– r = 22,4 m entspricht der Länge des Schaukelarms; also ist 22 m eine gerundete, leicht ungenaue Angabe.
– Der Schaukelweg entspricht der Bogenlänge mit $\alpha = 240°$:

$b = \frac{240°}{360°} \cdot 2 \cdot \pi \cdot 22{,}4 \approx 93{,}8$ (mit r = 22,4 m)

$b = \frac{240°}{360°} \cdot 2 \cdot \pi \cdot 22 \approx 92{,}2$ (mit r = 22 m)

Der maximale Schaukelweg ist mit 92 m ein gerundeter Wert, wenn man r = 22 m verwendet. Insgesamt ist die Angabe auch ungenau.
– Die Flughöhe ist mit 45 m angegeben. Abzüglich der 2 m Höhe am Boden entspricht dies mit 43 m in etwa dem Durchmesser des Kreises der Flugbahn (44,8 m). Dies ist unmöglich, da die Schaukel nur 120° hoch schaukelt.
(Die Flughöhe beträgt mit r = 22,4 m ca. 35,6 m.)

Seite 99

Runde 1

1
Radius des größeren Kreises: r = 0,4 m
Flächeninhalt des Kreisrings: $A = \pi \cdot (0{,}4\,m)^2 - \pi \cdot (0{,}3\,m)^2$
$\approx 0{,}22\,m^2$

2
$A = \pi \cdot (20\,cm)^2 \cdot \frac{105°}{360°} \approx 366{,}52\,cm^2$

$b = \frac{105°}{360°} \cdot 2\pi \cdot 20\,cm \approx 36{,}65\,cm$

3
$A_{Parallelogramm} = 5 \cdot 3 = 15$
$V = A_{Parallelogramm} \cdot h$
$120 = 15 \cdot h$
$h = 8$
Die Höhe des Prismas beträgt 8 cm.

4
$U = 2 \cdot \pi \cdot (6370 + 35900) \approx 265\,590{,}24$
$265\,590{,}24 : 24 = 11\,066{,}26$
In einer Stunde legt der Satellit näherungsweise eine Strecke von 11 066,26 km zurück.

5

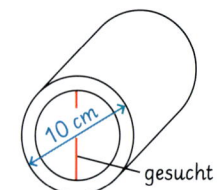
gesucht

$r_{außen} = 5\,cm$
$M_{außen} = 2 \cdot \pi \cdot 5 \cdot 100 = 1000\,\pi$
$M_{innen} = 0{,}90 \cdot M_{außen} = 900\,\pi$
$900\,\pi = 2 \cdot \pi \cdot r_{innen} \cdot 100$
$r_{innen} = 4{,}5$
$d_{innen} = 9$
Der Durchmesser im Inneren des Rohres beträgt 9 cm.

Runde 2

1
a) $V = \frac{1}{2} \cdot 3 \cdot (12 + 6) \cdot 11 = 297$; also $V = 297\,cm^3$
b) $V = \pi \cdot 7^2 \cdot 9 = 441 \cdot \pi \approx 1323$; also $V \approx 1323\,dm^3$
$O = 2 \cdot \pi \cdot 7^2 + 2 \cdot \pi \cdot 7 \cdot 9 = 224 \cdot \pi \approx 672$;
also $O \approx 672\,dm^2$

2
a) $r = 0{,}65\,km$
$U = 2 \cdot \pi \cdot r = 1{,}3 \cdot \pi \approx 4{,}08\,km$
$4{,}08\,km : 2\frac{km}{h} = 2{,}04\,h$
Man benötigt ca. 2 Stunden für den Rundweg.
b) $A = \pi \cdot 0{,}65^2 = 0{,}4225 \cdot \pi \approx 1{,}327$
Der Flächeninhalt des Kraterloches beträgt ca. $1{,}327\,km^2$.

3
a) $b = 2\pi \cdot 2\,m \cdot \frac{30°}{360°} \approx 1{,}05\,m$; $c = 2\pi \cdot 4\,m \cdot \frac{30°}{360°} \approx 2{,}09\,m$
$A_{Rot} = \pi \cdot (2\,m)^2 \cdot \frac{30°}{360°} \approx 1{,}05\,m^2$
$A_{Gelb} = \pi \cdot (4\,m)^2 \cdot \frac{30°}{360°} - \pi \cdot (2\,m)^2 \cdot \frac{30°}{360°} \approx 3{,}14\,m^2$
b) $A_{Rot} = \pi \cdot r^2 \cdot \frac{\alpha}{360°}$
$A_{Gelb} = \pi \cdot (2r)^2 \cdot \frac{\alpha}{360°} - \pi \cdot r^2 \cdot \frac{\alpha}{360°} = 3 \cdot \pi \cdot r^2 \cdot \frac{\alpha}{360°}$
$= 3 \cdot A_{Rot}$

4

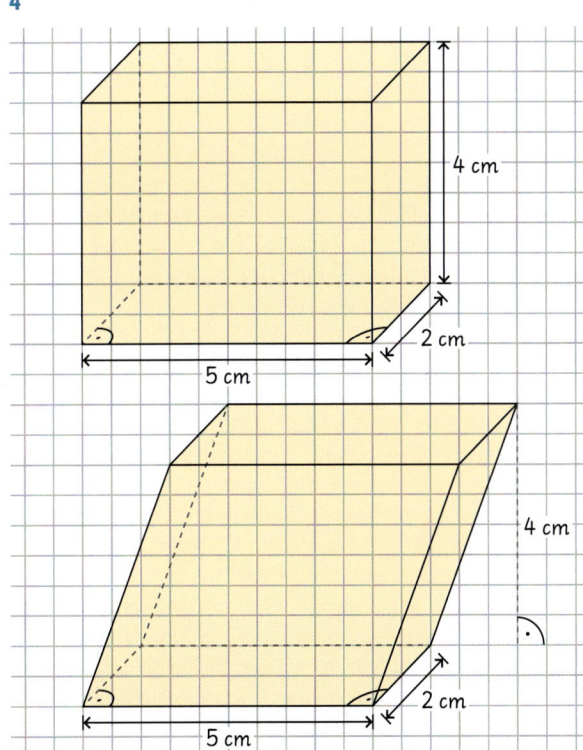

IV Potenzen und Potenzgesetze

Seite 103

Check-in

1
a) $5^2 = 5 \cdot 5 = 25$
b) $(-5)^2 = (-5) \cdot (-5) = 25$
c) $3^4 = 3 \cdot 3 \cdot 3 \cdot 3 = 81$
d) $4^3 = 4 \cdot 4 \cdot 4 = 64$
e) $(-4)^3 = (-4) \cdot (-4) \cdot (-4) = -64$
f) $\left(\frac{2}{3}\right)^2 = \frac{2}{3} \cdot \frac{2}{3} = \frac{4}{9}$

2
a) $6 \cdot 5^2 + 4 \cdot 5^2 = (6 + 4) \cdot 5^2 = 10 \cdot 25 = 250$
b) $3 \cdot (4 + 2^2) = 3 \cdot (4 + 4) = 3 \cdot 8 = 24$
c) $7^2 : 3 - 19 : 3 = (7^2 - 19) : 3 = (49 - 19) : 3 = 30 : 3 = 10$
d) $(3 + 4) \cdot 10^2 = 7 \cdot 10^2 = 7 \cdot 100 = 700$
e) $3 \cdot 7^2 + 3 + 7 \cdot 7^2 = (3 + 7) \cdot 7^2 + 3 = 10 \cdot 7^2 + 3 = 10 \cdot 49 + 3$
$= 490 + 3 = 493$
f) $5 \cdot 5^4 + 11 - 5^5 = 5^5 + 11 - 5^5 = 11$
g) $\frac{1}{81} \cdot \left(\frac{2}{7}\right)^2 \cdot 9^2 \cdot \frac{49}{2} = \frac{1}{81} \cdot \frac{4}{49} \cdot 9^2 \cdot \frac{49}{2} = \left(\frac{1}{81} \cdot 81\right) \cdot \left(\frac{4}{49} \cdot \frac{49}{2}\right)$
$= 1 \cdot 2 = 2$
h) $8 \cdot \left(\frac{1}{6}\right)^3 + 28 \cdot \left(\frac{1}{6}\right)^3 = (8 + 28) \cdot \left(\frac{1}{6}\right)^3 = 36 \cdot \frac{1}{6^3} = 6^2 \cdot \frac{1}{6^3} = \frac{1}{6}$
i) $6^2 \cdot \left(\frac{1}{3} + \frac{1}{4}\right) = 36 \cdot \left(\frac{1}{3} + \frac{1}{4}\right) = 36 \cdot \frac{1}{3} + 36 \cdot \frac{1}{4} = 12 + 9 = 21$

3
a) $\sqrt{81} = 9$
b) $\sqrt{225} = 15$
c) $\sqrt{1} = 1$
d) $\sqrt{\frac{4}{9}} = \frac{2}{3}$
e) $\sqrt{0{,}25} = 0{,}5$
f) $\sqrt{0{,}01} = 0{,}1$

4
a) $\sqrt{50} \cdot \sqrt{2} = \sqrt{(50 \cdot 2)} = \sqrt{100} = 10$
b) $\frac{\sqrt{50}}{\sqrt{2}} = \sqrt{\frac{50}{2}} = \sqrt{25} = 5$
c) $\sqrt{108} \cdot \sqrt{\frac{1}{3}} = \sqrt{108 \cdot \frac{1}{3}} = \sqrt{36} = 6$
d) $\sqrt{3} : \sqrt{12} = \sqrt{3 : 12} = \sqrt{\frac{3}{12}} = \sqrt{\frac{1}{4}} = \frac{1}{2} = 0{,}5$
e) $\sqrt{12{,}1} \cdot \sqrt{0{,}1} = \sqrt{12{,}1 \cdot 0{,}1} = \sqrt{1{,}21} = 1{,}1$
f) $\frac{\sqrt{0{,}72}}{\sqrt{2}} = \sqrt{\frac{0{,}72}{2}} = \sqrt{0{,}36} = 0{,}6$

Lösungen

5

a) (1) $\sqrt{x} + \sqrt{x} + 6\sqrt{x} = 8\sqrt{x}$
Für $x = 4$ erhält man $\sqrt{4} + \sqrt{4} + 6\sqrt{4} = 2 + 2 + 6 \cdot 2$
$= 2 + 2 + 12 = 16$ bzw. $8\sqrt{4} = 8 \cdot 2 = 16$.
(2) $\sqrt{9x} : \sqrt{x} = \sqrt{9x : x} = \sqrt{9} = 3$
Für $x = 4$ erhält man $\sqrt{9 \cdot 4} : \sqrt{4} = \sqrt{36} : \sqrt{4} = 6 : 2 = 3$
bzw. $\sqrt{9} = 3$.
(3) $\sqrt{x} \cdot (\sqrt{x} + 5\sqrt{x}) = \sqrt{x} \cdot 6\sqrt{x} = 6x$ (für $x > 0$)
Für $x = 4$ erhält man $\sqrt{4} \cdot (\sqrt{4} + 5\sqrt{4}) = 2 \cdot (2 + 5 \cdot 2)$
$= 2 \cdot 12 = 24$ bzw. $6 \cdot 4 = 24$.
(4) $\sqrt{3x} \cdot \sqrt{27x} = \sqrt{3 \cdot x \cdot 27 \cdot x} = \sqrt{81x^2} = 9x$ (für $x > 0$)
Für $x = 4$ erhält man $\sqrt{3 \cdot 4} \cdot \sqrt{27 \cdot 4} = \sqrt{12} \cdot \sqrt{108}$
$= \sqrt{12 \cdot 108} = \sqrt{1296} = 36$ bzw. $9 \cdot 4 = 36$.

b) Für $a = 16$ und $b = 9$ erhält man
$\sqrt{16 + 9} = \sqrt{25} = 5$ und $\sqrt{16} + \sqrt{9} = 4 + 3 = 7 \neq 5$.
Die Termumformung kann also nicht richtig sein.

Seite 108

7

a) $5^3 = 5 \cdot 5 \cdot 5 = 125$
b) $5^{-3} = \frac{1}{5^3} = \frac{1}{5 \cdot 5 \cdot 5} = \frac{1}{125}$
c) $3^5 = 3 \cdot 3 \cdot 3 \cdot 3 \cdot 3 = 243$
d) $3^{-5} = \frac{1}{3^5} = \frac{1}{3 \cdot 3 \cdot 3 \cdot 3 \cdot 3} = \frac{1}{243}$
e) $\left(\frac{1}{6}\right)^{-1} = \left(\frac{6}{1}\right)^1 = 6$
f) $\left(\frac{5}{6}\right)^2 = \frac{25}{36}$
g) $\left(\frac{5}{6}\right)^{-2} = \left(\frac{6}{5}\right)^2 = \frac{36}{25}$
h) $\left(\frac{3}{2}\right)^{-4} = \left(\frac{2}{3}\right)^4 = \frac{16}{81}$

8

a) $3 + 3^2 = 3 + 9 = 12$
b) $3 + 3^{-2} = 3 + \frac{1}{3^2} = 3 + \frac{1}{9} = 3\frac{1}{9}$
c) $2 \cdot 3^0 = 2 \cdot 1 = 2$
d) $2 \cdot 3^{-2} = 2 \cdot \frac{1}{3^2} = 2 \cdot \frac{1}{9} = \frac{2}{9}$
e) $2 \cdot \left(\frac{1}{2}\right)^{-2} = 2 \cdot \left(\frac{2}{1}\right)^2 = 2 \cdot 4 = 8$
f) $2 \cdot \left(-\frac{1}{2}\right)^{-2} = 2 \cdot \left(-\frac{2}{1}\right)^2 = 2 \cdot (-2)^2 = 2 \cdot 4 = 8$
g) $2 \cdot \left(\frac{2}{3}\right)^{-2} = 2 \cdot \left(\frac{3}{2}\right)^2 = 2 \cdot \frac{9}{4} = \frac{9}{2}$
h) $2 + 2 \cdot (1 + 1)^{-1} = 2 + 2 \cdot 2^{-1} = 2 + 2 \cdot \frac{1}{2} = 2 + 1 = 3$

Seite 109

15

a) Für $x = 2{,}5$ erhält man
$2 \cdot (2{,}5 - 3)^{-3} = 2 \cdot (-0{,}5)^{-3} = 2 \cdot \left(-\frac{1}{2}\right)^{-3} = 2 \cdot \left(-\frac{2}{1}\right)^3$
$= 2 \cdot (-2)^3 = 2 \cdot (-8) = -16$.
Für $x = \frac{1}{3}$ erhält man
$2 \cdot \left(\frac{1}{3} - 3\right)^{-3} = 2 \cdot \left(\frac{1}{3} - \frac{9}{3}\right)^{-3} = 2 \cdot \left(-\frac{8}{3}\right)^{-3} = 2 \cdot \left(-\frac{3}{8}\right)^3$
$= 2 \cdot \left(-\frac{27}{512}\right) = -\frac{27}{256}$.

b) $x = 3$ kann man nicht einsetzen, weil man dann die Potenz mit einem negativen Exponenten zur Basis 0 berechnen müsste. Man würde für $x = 3$ bei der Anwendung der Definition $(x - 3)^{-3} = \frac{1}{(x - 3)^3}$ einen Term erhalten, bei dem man durch 0 teilen müsste.

G 18

a) $\frac{10 \text{ km}}{21 \text{ min}} \approx 0{,}476 \frac{\text{km}}{\text{min}} = 28{,}56 \frac{\text{km}}{\text{h}}$
Die Durchschnittsgeschwindigkeit beträgt ca. 28,6 km/h.

b) $45 \text{ km} : 22 \frac{\text{km}}{\text{h}} \approx 2{,}05 \text{ h}$
Man benötigt etwas mehr als zwei Stunden.

Seite 112

7

a) $420\,000 = 4{,}2 \cdot 10^5$
b) $32\,000\,000 = 3{,}2 \cdot 10^7$
c) $0{,}000\,02 = 2{,}0 \cdot 10^{-5}$
d) $0{,}000\,000\,365 = 3{,}65 \cdot 10^{-7}$
e) $0{,}0001 = 1{,}0 \cdot 10^{-4}$

8

a) $5 \cdot 10^4 = 50\,000$
b) $1{,}234 \cdot 10^9 = 1\,234\,000\,000$
c) $32 \cdot 10^{-6} = 0{,}000\,032$
d) $10^{-4} = 0{,}0001$
e) $0{,}234 \cdot 10^{-3} = 0{,}000\,234$

Seite 113

14

a) $0{,}008 \text{ mm} = 0{,}000\,008 \text{ m} = 8 \cdot 10^{-6} \text{ m}$
b) $180 \text{ nm} = 180 \cdot 10^{-9} \text{ m} = 1{,}8 \cdot 10^{-7} \text{ m}$
c) $4{,}5 \text{ Tm} = 4{,}5 \cdot 10^{12} \text{ m}$
d) $45 \text{ Mg} = 45 \cdot 10^6 \text{ g} = 4{,}5 \cdot 10^7 \text{ g}$

G 18

a) richtig – Man ordnet der Situation zunächst das richtige **mathematische Modell** zu: Die Zuordnung *Liter (= Anzahl der Milchtüten) → Preis* ist proportional, man kann daher mit folgendem Dreisatz rechnen:

$: 3$ 3 Liter   1,77 Euro $: 3$
$\cdot 5$ 1 Liter   0,59 Euro $\cdot 5$
       5 Liter   2,95 Euro

Fünf Liter Milch kosten also 2,95 Euro.

b) falsch – **Begründung**: Ein dickeres Buch kostet zwar in der Regel mehr. Damit die Zuordnung proportional ist, müsste jedoch immer gelten, dass ein Buch mit doppelter, dreifacher etc. Dicke auch den doppelten, dreifachen etc. Preis kostet. Dies ist nicht der Fall.

c) falsch – **Begründung**: Der Graph einer proportionalen Zuordnung verläuft stets durch den Ursprung, hat also den Achsenabschnitt $b = 0$. Eine beliebige Gerade mit $b \neq 0$ ist also kein Graph einer proportionalen Zuordnung.

d) richtig – **Begründung**: Eine proportionale Funktion ist eine besondere lineare Funktion, deren Graph eine Gerade ist, die die y-Achse im Ursprung schneidet.

Seite 116

7
a) $10^2 \cdot 10^5 = 10^{2+5} = 10^7 = 10\,000\,000$
b) $10^7 : 10^3 = 10^{7-3} = 10^4 = 10\,000$
c) $0{,}5^3 \cdot 0{,}5^{-2} = 0{,}5^{3+(-2)} = 0{,}5^1 = 0{,}5$
d) $\frac{5^4}{5^5} = 5^{4-5} = 5^{-1} = \frac{1}{5} = 0{,}2$
e) $(-5)^4 \cdot (-5)^{-2} = (-5)^{4-2} = (-5)^2 = 25$
f) $15^5 \cdot 15^{-5} = 15^{5+(-5)} = 15^0 = 1$
g) $\frac{(-2)^{-3}}{-2^{-5}} = (-2)^{-3-(-5)} = (-2)^{-3+5} = (-2)^2 = 4$
h) $\frac{2^2}{2^{-2}} = 2^{2-(-2)} = 2^{2+2} = 2^4 = 16$

Seite 117

15
a) $x^3 : x^2 = x^{3-2} = x^1 = x$
   Für $x = 10$ erhält man 10.
b) $x^5 \cdot x^2 = x^{5+2} = x^7$
   Für $x = 10$ erhält man $10^7 = 10\,000\,000$.
c) $x^{-2} \cdot x^3 = x^{-2+3} = x$
   Für $x = 10$ erhält man 10.
d) $\frac{x^3}{x^{-2}} = x^{3-(-2)} = x^{3+2} = x^5$
   Für $x = 10$ erhält man $10^5 = 100\,000$.
e) $x^4 + x \cdot x^3 = x^4 + x^4 = 2x^4$
   Für $x = 10$ erhält man $2 \cdot 10^4 = 2 \cdot 10\,000 = 20\,000$.
f) $\frac{x^2}{x^3 \cdot x^5} + x^{-3} \cdot x^{-3} = x^{2-3-5} + x^{-3+(-3)} = x^{-6} + x^{-6} = 2x^{-6}$
   Für $x = 10$ erhält man $2 \cdot 10^{-6} = 2 \cdot \frac{1}{10^6} = \frac{2}{1\,000\,000}$
   $= 0{,}000\,002$.
g) $x^m \cdot x^m = x^{m+m} = x^{2m}$
   Für $x = 10$ und $m = 3$ erhält man $10^{2 \cdot 3} = 10^6 = 1\,000\,000$.
h) $\frac{x^{5m}}{x^{4m}} - x^{2m} \cdot x^{-m} = x^{5m-4m} - x^{2m+(-m)} = x^m - x^m = 0$
   Für $x = 10$ und $m = 3$ erhält man 0.

16
a) $5^2 + 5^3 = 5^2 \cdot (1 + 5) = 25 \cdot 6 = 150$
b) $6^3 - 6^2 = 6^2 \cdot (6 - 1) = 36 \cdot 5 = 180$
c) $10^5 - 10^3 = 10^3 \cdot (10^2 - 1) = 1000 \cdot (100 - 1) = 1000 \cdot 99$
   $= 99\,000$
d) $3{,}5 \cdot 10^2 + 1{,}7 \cdot 10^2 = (3{,}5 + 1{,}7) \cdot 10^2 = 5{,}2 \cdot 10^2$
e) $7{,}3 \cdot 10^4 + 1{,}1 \cdot 10^3 = 73 \cdot 10^3 + 1{,}1 \cdot 10^3 = (73 + 1{,}1) \cdot 10^3$
   $= 74{,}1 \cdot 10^3 = 7{,}41 \cdot 10^4$
f) $4{,}5 \cdot 10^7 - 6 \cdot 10^5 = 450 \cdot 10^5 - 6 \cdot 10^5 = (450 - 6) \cdot 10^5$
   $= 444 \cdot 10^5 = 4{,}44 \cdot 10^7$
g) $3 \cdot 2^8 - 5 \cdot 2^7 = 3 \cdot 2 \cdot 2^7 - 5 \cdot 2^7 = (6 - 5) \cdot 2^7 = 2^7 = 128$
h) $5 \cdot 20^3 + 2 \cdot 20^4 = 5 \cdot 20^3 + 2 \cdot 20 \cdot 20^3 = (5 + 40) \cdot 20^3$
   $= 45 \cdot 8000 = 360\,000$
i) $21 \cdot 11^2 - 11^4 = 21 \cdot 11^2 - 11 \cdot 11 \cdot 11^2 = (21 - 121) \cdot 11^2$
   $= -100 \cdot 121 = -12\,100$

G **19**
a)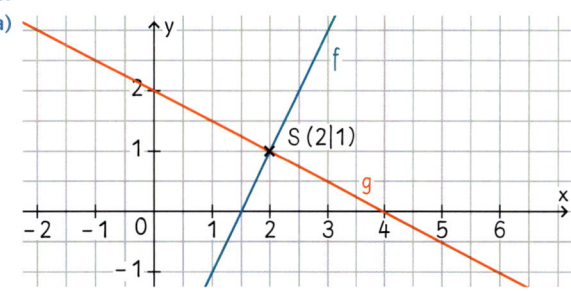

b) Der Schnittpunkt lautet $S(2|1)$.
   Rechnerische Bestimmung des Schnittpunktes:
   $2x - 3 = -0{,}5x + 2$ $\quad | + 0{,}5x$
   $2{,}5x - 3 = 2$ $\quad | + 3$
   $2{,}5x = 5$ $\quad | : 2{,}5$
   $x = 2$
   $y = 2 \cdot 2 - 3 = 4 - 3 = 1$

Seite 119

7
a) $120^3 : 4^3 = (120 : 4)^3 = 30^3 = 27\,000$
b) $\frac{1024^3}{2048^3} = \left(\frac{1024}{2048}\right)^3 = \left(\frac{1}{2}\right)^3 = \frac{1}{8}$
c) $4^{-5} \cdot 2{,}5^{-5} = (4 \cdot 2{,}5)^{-5} = 10^{-5} = 0{,}00001$
d) $\left(\frac{3}{16}\right)^3 : \left(\frac{15}{8}\right)^3 = \left(\frac{3}{16}\right)^3 \cdot \left(\frac{8}{15}\right)^3 = \left(\frac{1}{10}\right)^3 = \frac{1}{1000}$

Seite 120

12
a) $\frac{10^{-2}}{10^{-4}} \cdot 2^3 \cdot 5^3 = 10^{-2-(-4)} \cdot (2 \cdot 5)^3 = 10^2 \cdot 10^3 = 10^{2+3} = 10^5$
b) $8^5 \cdot \left(\frac{1}{4}\right)^5 \cdot 5^5 \cdot \left(\frac{1}{10}\right)^5 = \left(8 \cdot \frac{1}{4} \cdot 5 \cdot \frac{1}{10}\right)^5 = \left(2 \cdot \frac{1}{2}\right)^5 = 1^5 = 1$
c) $25^4 \cdot 4^4 = (25 \cdot 4)^4 = 100^4 = 100\,000\,000$
d) $\left(\frac{2}{3}\right)^5 \cdot \left(\frac{3}{8}\right)^4 + \left(\frac{2}{3}\right)^4 \cdot \left(\frac{3}{8}\right)^5 = \left(\frac{2}{3}\right)^4 \cdot \left(\frac{3}{8}\right)^4 \cdot \left(\frac{2}{3} + \frac{3}{8}\right)$
   $= \left(\frac{2}{3} \cdot \frac{3}{8}\right)^4 \cdot \left(\frac{2}{3} + \frac{3}{8}\right) = \left(\frac{1}{4}\right)^4 \cdot \left(\frac{16}{24} + \frac{9}{24}\right) = \frac{1}{4^4} \cdot \frac{25}{24} = \frac{1}{256} \cdot \frac{25}{24}$
   $= \frac{25}{6144}$
e) $\frac{1{,}5 \cdot 10^8 \cdot 6^5}{6^6} = \frac{1{,}5 \cdot 10^8}{6} = \frac{1}{4} \cdot 10^8 = 0{,}25 \cdot 10^8 = 2{,}5 \cdot 10^7$
f) $\frac{8\,000\,000 \cdot 2{,}5 \cdot 10^{23}}{4 \cdot 10^{-11}} = \frac{8 \cdot 10^6 \cdot 2{,}5 \cdot 10^{23}}{4 \cdot 10^{-11}} = 8 \cdot 2{,}5 \cdot \frac{1}{4} \cdot 10^{6+23+11}$
   $= 5 \cdot 10^{40}$

13
a) $a^3 \cdot a^2 \cdot b^6 \cdot b^{-1} = a^{3+2} \cdot b^{6+(-1)} = a^5 \cdot b^5 = (a \cdot b)^5$
   Für $a = 2$ und $b = -1$ erhält man $(2 \cdot (-1))^5 = (-2)^5 = -32$.
b) $\left(\frac{a}{2}\right)^4 \cdot \left(\frac{b}{a}\right)^4 \cdot b^2 \cdot \left(\frac{1}{ab}\right)^2 = \left(\frac{a}{2} \cdot \frac{b}{a}\right)^4 \cdot \left(b \cdot \frac{1}{ab}\right)^2 = \left(\frac{b}{2}\right)^4 \cdot \left(\frac{1}{a}\right)^2$
   Für $a = 2$ und $b = -1$
   erhält man $\left(\frac{-1}{2}\right)^4 \cdot \left(\frac{1}{2}\right)^2 = \frac{1}{16} \cdot \frac{1}{4} = \frac{1}{64}$.

Lösungen

c) $\left(\frac{a}{b}\right)^{-3} \cdot \left(\frac{a}{b}\right)^{5} \cdot (2b)^2 = \left(\frac{a}{b}\right)^{-3+5} \cdot (2b)^2 = \left(\frac{a}{b}\right)^{2} \cdot (2b)^2$
$= \left(\frac{a}{b} \cdot 2b\right)^2 = (2a)^2 = 4a^2$
Für $a = 2$ erhält man $4 \cdot 2^2 = 4 \cdot 4 = 16$.

G **16**
a) Die Aussage ist falsch.
Für die Steigung m gilt $m = \frac{y_Q - y_P}{x_Q - x_P} = \frac{-1-3}{4-2} = \frac{-4}{2} = -2 < 0$.
b) Die Aussage ist falsch.
Mit $m = -2$ und $P(2|3)$ erhält man:
$3 = -2 \cdot 2 + b \qquad |+4$
$7 = b$
Die Gerade schneidet die y-Achse in $S_y(0|7)$.
c) Die Aussage ist falsch.
Wenn man $x = 3$ in $y = -2x + 7$ einsetzt, erhält man
$-2 \cdot 3 + 7 = -6 + 7 = 1 \neq 0$.

Seite 123

8
a) $(2^2)^3 = 2^{2 \cdot 3} = 2^6 = 64$
b) $\left(\left(\frac{1}{10}\right)^3\right)^3 = \left(\frac{1}{10}\right)^{3 \cdot 3} = \left(\frac{1}{10}\right)^9 = \frac{1}{1\,000\,000\,000}$
c) $\left(\left(\frac{2}{3}\right)^3\right)^{-1} = \left(\frac{2}{3}\right)^{3 \cdot (-1)} = \left(\frac{2}{3}\right)^{-3} = \left(\frac{3}{2}\right)^3 = \frac{27}{8}$
d) $(3^{-2})^2 = 3^{-2 \cdot 2} = 3^{-4} = \frac{1}{3^4} = \frac{1}{81}$

9
a) $2^2 : 2^5 = 2^{2-5} = 2^{-3} = \frac{1}{2^3} = \frac{1}{8}$
Potenzgesetz für die Division von Potenzen mit gleichen Basen. Die Exponenten werden subtrahiert. Die Basis bleibt erhalten.
b) $\frac{20^5}{2^5} = \left(\frac{20}{2}\right)^5 = 10^5 = 100\,000$
Potenzgesetz für die Division von Potenzen mit gleichen Exponenten. Die Basen werden dividiert. Der gemeinsame Exponent bleibt erhalten.
c) $\left(\left(\frac{1}{10}\right)^{-3}\right)^{-2} = \left(\frac{1}{10}\right)^{(-3) \cdot (-2)} = \left(\frac{1}{10}\right)^6 = \frac{1}{1\,000\,000}$
Potenzgesetz für das Potenzieren von Potenzen. Man multipliziert die Exponenten. Die Basis bleibt erhalten.
d) $5^6 \cdot 5^{-3} = 5^{6+(-3)} = 5^3 = 125$
Potenzgesetz für die Multiplikation von Potenzen mit gleichen Basen.
Man addiert die Exponenten. Die Basis bleibt erhalten.

Seite 125

22
$3^2 = 9; \; 2^3 = 8; \; (2^2)^3 = 2^6 = 64; \; 2^{(2^3)} = 2^8 = 256; \; 2^{(3^2)} = 2^9 = 512$
Also gilt $2^{(3^2)} > 2^{(2^3)} > (2^2)^3 > 3^2 > 2^3$.

23
a) $(10^7)^{10} = 10^{70}$. Die Zahl hat 70 Nullen.
b) $10 \cdot 10^{30} \cdot (10^{-2})^2 = 10^{1+30} \cdot 10^{-4} = 10^{31+(-4)} = 10^{27}$. Die Zahl hat 27 Nullen.
c) $((10^{10})^{10})^{10} = (10^{100})^{10} = 10^{1000}$. Die Zahl hat 1000 Nullen.
d) $5^{10} \cdot 2^{10} \cdot 10^{-3} = (5 \cdot 2)^{10} \cdot 10^{-3} = 10^{10} \cdot 10^{-3} = 10^{10+(-3)} = 10^7$
Die Zahl hat 7 Nullen.
e) $10^{(5^2)} = 10^{25}$. Die Zahl hat 25 Nullen.
f) $\frac{10^2}{10^{-22}} \cdot (10^{10})^{10} = 10^{2-(-22)} \cdot 10^{10 \cdot 10} = 10^{24} \cdot 10^{100} = 10^{24+100}$
$= 10^{124}$
Die Zahl hat 124 Nullen.

G **27**
a) $400\,m^3 = 400\,000\,dm^3 = 400\,000\,l$
$f(t) = 400\,000 - 250\,t$

b)
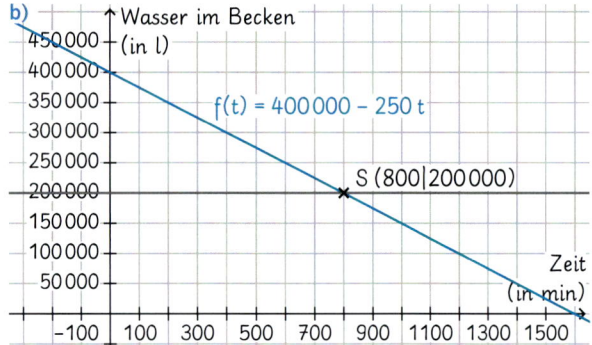

800 min = 13 h 20 min
Es dauert ca. 13 Stunden und 20 Minuten, bis die Hälfte abgepumpt ist.

c) $400\,000 - 250\,t = 0 \qquad |-400\,000$
$\qquad\quad -250\,t = -400\,000 \qquad |:(-250)$
$\qquad\qquad\qquad t = 1600$
1600 min = 26 h 40 min
Es dauert ca. 26 Stunden und 40 Minuten, bis das Becken leer ist.

Seite 128

8
a) $169^{\frac{1}{2}} = \sqrt{169} = 13$
b) $8000^{\frac{1}{3}} = \sqrt[3]{8000} = 20$
c) $\left(\frac{27}{125}\right)^{\frac{1}{3}} = \sqrt[3]{\frac{27}{125}} = \frac{3}{5}$
d) $0{,}0016^{\frac{1}{4}} = \sqrt[4]{0{,}0016} = 0{,}2$

9
a) $4^{\frac{2}{3}} \cdot 16^{\frac{2}{3}} = (4 \cdot 16)^{\frac{2}{3}} = 64^{\frac{2}{3}} = \left(\sqrt[3]{64}\right)^2 = 4^2 = 16$
b) $0{,}1^{\frac{1}{4}} \cdot 0{,}081^{\frac{1}{4}} = (0{,}1 \cdot 0{,}081)^{\frac{1}{4}} = 0{,}0081^{\frac{1}{4}} = \sqrt[4]{0{,}0081} = 0{,}3$
c) $\left(\frac{27}{10\,000}\right)^{\frac{1}{3}} \cdot 10^{\frac{1}{3}} = \left(\frac{27}{10\,000} \cdot 10\right)^{\frac{1}{3}} = \left(\frac{27}{1000}\right)^{\frac{1}{3}} = \sqrt[3]{\frac{27}{1000}} = \frac{3}{10}$
d) $121^{\frac{2}{3}} \cdot \left(\frac{11}{8}\right)^{\frac{2}{3}} = \left(121 \cdot \frac{11}{8}\right)^{\frac{2}{3}} = \left(\frac{11^3}{8}\right)^{\frac{2}{3}} = \left(\sqrt[3]{\frac{11^3}{2^3}}\right)^2 = \left(\frac{11}{2}\right)^2 = \frac{121}{4}$

Seite 129

14
a) $\left(\sqrt[3]{a^2}\right)^2 = \left(a^{\frac{2}{3}}\right)^2 = a^{\frac{4}{3}} = \left(\sqrt[3]{a}\right)^4$
   Für $a = 8$ erhält man $\left(\sqrt[3]{8}\right)^4 = 2^4 = 16$.
b) $\sqrt[12]{a} \cdot \sqrt[6]{a} \cdot \sqrt[12]{a} = a^{\frac{1}{12}} \cdot a^{\frac{1}{6}} \cdot a^{\frac{1}{12}} = a^{\frac{1}{12} + \frac{2}{12} + \frac{1}{12}} = a^{\frac{4}{12}} = a^{\frac{1}{3}} = \sqrt[3]{a}$
   Für $a = 8$ erhält man $\sqrt[3]{8} = 2$.
c) $\left(\sqrt{(b)} \cdot \sqrt[8]{(b)} \cdot \sqrt[8]{(b)}\right)^{\frac{1}{3}} = \left(b^{\frac{1}{2}} \cdot b^{\frac{1}{8}} \cdot b^{\frac{1}{8}}\right)^{\frac{1}{3}} = \left(b^{\frac{4}{8}} \cdot b^{\frac{1}{8}} \cdot b^{\frac{1}{8}}\right)^{\frac{1}{3}}$
   $= \left(b^{\frac{6}{8}}\right)^{\frac{1}{3}} = b^{\left(\frac{6}{8} \cdot \frac{1}{3}\right)} = b^{\frac{1}{4}} = \sqrt[4]{b}$
   Für $b = 81$ erhält man $\sqrt[4]{81} = 3$.
d) $\frac{\sqrt[3]{a}}{\sqrt[3]{b}} \cdot \sqrt[3]{3} = \frac{a^{\frac{1}{3}}}{b^{\frac{1}{3}}} \cdot 3^{\frac{1}{3}} = \left(\frac{3a}{b}\right)^{\frac{1}{3}} = \sqrt[3]{\frac{3a}{b}}$
   Für $a = 8$ und $b = 81$ erhält man $\sqrt[3]{\frac{3 \cdot 8}{81}} = \sqrt[3]{\frac{8}{27}} = \frac{2}{3}$.

G **17**
a) Alle Geraden mit derselben Steigung wie f liegen parallel zum Graphen von f. Dies ist z.B. für $g(x) = 2x + 5$ der Fall.
b) Die Nullstelle von f ist bei $x = -1{,}5$, denn
   $2 \cdot (-1{,}5) + 3 = -3 + 3 = 0$.
   Es gibt unendlich viele Geraden, die die x-Achse auch bei $x = -1{,}5$ schneiden, z.B. der Graph zu $h(x) = x + 1{,}5$, denn $-1{,}5 + 1{,}5 = 0$.

Seite 130

1
a) $4^2 < 3^3$ b) $4^{-2} > 3^{-3}$ c) $2^{-2} > \frac{1}{16}$ d) $3^{-4} = 9^{-2}$
e) $10^{-1} < \frac{3}{10}$ f) $25^{-1} = 5^{-2}$ g) $\left(\frac{1}{5}\right)^3 = 5^{-3}$ h) $100^{-2} = 10^{-4}$
i) $7^{-3} < 7^2$ j) $\left(\frac{3}{4}\right)^4 = \left(\frac{4}{3}\right)^{-4}$ k) $\left(\frac{2}{3}\right)^3 < \left(\frac{3}{2}\right)^3$ l) $\left(\frac{3}{4}\right)^{-2} > \left(\frac{4}{3}\right)^{-2}$

2
a) $2{,}1 \cdot 10^3$; $2{,}1 \cdot 10^5$; $2{,}1 \cdot 10^7$; $2{,}1 \cdot 10^9$; $2{,}1 \cdot 10^{11}$; $2{,}1 \cdot 10^{13}$
b) $5 \cdot 10^3$; $5 \cdot 10^2$; $5 \cdot 10^1$; $5 \cdot 10^0$; $5 \cdot 10^{-1}$; $5 \cdot 10^{-2}$
c) $3{,}2 \cdot 10^1$; $3{,}2 \cdot 10^4$; $3{,}2 \cdot 10^7$; $3{,}2 \cdot 10^{10}$; $3{,}2 \cdot 10^{13}$; $3{,}2 \cdot 10^{16}$; $3{,}2 \cdot 10^{19}$
d) $7 \cdot 10^{-1}$; $7 \cdot 10^{-3}$; $7 \cdot 10^{-5}$; $7 \cdot 10^{-7}$; $7 \cdot 10^{-9}$; $7 \cdot 10^{-11}$; $7 \cdot 10^{-13}$

3
a) $10^4 \cdot 10^{-1} = 10^3$ b) $10^{-4} \cdot 10^2 = 10^{-2}$
c) $10^4 : 10^1 = 10^3$ d) $10^2 \cdot 10^4 = 10^6$

4
a) $6{,}4 \cdot 10^{-3} = 0{,}0064$ b) $0{,}0025 = 2{,}5 \cdot 10^{-3}$
c) $7{,}32 \cdot 10^4 = 73\,200$ d) $0{,}2341 \cdot 10^5 = 23\,410$

5
a) $40\,000$ b) 7960
c) $55\,320\,000\,000$ d) $0{,}00171$
e) $685\,000\,000\,000$ f) $13\,870\,000$
g) $0{,}0765$ h) $0{,}00001$
i) $0{,}00000502$ j) $1\,000\,000$

6
a) Alle Karten außer E, F und L haben den Wert 1. Lösungswort: ELF
b) individuelle Lösung

7
a) $3^4 = 81$ b) $\left(\frac{2}{3}\right)^3 = \frac{8}{27}$ c) $5^2 = 25$ d) $2^4 = 16$
e) $64^{\frac{1}{6}} = 2$ f) $\left(\frac{27}{8}\right)^{-\frac{1}{3}} = \frac{2}{3}$ g) $0{,}1^5 = 0{,}00001$
h) $10^7 = 10\,000\,000$

8
a) $2 \cdot 2^3 = 2^4 = 16$ b) $-3^5 = -243$
c) $3 \cdot 7^4 + 7^4 = 4 \cdot 7^4 = 9604$
d) $2 \cdot 5^3 - 5 \cdot 5^3 = -3 \cdot 5^3 = -3 \cdot 125 = -375$
e) $3 \cdot 100 \cdot 10^2 - 2 \cdot 10^2 = 298 \cdot 10^2 = 29\,800$
f) $\left(\frac{1}{3}\right)^3 - \left(\frac{1}{3}\right)^4 = \left(\frac{1}{3}\right)^3 \cdot \left(1 - \frac{1}{3}\right) = \frac{1}{27} \cdot \frac{2}{3} = \frac{2}{81}$
g) $7 \cdot 3^3 = 7 \cdot 27 = 189$ h) $\left(10 + \frac{1}{2}\right) \cdot \left(\frac{1}{2}\right)^3 = \frac{21}{2} \cdot \frac{1}{8} = \frac{21}{16}$

9
a) $3^{-10} = \left(\frac{1}{3}\right)^{10}$ b) $\left(\frac{1}{5}\right)^{-8} = 5^8$ c) $(-1)^{12} = 1$
d) $2^{-49} = \left(\frac{1}{2}\right)^{49}$ e) $3^1 = 3$ f) $\left(\frac{2}{3}\right)^2$

10
G, F, C, A, D, H, E, B

Seite 131

11
a) (1) → (C)   (2) → (A)   (3) → (B)
b) (1) $\frac{a^5}{a^3} = a^{5-3} = a^2$
   Es handelt sich um einen Quotienten von Potenzen mit gleicher Basis. Man subtrahiert die Exponenten. Die Basis bleibt erhalten.
   (2) $a^3 \cdot a^{-5} = a^{3+(-5)} = a^{-2} = \frac{1}{a^2}$
   Es handelt sich um ein Produkt von Potenzen mit gleicher Basis. Man addiert die Exponenten. Die Basis bleibt erhalten.
   (3) $\frac{7^5}{14^5} = \left(\frac{7}{14}\right)^5 = \left(\frac{1}{2}\right)^5 = \frac{1}{32}$
   Es handelt sich um einen Quotienten von Potenzen mit gleichen Exponenten. Man dividiert die Basen. Der gemeinsame Exponent bleibt erhalten.
   (4) $(2^3)^{-1} = 2^{3 \cdot (-1)} = 2^{-3} = \frac{1}{2^3} = \frac{1}{8}$
   Es handelt sich um eine Potenz einer Potenz. Man kann die Exponenten miteinander multiplizieren und die Basis beibehalten.

Lösungen

12

a) $8^{\frac{1}{3}} = \sqrt[3]{8} = 2$

b) $243^{\frac{1}{5}} = \sqrt[5]{243} = 3$

c) $4^{\frac{3}{2}} = (\sqrt{4})^3 = 2^3 = 8$

d) $49^{\frac{1}{2}} = \sqrt{49} = 7$

e) $16^{\frac{1}{4}} = \sqrt[4]{16} = 2$

f) $16^{\frac{3}{4}} = (\sqrt[4]{16})^3 = 2^3 = 8$

g) $32^{\frac{2}{5}} = (\sqrt[5]{32})^2 = 2^2 = 4$

h) $25^{-\frac{3}{2}} = (\sqrt{25})^{-3} = 5^{-3} = \frac{1}{5^3} = \frac{1}{125}$

i) $\left(\frac{1}{4}\right)^{\frac{1}{2}} = \sqrt{\frac{1}{4}} = \frac{1}{2}$

j) $\left(\frac{1}{4}\right)^{-\frac{1}{2}} = \left(\frac{4}{1}\right)^{\frac{1}{2}} = \sqrt{4} = 2$

k) $\left(\frac{8}{27}\right)^{-\frac{1}{3}} = \left(\frac{27}{8}\right)^{\frac{1}{3}} = \sqrt[3]{\frac{27}{8}} = \frac{3}{2}$

l) $\left(\frac{81}{16}\right)^{-\frac{3}{4}} = \left(\frac{16}{81}\right)^{\frac{3}{4}} = \left(\sqrt[4]{\frac{16}{81}}\right)^3 = \left(\frac{2}{3}\right)^3 = \frac{8}{27}$

13

a) $\sqrt[3]{2}$ liegt zwischen 1 und 2 und näher an der 1 als an der 2, weil $1^3 = 1$ und $2^3 = 8$ ist (erster blauer Bereich).

b) $\sqrt{12}$ liegt zwischen 3 und 4, weil $\sqrt{9} = 3$ und $\sqrt{16} = 4$ ist (erster grüner Bereich).

c) $\sqrt[3]{22}$ liegt zwischen 2 und 3, weil $2^3 = 8$ und $3^3 = 27$ ist (erster lilafarbener Bereich).

d) $\sqrt[3]{39}$ liegt zwischen 3 und 4, weil $3^3 = 27$ und $4^3 = 64$ ist (erster grüner Bereich).

e) $\sqrt[4]{70}$ liegt zwischen 2 und 3, weil $2^4 = 16$ und $3^4 = 81$ ist (erster lilafarbener Bereich).

f) $\sqrt[3]{115}$ liegt zwischen 4 und 5, weil $4^3 = 64$ und $5^3 = 125$ ist (zweiter gelber Bereich).

g) $\sqrt[5]{90\,000}$ liegt zwischen 9 und 10, weil $9^5 = 59\,049$ und $10^5 = 100\,000$ ist (zweiter grüner Bereich).

h) $\sqrt[3]{180}$ liegt zwischen 5 und 6, weil $5^3 = 125$ und $6^3 = 216$ ist (roter Bereich).

i) $\sqrt[3]{900}$ liegt zwischen 9 und 10, weil $9^3 = 729$ und $10^3 = 1000$ ist (zweiter grüner Bereich).

j) $\sqrt[3]{250}$ liegt zwischen 6 und 7, weil $6^3 = 216$ und $7^3 = 343$ ist (zweiter blauer Bereich).

k) $\sqrt[4]{15}$ liegt zwischen 1 und 2 und näher an der 2, weil $1^4 = 1$ und $2^4 = 16$ ist (erster gelber Bereich).

l) $\sqrt{55}$ liegt zwischen 7 und 8, weil $7^2 = 49$ und $8^2 = 64$ ist (zweiter lilafarbener Bereich).

14

Anwendung der Rechenregel für gleiche Exponenten:
$5^{-4} \cdot 5^{-4} = 25^{-4} = \frac{1}{25^4}$

Anwendung der Rechenregel für gleiche Basen:
$5^{-4} \cdot 5^{-4} = 5^{-8} = \frac{1}{5^8}$

Da $25 = 5^2$, ist $\frac{1}{25^4} = \frac{1}{(5^2)^4} = \frac{1}{5^8}$.

15

a) Er hat $\sqrt[3]{8}$, $\left(\sqrt[3]{8}\right)^2$ und $\left(\sqrt[6]{64}\right)^5$ berechnet.
$\sqrt[3]{8} = 2$
$\sqrt[3]{8^2} = \left(\sqrt[3]{8}\right)^2 = 2^2 = 4$
$\sqrt[6]{64^5} = \left(\sqrt[6]{64}\right)^5 = 2^5 = 32$
Die Ergebnisse stimmen mit denen aus der Figur überein.

b) Man erhält $\sqrt[8]{1250} = 1250^{\frac{1}{8}} \approx 2{,}44$; $\sqrt[7]{3^8} = 3^{\frac{8}{7}} \approx 3{,}51$ bzw. $\sqrt{99} = 99^{\frac{1}{2}} \approx 9{,}95$.

16

a) $\frac{x^3}{x^2} = x^{3-2} = x$; für $x = 2$ erhält man 2.

b) $x^4 \cdot x^5 \cdot x^{-3} = x^{4+5+(-3)} = x^6$; für $x = 2$ erhält man $2^6 = 64$.

c) $\frac{x^5}{y^5} = \left(\frac{x}{y}\right)^5$; für $x = 2$ und $y = 4$ erhält man $\left(\frac{2}{4}\right)^5 = \left(\frac{1}{2}\right)^5 = \frac{1}{32}$.

d) $(x^2)^3 = x^{2 \cdot 3} = x^6$; für $x = 2$ erhält man $2^6 = 64$.

e) $\frac{x^3 \cdot x^8}{x^6 \cdot x^2} = x^{3+8-6-2} = x^3$; für $x = 2$ erhält man $2^3 = 8$.

f) $x^4 \cdot z^4 = (xz)^4$; für $x = 2$ und $z = 5$ erhält man $(2 \cdot 5)^4 = 10^4 = 10\,000$.

g) $(x^3)^2 \cdot x^{-3} = x^{3 \cdot 2} \cdot x^{-3} = x^{6-3} = x^3$; für $x = 2$ erhält man $2^3 = 8$.

h) $(x^2 \cdot z^2)^3 = ((x \cdot z)^2)^3 = (x \cdot z)^{2 \cdot 3} = (x \cdot z)^6$; für $x = 2$ und $z = 5$ erhält man $(2 \cdot 5)^6 = 10^6 = 1\,000\,000$.

i) $\frac{x^3 \cdot x^5 \cdot x^8}{x^6 \cdot x^7} = x^{3+5+8-6-7} = x^3$; für $x = 2$ erhält man $2^3 = 8$.

j) $x^3 \cdot y^{-3} = \frac{x^3}{y^3} = \left(\frac{x}{y}\right)^3$; für $x = 2$ und $y = 4$ erhält man $\left(\frac{2}{4}\right)^3 = \left(\frac{1}{2}\right)^3 = \frac{1}{8}$.

k) $\frac{(xy)^7}{x^5 \cdot y^5} = \frac{(xy)^7}{(xy)^5} = (xy)^{7-5} = (xy)^2$; für $x = 2$ und $y = 4$ erhält man $(2 \cdot 4)^2 = 8^2 = 64$.

l) $(2x)^2 \cdot 2x^2 = 4x^2 \cdot 2x^2 = 4 \cdot 2 \cdot x^2 \cdot x^2 = 8x^{2+2} = 8x^4$; für $x = 2$ erhält man $8 \cdot 2^4 = 8 \cdot 16 = 128$.

17

A und C, B und E, D und F

Seite 132

18

a) $2^5 \cdot 5^5 + 10^5 = (2 \cdot 5)^5 + 10^5 = 10^5 + 10^5 = 2 \cdot 10^5 = 200\,000$

b) $4^3 + 2^3 \cdot 5^3 = 4^3 + (2 \cdot 5)^3 = 4^3 + 10^3 = 64 + 1000 = 1064$

c) $3^4 \cdot 3^{-2} \cdot 3^3 = 3^{4+(-2)+3} = 3^5 = 243$

d) $3^4 \cdot 3^{-2} + 3^3 = 3^{4+(-2)} + 3^3 = 3^2 + 3^3 = 9 + 27 = 36$

e) $\left(\frac{20^5}{2^5}\right)^3 = \left(\left(\frac{20}{2}\right)^5\right)^3 = 10^{5 \cdot 3} = 10^{15}$

f) $20^3 - 5^3 \cdot 5^3 = 8000 - 5^{3+3} = 8000 - 15\,625 = -7625$

g) $20^4 : 5^4 - \frac{80^4}{20^4} = \left(\frac{20}{5}\right)^4 - \left(\frac{80}{20}\right)^4 = 4^4 - 4^4 = 0$

h) $\left(\frac{7^2 + 7^2}{7^2}\right)^8 : \frac{8^6}{4^6} = \left(\frac{2 \cdot 7^2}{7^2}\right)^8 : \left(\frac{8}{4}\right)^6 = 2^8 : 2^6 = 2^{8-6} = 2^2 = 4$

19
Wenn die Basis einer Potenz größer als 1 ist und der Exponent positiv ist, dann ist der Wert der Potenz größer als 1 (Beispiel $2^3 = 8$).
Wenn die Basis einer Potenz größer als 1 ist und der Exponent negativ ist, dann ist der Wert der Potenz kleiner als 1 (Beispiel $2^{-3} = \frac{1}{8} = 0{,}125$).
Wenn die Basis einer Potenz größer als 0 und kleiner als 1 ist und der Exponent positiv ist, dann ist der Wert der Potenz kleiner als 1 (Beispiel $\left(\frac{1}{2}\right)^3 = \frac{1}{8} = 0{,}125$).
Wenn die Basis einer Potenz größer als 0 und kleiner als 1 ist und der Exponent negativ ist, dann ist der Wert der Potenz größer als 1 (Beispiel $\left(\frac{1}{2}\right)^{-3} = \left(\frac{2}{1}\right)^3 = 8$).

20
a) $9^5 = 3^{10}$ b) $2^6 = 8^2$ c) $\left(\frac{1}{3}\right)^{10} = \left(\frac{1}{9}\right)^5$
d) $10^{10} = 100^5$ e) $\left(\frac{9}{4}\right)^5 = \left(\frac{3}{2}\right)^{10}$ f) $3^9 = 27^3$
g) $16^8 = 4^{16}$ h) $\left(\frac{1}{2}\right)^4 = \left(\frac{1}{4}\right)^2$

21
a) 2^{12} b) 5^9 c) 7^{10} d) 3^{20} e) 2^{48} f) 3^8

22
a) $\frac{1}{128} = \frac{1}{2^7} = 2^{-7}$ b) $\frac{1}{512} = \frac{1}{2^9} = 2^{-9}$
c) $\frac{1}{625} = \frac{1}{5^4} = 5^{-4}$ d) $\frac{1}{1000} = \frac{1}{10^3} = 10^{-3}$
e) $\frac{1}{216} = \frac{1}{6^3} = 6^{-3}$ f) $\frac{1}{243} = \frac{1}{3^5} = 3^{-5}$
g) $0{,}2 = \frac{1}{5} = 5^{-1}$ h) $0{,}04 = \frac{1}{25} = \frac{1}{5^2} = 5^{-2}$
i) $0{,}01 = \frac{1}{100} = \frac{1}{10^2} = 10^{-2}$ j) $0{,}001 = \frac{1}{1000} = \frac{1}{10^3} = 10^{-3}$
k) $0{,}25 = \frac{1}{4} = \frac{1}{2^2} = 2^{-2}$ l) $0{,}125 = \frac{1}{8} = \frac{1}{2^3} = 2^{-3}$

23
Anzahl der Herzschläge in 85 Jahren: $85 \cdot 365 \cdot 24 \cdot 60 \cdot 70$
$= 3\,127\,320\,000$
Menge des Blutes: $3\,127\,320\,000 \cdot 80\,\text{ml} = 250\,185\,600\,000\,\text{ml}$
$= 250\,185\,600\,\text{l} \approx 2{,}5 \cdot 10^8\,\text{l}$
Das Herz hat innerhalb von 85 Jahren etwa $2{,}5 \cdot 10^8\,\text{l}$ Blut in die Aorta gepumpt.

24
a) individuelle Lösung
b) mögliche Lösung, zum Beispiel:
Ein Computer speichert Informationen binär, d.h. als Kette von Nullen und Einsen. Im Binärsystem kann man mit 2 Ziffern vier ($=2^2$) verschiedene Zahlen, mit 3 Ziffern acht ($=2^3$) Zahlen, mit n Ziffern 2^n verschiedene Zahlen darstellen. Die Anzahl der speicherbaren Informationen (der Bits) ist daher immer eine Zweierpotenz.

25
a) In den weißen Zellen werden Potenzen berechnet. Die Basen der jeweils berechneten Potenz werden in der Spalte A angegeben, die Exponenten in der Zeile 1. So wird z.B. in der Zelle C6 die Potenz 4^{-1} bzw. C6 = A6^C1 berechnet.
b) Wenn man von einer Basis den Kehrwert nimmt und gleichzeitig das Vorzeichen des Exponenten ändert, erhält man das gleiche Ergebnis. Dadurch sind z.B. B2 und F6 identisch.
Es gilt $a^{-k} = \left(\frac{1}{a}\right)^k$ bzw. $a^k = \left(\frac{1}{a}\right)^{-k}$.
c) Wenn man einen Befehl ohne Dollarzeichen kopiert, dann wird immer mit denselben relativen Zellbezügen gerechnet. Wenn man z.B. den Befehl aus B2 ohne Dollarzeichen nach E4 kopiert, dann berechnet das Programm in dieser Zelle die Potenz mit der Basis, die links von der Zelle E4 steht und dem Exponenten, der über B3 steht. Das liefert aber nicht das richtige Ergebnis. Man möchte immer mit den Exponenten aus Zeile 1 und den Basen aus Spalte A rechnen. Durch das Dollarzeichen vor dem Buchstaben fixiert man die Spalte. Durch das Dollarzeichen vor der Zahl fixiert man die Zeile. Die Formel B2 = $A2^B$1 wird nun beim Kopieren so verändert, dass bei der Basis immer die Zahl in der gewünschten Zeile aus Spalte A verwendet wird und dass bei dem Exponenten immer die Zahl in der gewünschten Spalte aus Zeile 1 verwendet wird.
d) individuelle Lösung

Seite 133

26
$\sqrt{a} \cdot \sqrt{b} = a^{\frac{1}{2}} \cdot b^{\frac{1}{2}} = (ab)^{\frac{1}{2}} = \sqrt{ab}$
$\frac{\sqrt{a}}{\sqrt{b}} = \frac{a^{\frac{1}{2}}}{b^{\frac{1}{2}}} = \left(\frac{a}{b}\right)^{\frac{1}{2}} = \sqrt{\frac{a}{b}}$

27
a) $7^{1258} : 7^{1256} = 7^{1258-1256} = 7^2 = 49$
b) Es gilt $7^{118} \approx 5{,}267 \cdot 10^{99}$.
Dieses Ergebnis können die meisten Taschenrechner noch angeben. Größere Zahlen werden von vielen Taschenrechnern hingegen nicht angezeigt. Die Zwischenergebnisse für die Rechnung sind deutlich größer als 7^{118} und werden daher vermutlich nicht für weitere Berechnungen von dem Taschenrechner verwendet werden können. Daher wird eine Fehlermeldung angezeigt, obwohl das Endergebnis ohne Taschenrechner mithilfe der Potenzgesetze leicht zu berechnen ist.

28

a) (1) Die gefühlte Temperatur bei einer Lufttemperatur von 20 °C und einer Windgeschwindigkeit von 50 km/h beträgt ca. 19 °C.

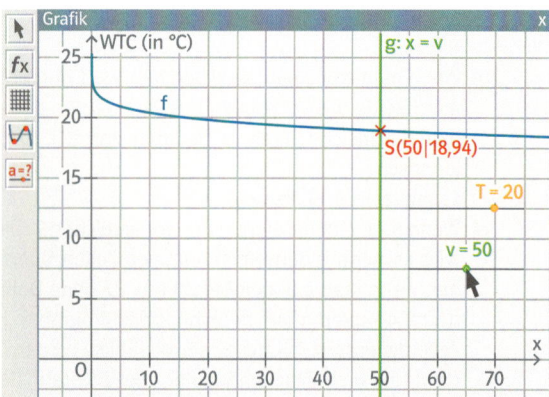

(3) Bei einer Außentemperatur von ca. 6,7 °C und einer Windgeschwindigkeit von 70 km/h beträgt die gefühlte Temperatur 0 °C.

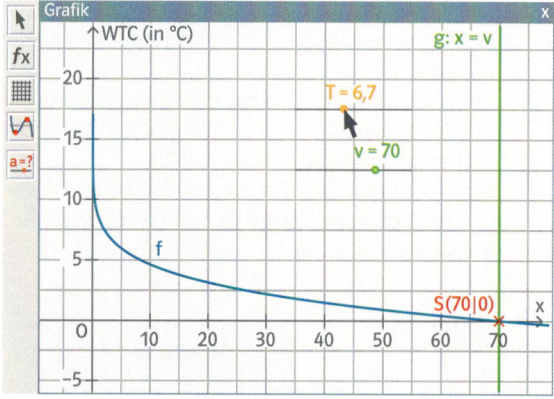

(2) Die Windgeschwindigkeit, für die die Lufttemperatur und die gefühlte Temperatur übereinstimmen, hängt von der Lufttemperatur ab. Bei einer Lufttemperatur von 20 °C stimmen z. B. gefühlte Temperatur und Lufttemperatur bei einer Windgeschwindigkeit von ca. 16,2 km/h überein. Bei einer Lufttemperatur von 0 °C stimmen die gefühlte Temperatur und Lufttemperatur bei einer Windgeschwindigkeit von ca. 2,5 km/h überein.

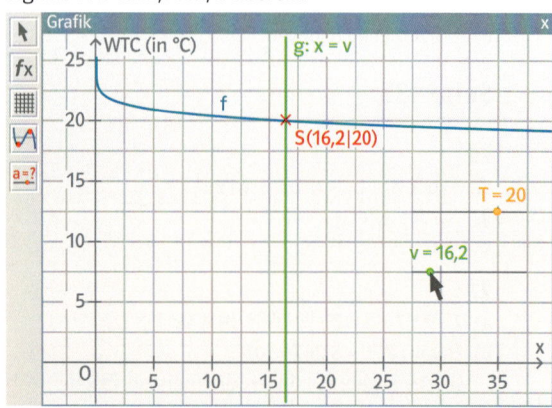

b) (1) mögliche Lösung
Grafik neben der Aufgabe im Buch. Dort ist die gefühlte Temperatur in Abhängigkeit der Windgeschwindigkeit bei einer Außentemperatur von 4,6 °C dargestellt.
(2) individuelle Lösung

29

a) Es kommt darauf an. Wenn die Basis und der Exponent übereinstimmen, ändert sich durch den Tausch nichts, $a^a = a^a$.
Wenn die Basis und der Exponent unterschiedlich sind, erhält man fast immer unterschiedliche Ergebnisse, z. B. $3^2 = 9$ und $2^3 = 8$.

b) Die Aussage ist richtig, weil durch einen geraden Exponenten eine gerade Anzahl von Faktoren entsteht, welche immer ein positives Ergebnis liefert.

c) Die Aussage ist nur für Basen richtig, die größer als 1 sind. Wenn eine Basis größer als 1 ist, muss aufgrund des negativen Exponenten der Kehrwert gebildet werden. Dieser ist dann kleiner als 1. Wenn man diesen potenziert, werden Zahlen miteinander multipliziert, die kleiner als 1 sind. Das Ergebnis wird noch kleiner und ist somit immer kleiner als 1.
Wenn eine Basis kleiner als 1 ist, muss aufgrund des negativen Exponenten der Kehrwert gebildet werden. Dieser ist dann größer als 1. Wenn man diesen potenziert, werden Zahlen miteinander multipliziert, die größer als 1 sind. Das Ergebnis wird größer und ist somit immer größer als 1.
Für die Basis 1 erhält man für alle Exponenten den Wert 1.

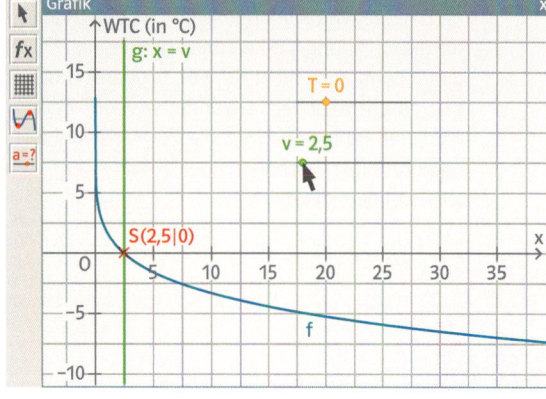

30

a) mögliche Lösung

	A	B
1	Dreiecknummer	Seitenlänge (in cm)
2	1	4
3	2	2
4	3	1
5	4	0,5
6	5	0,25

B3 = =B2/2

b) Formel zur Berechnung der Seitenlänge des n-ten Dreiecks: $4 \cdot 0{,}5^{n-1}$

Das dreizehnte Dreieck hat eine Seitenlänge von $\frac{1}{1024}$ cm, denn $4 \cdot \left(\frac{1}{2}\right)^{13-1} = \frac{2^2}{2^{12}} = \frac{1}{2^{10}} = \frac{1}{1024}$.

Seite 135

Runde 1

1

a) $17^5 \cdot 17^{-4} = 17^{5-4} = 17$ b) $\frac{11^7}{11^5} = 11^{7-5} = 11^2 = 121$

c) $(123^9)^0 = 123^{9 \cdot 0} = 123^0 = 1$

d) $\left(\frac{9}{8}\right)^4 \cdot \left(\frac{4}{9}\right)^4 = \left(\frac{9}{8} \cdot \frac{4}{9}\right)^4 = \left(\frac{1}{2}\right)^4 = \frac{1}{16}$

e) $25 \cdot 10^{-11} \cdot 8 \cdot 10^{12} = 25 \cdot 8 \cdot 10^{-11} \cdot 10^{12} = 200 \cdot 10^{-11+12}$
$= 200 \cdot 10^1 = 2000$

f) $9{,}1 \cdot 10^7 + 1{,}4 \cdot 10^8 = 9{,}1 \cdot 10^7 + 14 \cdot 10^7 = (9{,}1 + 14) \cdot 10^7$
$= 23{,}1 \cdot 10^7 = 2{,}31 \cdot 10^8$

2

a) 2   b) $\frac{3}{5}$ c) 0,01   d) $\frac{3}{20}$

3

a) 8^2; 8^1; 8^0; 8^{-1}; 8^{-2}

b) 100^2; 100^1; 100^0; 100^{-1}; 100^{-2} (Anmerkung: auch eine Darstellung mit der Basis 10 ist möglich)

c) $\left(\frac{2}{5}\right)^3$; $\left(\frac{2}{5}\right)^2$; $\left(\frac{2}{5}\right)^1$; $\left(\frac{2}{5}\right)^0$; $\left(\frac{2}{5}\right)^{-1}$

4

a) Geschätzte Schulterbreite: 50 cm = 0,5 m
Länge der Menschenkette: $0{,}5 \cdot 6 \cdot 10^{23}$ m $= 3 \cdot 10^{23}$ m
$= 3 \cdot 10^{20}$ km
Vergleich mit Entfernung Erde-Mond: $3 \cdot 10^{20} : 384\,400$
$\approx 7{,}8 \cdot 10^{14}$
Eine solche Menschenkette würde $7{,}8 \cdot 10^{14}$-mal von der Erde zum Mond reichen.

b) $\frac{7{,}6 \cdot 10^9}{6 \cdot 10^{23}} = \frac{19}{15} \cdot 10^{-14}$; $12 \text{ g} \cdot \frac{19}{15} \cdot 10^{-14} = 1{,}52 \cdot 10^{-13}$ g
$= 0{,}152 \cdot 10^{-12} = 0{,}152$ pg (Pikogramm)

5

a) Er hat nicht recht. Gegenbeispiel: $\sqrt[3]{\sqrt[3]{64}} = \sqrt[3]{4} \approx 1{,}59$ und $\sqrt[6]{64} = 2$. Die dritte Wurzel aus der dritten Wurzel ist die neunte Wurzel.

$\sqrt[3]{\sqrt[3]{x}} = \left(x^{\frac{1}{3}}\right)^{\frac{1}{3}} = x^{\frac{1}{3} \cdot \frac{1}{3}} = x^{\frac{1}{9}} = \sqrt[9]{x}$

b) $\sqrt[4]{x} = \sqrt{\sqrt{x}} = \left(x^{\frac{1}{2}}\right)^{\frac{1}{2}} = x^{\frac{1}{2} \cdot \frac{1}{2}} = x^{\frac{1}{4}}$

Runde 2

1

a) 3,2   b) 11   c) $\frac{64}{27}$

d) $\left(\frac{27}{8}\right)^{\frac{1}{3}} \cdot \left(\frac{27}{8}\right)^{-1} = \sqrt[3]{\frac{27}{8}} \cdot \frac{8}{27} = \frac{3}{2} \cdot \frac{8}{27} = \frac{4}{9}$

2

a) $25^{\frac{1}{2}} = \sqrt{25} = 5$

b) $0{,}125^{\frac{1}{3}} = \sqrt[3]{0{,}125} = \sqrt[3]{\frac{1}{8}} = \frac{1}{2}$

c) $\left(\frac{16}{81}\right)^{-\frac{1}{4}} = \left(\frac{81}{16}\right)^{\frac{1}{4}} = \sqrt[4]{\frac{81}{16}} = \frac{3}{2}$

d) $\left(\frac{49}{100}\right)^{-\frac{3}{2}} = \left(\frac{100}{49}\right)^{\frac{3}{2}} = \left(\sqrt{\frac{100}{49}}\right)^3 = \left(\frac{10}{7}\right)^3 = \frac{1000}{343}$

3

a) $x^{-3} \cdot y^{-3} = (xy)^{-3} = \frac{1}{(xy)^3}$
Für $x = 2$ und $y = 5$ erhält man $\frac{1}{(2 \cdot 5)^3} = \frac{1}{10^3} = \frac{1}{1000}$.

b) $(x^2 \cdot y^2)^3 = ((xy)^2)^3 = (xy)^6$
Für $x = 2$ und $y = 5$ erhält man $(2 \cdot 5)^6 = 10^6 = 1\,000\,000$.

c) $\left(\frac{y^5}{y^3}\right)^{-1} = (y^{5-3})^{-1} = (y^2)^{-1} = y^{-2} = \frac{1}{y^2}$
Für $y = 5$ erhält man $\frac{1}{5^2} = \frac{1}{25}$.

d) $\left(\frac{x^5}{x^3}\right)^2 + x^3 \cdot x = (x^{5-3})^2 + x^{3+1} = (x^2)^2 + x^4 = x^4 + x^4 = 2x^4$
Für $x = 2$ erhält man $2 \cdot 2^4 = 2 \cdot 16 = 32$.

4

a) $1{,}4 \cdot 10^{13}$ m²   b) $3{,}547 \cdot 10^{11}$ m³   c) $2 \cdot 10^{-7}$ mm

5

a) Die Flächeninhalte werden jeweils halbiert.

	Flächeninhalt	Seitenlänge
1. Quadrat	64 cm²	$\sqrt{64}$ cm = 8 cm
2. Quadrat	$\frac{64 \text{ cm}^2}{2} = 32$ cm²	$\sqrt{\frac{64 \text{ cm}^2}{2}} = \frac{8 \text{ cm}}{\sqrt{2}}$
3. Quadrat	$\frac{32 \text{ cm}^2}{2} = \frac{64 \text{ cm}^2}{2^2} = 16$ cm²	$\sqrt{\frac{64 \text{ cm}^2}{2^2}} = \frac{8 \text{ cm}}{\sqrt{2^2}}$
4. Quadrat	$\frac{64 \text{ cm}^2}{2^3} = 8$ cm²	$\sqrt{\frac{64 \text{ cm}^2}{2^3}} = \frac{8 \text{ cm}}{\sqrt{2^3}}$
n. Quadrat	$\frac{64 \text{ cm}^2}{2^{n-1}}$	$\sqrt{\frac{64 \text{ cm}^2}{2^{n-1}}} = \frac{8 \text{ cm}}{\sqrt{2^{n-1}}}$

b) Je größer n ist, desto kleiner ist die Seitenlänge

$s_n = (\sqrt{2})^{7-n}$:

n	9	13	...	24	25
s_n	0,5	0,125	...	0,00276 ...	0,00195 ...

Durch gezieltes Probieren ergibt sich, dass die Seitenlänge des 24. Quadrats noch größer ist als 0,002 cm. Die Seitenlänge ist erstmals beim 25. Quadrat kleiner als 0,002 cm.

V Satz des Pythagoras und Körper

Seite 139

Check-in

1
a) $A = 3\,cm \cdot 2\,cm = 6\,cm^2$
   $U = 2 \cdot (3\,cm + 2\,cm) = 10\,cm$
b) $A = \frac{1}{2} \cdot 3,5\,cm \cdot 2,5\,cm = 4,375\,cm^2$
   $U = 3,6\,cm + 2,7\,cm + 3,5\,cm = 9,8\,cm$
c) $A = \frac{1}{2} \cdot (2,5\,cm + 5\,cm) \cdot 3\,cm = 11,25\,cm^2$
   $U = 3,2\,cm + 2,5\,cm + 3,5\,cm + 5\,cm = 14,2\,cm$
d) $A = \frac{1}{2} \cdot 2\,cm \cdot 3\,cm = 3\,cm^2$
   $U = 2\,cm + 3,5\,cm + 4,9\,cm = 10,4\,cm$
e) $A = \pi \cdot (1,2\,cm)^2 = 1,44\,\pi\,cm^2 \approx 4,52\,cm^2$
   $U = 2 \cdot \pi \cdot 1,2\,cm = 2,4\,\pi\,cm \approx 7,54\,cm$

2
a) $4,95\,cm^2 = \frac{1}{2} \cdot 4,5\,cm \cdot h_g$, also $h_g = 2,2\,cm$
b) Die Messung bestätigt die Rechnung.

3
a) $A = \frac{1}{2} \cdot g \cdot h$
   $g = \frac{2 \cdot A}{h}$ und $h = \frac{2 \cdot A}{g}$
b) $a = \frac{V}{b}$
   $V = a \cdot b$ und $b = \frac{V}{a}$
c) $A = \pi \cdot r^2$
   $r = \sqrt{\frac{A}{\pi}}$

4
a) $\sqrt{25 + 144} = \sqrt{169} = 13$
b) $\sqrt{25} + \sqrt{144} = 5 + 12 = 17$
c) $\sqrt{289 - 225} = \sqrt{64} = 8$
d) $\sqrt{289} - \sqrt{225} = 17 - 15 = 2$

5
a) $V = \frac{1}{2} \cdot (3\,cm + 7\,cm) \cdot 2,5\,cm \cdot 10\,cm = 125\,cm^3$
   $O = 2 \cdot \frac{1}{2} \cdot (3\,cm + 7\,cm) \cdot 2,5\,cm + 2 \cdot 3,3\,cm \cdot 10\,cm$
   $+ 3\,cm \cdot 10\,cm + 7\,cm \cdot 10\,cm = 191\,cm^2$
b) $M = 2 \cdot \pi \cdot 4\,cm \cdot 4\,cm = 32\,\pi\,cm^2 \approx 100,5\,cm^2$
   $O = M + 2 \cdot \pi \cdot (4\,cm)^2 = 64\,\pi\,cm^2 \approx 201,1\,cm^2$
   $V = \pi \cdot (4\,cm)^2 \cdot 4\,cm = 64\,\pi\,cm^3 \approx 201,1\,cm^3$

Seite 144

7
$39^2 + x^2 = 89^2$
$x = \sqrt{6400} = 80$
Die Seite x ist 80 km lang.

8
b ist als längste Seite die mögliche Hypotenuse.
$a^2 + c^2 = 10^2 + 8^2 = 164$
$b^2 = 13^2 = 169$
Da $164 \ne 169$ gilt, ist das Dreieck nicht rechtwinklig.

9
$d = \sqrt{48^2 + 32^2} \approx 57,69$
Die Diagonale des Bildschirms ist ca. 58 cm lang.

Seite 146

15

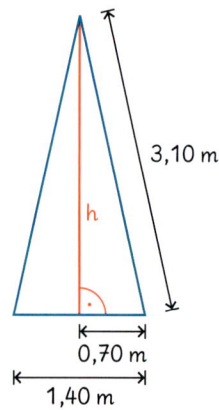

$h = \sqrt{(310\,cm)^2 - (70\,cm)^2} \approx 302\,cm$
Die Klappleiter reicht ca. 3 m hoch.

16
a) $d = \sqrt{(8-6)^2 + (4-2)^2} \approx 2,83$
   Der Abstand der Punkte A und B beträgt ca. 2,83 Längeneinheiten.
b) $d = \sqrt{(5-3)^2 + (9-2)^2} \approx 7,28$
   Der Abstand der Punkte C und D beträgt ca. 7,28 Längeneinheiten.

G **19**
a) $\sqrt{576} = \sqrt{4 \cdot 144} = \sqrt{4} \cdot \sqrt{144} = 2 \cdot 12 = 24$
b) $\sqrt{1296} = \sqrt{4 \cdot 324} = \sqrt{4 \cdot 4 \cdot 81} = \sqrt{4} \cdot \sqrt{4} \cdot \sqrt{81} = 2 \cdot 2 \cdot 9 = 36$
c) $\frac{\sqrt{27}}{\sqrt{12}} = \sqrt{\frac{3 \cdot 9}{3 \cdot 4}} = \sqrt{\frac{9}{4}} = \frac{\sqrt{9}}{\sqrt{4}} = \frac{3}{2}$
d) $\sqrt{2 \cdot 98} = \sqrt{4 \cdot 49} = \sqrt{4} \cdot \sqrt{49} = 2 \cdot 7 = 14$

Seite 150

6
Für die Seitenlänge s erhält man:
$s = \sqrt{3^2 + 2^2} = \sqrt{13} \approx 3{,}61$

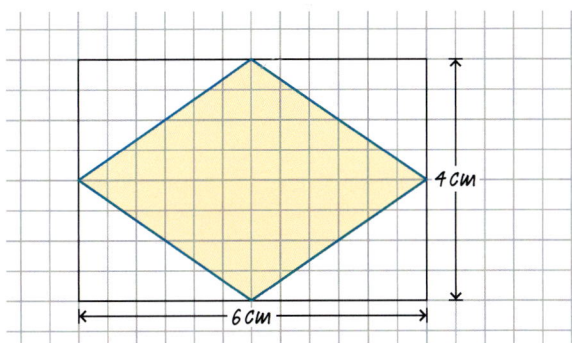

7
a)

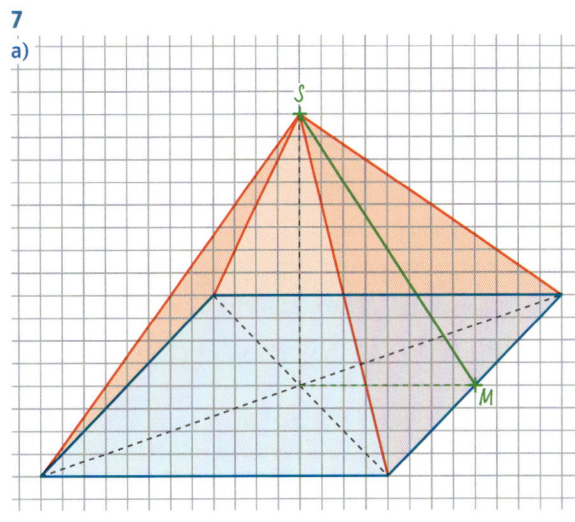

b) $\overline{MS} = \sqrt{(4\,\text{cm})^2 + (6\,\text{cm})^2} \approx 7{,}21\,\text{cm}$
c) $s = \sqrt{(4\,\text{cm})^2 + (7{,}21\,\text{cm})^2} \approx 8{,}25\,\text{cm}$

Seite 151

15
a) Für die Höhe h_s im Seitendreieck erhält man
$h_s = \sqrt{(6\,\text{m})^2 - (3\,\text{m})^2} = \sqrt{27}\,\text{m} \approx 5{,}2\,\text{m}$

Damit erhält man für die Höhe h_B des Balkens:
$h_B = \sqrt{(\sqrt{27}\,\text{m})^2 - \left(\frac{9\,\text{m} - 7\,\text{m}}{2}\right)^2} = \sqrt{26}\,\text{m} \approx 5{,}1\,\text{m}$.

Für die Länge der Stahlseile berechnet man zunächst die Strecke l zwischen dem Balkenfuß und der vorderen rechten Ecke:
$l = \sqrt{(3\,\text{m})^2 + (8\,\text{m})^2} = \sqrt{73}\,\text{m} \approx 8{,}5\,\text{m}$.

Damit erhält man die Länge des Stahlseils l_s:
$l_s = \sqrt{(\sqrt{73}\,\text{m})^2 + (\sqrt{26}\,\text{m})^2} = \sqrt{99}\,\text{m} \approx 9{,}9\,\text{m}$.

b) Für die beiden Dreiecksflächen erhält man:
$F_{\text{Dreieck}} = \frac{6\,\text{m} \cdot \sqrt{27}\,\text{m}}{2} \approx 15{,}6\,\text{m}^2$.

Für die Höhe h_T des Trapezes gilt:
$h_T = \sqrt{(\sqrt{26}\,\text{m})^2 + (3\,\text{m})^2} = \sqrt{35}\,\text{m} \approx 5{,}9\,\text{m}$.

Für die Fläche der beiden Trapeze folgt:
$F_{\text{Trapez}} = \frac{9\,\text{m} + 7\,\text{m}}{2} \cdot \sqrt{35}\,\text{m} \approx 47{,}3\,\text{m}^2$.

Damit erhält man für die gesamte Dachfläche:
$F_{\text{ges}} = 2 \cdot F_{\text{Dreieck}} + 2 \cdot F_{\text{Trapez}}$
$= 2 \cdot \frac{6\,\text{m} \cdot \sqrt{27}\,\text{m}}{2} + 2 \cdot \frac{9\,\text{m} + 7\,\text{m}}{2} \cdot \sqrt{35} \approx 125{,}8\,\text{m}^2$.

G **18**
a) $-\sqrt{2} \approx -1{,}41$ (A)
b) $\sqrt{2{,}5} \approx 1{,}58$ (B)
c) $\sqrt{50} \approx 7{,}07$ (E)
d) $\sqrt{19} \approx 4{,}36$ (D)
e) $\sqrt{75} \approx 8{,}66$ (F)
f) $\sqrt{\frac{16}{3}} \approx 2{,}31$ (C)

Seite 154

6
a) a = 20 cm, b = 50 cm, h = 3 cm
Skizze:

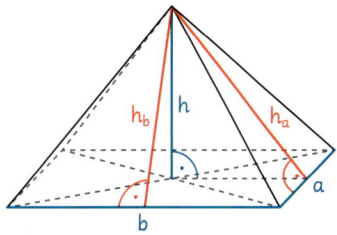

$V = \frac{1}{3} \cdot (b \cdot a) \cdot h = \frac{1}{3} \cdot 50\,\text{cm} \cdot 20\,\text{cm} \cdot 3\,\text{cm} = 1000\,\text{cm}^3$
$= 1\,\text{dm}^3$

Für den Oberflächeninhalt muss man die Seitenhöhen h_a und h_b berechnen.

$h_a = \sqrt{h^2 + \left(\frac{1}{2} \cdot b\right)^2} = \sqrt{(3\,\text{cm})^2 + (25\,\text{cm})^2} \approx 25{,}2\,\text{cm}$

$h_b = \sqrt{h^2 + \left(\frac{1}{2} \cdot a\right)^2} = \sqrt{(3\,\text{cm})^2 + (10\,\text{cm})^2} \approx 10{,}4\,\text{cm}$

$O = b \cdot a + 2 \cdot \frac{1}{2} \cdot b \cdot h_b + 2 \cdot \frac{1}{2} \cdot a \cdot h_a \approx 50\,\text{cm} \cdot 20\,\text{cm} + 50\,\text{cm} \cdot 10{,}4\,\text{cm} + 20\,\text{cm} \cdot 25{,}2\,\text{cm} = 2024\,\text{cm}^2$

Das Volumen der Pyramide beträgt 1 dm³ und der Oberflächeninhalt ca. 2024 cm².

b) Pyramide:
$V = \frac{1}{3} \cdot 6\,\text{cm} \cdot 6\,\text{cm} \cdot 5\,\text{cm} = 60\,\text{cm}^3$

Oberfläche: Mit $h_s = \sqrt{(5\,\text{cm})^2 + (3\,\text{cm})^2} = \sqrt{34}\,\text{cm} \approx 5{,}8\,\text{cm}$

erhält man: $F_{\text{Dreieck}} = \frac{6\,\text{cm} \cdot \sqrt{34}\,\text{cm}}{2} \approx 17{,}5\,\text{cm}^2$

und somit
$F_{\text{ges}} = 4 \cdot F_{\text{Dreieck}} + F_{\text{Quadrat}} = 4 \cdot \frac{6\,\text{cm} \cdot \sqrt{34}\,\text{m}}{2} + (6\,\text{cm})^2 \approx 106{,}0\,\text{cm}^2$

Seite 155

12

Annahme: Die Grundfläche der verwitterten Pyramide ist ebenfalls quadratisch.

a) $V_{\text{alt}} = 2\,660\,161\,\text{m}^3$
$V_{\text{neu}} = \frac{1}{3} \cdot (227\,\text{m})^2 \cdot 137\,\text{m} = 2\,353\,157{,}7\,\text{m}^3$

$\frac{V_{\text{neu}}}{V_{\text{alt}}} \approx 0{,}885$ $\quad\quad$ $1 - 0{,}885 = 0{,}115$

Die ursprüngliche Pyramide ist um ca. 11,5 % bezogen auf das Volumen verwittert.

b) $V_{\text{alt}} = \frac{1}{3} \cdot a^2 \cdot h$
$2\,660\,161\,\text{m}^3 = \frac{1}{3} \cdot a^2 \cdot 147\,\text{m} \rightarrow a = 233\,\text{m}$

Die ursprüngliche Pyramide hatte eine Grundkante von 233 m.

G 14

a) $x^2 = 121$; also $x_1 = 11$ und $x_2 = -11$
b) $x^2 = 0{,}36$; also $x_1 = 0{,}6$ und $x_2 = -0{,}6$
c) $x^2 = \frac{25}{81}$; also $x_1 = \frac{5}{9}$ und $x_2 = -\frac{5}{9}$
d) $x^2 = \frac{12}{75} = \frac{4}{25}$; also $x_1 = \frac{2}{5}$ und $x_2 = -\frac{2}{5}$

Seite 158

5

Kegel:
$r^2 = (5{,}4\,\text{cm})^2 - (3\,\text{cm})^2 = 20{,}16\,\text{cm}^2 \Rightarrow r = \sqrt{20{,}16}\,\text{cm} \approx 4{,}49\,\text{cm}$
$V = \frac{1}{3}\pi \cdot r^2 \cdot h = \frac{1}{3}\pi \cdot 20{,}16\,\text{cm}^2 \cdot 3\,\text{cm} \approx 63{,}33\,\text{cm}^3$
$O = \pi \cdot r^2 + M = \pi \cdot r^2 + r \cdot s \cdot \pi$
$\approx \pi \cdot 20{,}16\,\text{cm}^2 + \pi \cdot 4{,}49\,\text{cm} \cdot 5{,}4\,\text{cm} \approx 139{,}5\,\text{cm}^2$

6

a) $V = \frac{1}{3} \cdot \pi \cdot (4\,\text{cm})^2 \cdot 5{,}5\,\text{cm} = 29\frac{1}{3}\pi\,\text{cm}^3 \approx 92{,}2\,\text{cm}^3$
$s = \sqrt{(4\,\text{cm})^2 + (5{,}5\,\text{cm})^2} \approx 6{,}8\,\text{cm}$
$M = \pi \cdot 4\,\text{cm} \cdot 6{,}8\,\text{cm} = 27{,}2\pi\,\text{cm}^2 \approx 85{,}5\,\text{cm}^2$
$O = \pi \cdot 4\,\text{cm}^2 + M = 43{,}2\pi\,\text{cm}^2 \approx 135{,}7\,\text{cm}^2$

b) $r = \sqrt{(20\,\text{cm})^2 - (19\,\text{cm})^2} \approx 6{,}2\,\text{cm}$
$V = \frac{1}{3} \cdot \pi \cdot (6{,}2\,\text{cm})^2 \cdot 19\,\text{cm} = 243{,}5\pi\,\text{cm}^3 \approx 765{,}0\,\text{cm}^3$
$M = \pi \cdot 6{,}2\,\text{cm} \cdot 20\,\text{cm} = 124\pi\,\text{cm}^2 \approx 389{,}6\,\text{cm}^2$
$O = \pi \cdot (6{,}2\,\text{cm})^2 + M = 162{,}4\pi\,\text{cm}^2 \approx 510{,}2\,\text{cm}^2$

Seite 159

12

a) $V = \pi \cdot (10\,\text{cm})^2 \cdot 20\,\text{cm} + \frac{1}{3} \cdot \pi \cdot (10\,\text{cm})^2 \cdot 20\,\text{cm} \approx 8377{,}6\,\text{cm}^3$,
$O = \pi \cdot (10\,\text{cm})^2 + 2 \cdot \pi \cdot 10\,\text{cm} \cdot 20\,\text{cm} + \pi \cdot 10\,\text{cm} \cdot \sqrt{(20\,\text{cm})^2 + (10\,\text{cm})^2} \approx 2273{,}3\,\text{cm}^2$.

b) $V = \frac{1}{3} \cdot \pi \cdot (10\,\text{cm})^2 \cdot 40\,\text{cm} + \frac{20\,\text{cm} \cdot 40\,\text{cm}}{2} \cdot (80\,\text{cm} - 20\,\text{cm})$
$\approx 28\,188{,}8\,\text{cm}^3$,
$O = \pi \cdot (10\,\text{cm})^2 + 20\,\text{cm} \cdot (80\,\text{cm} - 20\,\text{cm})$
$+ 2 \cdot \sqrt{(40\,\text{cm})^2 + (10\,\text{cm})^2} \cdot (80\,\text{cm} - 20\,\text{cm})$
$+ \pi \cdot 10\,\text{cm} \cdot \sqrt{(40\,\text{cm})^2 + (10\,\text{cm})^2} \approx 7757{,}2\,\text{cm}^2$

c) $V = \pi \cdot (4\,\text{mm})^2 \cdot 30\,\text{mm} + \pi \cdot (25\,\text{mm})^2 \cdot 5\,\text{mm}$
$+ \frac{1}{3} \cdot \pi \cdot (25\,\text{mm})^2 \cdot 20\,\text{mm} = 7771\frac{2}{3}\pi\,\text{mm}^3 \approx 24\,415{,}4\,\text{mm}^3$
$O = 2 \cdot \pi \cdot 4\,\text{mm} \cdot 30\,\text{mm} + \pi \cdot (25\,\text{mm})^2$
$+ 2 \cdot \pi \cdot 25\,\text{mm} \cdot 5\,\text{mm}$
$+ \pi \cdot 25\,\text{mm} \cdot \sqrt{(20\,\text{mm})^2 + (25\,\text{mm})^2}$
$\approx 6017{,}4\,\text{mm}^2$

14

a) $\sqrt{180} = \sqrt{9 \cdot 4 \cdot 5} = \sqrt{9} \cdot \sqrt{4} \cdot \sqrt{5} = 6 \cdot \sqrt{5}$
Überschlag: $6 \cdot \sqrt{5} \approx 6 \cdot 2{,}2 = 13{,}2$

b) $\frac{\sqrt{3}}{\sqrt{45}} = \sqrt{\frac{3}{3 \cdot 15}} = \frac{1}{\sqrt{3 \cdot 5}} = \frac{1}{\sqrt{3} \cdot \sqrt{5}}$
Überschlag: $\frac{1}{\sqrt{3} \cdot \sqrt{5}} \approx \frac{1}{1{,}7 \cdot 2{,}2} \approx \frac{1}{4}$

c) $\sqrt{72} = \sqrt{2 \cdot 36} = \sqrt{2} \cdot \sqrt{36} = \sqrt{2} \cdot 6$
Überschlag: $\sqrt{2} \cdot 6 \approx 1{,}4 \cdot 6 = 8{,}4$

d) $\sqrt{5} \cdot (\sqrt{10} + \sqrt{5}) = \sqrt{5} \cdot \sqrt{10} + \sqrt{5} \cdot \sqrt{5} = \sqrt{5} \cdot \sqrt{2 \cdot 5} + (\sqrt{5})^2$
$= \sqrt{5} \cdot \sqrt{2} \cdot \sqrt{5} + 5$
$= (\sqrt{5})^2 \cdot \sqrt{2} + 5 = 5 \cdot \sqrt{2} + 5$
Überschlag: $5 \cdot \sqrt{2} + 5 \approx 5 \cdot 1{,}4 + 5 = 12$

e) $8 \cdot \sqrt{2} + 2 \cdot \sqrt{2} = (8 + 2) \cdot \sqrt{2} = 10 \cdot \sqrt{2}$
Überschlag: $10 \cdot \sqrt{2} \approx 10 \cdot 1{,}4 = 14$

Seite 162

8
a) $V = \frac{4}{3}\pi \cdot 8^3 \approx 2144{,}7$; $V \approx 2144{,}7\,dm^3$
b) $O = 4 \cdot \pi \cdot 16^2 \approx 3217{,}0$; $O \approx 3217{,}0\,m^2$
c) $V = \frac{4}{3} \cdot \pi \cdot (5\,dm)^3 \approx \frac{4}{3} \cdot 3 \cdot 125\,dm^3 = 500\,dm^3$
   $O = 4 \cdot \pi \cdot (5\,dm)^2 \approx 4 \cdot 3 \cdot 25\,dm^2 = 300\,dm^2$

Seite 163

13
a) $V = \frac{2}{3} \cdot \pi \cdot r^3 + \pi \cdot r^2 \cdot h$
   $V = \frac{1}{2} \cdot \frac{4}{3}\pi \cdot (3\,m)^3 + \pi \cdot (3\,m)^2 \cdot 5\,m \approx 197{,}9\,m^3$
   $O = 2 \cdot \pi \cdot r^2 + \pi \cdot r^2 + 2 \cdot \pi \cdot r \cdot h$
   $O = \frac{1}{2} \cdot 4\pi \cdot (3\,m)^2 + 2\pi \cdot 3\,m \cdot 5\,m + \pi \cdot (3\,m)^2 \approx 179{,}1\,m^2$
b) $V = \frac{2}{3} \cdot \pi \cdot r^3 + \frac{1}{3}\pi \cdot r^2 \cdot h$
   $V = \frac{1}{2} \cdot \frac{4}{3}\pi \cdot (3\,cm)^3 + \frac{1}{3}\pi \cdot (3\,cm)^2 \cdot 8\,cm \approx 131{,}9\,cm^3$
   $O = 2 \cdot \pi \cdot r^2 + \pi \cdot r \cdot \sqrt{r^2 + h^2}$
   $O = \frac{1}{2} \cdot 4\pi \cdot (3\,cm)^2 + \pi \cdot 3\,cm \cdot \sqrt{8^2 + 3^2}\,m \approx 137{,}1\,cm^2$
c) $V = \frac{2}{3} \cdot \pi \cdot r^3$
   $V = \frac{1}{2} \cdot \frac{4}{3}\pi \cdot (0{,}5\,mm)^3 \approx 0{,}26\,mm^3$
   $O = 2 \cdot \pi \cdot r^2 + \pi \cdot r^2$
   $O = \frac{1}{2} \cdot 4\pi \cdot (0{,}5\,mm)^2 + \pi \cdot (0{,}5\,mm)^2 \approx 2{,}36\,mm^2$
d) $V = \frac{2}{3} \cdot \pi \cdot (1{,}5\,a)^3 + \pi \cdot \left(\frac{1}{2}a\right)^2 \cdot a$
   $V = \frac{1}{2} \cdot \frac{4}{3}\pi \cdot (4{,}5\,dm)^3 + \pi \cdot (1{,}5\,dm)^2 \cdot 3\,dm \approx 212{,}06\,dm^3$
   $O = 2 \cdot \pi \cdot (1{,}5\,a)^2 + \pi \cdot (1{,}5\,a)^2 + 2 \cdot \pi \cdot \left(\frac{1}{2}a\right) \cdot a$
   $O = \frac{1}{2} \cdot 4\pi \cdot (4{,}5\,dm)^2 + 2\pi \cdot 1{,}5\,dm \cdot 3\,dm + \pi \cdot (4{,}5\,dm)^2$
   $\approx 219{,}13\,dm^2$

G **16**
a) mögliche Lösung, zum Beispiel: $-\frac{13}{2}$ oder $-10{,}1$
b) $-\sqrt{50}$ oder $-\sqrt{51}$

Seite 164

1
blau: $\sqrt{2{,}4^2 + 2^2}\,cm \approx 3{,}12\,cm$; gemessen: 3,1 cm
gelb: $\sqrt{3^2 + 2^2}\,cm \approx 3{,}61\,cm$; gemessen: 3,6 cm
lila: $\sqrt{3^2 + 1^2}\,cm \approx 3{,}16\,cm$; gemessen: 3,6 cm
orange: $\sqrt{3{,}8^2 + 0{,}7^2}\,cm \approx 3{,}86\,cm$; gemessen: 3,9 cm
grün: $\sqrt{1{,}7^2 + 1{,}6^2}\,cm \approx 2{,}33\,cm$; gemessen: 2,3 cm

2
a) $a^2 = (5\,dm)^2 + (2{,}5\,dm)^2 = 31{,}25\,dm^2$
   $a \approx 5{,}6\,dm$
b) $h^2 = 6^2\,cm^2 - 5^2\,cm^2 = 11\,cm^2$
   $h \approx 3{,}3\,cm$
c) $c = \sqrt{(5\,cm)^2 + (1\,cm)^2} = \sqrt{26\,cm^2} \approx 5{,}1\,cm$
d) $f = \sqrt{(3\,cm)^2 - (2\,cm)^2} + \sqrt{(6\,cm)^2 - (2\,cm)^2}$
   $= \sqrt{5}\,cm + \sqrt{32}\,cm \approx 7{,}9\,cm$

3
a) Die Seite b ist als längste Seite die mögliche Hypotenuse.
   $a^2 + c^2 = 88^2 + 105^2 = 18\,769$
   $b^2 = 137^2 = 18\,769$
   $a^2 + c^2 = b^2$, also ist das Dreieck rechtwinklig.
b) Die Seite c ist als längste Seite die mögliche Hypotenuse.
   $a^2 + b^2 = 47^2 + 55^2 = 5234$
   $c^2 = 73^2 = 5329$
   $a^2 + b^2 < c^2$, also ist das Dreieck stumpfwinklig.
c) Die Seite b ist als längste Seite die mögliche Hypotenuse.
   $a^2 + c^2 = 4^2 + 3^2 = 25$
   $b^2 = 25$
   $a^2 + c^2 = b^2$, also ist das Dreieck rechtwinklig.
d) Die Seite a ist als längste Seite die mögliche Hypotenuse.
   $b^2 + c^2 = 9^2 + 13^2 = 250$
   $a^2 = 15^2 = 225$
   $b^2 + c^2 > a^2$, also ist das Dreieck spitzwinklig.

4
Quadrat: $e^2 = a^2 + a^2$
gleichschenkliges Dreieck: $f^2 = h^2 + \left(\frac{l}{2}\right)^2$
Trapez: $b^2 = h^2 + \left(\frac{d-a}{2}\right)^2$

5
a) $h = \sqrt{(7\,cm)^2 - (3{,}5\,cm)^2} \approx 6{,}06\,cm$
b) $c = 2 \cdot \sqrt{(5\,m)^2 - (4\,m)^2} = 6\,m$
c) Das Dreieck ist gleichschenklig.
   Im Punkt, der der Seite c gegenüberliegt, liegt ein Winkel von 90°. Denn es gilt: $180° - 2 \cdot 45° = 90°$
   Dadurch ist das Dreieck rechtwinklig und c ist die Hypotenuse.
   $c = \sqrt{2 \cdot (3{,}5\,cm)^2} \approx 5\,cm$

6
a) $U = 2 \cdot \pi \cdot 120\,cm \approx 754{,}0\,cm$, $O = 4\pi \cdot (1{,}2\,m)^2 \approx 18{,}1\,m^2$,
   $V = \frac{4}{3}\pi \cdot (1{,}2\,m)^3 \approx 7{,}2\,m^3$.
b) Die Erdkugel ist kugelförmig. Daher gilt für den Oberflächeninhalt:
   $O = 4 \cdot \pi \cdot (120\,cm)^2 \approx 180\,956\,cm^2 \approx 18\,m^2$
   PVC-Folien können 0,5 mm bis 1,2 mm stark sein. Daraus ergibt sich folgendes Müllvolumen für die Erdkugelfolie:

Lösungen

V = O · h
V_{min} = 18 095 600 mm² · 0,5 mm ≈ 9 dm³
V_{max} = 18 095 600 mm² · 1,2 mm ≈ 21,7 dm³
Die Erdkugel entspricht unter der Annahme, dass die Folie zwischen 0,5 mm und 1,2 mm dick ist, einem Müllvolumen zwischen 9 l und 21,7 l.

Seite 165

7

a) Für die Diagonale d der quadratischen Grundfläche gilt:
d² = (35 m)² + (35 m)² = 2450 m²
d ≈ 49,497 m
Für die Länge der Kante k gilt dann:
$k^2 = \left(\frac{d}{2}\right)^2 + (21,65\,m)^2 = \left(\frac{\sqrt{2450}}{2}\,m\right)^2 + (21,65\,m)^2$
= 1081,2225 m²
k ≈ 32,88 m

b) Berechnung der Höhe h in einer der dreieckigen Glasfläche:
$h^2 = k^2 - \left(\frac{35\,m}{2}\right)^2 = 774,9725\,m^2$
h ≈ 27,84 m
$A_{Dreieck} = \frac{1}{2} \cdot 35\,m \cdot h ≈ 487,17\,m^2$
$A_{Glasfläche} = 4 \cdot A_{Dreieck} ≈ 1948,68\,m^2$

8

Gesucht ist die Länge der dritten Seite, die als Hypotenuse in einem rechtwinkligen Dreieck angenommen wird:
c = √(18² + 24²) = 30
Wenn die dritte Seite 30 cm lang ist, dann ist das Dreieck rechtwinklig.
Wenn die dritte Seite kürzer als 30 cm ist, dann ist das Dreieck spitzwinklig.
Wenn die dritte Seite länger als 30 cm ist, dann ist das Dreieck stumpfwinklig.

9

a) $V = \frac{17}{8}\,m^3 = 2,125\,m^3$;
$O = 1,5\,a \cdot 2,5\,a + \sqrt{(0,75\,a)^2 + a^2} \cdot 2,5\,a \cdot 2$
$+ 2 \cdot \left(\frac{1,5\,a \cdot a}{2}\right) + 2 \cdot \frac{1}{2} \cdot a\sqrt{2} \cdot \frac{a}{4}\sqrt{17}$
$= \left(11,5 + \frac{\sqrt{34}}{4}\right)a^2$
$O = \left(11,5 + \frac{\sqrt{34}}{4}\right)m^2 ≈ 12,96\,m^2$

b) $V = \frac{1}{2} \cdot (1,5\,a \cdot a) \cdot 2,5\,a + \frac{1}{3} \cdot \frac{1}{2} \cdot (1,5\,a \cdot a) \cdot a = \frac{17}{8}\,a^3$

c) $a = \sqrt[3]{\frac{64}{17}\,m^3} ≈ 1,56\,m$

10

(1) Die Dächer der beiden Türme sind näherungsweise kegelförmig.
$O_{beide\,Dächer} = 2 \cdot \pi \cdot r \cdot s$
mit s = 21,8 m und r = 37,7 m : (2 · π) ≈ 6 m
also: $O = 2 \cdot \pi \cdot \frac{37,7\,m}{2 \cdot \pi} \cdot 21,8\,m = 821,86\,m^2$
Die Dachfläche hat einen Flächeninhalt von ca. 822 m².

(2) Die Erde und der Mond werden beide näherungsweise als Kugeln modelliert.
$O_{Kugel} = 4 \cdot \pi \cdot r^2$
r_{Erde} = 40 075 km : (2 · π)
also: $O_{Erde} = 4 \cdot \pi \cdot \left(\frac{40\,075\,km}{2 \cdot \pi}\right)^2 ≈ 511\,207\,468\,km^2$
r_{Mond} = 3474 km : 2 = 1737 km
also: $O_{Mond} = 4 \cdot \pi \cdot (1737\,km)^2 ≈ 37\,914\,864\,km^2$
$\frac{511\,207\,468}{37\,914\,864} ≈ 13,5$
Der Oberflächeninhalt der Erde ist ca. 13,5-mal so groß wie der Oberflächeninhalt des Mondes.

(3)

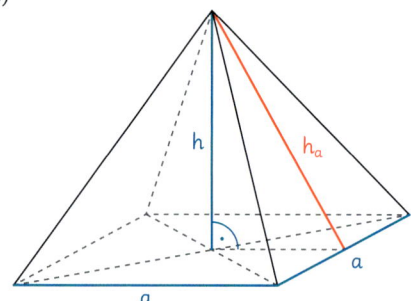

$h_a = \sqrt{h^2 + \left(\frac{a}{2}\right)^2} = \sqrt{(107\,m)^2 + (90\,m)^2} ≈ 139,8\,m$

Die Glasfläche entspricht der Mantelfläche der Pyramide:
$M = 4 \cdot \frac{1}{2} \cdot a \cdot h_a ≈ 2 \cdot 180\,m \cdot 139,8\,m ≈ 50\,328\,m^2$
Der Inhalt der Glasfläche beträgt ca. 50 328 m².

(4)

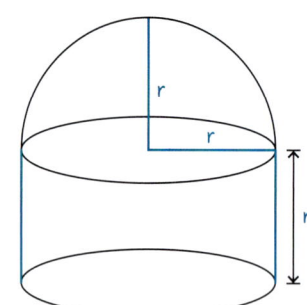

$V = \pi \cdot r^2 \cdot r + \frac{2}{3} \cdot \pi \cdot r^3 = \frac{5}{3} \cdot \pi \cdot (21,65\,m)^3 ≈ 53\,134\,m^3$
Das Gesamtvolumen des Innenraumes beträgt näherungsweise 53 134 m³.

Seite 166

11

a) $V_{Kegelstumpf} = V_{großer\ Kegel} - V_{Kegelspitze}$
$= \left(\frac{1}{3} \cdot \pi \cdot 4^2 \cdot 10 - \frac{1}{3} \cdot \pi \cdot 2^2 \cdot 5\right) cm^2 \approx 406\ cm^2$

$M_{Kegelstumpf} = M_{großer\ Kegel} - M_{Kegelspitze}$
$= \left(\pi \cdot 4 \cdot \sqrt{4^2+10^2} \cdot \pi \cdot 2 \cdot \sqrt{2^2+5^2}\right) cm^2 \approx 101{,}5\ cm^2$

$O_{Kegelstumpf} = (M_{Kegelstumpf} + \pi \cdot 4^2 + \pi \cdot 2^2)\ cm^2 \approx 164{,}3\ cm^2$

b) $O = \underbrace{a^2 + \left(\frac{a}{2}\right)^2}_{\text{untere & obere Grundfläche}} + \underbrace{4 \cdot \frac{1}{2} \cdot \left(a + \frac{a}{2}\right) \cdot \overbrace{\sqrt{\left(\frac{h}{2}\right)^2 + \left(\frac{a - \frac{a}{2}}{2}\right)^2}}^{\text{Höhe des Trapezes}}}_{\text{Trapezfläche}}$

$\approx (10^2 + 5^2 + 2 \cdot 15 \cdot 12{,}3)\ cm^2 = 494\ cm^2$

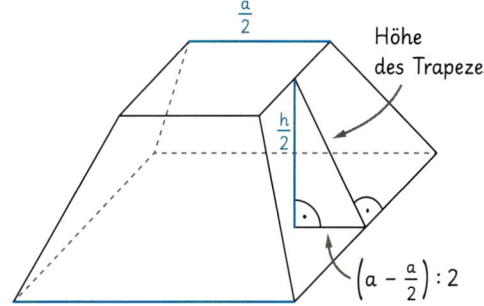

$V_{Pyramidenstumpf} = V_{große\ Pyramide} - V_{Pyramidenspitze}$
$\approx \left(\frac{1}{3} \cdot 10^2 \cdot 24 - \frac{1}{3} \cdot 5^2 \cdot 12\right) cm^3 = 700\ cm^3$

c) $a = 10\ cm$
$b = \frac{a}{2} = 5\ cm$
$h = 12\ cm$
$V = \frac{1}{3} \cdot 12 \cdot (10^2 + 10 \cdot 5 + 5^2)\ cm^3 = 700\ cm^3$
Ja, die Rechnung stimmt.

12

a) individuelle Lösung, zum Beispiel:
Wenn die Person in dem dunkelblauen T-Shirt 1,50 m groß wäre, dann wäre der vordere Kegel ca. 6 m hoch und hätte einen Durchmesser von 6 m. Der flache Kegel hätte ca. die halbe Höhe von 3 m bei gleichem Durchmesser. Der hintere Kegel hätte etwa die gleiche Größe wie der vordere Kegel.

b) Damit gilt:
$M_{gesamt} = 2 \cdot 4 \cdot \pi \cdot 3 \cdot \sqrt{3^2 + 6^2} + 4 \cdot \pi \cdot 3 \cdot \sqrt{3^2 + 3^2}$
$\approx 666\ m^2$
$V_{gesamt} = \frac{1}{3} \cdot \pi \cdot 3^2 \cdot (6 + 6 + 3) \approx 141\ m^3$
Man würde bei obigen Schätzungen ca. 665 m² Rasenfläche benötigen (hier wurden die Metallspitzen nicht von dem Rasenflächeninhalt subtrahiert) und die Rasenkegel hätten ein Gesamtvolumen von ca. 141 m³.

13

a) individuelle Lösung

b) Das Bogenmaß des Kreisausschnittes ist der Umfang des Kegels:
$b = \frac{\alpha}{360°} \cdot 2 \cdot \pi \cdot 8 = \frac{2\pi}{45°} \cdot \alpha = U_{Kegel}$
$\frac{2\pi}{45°} \cdot \alpha = 2 \cdot \pi \cdot r_{Kegel} \rightarrow r_{Kegel} = \frac{\alpha}{45°}$
$h_{Kegel} = \sqrt{8^2 - \left(\frac{\alpha}{45°}\right)^2}$
$V = \frac{1}{3} \cdot \pi \cdot \left(\frac{\alpha}{45°}\right)^2 \cdot \sqrt{64 - \left(\frac{\alpha}{45°}\right)^2}$
Durch Ausprobieren oder grafisches Darstellen des Volumens in Abhängigkeit des Mittelpunktswinkels α erhält man, dass das Volumen etwa bei α = 294° maximal ist. Das Volumen beträgt dann ca. 200 cm³.

14

a) $V = \frac{4}{3}\pi \cdot r^3 = \frac{4}{3}\pi \cdot \left(\frac{7{,}5\ cm}{2}\right)^3 \approx 220{,}89\ cm^3$
$V_{Hohl} = \frac{4}{3}\pi \cdot r^3 = \frac{4}{3}\pi \cdot (3{,}75\ cm - 0{,}75\ cm)^3 \approx 113{,}10\ cm^3$
$V_{Stahl} = V - V_{Hohl} \approx 220{,}89\ cm^3 - 113{,}10\ cm^3$
$\approx 107{,}79\ cm^3 = 1{,}0779 \cdot 10^{-4}\ m^3$
Gewicht $= 1{,}0779 \cdot 10^{-4}\ m^3 \cdot 7850\ \frac{kg}{m^3} \approx 0{,}846\ kg$

b) $V_{Sand} = \frac{4}{3} \cdot \pi \cdot (3{,}75\ cm - 0{,}4\ cm)^3 \approx 157{,}48\ cm^3$
$V_{Stahl} = V - V_{Sand} \approx 220{,}89\ cm^3 - 157{,}48\ cm^3 \approx 63{,}41\ cm^3$
Gewicht $= 63{,}41\ cm^3 \cdot 7850\ \frac{kg}{m^3} + 157{,}48\ cm^3 \cdot 1500\ \frac{kg}{m^3}$
$= 6{,}341 \cdot 10^{-5}\ m^3 \cdot 7850\ \frac{kg}{m^3}$
$+ 1{,}5748 \cdot 10^{-4}\ m^3 \cdot 1500\ \frac{kg}{m^3}$
$\approx 0{,}74\ kg$

15

a) $V_{Zyl} : V_{HK} : V_{Kegel} = \pi r^3 : \frac{2}{3}\pi r^3 : \frac{1}{3}\pi r^3 = 1 : \frac{2}{3} : \frac{1}{3} = 3 : 2 : 1$

b) $O_{Zyl} : O_{HK} : O_{Kegel} = 4\pi r^2 : 3\pi r^2 : (1+\sqrt{2})\pi r^2$
$= 4 : 3 : (1+\sqrt{2}) \approx 4 : 3 : 2{,}41$

c) $V_{Zyl} : V_{Kugel} : V_{Kegel} = 2\pi r^3 : \frac{4}{3}\pi r^3 : \frac{2}{3}\pi r^3 = 2 : \frac{4}{3} : \frac{2}{3} = 3 : 2 : 1$

Seite 167

16

a) Man zeichnet unten ein Quadrat (als Stamm des Baumes). Über dieses Quadrat wird ein rechtwinkliges Dreieck gezeichnet, sodass die Seite des Quadrats die Hypotenuse dieses Dreiecks ist. An die Katheten des Dreiecks zeichnet man dann Quadrate und führt das Verfahren fort. Die Dreiecke und Quadrate werden nach oben immer kleiner.

b)

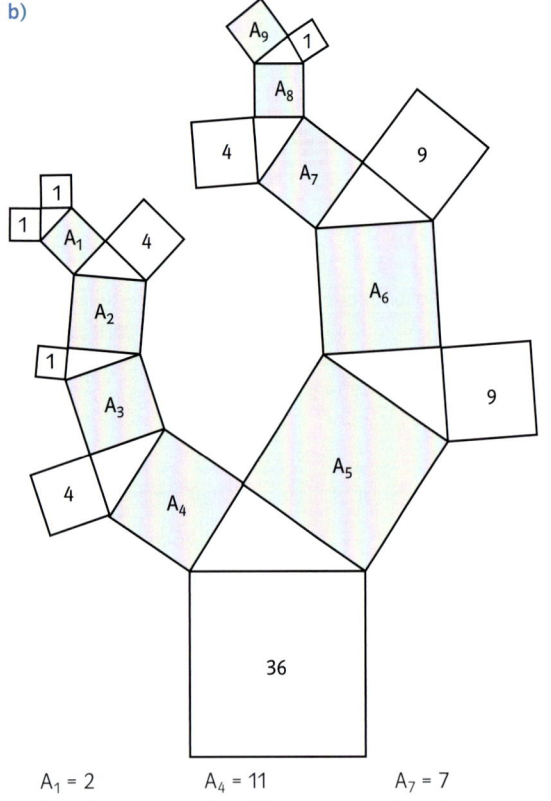

$A_1 = 2$	$A_4 = 11$	$A_7 = 7$
$A_2 = 6$	$A_5 = 25$	$A_8 = 3$
$A_3 = 7$	$A_6 = 16$	$A_9 = 2$

c) Der rote Kreis ist ein Thales-Kreis, deshalb ist das blaue Dreieck rechtwinklig (Satz des Thales), unabhängig davon, wo genau der Eckpunkt auf dem Thales-Kreis gewählt wird. Die Katheten des Dreiecks bilden dann die Seiten von zwei neuen Quadraten, auf die erneut Thales-Kreise gezeichnet werden usw.

d) individuelle Lösung

17

a) Seitenlänge der Grundfläche: $a = \sqrt{144\,cm^2} = 12\,cm$
Diagonale der Grundfläche:
$d^2 = a^2 + a^2$
$d = \sqrt{2a^2} \approx 16{,}97\,cm$
Höhe der Pyramide:
$h^2 + \left(\frac{d}{2}\right)^2 = (19\,cm)^2$
$h^2 = (19\,cm)^2 - \left(\frac{d}{2}\right)^2$
$h^2 = 289\,cm^2$
$h = \sqrt{289}\,cm = 17\,cm$
Volumen der Pyramide:
$V = \frac{1}{3} \cdot 144\,cm^2 \cdot 17\,cm = 816\,cm^3$

b) Höhe einer dreieckigen Fläche:
$h_1^2 = h^2 + \left(\frac{a}{2}\right)^2 = (17\,cm)^2 + (6\,cm)^2$
$h_1 = \sqrt{325\,cm^2} \approx 18{,}03\,cm$
$O = 4 \cdot A_{Dreieck} + A_{Boden}$
$\approx 4 \cdot \frac{1}{2} \cdot 12\,cm \cdot 18{,}03\,cm + 12\,cm \cdot 12\,cm$
$= 576{,}72\,cm^2$

c) $V_{Bonbon} = \frac{4}{3} \cdot \pi \cdot (0{,}5\,cm)^3 \approx 0{,}5236\,cm^3$
$300 \cdot V_{Bonbon} \approx 157{,}08\,cm^3$
$\frac{157{,}08\,cm^3}{816\,cm^3} \approx 19{,}25\,\%$
$100\,\% - 19{,}25\,\% = 80{,}75\,\%$
Es bleiben etwa 80,75 % der Packung leer.

d) $V_{Tetraeder} = \frac{a^3}{12}\sqrt{2} = \frac{(7\,cm)^3}{12} \cdot \sqrt{2} \approx 40{,}42\,cm^3$
$20 \cdot V_{Bonbon} \approx 10{,}47\,cm^3$
$\frac{10{,}47\,cm^3}{40{,}42\,cm^3} \approx 25{,}9\,\%$
$100\,\% - 25{,}9\,\% = 74{,}1\,\%$
Es sind etwa 74,1 % mit Luft gefüllt.

e) Für das Volumen der Maxi-Packung gilt
$V = \frac{(14\,cm)^3}{12} \cdot \sqrt{2} \approx 323{,}38\,cm^3$.

Das Volumen der Maxi-Packung ist achtmal so groß wie das der Mini-Packung, also müssen achtmal so viele Bonbons in der Packung sein, damit der Anteil an Luft in der Packung gleich bleibt.

Probe: $160 \cdot \frac{V_{Bonbon}}{323{,}38\,cm^3} = \frac{83{,}776\,cm^3}{323{,}38\,cm^3} \approx 25{,}9$

18

a) $m = 0{,}05\,\frac{g}{cm^3} \cdot 14 \cdot \frac{4}{3}\pi \cdot (5\,cm)^3 \approx 366{,}52\,g$

b) $h = \sqrt{(20\,cm)^2 - \frac{(20\,cm)^2}{2}} + 2 \cdot 5\,cm \approx 24{,}14\,cm$

Seite 169

Runde 1

1

a) $h^2 = (8{,}5\,cm)^2 - (6{,}8\,cm)^2 = 26{,}01\,cm^2$
$h = \sqrt{26{,}01}\,cm = 5{,}1\,cm$
$x^2 = (5{,}1\,cm)^2 + (3{,}2\,cm)^2 = 36{,}25\,cm^2$
$x = \sqrt{36{,}25}\,cm \approx 6{,}02\,cm$

b) $h^2 = (7{,}2\,cm)^2 - (4{,}1\,cm)^2 = 35{,}03\,cm^2$
$h = \sqrt{35{,}03}\,cm \approx 5{,}92\,cm$
$x^2 = h^2 + (4{,}1\,cm + 3{,}6\,cm)^2 = 94{,}32\,cm^2$
$x = \sqrt{94{,}32}\,cm \approx 9{,}71\,cm$

2
$d_2 = (95\,m)^2 + (65\,m)^2 = 13\,250\,m^2$
$\Rightarrow d = \sqrt{13\,250}\,m \approx 115{,}11\,m$
$\Rightarrow$ Gesamtstrecke $\approx 5 \cdot (2 \cdot 65\,m + 2 \cdot 115{,}11\,m)$
   $= 5 \cdot 360{,}22\,m = 1801{,}10\,m$

3
a)
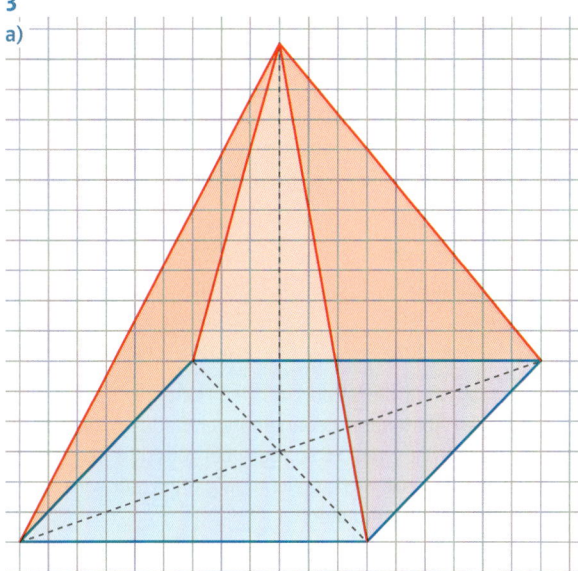

b) $V = \frac{1}{3} \cdot 36{,}6\,m^2 \cdot 6{,}8\,m = 82{,}96\,m^3$

c) $a = \sqrt{36{,}6\,m^2} \approx 6{,}0\,m$
   $h_{Dreieck} = \sqrt{(3{,}0\,m)^2 + (6{,}8\,m)^2} \approx 7{,}4\,m$
   $M = 4 \cdot \frac{1}{2} \cdot 6{,}0\,m \cdot 7{,}4\,m = 88{,}8\,m^2$

4
$O = \frac{1}{2} \cdot 4 \cdot \pi \cdot (25\,cm)^2 + \frac{1}{2} \cdot 4 \cdot \pi \cdot (15\,cm)^2$
  $+ \pi \cdot [(25\,cm)^2 - (15\,cm)^2] \approx 6597\,cm^2$
$V = \frac{1}{2} \cdot \frac{4}{3} \cdot \pi \cdot (25\,cm)^3 - \frac{1}{2} \cdot \frac{4}{3} \cdot \pi \cdot (15\,cm)^3 \approx 25\,656\,cm^3$.

Runde 2

1
a) $x^2 = (7{,}9\,cm)^2 - (4{,}2\,cm)^2 = 44{,}77\,cm^2 \Rightarrow$
   $x = \sqrt{44{,}77}\,cm \approx 6{,}69\,cm$

b) $x^2 = (10{,}4\,cm)^2 - (9{,}2\,cm)^2 = 23{,}52\,cm^2 \Rightarrow$
   $x = \sqrt{23{,}52}\,cm \approx 4{,}85\,cm$

c) $x^2 = (5\,cm)^2 - (2\,cm)^2 = 21\,cm^2 \Rightarrow x = \sqrt{21}\,cm \approx 4{,}58\,cm$

2
Der Radius des Kegels lässt sich mit dem Satz des Pythagoras berechnen:
$r^2 = \left(\frac{a}{2}\right)^2 + \left(\frac{a}{2}\right)^2$, also $r = \sqrt{\left(\frac{a}{2}\right)^2 + \left(\frac{a}{2}\right)^2}$
$= \sqrt{(2\,cm)^2 + (2\,cm)^2} = \sqrt{8}\,cm$
Für die Mantellinie gilt:
$s^2 = r^2 + h^2$, also $s = \sqrt{r^2 + h^2} = \sqrt{8\,cm^2 + 9\,cm^2} = \sqrt{17}\,cm$
$O = \pi \cdot \sqrt{8}\,cm \cdot (\sqrt{8}\,cm + \sqrt{17}\,cm) \approx 61{,}77\,cm^2$
Überschlag: $O \approx 3 \cdot 3\,cm \cdot (3\,cm + 4\,cm) = 63\,cm^2$
Das Ergebnis des Überschlags stimmt gut mit dem berechneten Wert überein.

3

a) $m = \frac{4}{3}\pi \cdot (2\,cm)^3 \cdot 1{,}38\,\frac{g}{cm^3} \approx 46{,}24\,g$

b) Mit $46{,}24\,g - 2{,}7\,g = \frac{4}{3}\pi \cdot r^3 \cdot 1{,}38\,\frac{g}{cm^3}$ erhält man
   $r \approx 1{,}96\,cm$ für die Hohlraumkugel.
   Die Wandstärke beträgt damit etwa 0,4 mm.

4

a) $h^2 = s^2 - a^2 = (10\,cm)^2 - (4\,cm)^2 = 84\,cm^2$
   $\Rightarrow h = \sqrt{84}\,cm \approx 9{,}17\,cm$
   Für die Höhe h_1 des gleichseitigen Dreiecks mit $a = 4\,cm$ gilt:
   $h_1 = \sqrt{a^2 - \left(\frac{a}{2}\right)^2} = \sqrt{12}\,cm \approx 3{,}46\,cm$
   $V = \frac{1}{3}G \cdot h = \frac{1}{3} \cdot \left(6 \cdot \frac{1}{2} \cdot \sqrt{12}\,cm \cdot 4\,cm\right) \cdot \sqrt{84}\,cm$
   $= 4 \cdot \sqrt{1008}\,cm^3 \approx 127\,cm^3$

b) Berechnung der Höhe h_2 in einem der Dreiecke des Mantels
   $h_2 = \sqrt{h^2 + h_1^2} = \sqrt{84\,cm^2 + 12\,cm^2} = \sqrt{96}\,cm$
   $\Rightarrow O = 6 \cdot \left(\frac{1}{2} \cdot \sqrt{96}\,cm \cdot 4\,cm\right) + 6 \cdot \frac{1}{2} \cdot (\sqrt{12}\,cm \cdot 4\,cm)$
   $\approx 159{,}14\,cm^2$

VI Daten und Wahrscheinlichkeit

Seite 173

Check-in

1
a) ☺: 14-mal; 😐: 10-mal; ☹: 6-mal

b) ☺: $\frac{14}{30} = \frac{7}{15} \approx 0{,}467 = 46{,}7\,\%$;
   😐: $\frac{10}{30} = \frac{1}{3} \approx 0{,}333 = 33{,}3\,\%$;
   ☹: $\frac{6}{30} = \frac{1}{5} = 0{,}2 = 20\,\%$

2
A, C und E gehören zu Hannah. In A und B stehen absolute, in C und D relative Häufigkeiten. Da in E und F die Symmetrien berücksichtigt sind, zeigen diese Zeilen Wahrscheinlichkeiten. Die relativen Häufigkeiten (Zeile C und D) entstehen aus den absoluten Häufigkeiten, indem durch 20 bzw. 80 geteilt wurde. Zeile E wurde an Zeile C und Zeile F an Zeile D angepasst. Die Zeilensummen sind jeweils 100% (= 1).

3
a) $h(EIN) = \frac{2}{30} = \frac{1}{15}$; $h(NIE) = \frac{6}{30} = \frac{1}{5}$

b) Aus den drei Buchstaben lassen sich folgende 6 „Wörter" legen:
EIN, ENI, IEN, INE, NIE, NEI
$P(EIN) = \frac{1}{6} > \frac{1}{15}$ und $P(NIE) = \frac{1}{6} < \frac{1}{5}$
Die relativen Häufigkeiten streuen zufallsbedingt um die Wahrscheinlichkeiten.

4
a)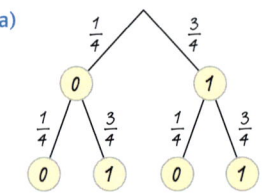

b) $P(\text{Augensumme } 0) = \frac{1}{4} \cdot \frac{1}{4} = \frac{1}{16} = 0{,}0625 = 6{,}25\%$

$P(\text{Augensumme } 1) = \frac{1}{4} \cdot \frac{3}{4} + \frac{3}{4} \cdot \frac{1}{4} = \frac{6}{16} = \frac{3}{8} = 0{,}375 = 37{,}5\%$

$P(\text{Augensumme } 2) = \frac{3}{4} \cdot \frac{3}{4} = \frac{9}{16} = 0{,}5625 = 56{,}25\%$

$6{,}25\% + 37{,}5\% + 56{,}25\% = 100\%$

Seite 178

4
a) Zu Figur 3: Der Schadstoffausstoß ist von $10\,000 \frac{mg}{Tag}$ auf $9000 \frac{mg}{Tag}$, also um den Faktor $\frac{9000}{10\,000} = 0{,}9$ gesunken und nicht um den Faktor 0,5.
Die „Manipulation" besteht darin, dass die Achsenskalierung nicht angemessen ist (an der senkrechten Achse wurde der Teil 0 – 8000 abgeschnitten; dadurch entsteht ein falscher Eindruck).
Zu Figur 4: Die „Manipulation" besteht darin, dass die räumliche Darstellung nicht zum genannten Sachverhalt passt. Die Kantenlänge wurde zwar halbiert, aber der Schadstoffausstoß ist von 8 Volumeneinheiten auf 1 Volumeneinheit, also um den Faktor $\frac{1}{8} = 0{,}125$ gesunken und nicht um die Hälfte.

b) Zu Figur 3: „Der Schadstoffausstoß hat sich um 10% reduziert".
Zu Figur 4: „Der Schadstoffausstoß hat sich um $\frac{7}{8} = 87{,}5\%$ reduziert".

Seite 180

11
a)
Jahr	Spanne	Bestand
2001	0	0
2002	1	1
2005	4	4
2017	16	16

Jedes Jahr wächst der Bestand um eine Einheit. Die Zuordnung f: Zeitspanne → Bestand ist proportional mit dem Proportionalitätsfaktor 1: $f(x) = x$

b) Die Rechtsachse wurde ungleichmäßig skaliert.

c)
Jahr	Umsatz	Basiswert
1990	100 000	0
1991	105 000	5
1995	125 000	25
2020	200 000	100

Man stellt die Säulen mit den Höhen 0; 5, 25; 100 in gleichen Abständen nebeneinander. Dadurch, dass die Hochachse nicht bei 0 € sondern bei 100 000 € beginnt, und die Rechtsachse nicht gleichmäßig unterteilt wird, hat man doppelt „manipuliert".

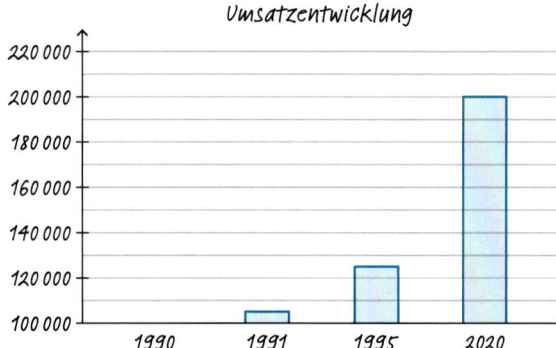

13
a) Für die Steigung m der Funktion $f(x) = mx + c$ gilt
$m = \frac{3{,}5 - 2{,}3}{0{,}5 - 0{,}3} = \frac{1{,}2}{0{,}2} = 6$.

Einsetzen des Punktes (0,3 | 2,3) und m in f ergibt:
2,3 = 6 · 0,3 + c
2,3 = 1,8 + c | – 1,8
0,5 = c
Der y-Achsenabschnitt c beträgt 0,5. Also ist
$f(x) = 6x + 0{,}5$ und damit
$f(0{,}8) = 6 \cdot 0{,}8 + 0{,}5 = 5{,}3$.
0,8 Liter kosten also bei linearem Zusammenhang 5,30 €.

b) individuelle Lösung, zum Beispiel:
Wegen $f(0) = 0{,}5$ würde ein leeres Glas 50 Cent kosten, was nicht sinnvoll ist.

Seite 183

6

a) Bei 14 von insgesamt 40 Fahrrädern mit defektem Licht funktioniert die Bremse nicht. Das sind $\frac{14}{40}$ = 35 %.
Bei 14 von insgesamt 62 Fahrrädern mit defekter Bremse funktioniert das Licht nicht. Das sind $\frac{14}{62}$ ≈ 22,6 %.
Bei 14 von insgesamt 200 Fahrrädern funktionieren weder Licht noch Bremse. Das sind $\frac{14}{200}$ = 7 %.
Bei 112 von insgesamt 200 Fahrrädern funktionieren Licht und Bremse. Das sind $\frac{112}{200}$ = 56 %.
Bei 112 von insgesamt 138 Fahrrädern mit funktionierender Bremse funktioniert das Licht. Das sind $\frac{112}{138}$ ≈ 81,2 %.

b) Bei 14 Fahrrädern funktionieren weder Licht noch Bremse. Formale Schreibweise: $\overline{L} \cap \overline{B}$
Bei 112 Fahrrädern funktionieren Licht und Bremse. Formale Schreibweise: $L \cap B$

Seite 184

9

a) V: „Volleyball", M: „Mädchen."

	M	$\overline{M}$	
V	48	12	60
$\overline{V}$	24	36	60
	72	48	120

b) (1) 60 von insgesamt 120 Personen spielen Volleyball. Das sind $\frac{60}{120}$ = 50 %.
(2) 36 von insgesamt 120 Personen sind Basketball spielende Jungen. Das sind $\frac{36}{120}$ = 30 %.
(3) 24 von insgesamt 120 Personen sind Basketball spielende Mädchen. Das sind $\frac{24}{120}$ = 20 %.
(4) 12 von insgesamt 120 Personen sind Volleyball spielende Jungen. Das sind $\frac{12}{120}$ = 10 %.

G **11**

a) Wasserpegel nach 5 Stunden (in mm): 40 + 3 · 5 = 55
Wasserpegel nach 8 Stunden (in mm): 40 + 3 · 8 = 64
Wasserpegel nach x Stunden (in mm): 40 + 3 · x

b) 40 + 3x = 100
3x = 60
x = 20
Nach 20 Stunden beträgt der Pegel 10 cm = 100 mm.

Seite 187

5
S: „Student", K: „Trinkt Kaffee"

	K	$\overline{K}$	
S	18	7	25
$\overline{S}$	14	6	20
	32	13	45

a) $P(S) = \frac{25}{45} = \frac{5}{9} \approx 0{,}556$

b) $P_K(S) = \frac{18}{32} = \frac{9}{16} \approx 0{,}563$

c) $P_S(K) = \frac{18}{25} = 0{,}72$

Seite 188

11

a) Wahrscheinlichkeit dafür, dass der Test eine kranke Person als krank erkennt.
Diese Wahrscheinlichkeit sollte möglichst groß sein.

b) Wahrscheinlichkeit dafür, dass der Test eine gesunde Person als krank erkennt.
Hier liegt dann ein Fehler des Tests vor. Die Wahrscheinlichkeit dafür sollte eher klein sein.

c) Wahrscheinlichkeit dafür, dass der Test eine kranke Person als gesund erkennt.
Hier liegt ein Fehler vor, der besonders schwerwiegend ist, da sich die Person somit in einer falschen Sicherheit wiegt. Die Wahrscheinlichkeit sollte sehr klein sein.

d) Wahrscheinlichkeit dafür, dass der Test eine gesunde Person als gesund erkennt.
Wie bei Teilaufgabe a) sollte diese Wahrscheinlichkeit groß sein.

Seite 189

G **14**

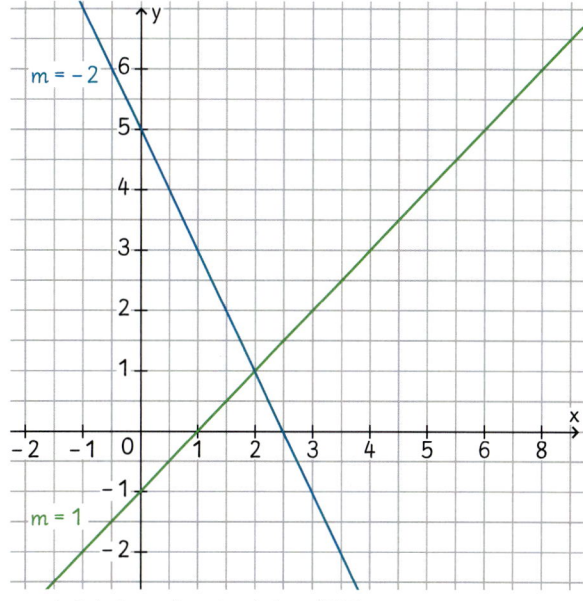

m = 1: Schnittpunkt mit x-Achse: (1 | 0)
Schnittpunkt mit y-Achse: (0 | –1)
m = –2: Schnittpunkt mit x-Achse: (2,5 | 0)
Schnittpunkt mit y-Achse: (0 | 5)

Seite 192

5

Ergebnismenge S = {ZZ; ZK; KZ; KK}; A = {ZZ; ZK}, P(A) = $\frac{1}{2}$

a) B = {ZK; KZ; KK}, P(B) = $\frac{3}{4}$, also P(A) · P(B) = $\frac{1}{2} \cdot \frac{3}{4} = \frac{3}{8}$

A ∩ B = {ZK}, P(A ∩ B) = $\frac{1}{4}$ ≠ P(A) · P(B).

Damit sind A und B nicht stochastisch unabhängig.

b) B = {ZZ; KK}, P(B) = $\frac{1}{2}$, also P(A) · P(B) = $\frac{1}{2} \cdot \frac{1}{2} = \frac{1}{4}$

A ∩ B = {ZZ}, P(A ∩ B) = $\frac{1}{4}$ = P(A) · P(B).

Damit sind A und B stochastisch unabhängig.

Seite 193

13

1. Mit Vierfeldertafel:
H: „Kugel ist aus Holz", R: „Kugel ist rot"

	R	$\overline{R}$	
H	x		6
$\overline{H}$			
	8		24

Es muss gelten: $\frac{x}{6} = \frac{8}{24}$, also x = 2. Es müssen zwei Holzkugeln rot sein.

2. Ohne Vierfeldertafel:
P(H) = $\frac{6}{24} = \frac{1}{4}$ und P(R) = $\frac{1}{3}$, also P(H R) = $\frac{1}{4} \cdot \frac{1}{3} = \frac{1}{12}$.
Es ist $\frac{1}{12}$ · 24 = 2. Es müssen zwei Holzkugeln rot sein.

G **16**

Lina: f(x) = 12x; Aylin: g(x) = 8 – 20x
(x in Stunden, f(x) bzw. g(x) in km).
Die Gleichungen beschreiben die Entfernung von Lina bzw. Aylin von Punkt A zum Zeitpunkt x.

Gleichsetzen, um den Schnittpunkt zu ermitteln:
12x = 8 – 20x | + 20x
32x = 8 | : 32
x = $\frac{8}{32} = \frac{1}{4}$

In f(x) einsetzen, um die Entfernung zu ermitteln:
x = 12 · $\left(\frac{1}{4}\right)$ = 3

Sie begegnen sich nach $\frac{1}{4}$ h, also 15 min, 3 km von A entfernt.

Seite 194

1

a) Die Achsen sind gleichmäßig skaliert. Der Nullpunkt ist sichtbar. Die Grafik stellt korrekt die Entwicklung der Weltbevölkerung seit Christigeburt dar.

b) Durch Ausblenden des Ursprungs wird in der Grafik eine verharmlosende Wirkung erzielt. Die dramatische Zunahme der Weltbevölkerung wird dadurch unterschlagen.

c) Die Kantenlänge wurde verdoppelt. Da sich der Betrachter an der Fläche orientiert, entsteht der Eindruck einer Vervierfachung. Die Grafik ist also „manipuliert".

d) „Manipulation" durch unangemessene Skalierung der Hochachse.

2

a)

Merkmal	Mädchen	Junge	gesamt
gut im Weitsprung	5	10	15
nicht gut im Weitsprung	10	0	10
gesamt	15	10	25

b)

Merkmal	positiv getestet	negativ getestet	gesamt
geimpft	5	27	32
nicht geimpft	15	0	15
gesamt	20	27	47

3

a)

Paare	Kinder	keine Kinder	Summe
verheiratet	629 077	709 385	1 338 462
unverheiratet	54 000	146 000	200 000
Summe	683 077	855 385	1 538 462

b) Es gab ungefähr 709 385 Ehepaare ohne Kinder.

c) 629 077 + 54 000 + 187 000 = 870 077
Es gab ca. 870 077 Haushalte mit Kindern.

4

a) (1) Montagsstuhl mängelfrei: $\frac{180}{200}$ = 90 %

   (2) Sonstiger Stuhl mängelfrei: $\frac{768}{800}$ = 96 %

b) $\frac{20}{52}$ ≈ 38,5 %

Seite 195

5

P(A ∩ B) = P(B ∩ A) = 45 % ist die Wahrscheinlichkeit, dass man Angst und Bauchweh diagnostiziert.
$P_A(B) = \frac{0,45}{0,6}$ = 75 % ist die Wahrscheinlichkeit, dass jemand, der Angst hat, auch Bauchweh hat.
$P_B(A) = \frac{0,45}{0,57}$ ≈ 79 % ist die Wahrscheinlichkeit, dass jemand der Bauchweh hat, auch Angst hat.

6

a)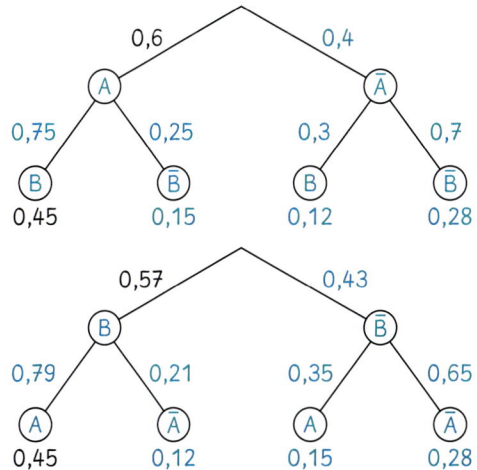

b) P(A∩B) = P(B∩A) ist die Wahrscheinlichkeit des linken Pfades.
$P_A(B)$ ist die Wahrscheinlichkeit am unteren Teil des linken Pfades im ersten Baum.
$P_B(A)$ ist die Wahrscheinlichkeit am unteren Teil des linken Pfades im zweiten Baum.

7

a)

	I: infiziert	I: nicht infiziert	
+	4	200	204
−	1	9795	9796
	5	9995	10 000

Wahrscheinlichkeit, dass ein positives Testergebnis richtig ist:
$P_+(I) = \frac{4}{204} \approx 2\%$

	I: infiziert	I: nicht infiziert	
+	800	180	980
−	200	8820	9020
	1000	9000	10 000

Wahrscheinlichkeit, dass ein positives Testergebnis richtig ist:
$P_+(I) = \frac{800}{980} \approx 81{,}6\%$

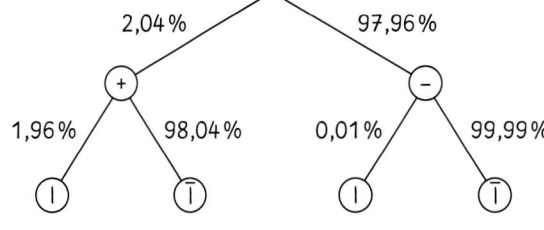

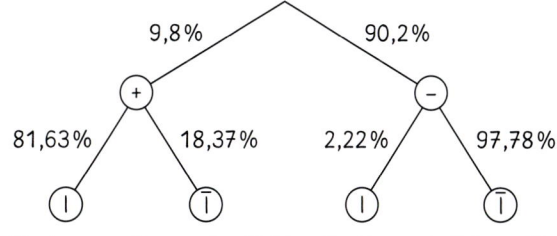

b) Die (grau und orange) gefärbten Punkte symbolisieren die 204 bzw. 980 Personen mit positivem (+) Testergebnis. Die 4 bzw. 800 orangen Punkte symbolisieren die tatsächlich Infizierten. Dies sind ≈ 2% bzw. ≈ 82% der positiv Getesteten. Die Bedeutung eines positiven Testergebnisses hängt also erheblich davon ab, welcher Prozentsatz der Bevölkerung tatsächlich infiziert ist.

8

a) Das linke Baumdiagramm gehört zur linken Tafel, da die Wahrscheinlichkeiten der Pfade den Inhalten der Zellen entsprechen.

b)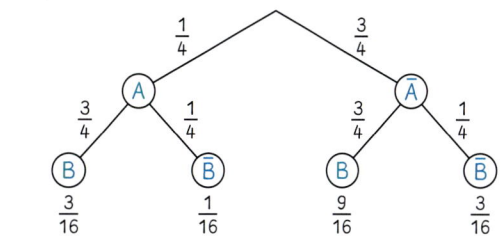

Mehrere Lösungen möglich, zum Beispiel:

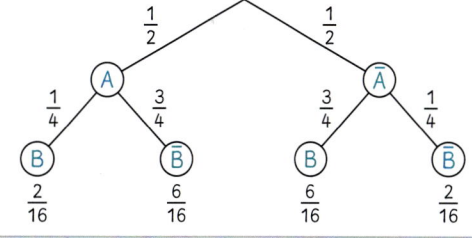

	B	B̄	
A	$\frac{3}{16}$	$\frac{1}{16}$	$\frac{4}{16} = \frac{1}{4}$
Ā	$\frac{9}{16}$	$\frac{3}{16}$	$\frac{12}{16} = \frac{3}{4}$
	$\frac{12}{16} = \frac{3}{4}$	$\frac{4}{16} = \frac{1}{4}$	1

	B	B̄	
A	$\frac{2}{16}$	$\frac{6}{16}$	$\frac{8}{16} = \frac{1}{2}$
Ā	$\frac{6}{16}$	$\frac{2}{16}$	$\frac{8}{16} = \frac{1}{2}$
	$\frac{8}{16} = \frac{1}{2}$	$\frac{8}{16} = \frac{1}{2}$	1

c) individuelle Lösung, zum Beispiel:
Im ersten Fall sind die Ereignisse A und B stochastisch unabhängig, da die Pfadwahrscheinlichkeiten in der zweiten Stufe nicht von der ersten Stufe abhängen.

Oder: Die Verhältnisse der Wahrscheinlichkeiten für A und $\overline{A}$ sind in der linken Tafel in beiden Spalten B und $\overline{B}$ gleich. Deshalb sind die Ereignisse hier stochastisch unabhängig.
Im zweiten Baumdiagramm/ auf der zweiten Tafel ist dies nicht der Fall. Daher sind die Ereignisse hier nicht stochastisch unabhängig.

Seite 196

9
a) $P_+(\text{krank}) = \frac{0{,}15}{0{,}25} = \frac{3}{5} = 60\,\%$

b) $P_{\text{krank}}(+) = \frac{0{,}15}{0{,}2} = \frac{3}{4} = 75\,\%$

c) $P(K) = 0{,}2 < P_+(K) = 0{,}6$
Das positive Testergebnis macht eine Erkrankung wahrscheinlicher.
$P(K) = 0{,}2 > P_-(K) = \frac{0{,}05}{0{,}75} = \frac{1}{15} \approx 0{,}07\,\%$
Das negative Testergebnis macht eine Erkrankung unwahrscheinlicher.

10
a) Die Wahrscheinlichkeit nach dem Münzwurf mit dem Würfel oder dem Quader weiterzuwürfeln, beträgt jeweils $\frac{1}{2}$. Die Wahrscheinlichkeit mit dem Würfel dann die Zahl 3 zu würfeln, beträgt $\frac{1}{6}$. Mit der Pfadregel erhält man dann für die Wahrscheinlichkeit des Ergebnisses (Würfel; „3"): $\frac{1}{2} \cdot \frac{1}{6} = \frac{1}{12}$.
Da die Wahrscheinlichkeit beim Quader, die Zahl 3 zu würfeln, doppelt so groß ist wie beim Würfel, muss in das entsprechende Feld $\frac{1}{2} \cdot \frac{2}{6} = \frac{1}{6}$ eingetragen werden. Damit ergeben sich die restlichen Einträge in der Vierfeldertafel.

b) $\frac{1}{6} : \frac{1}{4} = \frac{4}{6} = \frac{2}{3} \approx 66{,}7\,\%$
Das bekannte Ergebnis 3 macht es wahrscheinlich, dass Nina mit dem Quader gewürfelt hat.

11
Die angegebenen Prozentzahlen entsprechen den Höhen der Kreisteile. Das Auge nimmt aber Flächen wahr. Die Fläche in Teilprojekt B ist mehr als doppelt so groß wie die von Teilprojekt A. Dadurch wird ein zu großer Projektfortschritt suggeriert.

12
a)

	A (Mutter blond)	B (Mutter nicht blond)	
C (Tochter blond)	$\frac{1}{12}$	$\frac{4}{12}$	$\frac{5}{12}$
D (Tochter nicht blond)	$\frac{3}{12}$	$\frac{4}{12}$	$\frac{7}{12}$
	$\frac{4}{12}$	$\frac{8}{12}$	

b)
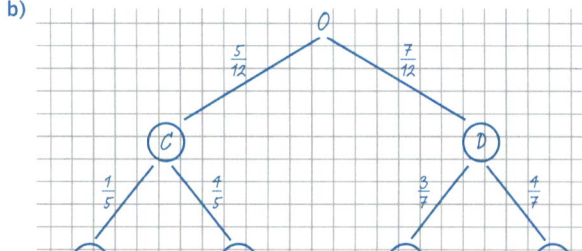

c) $P_A(C) = \frac{1}{4}$: die Tochter einer blonden Mutter ist zu 25 % auch blond.
$P_C(A) = \frac{1}{5}$: eine blonde Tochter hat zu 20 % eine blonde Mutter.

d) $P(A \cap D) = \frac{3}{12}$, $P(A) \cdot P(D) = \frac{4}{12} \cdot \frac{7}{12} = \frac{7}{36}$
A und D sind nicht stochastisch unabhängig.

13
a)

	M: männlich	$\overline{M}$: nicht männlich	
S: Schwarzfahrer	0,015	0,005	0,02
$\overline{S}$: mit Fahrschein	0,535	0,445	0,98
	0,55	0,45	1

b) $P(\overline{M} \cap \overline{S}) = 44{,}5\,\%$
c) $P(M \cap \overline{S}) = 53{,}5\,\%$

Seite 197

14
a) A: (1,6), (6,1), (5,2), (2,5), (4,3), (3,4)
B: (1,4), (4,1), (2,5), (5,2), (3,6), (6,3)

b) $A \cap B$: (2,5), (5,2)
$P(A) = \frac{6}{36} = \frac{1}{6}$ $\qquad$ $P(B) = \frac{6}{36} = \frac{1}{6}$
$P(A \cap B) = \frac{2}{36} = \frac{1}{18} \neq P(A) \cdot P(B) = \frac{1}{6} \cdot \frac{1}{6} = \frac{1}{36}$
Die Ereignisse sind somit nicht stochastisch unabhängig.

15
a) mit Vierfeldertafel:

	B	$\overline{B}$	
A	2	1	3
$\overline{A}$	2	1	3
	4	2	6

$P_A(B) = \frac{2}{3}$ und $P(B) = \frac{4}{6} = \frac{2}{3}$
A und B sind stochastisch unabhängig.
mit Definition:
$P(A) = \frac{3}{6} = \frac{1}{2}$, $P(B) = \frac{4}{6} = \frac{2}{3}$, also $P(A) \cdot P(B) = \frac{1}{2} \cdot \frac{2}{3} = \frac{1}{3}$
$P(A \cap B) = \frac{2}{6} = \frac{1}{3}$
A und B sind stochastisch unabhängig.

b) mit Vierfeldertafel:

	B	$\bar{B}$	
A	1	2	3
$\bar{A}$	2	1	3
	3	3	6

$P_A(B) = \frac{1}{3}$ und $P(B) = \frac{3}{6} = \frac{1}{2}$
A und B sind nicht stochastisch unabhängig.
mit Definition:
$P(A) = \frac{3}{6} = \frac{1}{2}$, $P(B) = \frac{3}{6} = \frac{1}{2}$, also $P(A) \cdot P(B) = \frac{1}{2} \cdot \frac{1}{2} = \frac{1}{4}$
$P(A \cap B) = \frac{1}{6}$
A und B sind nicht stochastisch unabhängig.

c) mit Vierfeldertafel:

	B	$\bar{B}$	
A	2	1	3
$\bar{A}$	2	1	3
	4	2	6

$P_A(B) = \frac{2}{3}$ und $P(B) = \frac{4}{6} = \frac{2}{3}$
A und B sind stochastisch unabhängig.
mit Definition:
$P(A) = \frac{3}{6} = \frac{1}{2}$, $P(B) = \frac{4}{6} = \frac{2}{3}$, also $P(A) \cdot P(B) = \frac{1}{2} \cdot \frac{2}{3} = \frac{1}{3}$
$P(A \cap B) = \frac{2}{6} = \frac{1}{3}$
A und B sind stochastisch unabhängig.

16

a) $P_E(K) = \frac{P(K \cap E)}{0,25} = 0,77$ $\quad | \cdot 0,25$

$P(K \cap E) = 0,1925$

$P_{\bar{E}}(\bar{K}) = \frac{P(\bar{K} \cap \bar{E})}{0,75} = 0,77$ $\quad | \cdot 0,75$

$P(\bar{K} \cap \bar{E}) = 0,5775$

	E: Abitur	$\bar{E}$: kein Abitur	
K: Abitur	19,25 %	17,25 %	36,5 %
$\bar{K}$: kein Abitur	5,75 %	57,75 %	63,5 %
	25 %	75 %	100 %

b) $P(K) = 36,5\% \approx 37\%$

$P_K(E) = \frac{0,1925}{0,365} \approx 53\%$

$P_{\bar{K}}(E) = \frac{0,0575}{0,635} \approx 9\%$

c) Der rechte Artikel zeigt, dass sich Hochschulreife-Abschlüsse „vererben". Wenn Eltern diesen Abschluss haben, haben Kinder ihn mit hoher Wahrscheinlichkeit auch. Wenn Eltern diesen Abschluss nicht haben, gilt das mit hoher Wahrscheinlichkeit auch für die Kinder.
Der linke Artikel erweckt bei oberflächlicher Lektüre den Eindruck, dass die Abiturientenquote früher geringer war. Dies gilt insbesondere für den letzten Satz.

17

Durch Verschweigen des Stichprobenumfangs wird manipuliert. Da es nur sehr wenige Einbrüche gibt, führt ein zusätzlicher Einbruch zu einer großen relativen Erhöhung. Außerdem haben Zufallsschwankungen hier einen sehr bedeutsamen Einfluss auf den erweckten Eindruck.

18

a) Obere Tabelle:
Risiko einer Erkrankung bei nicht Geimpften:

$\frac{20\%}{30\%} = \frac{2}{3} \approx 66\%$

Risiko einer Erkrankung bei Geimpften: $\frac{10\%}{70\%} = \frac{1}{7} \approx 14\%$

Untere Tabelle:
Risiko einer Erkrankung bei nicht Geimpften: $\frac{2040}{3029} \approx 67\%$
Risiko einer Erkrankung bei Geimpften: $\frac{995}{7016} \approx 14\%$

Das Verhältnis der Zahlen ist in beiden Tabellen nahezu gleich.

b) Absolute Zahlen, vor allem, wenn sie groß sind, sind eindrucksvoller als relative. Bei großen Zahlen sind die Zufallseinflüsse auf die Prozentangaben sehr klein.
Mögliche andere Tabellen, die zur oberen Tabelle passen:

Merkmal	erkrankt	nicht erkrankt	gesamt
geimpft	1	6	7
nicht geimpft	2	1	3
gesamt	3	7	10

Merkmal	erkrankt	nicht erkrankt	gesamt
geimpft	1000	6000	7000
nicht geimpft	2000	1000	3000
gesamt	3000	7000	10 000

19

a) Man berechnet die Wahrscheinlichkeit, mit der das „Indiz" TNTT bei den beiden Alternativen zu erwarten wäre als erste Zeile einer Vierfeldertafel.

	p = 0,3	p = 0,7	Summe
TNTT	0,0189	0,1029	0,1218
	15,5 %	84,5 %	100 %

Dann bestimmt man die Wahrscheinlichkeit, mit der das Indiz von der zweiten Alternative stammt zu $\frac{0,1029}{0,1218} \approx 84,5\%$.

b) individuelle Lösung

Seite 199

Runde 1

1
a) Der zweite Tropfen ist etwa doppelt, der dritte und vierte etwa achtmal so hoch wie der erste Tropfen. Damit werden die relativen Häufigkeiten durch die Höhen veranschaulicht.
b) Da die Tropfen als räumliches Gebilde, wie z. B. Quader, wahrgenommen werden, deren Breite/Tiefe sich um den gleichen Faktor vergrößert, ist die Darstellung nicht angemessen.

2

Merkmal	Restaurant	Selbstversorger	gesamt
männlich	150	72	222
weiblich	90	30	120
gesamt	240	102	342

3
a)

	K	$\overline{K}$	
A	0,24	0,16	0,4
$\overline{A}$	0,12	0,48	0,6
	0,36	0,64	1

b)
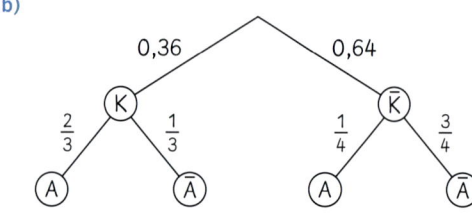

c) individuelle Lösung, zum Beispiel:
In einem Gasthaus trinken 40 % der Gäste alkoholhaltige, 60 % alkoholfreie Getränke. Bei den „Alkoholtrinkern" sind 60 % männlich, bei den „Alkoholfrei-Trinkern" sind 20 % männlich.

4
Aus der Unabhängigkeit folgt $\frac{a}{a+b} = \frac{c}{c+d}$.

$\frac{a}{a+b} = \frac{c}{c+d}$ | · (a + b) · (c + d)
a · (c + d) = c · (a + b) | T
ac + ad = ac + bc | – ac
ad = bc

Runde 2

1
a)
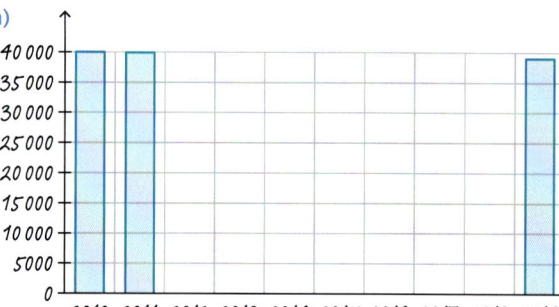

b)
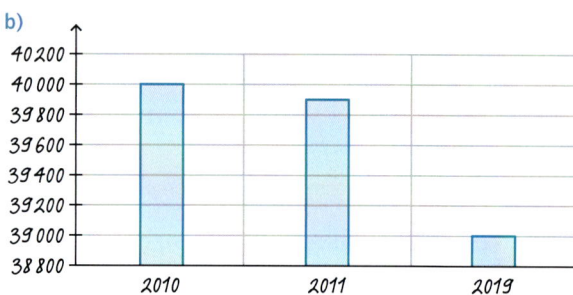

2
1. Mit Vierfeldertafel:

	B	G	
U_1	0,2	0,3	0,5
U_2	0,35	0,15	0,5
	0,55	0,45	1

$P_B(U_2) = \frac{0,35}{0,55} = \frac{7}{11}$

2. Ohne Vierfeldertafel:
Insgesamt gibt es 11 blaue Kugeln, davon sind 7 in Behälter 2. Also ist die Wahrscheinlichkeit $\frac{7}{11}$.

3
$P(A) = \frac{1}{6}$; $P(B) = \frac{1}{6}$; $P(C) = \frac{6}{36} = \frac{1}{6}$

$A \cap B = \{(4; 4)\}$; $P(A \cap B) = \frac{1}{36}$; $P(A) \cdot P(B) = \frac{1}{6} \cdot \frac{1}{6} = \frac{1}{36}$.

$A \cap C = \{\}$; $P(A \cap C) = 0$; $P(A) \cdot P(C) = \frac{1}{6} \cdot \frac{1}{6} = \frac{1}{36}$.

$B \cap C = \{(1; 1); (2; 2)\}$; $P(B \cap C) = \frac{2}{36}$; $P(B) \cdot P(C) = \frac{1}{6} \cdot \frac{1}{6} = \frac{1}{36}$.

A und B sind stochastisch unabhängig, B und C sowie A und C sind nicht stochastisch unabhängig.

4

a) Es muss $P(A) \cdot 0{,}6 = 0{,}45$ gelten, also ist $P(A) = 0{,}75$.
Damit lässt sich die Vierfeldertafel vervollständigen.

	K	$\overline{K}$	
A	0,45	0,3	0,75
$\overline{A}$	0,15	0,1	0,25
	0,6	0,4	1

b) Baumdiagramm:

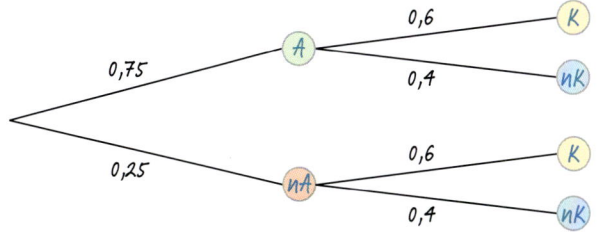

Grundwissen

Seite 204

1

a) $\frac{3}{5}$; zum Beispiel:

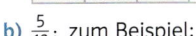

b) $\frac{5}{12}$; zum Beispiel:

c) $\frac{3}{8}$; zum Beispiel: d) $\frac{7}{11}$; zum Beispiel:

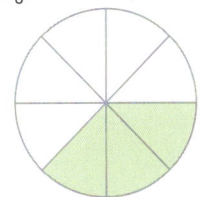 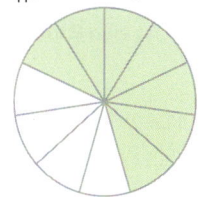

2

a) $\frac{9}{20} = \frac{9 \cdot 5}{20 \cdot 5} = \frac{45}{100} = 45\%$ b) $\frac{1}{4} = \frac{1 \cdot 25}{4 \cdot 25} = \frac{25}{100} = 25\%$

c) $\frac{3}{8} = \frac{3 \cdot 12{,}5}{8 \cdot 12{,}5} = \frac{37{,}5}{100} = 37{,}5\%$ d) $\frac{4}{5} = \frac{4 \cdot 20}{5 \cdot 20} = \frac{80}{100} = 80\%$

3

a) $\frac{36}{200} = \frac{36:2}{200:2} = \frac{18}{100} = 18\%$

b) $\frac{33}{110} = \frac{33:11}{110:11} = \frac{3}{10} = \frac{30}{100} = 30\%$

c) $\frac{270}{450} = \frac{270:45}{450:45} = \frac{6}{10} = \frac{60}{100} = 60\%$

d) $\frac{164}{820} = \frac{164:82}{820:82} = \frac{2}{10} = \frac{20}{100} = 20\%$

4

a) $\frac{12}{15} = \frac{12:3}{15:3} = \frac{4}{5} = \frac{4 \cdot 20}{5 \cdot 20} = \frac{80}{100} = 80\%$

b) $\frac{21}{35} = \frac{21:7}{35:7} = \frac{3}{5} = \frac{3 \cdot 20}{5 \cdot 20} = \frac{60}{100} = 60\%$

c) $\frac{36}{90} = \frac{36 \cdot 10}{90 \cdot 10} = \frac{360}{900} = \frac{360:9}{900:9} = \frac{40}{100} = 40\%$

d) $\frac{56}{64} = \frac{56:8}{64:8} = \frac{7}{8} = \frac{7 \cdot 125}{8 \cdot 125} = \frac{875}{1000} = \frac{875:10}{1000:10} = \frac{87{,}5}{100} = 87{,}5\%$

5

a) $\frac{7}{15}$ lässt sich nicht ganzzahlig kürzen und 100 ist kein Vielfaches von 15, daher fällt es Levin schwer, die Zahl in Prozent umzurechnen. Da 7 aber etwas weniger als die Hälfte von 15 ist, beträgt der Prozentsatz fast 50 %.

b) $\frac{10}{18} \approx \frac{9}{18} = 50\%$; $\frac{3}{16} \approx \frac{3}{15} = \frac{1}{5} = 20\%$; $\frac{3}{11} \approx \frac{3}{12} = \frac{1}{4} = 25\%$

6

a) $\frac{1}{4} = \frac{1 \cdot 25}{4 \cdot 25} = \frac{25}{100} = 0{,}25$

b) $\frac{4}{5} = \frac{4 \cdot 20}{5 \cdot 20} = \frac{80}{100} = 0{,}8$

c) $\frac{5}{8} = \frac{5 \cdot 125}{8 \cdot 125} = \frac{625}{1000} = 0{,}625$

d) $\frac{7}{12} = 7 : 12 = 0{,}58\overline{3}$

e) $\frac{3}{8} = \frac{3 \cdot 125}{8 \cdot 125} = \frac{375}{1000} = 0{,}375$

f) $\frac{3}{15} = \frac{1}{5} = \frac{1 \cdot 20}{5 \cdot 20} = \frac{20}{100} = 0{,}2$

g) $\frac{15}{125} = \frac{3}{25} = \frac{3 \cdot 4}{25 \cdot 4} = \frac{12}{100} = 0{,}12$

h) $\frac{5}{9} = 5 : 9 = 0{,}\overline{5}$

7

Tausender T	Hunderter H	Zehner Z	Einer E	,	Zehntel z	Hundertstel h	Tausendstel t	Zehntausendstel zt
a)			1	4	,	1		
b)		2	1	3	,	0	2	
c)	1	0	3	2	,	1	5	
d)		3	0	4	,	0	0	5	0

8

a) $0{,}9 = \frac{9}{10}$ b) $0{,}11 = \frac{11}{100}$

c) $0{,}375 = \frac{375}{1000} = \frac{3}{8}$ d) $0{,}0025 = \frac{25}{10\,000} = \frac{1}{400}$

Seite 205

1

a) $4 \in \mathbb{N}, \mathbb{Z}, \mathbb{Q}, \mathbb{R}$ b) $-2 \in \mathbb{Z}, \mathbb{Q}, \mathbb{R}$

c) $-3{,}3 \in \mathbb{Q}, \mathbb{R}$ d) $\frac{3}{4} \in \mathbb{Q}, \mathbb{R}$

e) $-\frac{8}{4} = -2 \in \mathbb{Z}, \mathbb{Q}, \mathbb{R}$ f) $0{,}012 \in \mathbb{Q}, \mathbb{R}$

g) $0{,}0121212\ldots \in \mathbb{Q}, \mathbb{R}$ h) $3{,}75 \in \mathbb{Q}, \mathbb{R}$

Lösungen

2
a) $\frac{2}{4} + \frac{1}{2} = \frac{1}{2} + \frac{1}{2} = 1$
b) $\frac{5}{9} + \frac{2}{3} = \frac{5}{9} + \frac{6}{9} = \frac{11}{9} = 1\frac{2}{9}$
c) $\frac{3}{27} + \frac{5}{36} = \frac{1}{9} + \frac{5}{36} = \frac{4}{36} + \frac{5}{36} = \frac{9}{36} = \frac{1}{4}$
d) $\frac{5}{4} - \frac{2}{8} = \frac{10}{8} - \frac{2}{8} = \frac{8}{8} = 1$
e) $\frac{15}{21} - \frac{3}{14} = \frac{5}{7} - \frac{3}{14} = \frac{10}{14} - \frac{3}{14} = \frac{7}{14} = \frac{1}{2}$
f) $\frac{5}{9} - \frac{7}{12} = \frac{60}{108} - \frac{63}{108} = -\frac{3}{108} = -\frac{1}{36}$

3
a) $\frac{4}{7} \cdot 3 = \frac{12}{7} = 1\frac{5}{7}$
b) $\frac{3}{14} \cdot 2 = \frac{3 \cdot 2}{14} = \frac{3}{7}$
c) $\frac{2}{9} \cdot 6 = \frac{2 \cdot 6}{9} = \frac{2 \cdot 2}{3} = \frac{4}{3} = 1\frac{1}{3}$
d) $\frac{6}{8} : 3 = \frac{3}{4} \cdot \frac{1}{3} = \frac{1}{4}$
e) $\frac{3}{4} : 2 = \frac{3}{4} \cdot \frac{1}{2} = \frac{3}{8}$
f) $\frac{9}{40} : 8 = \frac{9}{40} \cdot \frac{1}{8} = \frac{9}{320}$

4
$225\,g \cdot \frac{2}{15} = 30\,g$; $225\,g - 30\,g = 195\,g$

Alternativ: $225\,g \cdot \frac{13}{15} = 195\,g$

In der Tüte sind noch 195 g.

5
a) $\frac{6}{7} \cdot \frac{2}{5} = \frac{12}{35}$
b) $\frac{8}{15} \cdot \frac{5}{2} = \frac{4}{3} \cdot \frac{1}{1} = 1\frac{1}{3}$
c) $\frac{14}{39} \cdot \frac{9}{21} = \frac{2}{13} \cdot \frac{3}{3} = \frac{2}{13}$
d) $\frac{3}{2} \cdot \frac{2}{5} = \frac{3}{2} \cdot \frac{5}{2} = \frac{15}{4}$
e) $\frac{15}{21} \cdot \frac{25}{14} = \frac{15}{21} \cdot \frac{14}{25} = \frac{3}{3} \cdot \frac{2}{5} = \frac{2}{5}$
f) $\frac{8}{27} : \frac{22}{9} = \frac{8}{27} \cdot \frac{9}{22} = \frac{4}{3} \cdot \frac{1}{11} = \frac{4}{33}$

6
a) $3{,}5 \cdot 2{,}1 = 7{,}35$, da $35 \cdot 21 = 735$ und zwei Nachkommastellen
b) $0{,}4 \cdot 5{,}5 = 2{,}2$, da $4 \cdot 55 = 220$ und zwei Nachkommastellen
c) $40{,}6 \cdot 0{,}25 = 10{,}15$, da $406 \cdot 25 = 10150$ und drei Nachkommastellen
d) $5{,}6 : 0{,}7 = 56 : 7 = 8$
e) $40{,}35 : 1{,}2 = 4035 : 120 = 33{,}625$
f) $0{,}505 : 0{,}25 = 505 : 250 = 2{,}02$

3
individuelle Lösung, zum Beispiel:
a) Auf einem Konto habe ich 150 € gespart. Ich hebe 225 € ab und zahle erneut 75 € auf das Konto. Wie viel Geld habe ich auf dem Konto? $150 - 225 + 75 = 0$
b) Auf einem Konto habe ich 65 € Schulden. Mit der nächsten Transaktion habe ich 15 € weniger Schulden. Wie viel Geld habe ich auf dem Konto? $-65 - (-15) = -50$

4
a) $-7 \cdot 13 = -91$
b) $6 \cdot (-12) = -72$
c) $-5 \cdot (-12) = 60$
d) $-7 \cdot 12{,}5 = -87{,}5$
e) $5 : (-5) = -1$
f) $63 : 9 = 7$
g) $-36 : (-4) = 9$
h) $-56 : (-7) = 8$

5
a) $9 \cdot (\mathbf{-7}) = -63$
b) $\mathbf{-42} : 7 = -6$
c) $(\mathbf{-3}) \cdot (-8) = 24$
d) $-35 : \mathbf{5} = -7$

6
a) $0{,}123 \cdot \mathbf{100} = 12{,}3$
b) $\mathbf{0{,}1} \cdot 2{,}5 = 0{,}25$
c) $500 : \mathbf{1000} = 0{,}5$
d) $1{,}44 : (\mathbf{-1{,}2}) = -1{,}2$

7
$3 \cdot 4 \cdot 2 \cdot 5 \cdot 3 \cdot 2 \cdot 2 = 2^3 \cdot 3^2 \cdot 4 \cdot 5$

8
a) $2 \cdot 3 \cdot 4 \cdot 9 = 2 \cdot 2^2 \cdot 3 \cdot 3^2 = 2^3 \cdot 3^3$
b) $8 \cdot 243 \cdot 27 \cdot 16 = 2^3 \cdot 3^5 \cdot 3^3 \cdot 2^4 = 2^7 \cdot 3^8$

9
a) 13 ist eine Primzahl.
b) 51 ist keine Primzahl: $3 \cdot 17 = 51$.
c) 11 ist eine Primzahl.
d) 21 ist keine Primzahl: $3 \cdot 7 = 21$.
e) 31 ist eine Primzahl.
f) 41 ist eine Primzahl.

10
a) $10 = 2 \cdot 5$
b) $8 = 2 \cdot 2 \cdot 2 = 2^3$
c) $24 = 2 \cdot 2 \cdot 2 \cdot 3 = 2^3 \cdot 3$
d) $48 = 2 \cdot 2 \cdot 2 \cdot 2 \cdot 3 = 2^4 \cdot 3$
e) $28 = 2 \cdot 2 \cdot 7 = 2^2 \cdot 7$
f) $40 = 2 \cdot 2 \cdot 2 \cdot 5 = 2^3 \cdot 5$

Seite 206

1
a) $-24 + 17 = -7$
b) $2{,}4 - 17 = -14{,}6$
c) $23{,}1 - 17 = 6{,}1$
d) $-17{,}2 + 9{,}4 = -7{,}8$
e) $-38{,}4 - 18 = -56{,}4$
f) $27 - 57{,}58 = -30{,}58$

2
a) $13 + \mathbf{34} = 47$
b) $14 - (\mathbf{-31}) = 45$
c) $34 + (\mathbf{-27}) = 7$
d) $-19 - (\mathbf{-51}) = 32$

Seite 207

1
a) $0{,}45 = 45\,\%$
b) $\frac{3}{20} = \frac{15}{100} = 15\,\%$
c) $1{,}05 = 105\,\%$
d) $\frac{9}{15} = \frac{3}{5} = \frac{60}{100} = 60\,\%$

2
a) „ein Achtel": $\frac{1}{8} = \frac{125}{1000} = 12{,}5\,\%$
b) $0{,}43 = 43\,\%$
c) $\frac{3}{12} = \frac{1}{4} = \frac{25}{100} = 25\,\%$

d) „jeder Sechste": $\frac{1}{6}$ = 1 : 6 = 0,1$\overline{6}$ = 16,$\overline{6}$ %

Reihenfolge: „ein Achtel" < „jeder Sechste" < $\frac{3}{12}$ < 0,43

3

a) $\frac{4 m^2}{20 m^2} = \frac{1}{5}$ = 20 %   b) $\frac{7 cm}{20 cm} = \frac{7}{20}$ = 35 %   c) $\frac{50 €}{75 €}$ = 66,$\overline{6}$ %

d) 1h = 60 min, also $\frac{12 min}{60 min} = \frac{1}{5}$ = 20 %

4

$\frac{8}{32} = \frac{1}{4}$ = 25 %

5

25 · 16 % = 4
Der Eisvogel hat 4 Fische gefangen.

6

:45 (45 %   180 €) :45
·100 (1 %   4 €) ·100
       100 %   400 €

7

:75 (75 %   15 €) :75
·100 (1 %   0,2 €) ·100
       100 %   20 €

8

	Grundwert	Prozentwert	Prozentsatz
a)	240	**21,6**	9 %
b)	**900**	36	4 %
c)	80	72	**90 %**

9

a) $\frac{7,50 €}{1500 €}$ = 0,5 %

Der Zinssatz beträgt 0,5%.

b) 520 € · 2 % = 520 € · 0,02 = 10,4 €
Nico erhält nach einem Jahr Zinsen in der Höhe von 10,40 €.

c)
0,5 %	11,50 €
1 %	23 €
100 %	2300 €

Marika hat einen Betrag von 2300 € angelegt.

Seite 208

1

a)
x-Wert	−2	0	1	3
5x − 3	−13	−3	2	12

b)
x-Wert	−2	0	1	3
5 − 3 · x	11	5	2	−4

c)
x-Wert	−2	0	1	3
6 · (−x − 2)	6 · (−(−2) − 2) = 6 · 0 = 0	−12	−18	−30

d)
x-Wert	−2	0	1	3
−(5x + 2)	−(5 · (−2) + 2) = −(−10 + 2) = 8	−2	−7	−17

2

a) 4x + 9 − 2x + 5 = 2x + 14
b) 3 · (2,5x + 5) − 7 = 7,5x + 15 − 7 = 7,5x + 8
c) 19 − (3x + 12) = 19 − 3x − 12 = 7 − 3x
d) $\frac{2}{5}$x · (18 − 3) + $\frac{1}{15}$x = $\frac{2}{5}$x · 15 + $\frac{1}{15}$x = 6x + $\frac{1}{15}$x = 6$\frac{1}{15}$x
e) 4 · (x + 1) − 1 · (−5)x = 4x + 4 + 5x = 9x + 4
f) $\frac{1}{6}$ · (x + 12) − (2x − 1) = $\frac{1}{6}$x + 2 − 2x + 1 = 3 − 1$\frac{5}{6}$x

3

a) 6 · (−2) − 4 = −16 ⇒ −2 ist keine Lösung der Gleichung
b) 6 · 0 − 6 = −6 ⇒ 0 ist keine Lösung der Gleichung
c) 3 · 1 + 23 = 26 und −4 · (2 · 1 − 3) = 4 ⇒ 1 ist keine Lösung der Gleichung
d) 6 · $\frac{1}{12}$ − $\frac{3}{2}$ = $\frac{1}{2}$ − $\frac{3}{2}$ = −1 und −4 + 3 = −1 ⇒ $\frac{1}{12}$ ist die Lösung der Gleichung

4

a) $\frac{2}{5}$x = 22 | · $\frac{5}{2}$
   x = 55

Probe: $\frac{2}{5}$ · 55 = 2 · 11 = 22 ✓

b) $\frac{1}{3}$x = −18 | · 3
   x = −54

Probe: $\frac{1}{3}$ · (−54) = −18 ✓

c) 0,4 x = 1,6 | : 0,4
   x = 4
Probe: 0,4 · 4 = 1,6 ✓

d) 1,6 · x = 1,4 | : 1,6
   x = $\frac{7}{8}$

Probe: 1,6 · $\frac{7}{8}$ = $\frac{16}{10}$ · $\frac{7}{8}$ = $\frac{2}{10}$ · $\frac{7}{1}$ = $\frac{14}{10}$ = 1,4 ✓

Lösungen

5

a) $2x + 1 = -x - 2 \Rightarrow 3x = -3 \Rightarrow x = -1$
   Probe: $2 \cdot (-1) + 1 = -1$ und $-(-1) - 2 = -1$ ✓

b) $4 \cdot (3x + 1) = 4x - 12$ | vereinfachen
   $12x + 4 = 4x - 12$ | $- 4x - 4$
   $8x = -16 \Rightarrow x = -2$
   Probe: $4 \cdot (3 \cdot (-2) + 1) = -20$ und $4 \cdot (-2) - 12 = -20$ ✓

c) $-(2x + 3) = 4 \cdot (2x - 3)$ | vereinfachen
   $-2x - 3 = 8x - 12$ | $- 8x + 3$
   $-10x = -9 \Rightarrow x = 0{,}9$
   Probe: $-(2 \cdot 0{,}9 + 3) = -4{,}8$ und
   $4 \cdot (2 \cdot 0{,}9 - 3) = 4 \cdot (-1{,}2) = -4{,}8$ ✓

d) $6 \cdot (3 - 8x) = 2 \cdot (x - 1)$ | vereinfachen
   $18 - 48x = 2x - 2$ | $- 2x - 18$
   $-50x = -20 \Rightarrow x = 0{,}4$
   Probe: $6 \cdot (3 - 8 \cdot 0{,}4) = -1{,}2$ und $2 \cdot (0{,}4 - 1) = -1{,}2$ ✓

6

a) $-\frac{3}{4}x + \frac{3}{4} = \frac{7}{8}$ | $-\frac{3}{4}$
   $-\frac{3}{4}x = \frac{7}{8} - \frac{3}{4} = \frac{7}{8} - \frac{6}{8} = \frac{1}{8}$ | $\cdot \left(-\frac{4}{3}\right)$
   $x = \frac{1}{8} \cdot \left(-\frac{4}{3}\right) = -\frac{1}{6}$
   Probe: $-\frac{3}{4} \cdot \left(-\frac{1}{6}\right) + \frac{3}{4} = \frac{1}{8} + \frac{3}{4} = \frac{1}{8} + \frac{6}{8} = \frac{7}{8}$ ✓

b) $\frac{1}{5}x + 2 = \frac{1}{15}$ | $- 2$
   $\frac{1}{5}x = \frac{1}{15} - 2 = \frac{1}{15} - \frac{30}{15} = -\frac{29}{15}$ | $\cdot 5$
   $x = -\frac{29 \cdot 5}{15} = -\frac{29}{3} = -9\frac{2}{3}$
   Probe: $\frac{1}{5} \cdot \left(-\frac{29}{3}\right) + 2 = -\frac{29}{15} + \frac{30}{15} = \frac{1}{15}$ ✓

c) $\frac{2}{3}x + \frac{10}{5} = -2x$ | $+ 2x - \frac{10}{5}$
   $\frac{2}{3}x + 2x = -\frac{10}{5} \Rightarrow \frac{2}{3}x + \frac{6}{3}x = -\frac{10}{5} = -2$
   $\frac{8}{3}x = -2 \Rightarrow x = -\frac{2 \cdot 3}{8} = -\frac{3}{4}$
   Probe: $\frac{2}{3} \cdot \left(-\frac{3}{4}\right) + \frac{10}{5} = -0{,}5 + 2 = 1{,}5$ und
   $-2 \cdot \left(-\frac{3}{4}\right) = 2 \cdot 0{,}75 = 1{,}5$ ✓

d) $0{,}4x + 1{,}5 = 0{,}8x - 0{,}9$ | $- 0{,}4x + 0{,}9$
   $1{,}5 + 0{,}9 = 0{,}8x - 0{,}4x \Rightarrow 2{,}4 = 0{,}4x \Rightarrow x = \frac{2{,}4}{0{,}4} = 6$
   Probe: $0{,}4 \cdot 6 + 1{,}5 = 3{,}9$ und $0{,}8 \cdot 6 - 0{,}9 = 3{,}9$ ✓

e) $0{,}4x + 0{,}48 = 1{,}28 + 0{,}5x$ | $- 0{,}5x - 0{,}48$
   $-0{,}1x = 1{,}28 - 0{,}48 = 0{,}8 \Rightarrow x = -\frac{0{,}8}{0{,}1} = -8$
   Probe: $0{,}4 \cdot (-8) + 0{,}48 = -2{,}72$ und
   $1{,}28 + 0{,}5 \cdot (-8) = -2{,}72$ ✓

7

a) 12, denn $3 \cdot 4 = \mathbf{12}$
b) 15,5, denn $6 \cdot 4 - \mathbf{15{,}5} = 8{,}5$
c) -1, denn $-4 - 1 = -4 - \mathbf{1}$
d) 3, denn $-\frac{1}{4} \cdot 4 - \mathbf{3} = -3 \cdot 4 + 8$

Seite 209

1

a) $\frac{3}{4} - \frac{1}{2} - \frac{3}{8} = \frac{6}{8} - \frac{4}{8} - \frac{3}{8} = -\frac{1}{8}$
b) $1{,}5 \cdot 4 + 1{,}2 \cdot (-5) = 6 - 6 = 0$
c) $7 \cdot 4^2 + 6 \cdot (-2)^2 = 7 \cdot 16 + 6 \cdot 4 = 112 + 24 = 136$
d) $1{,}25 \cdot 4 : 5 : 2 = 5 : 5 : 2 = 1 : 2 = 0{,}5$
e) $(-3{,}7 + (-4{,}3)) : 2 \cdot 1{,}5 = (-8) : 2 \cdot 1{,}5 = (-4) \cdot 1{,}5 = -6$

2

a) $-\frac{7}{4} + \frac{1}{3} - 4\frac{1}{4} = -\frac{7}{4} - 4\frac{1}{4} + \frac{1}{3} = -\frac{7}{4} - \frac{17}{4} + \frac{1}{3} = -\frac{24}{4} + \frac{1}{3} = -6 + \frac{1}{3}$
   $= -5\frac{2}{3}$

b) $x + 2 + 2x = x + 2x + 2 = 3x + 2$

c) $\frac{2}{5} \cdot \frac{x}{6} \cdot \frac{5}{4} = \frac{2}{5} \cdot \frac{5}{4} \cdot \frac{x}{6} = \frac{1}{2} \cdot \frac{x}{6} = \frac{x}{12}$

d) $\frac{1}{3} \cdot \frac{9}{15} \cdot \left(-\frac{5}{6}\right) = \frac{1}{3} \cdot \left(\frac{9}{15} \cdot \left(-\frac{5}{6}\right)\right) = \frac{1}{3} \cdot \left(\frac{3}{3} \cdot \left(-\frac{1}{2}\right)\right) = \frac{1}{3} \cdot \left(-\frac{1}{2}\right) = -\frac{1}{6}$

3

a) $1{,}75 + 8{,}3 + 0{,}25 = 1{,}75 + 0{,}25 + 8{,}3 = 2 + 8{,}3 = 10{,}3$
b) $-1{,}7 + 4{,}5 - 0{,}3 = -1{,}7 - 0{,}3 + 4{,}5 = -2 + 4{,}5 = 2{,}5$
c) $0{,}125 + 8 - \frac{1}{8} = 0{,}125 - \frac{1}{8} + 8 = 8$
d) $2{,}25 \cdot 1{,}3 \cdot (-4) = 2{,}25 \cdot (-4) \cdot 1{,}3 = -9 \cdot 1{,}3 = -11{,}7$
e) $-3{,}5 \cdot 4 \cdot (-2{,}5) = -3{,}5 \cdot (4 \cdot (-2{,}5)) = -3{,}5 \cdot (-10) = 35$
f) $\left(\frac{8}{3}\right) \cdot 0{,}14 \cdot \left(-\frac{9}{7}\right) = \left(\frac{8}{3}\right) \cdot \frac{14}{100} \cdot \left(-\frac{9}{7}\right) = -\frac{4}{3} \cdot \frac{2}{50} \cdot \frac{9}{1}$
   $= -\frac{4}{3} \cdot \frac{1}{25} \cdot 9 = -\frac{4}{3} \cdot 9 \cdot \frac{1}{25} = -\frac{12}{25}$
g) $-9 \cdot \left(\frac{1}{3} - \frac{1}{9}\right) = -\frac{9}{3} + \frac{9}{9} = -3 + 1 = -2$
h) $\left(\frac{1}{4} - \frac{1}{8}\right) \cdot 8 = \frac{8}{4} - \frac{8}{8} = 2 - 1 = 1$

4

a) $2 \cdot \left(\frac{1}{4}x + \frac{1}{2}\right) = \frac{1}{2}x + 1$
b) $4 \cdot (2{,}5x - 0{,}125x) = 10x - 0{,}5x = 9{,}5x$
c) $x \cdot (5 + 3) = 5x + 3x = 8x$
d) $-2 \cdot (x + 5) = -2x - 10$

5

a) $x \cdot 5 + 3 \cdot 5 = 5 \cdot (x + 3)$ b) $-3 \cdot x + 9 \cdot (-3) = -3 \cdot (x + 9)$
c) $x \cdot \frac{4}{3} + \frac{4}{3} \cdot 2 = \frac{4}{3} \cdot (x + 2)$ d) $\frac{x}{8} - \frac{3}{8} = \frac{1}{8} \cdot (x - 3)$

6

a) $(x + 4) \cdot (y + 2) = x \cdot y + 2x + 4y + 8$
b) $(x + 5) \cdot (y - 3) = x \cdot y - 3x + 5y - 15$
c) $(x - 8) \cdot (y - 3) = x \cdot y - 3x - 8y + 24$
d) $(2x + 1) \cdot (y + 4) = 2x \cdot y + 8x + y + 4$

7

a) $(x - 2)^2 = x^2 - 4x + 4$
b) $(2x + 3)^2 = (2x)^2 + 2 \cdot 2x \cdot 3 + 3^2 = 4x^2 + 12x + 9$

c) $(a-4) \cdot (a+4) = a^2 - 16$
d) $(3x+2y)^2 = 9x^2 + 12x \cdot y + 4y^2$
e) $(a-3b)^2 = a^2 - 6a \cdot b + 9b^2$
f) $(a-3) \cdot (a+3) = a^2 - 9$

Seite 210

1

x	-2	-1	0	1	2
f(x)	1	0,5	0	-0,5	-1

2

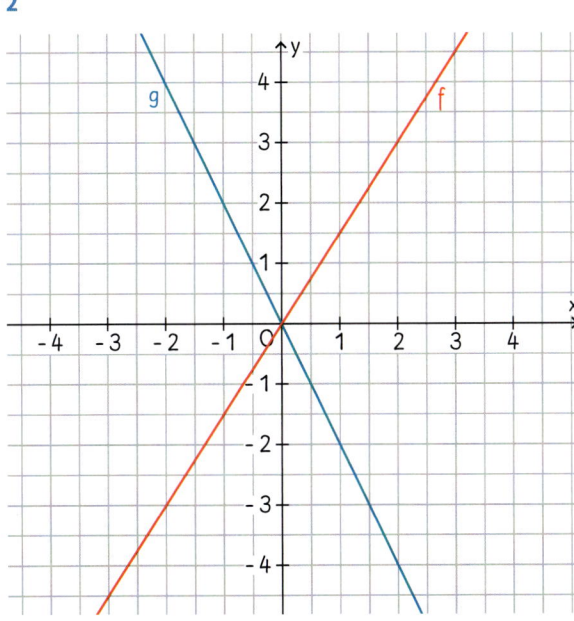

3
Für $x = 0$ ist $f(0) = 0{,}5$. Daher geht der Graph nicht durch den Ursprung und folglich passt die Wertetabelle nicht zu einer proportionalen Funktion.

4
a)

x	-2	-1	0	1	2
f(x)	5	2,5	0	-2,5	-5

b) $f(x) = -2{,}5 \cdot x$
c) $f(144) = -2{,}5 \cdot 144 = -360$

5
$q = \frac{-32}{-4} = 8 \Rightarrow f(x) = 8 \cdot x$

6
$q_1 = \frac{12}{-3} = -4$; $q_3 = \frac{-8}{2} = -4$; $q_4 = \frac{-22}{6} = -3{,}\overline{6}$; $q_5 = \frac{-56}{14} = -4$

Wenn man an der Stelle $x = 6$ den y-Wert in -24 korrigiert, ist der Proportionalitätsfaktor überall -4.

Seite 211

1

x	-2	-1	0	1	3
f(x)	4	3,5	3	2,5	1,5

2
g und h sind (echt) parallel, wenn die Steigungen der Geraden gleich und die Geraden nicht identisch sind.

$m_g = \frac{2}{5} = 0{,}4 = m_h \Rightarrow$ Steigungen sind gleich.

Die y-Achsenabschnitte sind unterschiedlich; daher sind g und h parallel zueinander.

3
a) $f(-2) = 4 \cdot (-2) + 13 = -8 + 13 = 5 \Rightarrow P(-2|5)$ liegt auf der Geraden.
b) $f(-2) = -\frac{3}{2} \cdot (-2) + 2 = 3 + 2 = 5 \Rightarrow P(-2|5)$ liegt auf der Geraden.
c) $f(-2) = 0{,}7 \cdot (-2) + 6{,}5 = 5{,}1 \Rightarrow P(-2|5)$ liegt nicht auf der Geraden.
d) $f(-2) = -2 \cdot (-2) + 5 = 9 \Rightarrow P(-2|5)$ liegt nicht auf der Geraden.

4
$f(x) = -3 \cdot x + 8$

5
$f \to C$; $g \to B$; $h \to A$; $i \to D$

6
a) $g(x) = 3 \cdot x - 2$; $h(x) = -2 \cdot x + 3$
b) $g(x) = \frac{1}{3}x - 1$; $h(x) = -\frac{2}{5}x + 2$

7
Nullstellen:
$g(x) = 0 \Rightarrow 42x - 132 = 0 \Rightarrow x = \frac{132}{42} = \frac{22}{7} = 3\frac{1}{7}$
$h(x) = 0 \Rightarrow -12x + 36 = 0 \Rightarrow x = \frac{-36}{-12} = 3$

Schnittpunkt:
$g(x) = h(x)$
$42x - 132 = -12x + 36 \quad | +12x + 132$
$54x = 168 \Rightarrow x = \frac{168}{54} = \frac{28}{9} = 3\frac{1}{9}$
$g\left(3\frac{1}{9}\right) = 42 \cdot \frac{28}{9} - 132 = \frac{392}{3} - \frac{396}{3} = -\frac{4}{3} = -1\frac{1}{3} \Rightarrow S\left(3\frac{1}{9}\Big|-1\frac{1}{3}\right)$

8
$m = \frac{-5-7}{2-(-1)} = -\frac{12}{3} = -4$

Somit $f(x) = -4x + b$.
$A(-1|7)$ eingesetzt ergibt:
$f(-1) = -4 \cdot (-1) + b = 7 \Rightarrow 4 + b = 7$, also $b = 3$
$\Rightarrow f(x) = -4 \cdot x + 3$

Lösungen

Seite 212

1

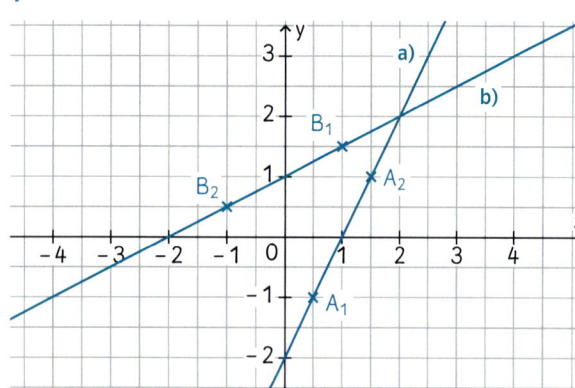

a) $-2x + y = -2 \Leftrightarrow y = 2x - 2$;
abgelesene Punkte:

$A_1\left(\frac{1}{2}\middle|-1\right)$; Rechnung: $-2 \cdot \frac{1}{2} + (-1) = -2$

$A_2\left(\frac{3}{2}\middle|1\right)$; Rechnung: $-2 \cdot \frac{3}{2} + 1 = -2$

b) $-x + 2y = 2 \Leftrightarrow y = \frac{1}{2}x + 1$
abgelesene Punkte:
$B_1(1|1{,}5)$; Rechnung: $-1 + 2 \cdot 1{,}5 = 2$
$B_2(-1|0{,}5)$; Rechnung: $-(-1) + 2 \cdot 0{,}5 = 2$

2

a) $y = -x - 1 \Leftrightarrow x + y = -1$
b) $y = 2x \Leftrightarrow -2x + y = 0$
c) $y = -\frac{3}{4}x + \frac{3}{2} \Leftrightarrow 3x + 4y = 6$
d) $y = \frac{1}{3}x - 2 \Leftrightarrow -x + 3y = -6$

3

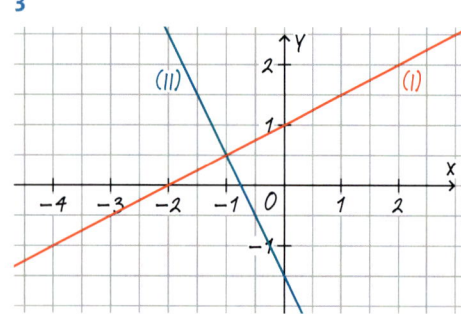

(I) ergibt die Geradengleichung $y = \frac{1}{2}x + 1$;
(II) ergibt $y = -2x - 1{,}5$ (siehe Figur)
Schnittpunkt abgelesen: $S(-1|0{,}5)$
Probe: (I) $1 + 2 \cdot 0{,}5 = 2$
(II) $4 \cdot (-1) + 2 \cdot 0{,}5 = -3$
Die Lösungsmenge ist $L = \{(-1|0{,}5)\}$.

4

(I) $3x + y = -6 \Leftrightarrow y = -3x - 6$
(II) $5y = 15 \Leftrightarrow y = 3$
Gleichsetzen:
$-3x - 6 = 3 \quad |+6$
$-3x = 9 \quad |:(-3)$
$x = -3$
Probe: (I) $3 \cdot (-3) + 3 = -6$
(II) $5 \cdot 3 = 15$
Die Lösungsmenge ist $L = \{(-3|3)\}$.

5

(I) wird nach x aufgelöst, das Ergebnis wird in (II) eingesetzt:
$-2x + 2y = 4 \Leftrightarrow x = y - 2$
$3 \cdot (y - 2) - 5y = -8 \quad |T$
$\Leftrightarrow \quad 3y - 6 - 5y = -8 \quad |T; +6$
$\Leftrightarrow \quad -2y = -2 \quad |:(-2)$
$\Leftrightarrow \quad y = 1$
Einsetzen in $x = y - 2$ ergibt $x = -1$.
Probe: (I) $-2 \cdot (-1) + 2 \cdot 1 = 4$
(II) $3 \cdot (-1) - 5 \cdot 1 = -8$
Die Lösungsmenge ist $L = \{(-1|1)\}$.

6

(I) $17{,}2x - 4y = 8 \quad |\cdot 5$
(II) $11{,}5x + 5y = -10 \quad |\cdot 4$
Addieren:
(Ia) $86x - 20y = 40$
(IIa) $46x + 20y = -40$
(Ia) + (IIa) $132x = 0$
Also: $x = 0$
Einsetzen von $x = 0$ in (II):
$11{,}5 \cdot 0 + 5y = -10$, also $y = -2$
Probe: (I) $17{,}2 \cdot 0 - 4 \cdot (-2) = 8$
(II) $11{,}5 \cdot 0 + 5 \cdot (-2) = -10$
Die Lösungsmenge ist $L = \{(0|-2)\}$.

7

Preis 1 kg Äpfel: x; Preis 1 kg Erdbeeren: y
(I) $3x + 0{,}7y = 6$
(II) $5x + 0{,}4y = 7{,}7$
(II) $x = -0{,}08y + 1{,}54$ in (I) $3 \cdot (-0{,}08y + 1{,}54) + 0{,}7y = 6$
$\Leftrightarrow y = 3, x = 1{,}3$
1 kg Äpfel kosten 1,30 €, 1 kg Erdbeeren kosten 3,00 €.

Seite 213

1

Kraftfahrzeug	abs. Häufigkeit	rel. Häufigkeit
Kleinwagen	160	0,4
SUV	100	0,25
Kraftrad	100	0,25
LKW	40	0,1
Insgesamt	400	1

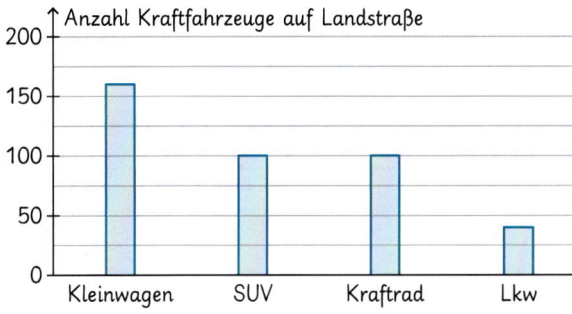

2

a)

	Würfe insgesamt	schwarz	weiß	Boden
Heiko	50	40%	50%	10%
Simon	200	45%	47%	8%

b) Insgesamt wurde zusammen 250-mal geworfen.

	schwarz	weiß	Boden
zusammen	108	119	23
Wahrscheinlichkeit	43%	48%	9%

Alternativ kann auch argumentiert werden, dass die Seiten schwarz und weiß wegen ihrer Symmetrie gleich wahrscheinlich sind. Im realen Versuch kann das Gewicht der schwarzen Farbe allerdings eine Rolle spielen.

3
Es gibt 36 mögliche Würfelpaare beim zweimaligen Würfeln. Alle Würfelpaare sind gleich wahrscheinlich mit der Wahrscheinlichkeit $\frac{1}{36}$.

a) Es gibt 6 mögliche Würfelpaare: (1; 1), (2; 2), (3; 3), (4; 4), (5; 5), (6; 6).

$P(\text{gleiche Augenzahl}) = 6 \cdot \frac{1}{36} = \frac{1}{6}$

b) Es gibt 2 mögliche Würfelpaare: (1; 2) und (2; 1).

$P(\text{Augensumme 3}) = P(1; 2) + P(2; 1) = \frac{1}{36} + \frac{1}{36} = \frac{1}{18}$

c) Es gibt 6 mögliche Würfelpaare: (1; 4), (2; 5), (3; 6), (4; 1), (5; 2), (6; 3).

$P(\text{Augenzahlen unterscheiden sich um 3}) = 6 \cdot \frac{1}{36} = \frac{1}{6}$

d) Es gibt 15 mögliche Würfelpaare:
(1; 1), (1; 2), (1; 3), (1; 4), (1; 5)
(2; 1), (2; 2), (2; 3), (2; 4)
(3; 1), (3; 2), (3; 3)
(4; 1), (4; 2)
(5; 1)

$P(\text{Augensumme höchstens 6}) = 15 \cdot \frac{1}{36} = \frac{5}{12}$

Seite 214

1

a) $6,3 \, m^2 = 630 \, dm^2 = 0,063 \, a$
b) $0,06 \, dm^2 = 6 \, cm^2 = 0,0006 \, m^2$

2

a) $3,5 \, ha = 350 \, a = 35\,000 \, m^2$
b) $125,5 \, m^2 = 125\,500\,000 \, mm^2 = 0,000\,125\,5 \, km^2$

3

a) $35 \, m^2 = 350\,000 \, cm^2$ b) $704 \, km^2 = 70\,400 \, ha$

4

a) $25 \, m^3 = 25\,000 \, dm^3$
b) $2,03 \, dm^3 = 2030 \, cm^3$
c) $50\,000\,000 \, cm^3 = 50\,000\,000\,000 \, mm^3$
d) $131 \, l = 131 \, dm^3 = 0,131 \, m^3$

5
$V = 5 \, dm \cdot 5 \, cm \cdot 4 \, cm = 50 \, cm \cdot 5 \, cm \cdot 4 \, cm = 1000 \, cm^3 = 1 \, dm^3$
$O = 2 \cdot (5 \, dm \cdot 5 \, cm + 5 \, dm \cdot 4 \, cm + 5 \, cm \cdot 4 \, cm)$
$= 2 \cdot (250 \, cm^2 + 200 \, cm^2 + 20 \, cm^2) = 940 \, cm^2$

6
$A = a \cdot b = a \cdot 2a = 2a^2 = 54 \, m^2 \Rightarrow a^2 = 27 \, m^2$
$\Rightarrow a = \sqrt{27 \, m^2} = 3 \cdot \sqrt{3} \, m \approx 5,20 \, m$

7

a) $A = \frac{1}{2} \cdot 3,5 \, cm \cdot 2 \, cm = 3,5 \, cm^2$
b) $A = \frac{1}{2} \cdot 4 \, cm \cdot 2,5 \, cm = 5 \, cm^2$

8

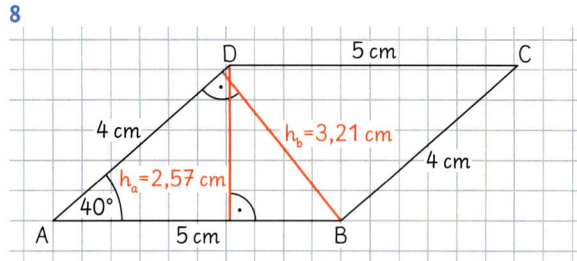

A = 5 cm · 2,57 cm = 12,85 cm²

9

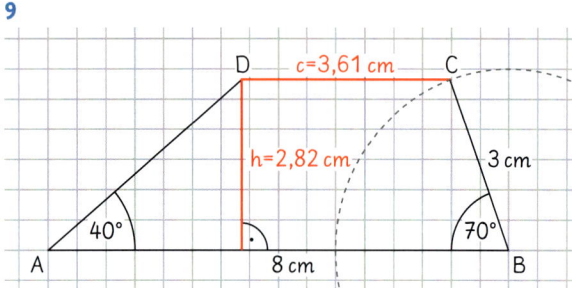

A = $\frac{1}{2}$ · (8 cm + 3,61 cm) · 2,82 cm ≈ 16,37 cm²

Seite 215

1

β = 180° − 152° = 28° (Nebenwinkel)
γ = 33° (Scheitelwinkel)
δ = 180° − 33° = 147° (Nebenwinkel zu 33°)

2

β = 120° (Stufenwinkel)
ε = 180° − 120° = 60° (Nebenwinkel)
γ = 60° (Stufenwinkel zu ε)
δ = 180° − 60° = 120° (Nebenwinkel zu γ)

3

δ = 30° (Winkelsumme im Dreieck; der Nebenwinkel zu 70° ist 110°)
Mit dem Satz vom gleichschenkligen Dreieck und der Winkelsumme im Dreieck gilt β = γ = 55°.

4

Es gilt β = 180° − 96° − 42° = 42°. Da die beiden Basiswinkel gleich weit sind, ist nach dem Satz vom gleichschenkligen Dreieck das Dreieck ABC gleichschenklig und somit a = b.

5

1. Zeichne die Strecke $\overline{AB}$.
2. Konstruiere den Mittelpunkt M der Strecke $\overline{AB}$.
3. Zeichne den Thaleskreis über der Strecke $\overline{AB}$.
4. Zeichne einen Kreis um A mit dem Radius 4 cm. Es entstehen zwei Schnittpunkte C und C'.
5. Zeichne das Dreieck ABC.

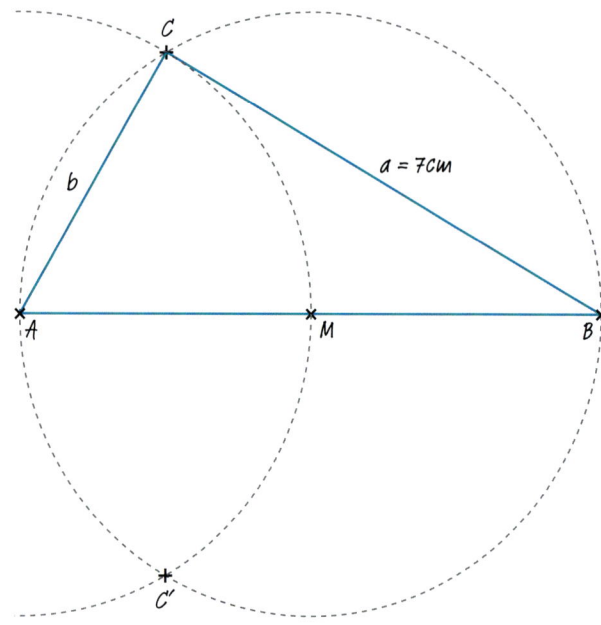

6

γ = 53° (Satz vom gleichschenkligen Dreieck)
δ = 180° − 2 · 53° = 74° (Winkelsumme im Dreieck)
ε = 106° (Nebenwinkel zu δ)
Berechnung von β:
Es ist 180° − 106° = 74°, also β = γ = $\frac{74°}{2}$ = 37°.

Register

Symbole
π, Kreiszahl 72

A
absolute Häufigkeit 213
Achsenskalierung 176
Additionsverfahren 212
Äquivalenzumformung 208
Archimedes von Syrakus 100
Aufstellen von Funktionsgleichungen 55
Ausgleichskurven 66

B
Basis 106
Baumdiagramm 213
bedingte Wahrscheinlichkeit 185
Berechnung von Streckenlängen 147
Beweis, indirekt 16
Bewertung statistischer Grafiken 177
binomische Formeln 209
Bogenlänge 78
Bruch 204

C
Cavalieri 90

D
Dezimalzahl 204
Dreieck 214

E
Einheiten 214
Einsetzungsverfahren 212
Ereignis 198
Ergänzung, quadratische 50
Exponent, rational 106

F
Flächeneinheiten 214
Flächeninhalt, Kreis 73
Flächeninhalt, Kreisausschnitt 78
Funktion 210
Funktion, lineare 36
Funktion, quadratische 41
Funktionsgleichungen aufstellen 55
Funktionsgraph 36

G
ganze Zahlen 205
Gegenereignis 198
Geradengleichung 211
gestauchte Parabel 41
gestreckte Parabel 41
gleichschenkliges Dreieck 215
Gleichsetzungsverfahren 212
Gleichung, lineare 208
Gleichung, quadratische 8
Gleichungssystem, lineares 212
Goldener Schnitt 31
Graph einer Funktion 210
Grundfläche, Kegel 156
Grundfläche, Prisma 81
Grundfläche, Pyramide 152
Grundfläche, Zylinder 81
Grundwert 207

H
Häufigkeit, absolute 213
Häufigkeit, relative 213
Heron-Algorithmus 14
Höhe, Kegel 156
Höhe, Prisma 81
Höhe, Pyramide 153
Höhe, Zylinder 81
Hypotenuse 142

I
indirekter Beweis 16
Intervallhalbierungsverfahren zur Bestimmung von Quadratwurzeln 15
Intervallschachtelung 12
irrationale Zahlen 16

K
Kathete 142
Kegel 147, 156
Kreisausschnitt 78
Kreisbogen 78
Kreisfläche 72
Kreisumfang 72
Kreiszahl π 72
Kreiszahl π, Näherungswert 76
Kugel 160

L
lineare Funktion 36, 211
lineares Gleichungssystem 212
Lösung einer Gleichung 208

M
Mantelfläche, Kegel 156
Mantelfläche, Prisma 81
Mantelfläche, Pyramide 152
Mantelfläche, Zylinder 81
Mantellinie eines Kegels 156
Mittelpunktswinkel 78

N
Näherungswert, Kreiszahl π 76
Näherungswert, Quadratwurzel 12
natürliche Zahlen 205
Nebenwinkel 215
Netz, Prisma 81
Netz, Zylinder 81
Normalform 50
Normalparabel 41
Normalparabel, Transformation 41
n-te Wurzel 126
Nullstelle 211

O
Oberfläche, Kegel 156
Oberfläche, Prisma 81
Oberfläche, Zylinder 81
Oberflächeninhalt 81
Oberflächeninhalt, Kegel 157
Oberflächeninhalt, Kugel 160
Oberflächeninhalt, Pyramide 152
Oberflächeninhalt, Quader 214

P

Papyrus Rhind 100
Parabel 40
Parabel, gestauchte 41
Parabel, gestreckte 41
Parabel, Verschiebung 45
Parallelogramm 214
Pfadregel 213
Potenz 106
Potenzgesetze 114, 118, 121
Potenz mit rationalem Exponenten 127
Potenz von Potenzen 121
Potenz, wissenschaftliche Schreibweise 110
Primfaktorzerlegung 206
Primzahlen 206
Prisma 81
Prisma, Volumen 85
Produkte von Potenzen mit gleichen Exponenten 118
Produkte von Potenzen mit gleicher Basis 114
Produkte von Wurzeln 20
proportional 210
Prozentsatz 207
Prozentschreibweise 204
Prozentwert 207
Punktprobe 41
Pyramide 147, 152
Pythagoras von Samos 142

Q

Quader 214
quadratische Ergänzung 50
quadratische Funktion 41
quadratische Gleichung 8
Quadratwurzel 8
Quadratwurzel, Näherungswert 12
Quadratwurzeln überschlagen 12
Querschnittsfläche einer Kugel 161
Quotienten von Potenzen mit gleichen Exponenten 118
Quotienten von Potenzen mit gleicher Basis 114
Quotienten von Wurzeln 20

R

Radikand 8
Radius einer Kugel 161
radizieren 8
rationale Exponenten 127
rationale Zahlen 205
Raumdiagonale 147
räumliche Darstellungen 176
Rechengesetze 209
rechnen mit rationalen Zahlen 205
Rechteck 214
rechtwinkliges Dreieck 143
reelle Zahlen 17
relative Häufigkeit 213
Rhind-Papyrus 100

S

Satz des Cavalieri 91
Satz des Pythagoras 142
Satz des Pythagoras, Umkehrung 143
Satz des Thales 215
Scheitelpunkt 40
Scheitelpunktform 46
Scheitelwinkel 215
Sensitivität 188
Sierpinski-Tetraeder 155
Spezifität 188
statistische Grafiken bewerten 177
Steigung 36
Stelle einer Funktion 210
Stichprobenumfang 177
stochastisch unabhängig 190
Streckenlängen berechnen 147
Streckfaktor 41
Stufenwinkel 215
Symmetrieachse 40

T

teilweises Wurzelziehen 20
Terme mit Variablen 208
Thales, Satz des 215
Transformation der Normalparabel 41, 46
Trapez 214

U

Überschlagen von Quadratwurzeln 12
Umfang, Kreis 73
Umfang, Kugel 161
Umkehrung des Satzes von Pythagoras 143
Umrechnen von Einheiten 214

V

Verschiebung einer Parabel 45
Vierfeldertafel 181, 185
Volumeneinheiten 214
Volumen, Kegel 157
Volumen, Kugel 160, 170
Volumen, Prisma 85
Volumen, Pyramide 152, 170
Volumen, Quader 214
Volumen, schiefer Körper 91
Volumen, Zylinder 86

W

Wahrscheinlichkeit 213
Wahrscheinlichkeit, bedingte 185
Wechselwinkel 215
Wert einer Funktion 210
Wertetabelle 36
Winkelsumme im Dreieck 215
wissenschaftliche Schreibweise 110
Wurzel 8
Wurzel, n-te 127
Wurzelgesetze 20
Wurzelziehen, teilweises 20

Y

y-Achsenabschnitt 36, 50

Z

Zahlen, ganze 205
Zahlen, irrationale 16
Zahlen, natürliche 205
Zahlen, rationale 205
Zahlen, reelle 17
Zahlenbereiche 17, 205
Zehnerpotenz 110
Ziehen mit Zurücklegen 190
Ziehen ohne Zurücklegen 190
Zinsen 207
Zylinder 81
Zylinder, Volumen 86

Text- und Bildquellenverzeichnis

Quellennachweis

Text:
Aus: Friedrich Schiller "Die Bürgschaft" (1798) unter: https://www.friedrich-schiller-archiv.de/inhaltsangaben/schiller-die-buergschaft-inhaltsangabe-interpretation-und-quelle/ Zugriff: 22.11.2021 (gek.), **30**; Leopold Kronecker (1823 -1891), **4**; www.xxl-schaukel.de, Abruf: 17.01.2014, **97**;

Abbildungen:
akg-images, Berlin (VISIOARS), **100.1**; Alamy stock photo, Abingdon (imageBROKER/Movementway), **169.4**; Alamy stock photo, Abingdon (North Wind Picture Archives), **100.4**; Alamy stock photo, Abingdon (The History Collection), **104.1**; Alamy stock photo, Abingdon (Werner Otto), **60.9**; Alfer, Uwe, **73.1**; **85.4**; **86.1**; **86.4**; **94.5**; **98.2**; **98.3**; **113.4**; **133.4**; **151.4**; **158.2**; **162.2**; Blühdorn GmbH, Fellbach, **72.1**; **72.2**; **179.2**; By ignis - Own work, CC BY-SA 3.0, https://commons.wikimedia.org/w/index.php?curid=1315544; https://creativecommons.org/licenses/by-sa/4.0/deed.de, Mountain View (ignis); CC-BY-SA-4.0 Lizenzbestimmungen: https://creativecommons.org/licenses/by-sa/4.0/legalcode, siehe *3, **95.3**; By Stefan Scheer - Own work, CC BY-SA 3.0, https://commons.wikimedia.org/w/index.php?curid=9681450; https://creativecommons.org/licenses/by-sa/4.0/deed.de, Mountain View (Stefan Scheer); CC-BY-SA-4.0 Lizenzbestimmungen: https://creativecommons.org/licenses/by-sa/4.0/legalcode, siehe *3, **97.10**; dreamstime.com, Brentwood, TN (Iwan Zeller), **192.2**; dreamstime.com, Brentwood, TN (Sonsam), **2.4**; **2.4**; Ernst Klett Verlag GmbH, Stuttgart, **7.1**; **7.2**; **7.3**; **7.4**; **7.5**; **7.6**; **7.7**; **20.2**; **23.1**; **110.1**; **110.2**; **110.3**; **111.1**; **111.2**; **111.3**; **113.1**; **113.2**; **167.2**; Getty Images Plus, München (DigitalVision/Noel Hendrickson), **74.1**; Getty Images Plus, München (E+/Drazen_), **51.1**; Getty Images Plus, München (E+/GCShutter), **182.1**; Getty Images Plus, München (E+/LordHenriVoton), **35.1**; **35.1**; Getty Images Plus, München (iStock Editorial/naumoid), **137.2**; Getty Images Plus, München (iStock/adibilio), **43.3**; Getty Images Plus, München (iStock/aloha_17), **12.3**; Getty Images Plus, München (iStock/aydinynr), **109.1**; Getty Images Plus, München (iStock/deepblue4you), **203.1**; Getty Images Plus, München (iStock/dmbaker), **2.3**; **2.3**; Getty Images Plus, München (iStock/Mario De Moya F), **137.1**; Getty Images Plus, München (iStock/RapidEye), **31.1**; Getty Images Plus, München (iStock/real444), **169.10**; Getty Images Plus, München (iStock/vichie81), **83.3**; Getty Images RF, München (EyeEm Premium/Jan Rudinsky), **1.2**; Getty Images RF, München (Moment Open/Jason Moskowitz), **1.1**; Getty Images, München (Caiaimage/Martin Barraud), **89.1**; Getty Images, München (David Gray/Bloomberg), **164.8**; Getty Images, München (Photolibrary/Allan Baxter), **32.1**; Holtermann, Helmut, Dannenberg, **34.2**; **65.3**; **65.4**; **65.5**; **65.6**; **72.4**; Hungreder, Rudolf, Leinfelden-Echterdingen, **232.1**; imago images, Berlin, **61.2**; imprint, Zusmarshausen, **144.1**; **144.2**; **145.6**; **164.2**; **164.3**; **164.6**; **164.7**; **211.1**; **211.2**; **211.3**; **211.4**; **215.1**; **215.2**; **215.3**; **215.4**; **215.5**; **215.7**; **215.9**; **215.10**; **267.1**; **274.2**; iStockphoto, Calgary, Alberta (DNY59), **75.2**; iStockphoto, Calgary, Alberta (dszc), **77.2**; iStockphoto, Calgary, Alberta (JLGutierrez), **3.1**; **3.1**; iStockphoto, Calgary, Alberta (majo1122331), **3.2**; **3.2**; iStockphoto, Calgary, Alberta (narvikk), **116.1**; iStockphoto, Calgary, Alberta (okeyphotos), **96.2**; iStockphoto, Calgary, Alberta (StephanHoerold), **99.4**; laif, Köln (Wayne Lynch/Arcticphoto), **2.2**; **2.2**; Liese, Annette, Dortmund, **58.3**; Malz, Anja, Taunusstein, **19.1**; **20.1**; **26.2**; **95.4**; **106.1**; **106.2**; **165.2**; **166.5**; **167.1**; **167.3**; **168.1**; **169.1**; **169.2**; **213.4**; Maria Nolde-Weiss, Rastatt, **30.3**; Mauritius Images, Mittenwald (Alamy/Maria Galan), **55.1**; Mauritius Images, Mittenwald (Photo Alto), **175.1**; Mauritius Images, Mittenwald (Westend61/David Köhler), **102.1**; Media Office GmbH, Kornwestheim, **214.5**; **214.6**; **215.6**; **215.8**; NASA, Washington , D.C., **102.3**; Oehler, Sandra, Remseck, **188.2**; **196.3**; **201.1**; **258.1**; **264.1**; **266.3**; PER Medien & Marketing GmbH, Braunschweig, **12.1**; **14.1**; **15.1**; **23.2**; **37.2**; **37.3**; **42.1**; **42.2**; **42.3**; **42.4**; **44.1**; **45.1**; **58.1**; **63.1**; **76.3**; **79.3**; **80.1**; **89.4**; **91.8**; **92.1**; **96.4**; **96.5**; **97.3**; **97.4**; **97.5**; **97.6**; **126.2**; **131.1**; **139.1**; **139.2**; **140.1**; **141.1**; **141.2**; **141.3**; **141.4**; **141.5**; **142.5**; **142.6**; **143.1**; **143.2**; **143.3**; **144.5**; **146.2**; **147.3**; **147.4**; **147.5**; **148.1**; **148.2**; **148.3**; **148.4**; **150.2**; **152.3**; **153.1**; **153.4**; **153.5**; **154.2**; **154.3**; **154.4**; **154.5**; **156.2**; **156.5**; **157.2**; **157.3**; **157.4**; **157.5**; **157.6**; **161.1**; **161.2**; **163.1**; **166.2**; **166.3**; **169.3**; **169.6**; **169.7**; **169.8**; **169.9**; **169.11**; **175.2**; **178.3**; **184.1**; **185.2**; **185.3**; **186.1**; **186.2**; **187.1**; **187.2**; **191.1**; **191.2**; **191.3**; **192.1**; **195.1**; **195.3**; **198.2**; **198.3**; **199.2**; **203.2**; **203.3**; **223.2**; **224.3**; **236.1**; **236.2**; **236.3**; **238.1**; **242.1**; **243.1**; **245.1**; **246.1**; **252.1**; **253.3**; **256.1**; **256.2**; **257.1**; **261.1**; **263.1**; **263.2**; **263.3**; **263.4**; **263.5**; **263.6**; **272.1**; Picture-Alliance, Frankfurt/M. (dpa - Fotoreport/Rainer Jensen), **166.4**; Picture-Alliance, Frankfurt/M. (dpa/AFP), **62.6**; plainpicture GmbH & Co. KG, Hamburg (Cavan Images), **138.1**; Riemer, Dr. Wolfgang, Pulheim, **173.1**; **179.3**; **190.1**; **196.1**; Schmitt-Hartmann, Reinhard, Freiburg, **142.1**; ShutterStock.com RF, New York (Aerial-motion), **165.6**; ShutterStock.com RF, New York (Alexander Chaikin), **58.2**; ShutterStock.com RF, New York (Christian Mueller), **94.2**; ShutterStock.com RF, New York (Diczie Quiel Sarino), **165.4**; ShutterStock.com RF, New York (goldnetz), **83.1**; ShutterStock.com RF, New York (katatonia82), **165.3**; ShutterStock.com RF, New York (Lucky Business), **187.3**; ShutterStock.com RF, New York (Magnifical Productions), **53.1**; ShutterStock.com RF, New York (michaeljung), **39.2**; ShutterStock.com RF, New York (Mike Tan), **113.3**; ShutterStock.com RF, New York (pio3), **91.7**; ShutterStock.com RF, New York (STILLFX), **35.3**; ShutterStock.com RF, New York (Thai Breeze), **189.2**; ShutterStock.com RF, New York (Yauhen_D), **40.1**; ShutterStock.com RF, New York (80's Child), **76.2**; Sonntag, Raphaela, Wachtberg, **136.1**; stock.adobe.com, Dublin (Africa Studio), **118.1**; stock.adobe.com, Dublin (Andrei Nekrassov), **2.1**; **2.1**; stock.adobe.com, Dublin (bennymarty), **165.5**; stock.adobe.com, Dublin (Björn Wylezich), **104.3**; stock.adobe.com, Dublin (bluedesign), **36.1**; stock.adobe.com, Dublin (embeki), **162.1**; stock.adobe.com, Dublin (ErnstPieber), **155.4**; stock.adobe.com, Dublin (Evgeniya), **136.2**; stock.adobe.com, Dublin (float), **78.2**; stock.adobe.com, Dublin (Georgios Kollidas), **129.2**; stock.adobe.com, Dublin (M. Schuppich), **32.2**; stock.adobe.com, Dublin (photofranz56), **158.3**; stock.adobe.com, Dublin (rangizzz), **112.1**; stock.adobe.com, Dublin (SeanPavonePhoto), **68.1**; stock.adobe.com, Dublin (SmallWorldProduction), **94.3**; stock.adobe.com, Dublin (underworld), **163.6**; stock.adobe.com, Dublin (womue), **104.2**; stock.adobe.com, Dublin (2dmolier), **100.3**; Sybille Tezzele Kramer, Montan (BZ), **138.2**; Thinkstock, München (Hemera/Christopher Meder), **58.4**; Thinkstock, München (iStock/piccaya), **155.3**; Thinkstock, München (Photos.com), **142.2**; **142.2**; tiff.any GmbH & Co. KG, Berlin, **6.1**; **6.3**; **8.1**; **8.2**; **9.1**; **9.2**; **9.3**; **10.1**; **12.2**; **12.4**; **13.2**; **13.3**; **16.1**; **16.2**; **16.3**; **18.1**; **22.1**; **26.1**; **27.1**; **27.2**; **28.1**; **29.1**; **34.1**; **35.4**; **36.2**; **36.3**; **37.1**; **37.4**; **38.1**; **38.2**; **38.3**; **39.1**; **40.3**; **41.1**; **41.2**; **43.4**; **44.2**; **45.2**; **45.3**; **46.1**; **46.2**; **46.3**; **47.1**; **47.2**; **47.3**; **47.4**; **47.5**; **47.6**; **47.7**; **47.8**; **48.1**; **48.2**; **48.3**; **49.1**; **49.2**; **50.1**; **52.1**; **54.1**; **56.1**; **63.2**; **63.3**; **64.1**; **64.2**; **65.1**; **65.2**; **69.1**; **69.2**; **71.1**; **75.1**; **77.3**; **81.1**; **81.2**; **81.3**; **81.4**; **82.4**; **84.1**; **85.1**; **85.2**; **85.3**; **86.3**; **87.3**; **87.4**; **87.5**; **88.4**; **92.3**; **93.1**; **94.1**; **94.4**; **96.1**; **97.1**; **100.2**; **101.1**; **139.3**; **173.2**; **202.1**; **210.1**; **210.2**; **212.1**; **212.2**; **213.1**; **213.2**; **213.3**; **214.1**; **214.3**; **214.4**; **220.1**; **220.2**; **223.1**; **224.1**; **224.2**; **224.4**; **225.1**; **225.2**; **225.3**; **225.4**; **228.1**; **229.1**; **229.2**; **229.3**; **234.1**; **237.1**; **253.1**;

Text- und Bildquellenverzeichnis

253.2; 259.1; 260.1; 260.2; 266.1; 266.2; 267.2; 267.3; 271.1; 272.2; 273.1; 274.1; 274.3; Uwe Alfer, Kråksmåla, Alsterbro, **6.2**; **6.4**; **6.5**; **13.1**; **14.2**; **15.2**; **15.3**; **19.2**; **22.2**; **23.3**; **29.2**; **29.3**; **30.2**; **31.2**; **31.3**; **31.4**; **40.2**; **42.5**; **43.1**; **43.2**; **51.2**; **51.3**; **54.2**; **55.2**; **59.1**; **59.2**; **60.1**; **60.2**; **60.3**; **60.4**; **60.5**; **60.6**; **60.7**; **60.8**; **61.1**; **62.1**; **62.2**; **62.3**; **62.4**; **62.5**; **66.1**; **66.2**; **66.3**; **67.1**; **68.3**; **70.1**; **70.2**; **70.3**; **72.3**; **72.5**; **74.2**; **76.1**; **77.1**; **77.4**; **78.1**; **78.3**; **78.4**; **79.1**; **79.2**; **79.4**; **80.2**; **80.3**; **80.4**; **82.1**; **82.2**; **82.3**; **86.2**; **87.1**; **87.2**; **88.1**; **88.2**; **88.3**; **89.2**; **90.1**; **90.2**; **90.3**; **90.4**; **91.1**; **91.2**; **91.3**; **91.4**; **91.5**; **91.6**; **92.2**; **93.2**; **93.3**; **93.4**; **95.1**; **95.2**; **96.3**; **97.2**; **97.7**; **97.8**; **97.9**; **98.1**; **99.1**; **99.2**; **99.3**; **99.5**; **101.2**; **101.3**; **101.4**; **108.1**; **109.2**; **120.1**; **121.1**; **125.1**; **126.1**; **126.3**; **126.4**; **129.1**; **129.3**; **131.2**; **132.1**; **132.2**; **132.3**; **133.1**; **133.2**; **133.3**; **135.1**; **142.3**; **142.4**; **143.4**; **143.5**; **143.6**; **143.7**; **144.3**; **144.4**; **144.6**; **144.7**; **145.1**; **145.2**; **145.3**; **145.4**; **145.5**; **145.7**; **146.1**; **146.3**; **147.1**; **147.2**; **149.1**; **149.2**; **149.3**; **149.4**; **149.5**; **150.1**; **151.1**; **151.2**; **151.3**; **151.5**; **152.1**; **152.2**; **152.4**; **153.2**; **153.3**; **154.1**; **154.6**; **154.7**; **155.2**; **155.5**; **155.6**; **156.1**; **156.4**; **157.1**; **158.1**; **159.1**; **159.2**; **159.3**; **159.4**; **159.5**; **160.1**; **160.2**; **160.3**; **163.2**; **163.3**; **163.4**; **163.5**; **164.1**; **164.4**; **164.5**; **166.1**; **167.4**; **167.5**; **167.6**; **168.2**; **169.5**; **170.1**; **170.2**; **170.3**; **170.4**; **170.5**; **171.1**; **171.2**; **171.3**; **174.1**; **174.2**; **174.3**; **174.4**; **174.5**; **174.6**; **176.1**; **176.2**; **176.3**; **176.4**; **176.5**; **177.1**; **177.2**; **178.1**; **178.2**; **178.4**; **178.5**; **178.6**; **179.1**; **179.4**; **180.1**; **180.2**; **180.3**; **181.1**; **185.1**; **188.1**; **189.1**; **190.2**; **190.3**; **190.4**; **194.1**; **194.2**; **194.3**; **194.4**; **196.2**; **198.1**; **199.1**; **200.1**; **201.2**; **204.1**; **206.1**; **213.5**; **214.7**; **226.1**; **227.1**; **232.2**; **232.3**; **233.1**; **233.2**; **250.1**; **250.2**; **250.3**; **250.4**; **251.1**; Uwe Alfer, Kråksmåla, Alsterbro, Quelle: Robert Koch Institut 6.4.2021, **195.2**; www.panthermedia.net, München (grashuepfer), **77.5**; www.panthermedia.net, München (traveldia), **155.1**

*3 Lizenzbestimmungen zu CC-BY-SA-4.0 siehe: http://creativecommons.org/licenses/by-sa/4.0/legalcode

Die Reihenfolge und Nummerierung der Bild- und Textquellen im Quellennachweis erfolgt automatisch und entspricht u. U. nicht der Nummerierung der Bild- und Textquellen im Werk. Die automatische Vergabe der Positionsnummern erfolgt in der Regel von links oben nach rechts unten, ausgehend von der linken oberen Ecke der Abbildung.